Артур Хейли

АЭРОПОРТ
•
ОКОНЧАТЕЛЬНЫЙ ДИАГНОЗ

ИЗДАТЕЛЬСТВО
Москва
1999

ББК 84 (7США)
Х35

Arthur Hailey
AIRPORT
1968
THE FINAL DIAGNOSIS
1959

Перевод с английского
Т. Кудрявцевой, Т. Озерской ("Аэропорт"),
Н. Кузнецовой, Д. Мишне, Т. Николаевой
("Окончательный диагноз")

Художник П.С. Сацкий

Печатается с разрешения издательства
Bantam Books, a Division of Bantam Doubleday
Dell Publishing Group Inc.
c/o Andrew Nurnberg Associates Limited.

Хейли А.

Х35   Аэропорт; Окончательный диагноз: Романы / Пер.
с англ. — М.: ООО "Фирма "Издательство АСТ",
1999. — 640 с.

ISBN 5-237-00164-5

В данную книгу вошли захватывающие, остросюжетные романы
"Аэропорт" и "Окончательный диагноз" известного американского
автора Артура Хейли, произведения которого имеют ослепительный
успех как в России, так и за рубежом.

АЭРОПОРТ

ЧАСТЬ ПЕРВАЯ

(18.30 — 20.30)

1

Январь. Пятница. Шесть тридцать вечера. Международный аэропорт имени Линкольна в Иллинойсе был открыт, но все его службы работали с предельным напряжением.

Над аэропортом, как и над всеми Средне-Западными штатами, свирепствовал сильнейший буран, какого здесь не было лет пять или шесть. Вот уже трое суток не переставая валил снег. И в деятельности аэропорта, как в больном, измученном сердце, то тут, то там стали появляться сбои.

Где-то на летном поле затерялся в снегу пикап «Юнайтед эйрлайнз» с обедами для двухсот пассажиров. Невзирая на снег и наступившую темноту пикап искали, но пока тщетно — ни машины, ни шофера найти не удалось.

Вылет самолета ДС-8 компании «Юнайтед эйрлайнз», для которого пикап вез еду, в беспосадочный рейс на Лос-Анджелес и так уже задерживался на несколько часов. А теперь из-за пропавшего пикапа он вылетит еще позже. Впрочем, это был не единственный случай задержки — около сотни самолетов двадцати других авиакомпаний, пользующихся международным аэропортом Линкольна, не поднялись вовремя в воздух.

Объяснялось это тем, что вышла из строя взлетно-посадочная полоса три-ноль: «Боинг-707» авиакомпании «Аэрео Мехикан» при взлете чуть-чуть съехал с бетонированного покрытия и сразу застрял в раскисшей под снегом земле. Вот уже два часа, как люди бились, стараясь сдвинуть с места огромный лайнер. И теперь компания «Аэрео Мехикан», исчерпав собственные ресурсы, обратилась за помощью к «ТВА».

Поскольку полоса три-ноль оказалась заблокированной, командно-диспетчерскому пункту пришлось установить жесткий контроль над воздухом и ограничить прием самолетов с близлежащих аэропортов Миннеаполиса, Кливленда, Канзас-Сити, Индианаполиса и Денвера. И тем не менее двадцать самолетов кружили над аэропортом, запрашивая о посадке, так как у них кончалось горючее. А на земле в два раза больше машин ждали отправки. И все же КДП отменил все вылеты, пока не разрядится обстановка в воздухе. В результате у аэровокзала, на рулежных дорожках и у выходных ворот стояло множество самолетов с запущенными двигателями, уже готовых к взлету.

На складах всех авиакомпаний скопилось множество грузов, в том числе и срочных, но ни о каких скоростных перевозках, естественно, не могло быть и речи. Инспектора грузовых перевозок с волнением следили за состоянием скоропортящегося товара — оранжерейных цветов, отправляемых из Вайоминга в Новую Англию; пенсильванского сыра для Аляски; замороженного зеленого горошка для Исландии; живых омаров, которых с Восточного побережья США пересылали через полюс в Европу. Омары эти уже на другой день появятся в меню эдинбургских и парижских ресторанов в качестве «свежих продуктов местных морей», и американские туристы по неведению будут охотно их заказывать. Буран или не буран, а скоропортящиеся товары, согласно контракту, положено доставлять к месту назначения свежими — и быстро.

Особое волнение у служащих вызывал груз авиакомпании «Америкэн эйрлайнз» — несколько тысяч индюшат, которые всего два-три часа назад вылупились из яиц. График их появления на свет и последующей отправки самолетом разрабатывается за много недель до того, как индюшка садится на яйца. По этому графику живые птицы должны быть доставлены на Западное побережье через сорок восемь часов после рождения — предельный срок, в течение которого крошечные существа могут прожить без еды и питья. При соблюдении этих условий доставку удается осуществить без потерь. Если же индюшат в дороге покормить, они не только пропахнут сами — пропахнет и самолет, так что потом в него несколько дней не войдешь. И вот теперь график был нарушен уже на несколько часов. Поэтому решили снять один самолет с пассажирской линии и предоставить его индюшатам — нежный груз получал, таким образом, приоритет над всеми грузами и пассажирами, включая даже «особо важных персон».

В здании аэровокзала царил хаос. Залы ожидания были забиты до отказа — тысячи пассажиров ждали вылета; одни рейсы задерживались, а другие были и вовсе отменены. Всюду громоздились горы багажа. Огромный центральный зал походил на трибуны стадиона в момент ожесточенного футбольного матча или на универсальный магазин «Мейси» в канун Рождества.

Сиявшая обычно на крыше аэровокзала лихая надпись «Международный аэропорт Линкольна — воздушный перекресток мира» была сейчас скрыта метелью.

Самое невероятное, подумал, глядя на все это, Мел Бейкерсфелд, что аэропорт еще как-то функционирует.

Управляющий аэропортом — высокий, сухощавый, удивительно собранный — стоял в башне у пульта управления снежной командой и всматривался в темноту. Обычно из этой стеклянной комнаты был отлично виден весь аэропорт: взлетно-посадочные полосы, рулежные дорожки, складские помещения. Правда, все самолеты в воздухе и на земле выглядели как модели на макете, но силуэты их четко вырисовывались даже вечером при свете прожекторов. Более широкий обзор открывался только с КДП — командно-диспетчерского пункта, расположенного в той же башне и занимавшего два верхних этажа.

Но сегодня лишь расплывающиеся точки ближних огней слабо мерцали сквозь густую пелену гонимого ветром снега. Да, подумал Мел, о нынешней зиме еще многие годы будут вспоминать на совещаниях метеорологов.

Родилась эта снежная буря пять дней назад где-то в горах Колорадо. Она возникла в виде снежного смерча высотой с небольшой холм, и метеорологи, вычерчивая для авиалиний карты погоды, либо пренебрегли таким пустяком, либо вовсе его не заметили. И вот, словно в отместку им, смерч стал расти и превратился в настоящее бедствие, в ураган, который помчался сначала на юго-восток, а потом повернул на север.

Он пронесся над Канзасом и Оклахомой и, словно решив набраться сил, задержался в Аризоне. А на другой день, окрепнув и разъярившись, всей своей мощью обрушился на долину Миссисипи. Но только над Иллинойсом буря разыгралась вовсю: температура упала, и штат сковало холодом — за одни сутки землю покрыл десятидюймовый слой снега.

Сначала над аэропортом шел легкий снежок. Потом он повалил с безудержной силой: не успевали машины расчистить сугробы, как ветер наметал новые. Люди на снегоуборке буквально валились с ног. За последние два-три часа уже нескольких человек пришлось отправить домой, так как они падали от усталости, хотя в аэропорту на случай подобных чрезвычайных обстоятельств всегда есть где передохнуть и по очереди поспать.

Мел услышал, как стоявший рядом с ним Дэнни Фэрроу, его заместитель, который отвечал сейчас за расчистку снега, вызвал по радиотелефону центр по борьбе с заносами:

— Мы теряем автомобильные стоянки. Вышлите еще шесть снегоочистителей и команду «Банджо» к «игрек семьдесят четыре»!

Дэнни находился перед пультом управления — собственно, даже не пультом, а скорее широкой доской с тремя консолями. Перед ним и двумя его помощниками, сидевшими справа и слева от него, выстроилась батарея телефонов, телеаппаратов и радиоприемников. На столе лежали карты, графики и бюллетени, фиксирующие местоположение каждой снегоочистительной машины, равно как и занятых на уборке снега людей. Отдельно фиксировались команды «Банджо», оснащенные специальными снегосгребателями. Сейчас в этой комнате жизнь била ключом, но кончался зимний сезон — и помещение пустело, в нем воцарялась тишина.

Лысина Дэнни поблескивала, вся в капельках пота, — он непрерывно делал какие-то пометки на крупномасштабной карте аэропорта. Он повторил свою просьбу центру по борьбе с заносами — она прозвучала как его личная мольба; да так оно, наверно, и было. Здесь, наверху, помещался командный пункт. И тот, кто возглавлял его, должен был представлять себе картину в целом, устанавливать очередность требований и направлять машины туда, где в них больше нуждались. Сложность заключалась в том — и, должно быть, именно это раздражало Дэнни, потому он так и потел, — что те, кто трудился там, внизу, ведя неустанную борьбу со снегом, не всегда разделяли его точку зрения относительно того, где прежде всего нужна помощь.

— Ясно, ясно!.. Еще шесть снегоочистителей!.. — послышался в радиотелефоне раздраженный голос с другого конца аэропорта. — Сейчас попросим у Санта-Клауса. Он тут околачивается где-то поблизости. — Пауза. И более раздраженно: — Умнее ничего не придумали?

Мел взглянул на Дэнни и покачал головой. Он узнал голос в радиотелефоне — это был старший механик, работавший, по всей вероятности, без передышки с тех пор, как начался буран. В такую непогоду трудно держать себя в руках — это понятно. Обычно после напряженной, снежной зимы механики и дирекция устраивают мужское застолье, так называемый «вечер замирения». Да, уж в этом году непременно придется такой устраивать.

Дэнни попытался образумить смутьяна:

— Но мы же послали четыре снегоочистителя на поиски этого пикапа с едой. Они сейчас должны уже быть свободны.

— Они, конечно, были бы свободны... если бы нашли пикап.

— Как, его до сих пор не нашли? Да чем же вы там, черт бы вас побрал, занимаетесь — ужинаете, что ли, или девчонок щупаете? — И Дэнни тотчас повернул ручку, микшируя звук, чтобы раздавшийся по радиотелефону голос не грохотал в мембране.

— А вы там в своем курятнике имеете хоть какое-нибудь представление о том, что происходит на поле? Не мешало бы все-таки время от времени поглядывать в окно! У нас же тут как на Северном полюсе — никакой разницы!

— Заткнул бы ты глотку, Эрни, — посоветовал Дэнни. — А то не ровен час на таком ветру и простыть недолго.

Слушая этот обмен любезностями, Мел понимал, что хоть и не все в их перепалке надо принимать всерьез, однако обстановка на летном поле действительно тяжелая. Мел сам всего час назад там проезжал. И хотя пользовался он служебными дорожками и знал весь аэропорт как свои пять пальцев, сегодня ему было непросто ориентироваться и он несколько раз сбивался с пути.

Мел ездил в центр по борьбе с заносами, где работа давно кипела вовсю. Если пульт управления можно было бы назвать командным пунктом, то центр по борьбе с заносами являлся чем-то вроде штаба на передовой. Здесь вечно толкались усталые рабочие и десятники — одни взмокшие от пота, другие промерзшие до костей, и постоянные, и временные, — плотники, электрики, водопроводчики, служащие, полицейские. Временных набирали из числа тех, кто работал в аэропорту, и, пока валил снег, платили им полтора жалованья. Все они знали, что надо делать, так как за лето и осень подобно солдатам прошли обучение и умели расчищать от снега взлетные полосы и дорожки. Вид рабочих, усиленно машущих лопатами жарким сол-

11

нечным днем рядом с работающими вхолостую ревущими снегоочистителями, не раз веселил зевак. Если же кто-то выражал удивление по поводу столь тщательной подготовки, Мел Бейкерсфелд напоминал, что очистить от снега оперативные площадки аэропорта дело нешуточное: ведь это все равно что очистить семисотмильное шоссе.

Центр по борьбе с заносами, как и пульт управления здесь, в башне, функционировал только зимой. Это было большое мрачное помещение над одним из гаражей. И властвовал там диспетчер. По голосу, звучавшему сейчас в радиотелефоне, Мел понял, что диспетчера сменили — возможно, он пошел поспать в «вытрезвителе», как не без юмора называли в аэропорту общежитие для людей, занятых на снегоуборке.

Радиотелефон снова ожил, и Мел узнал на этот раз голос старшего техника:

— Мы ведь тоже волнуемся по поводу этого пикапа, Дэнни. Бедняга шофер может здорово промерзнуть там, на поле. Хотя с голоду, конечно, не помрет, если у него котелок варит.

Пикап отъехал от «рейсовой кухни» и направился к аэровокзалу часа два назад. Путь его лежал по периметру летного поля и обычно длился около четверти часа. Но пикап так и не прибыл к месту назначения — шофер явно заблудился и застрял где-то в снегу. «Юнайтед эйрлайнз» послала за ним поисковую команду, но розыски ни к чему не привели. И теперь за дело взялось руководство аэропорта.

— А этот самолет «Юнайтед эйрлайнз» вылетел или нет? Отправился без еды? — спросил Мел.

Дэнни Фэрроу ответил, не отрывая взгляда от карт:

— Командир корабля предоставил решать этот вопрос пассажирам. Сказал, что потребуется еще час, чтобы подогнать новый пикап, а на борту есть выпивка, им покажут кино, и в Калифорнии светит солнце. И все высказались за то, чтобы поскорее убраться отсюда. Я бы тоже так поступил.

Мел кивнул. Ему очень хотелось самому взяться за дело и отыскать пропавший пикап и шофера. Но он подавил в себе это желание, хотя любая деятельность была бы для него сейчас благом. Холодная сырая погода, стоявшая эти несколько дней, возродила боль в покалеченной ноге, напоминая о Корее. Он переменил позу, перенеся всю тяжесть тела на здоровую ногу. Но облегчение было лишь минутным. И боль очень скоро возобновилась.

Постояв немного возле Дэнни, Мел подумал, что правильно поступил, решив не вмешиваться. Дэнни делал все как надо: снял несколько снегоочистителей, работавших возле аэровокзала, и срочно направил их на дорогу, проложенную по краю поля. Ничего не поделаешь: приходилось отказаться на время от расчистки стоянок для машин невзирая на любые скандалы. Прежде надо отыскать исчезнувшего шофера.

Отдавая соответствующее распоряжение, Дэнни предупредил Мела:

— Приготовься к потоку жалоб. Поисковая партия вынуждена будет блокировать окружную дорогу. Придется задержать все пикапы с продовольствием, пока мы не найдем этого парня.

Мел кивнул. Такая уж у него работа, что жалоб не избежать. В этом случае — тут Дэнни был прав — они посыплются как из рога изобилия, когда компании узнают, что их пикапы с продовольствием задержаны в пути, а по каким соображениям — не важно.

Найдутся такие, которые ни за что не поверят, что человек может погибнуть здесь, в центре цивилизации, только оттого, что находится под открытым небом, и тем не менее это вполне может произойти. Далекие окраины летного поля не место для прогулок в такую ночь. Если же шофер решит сидеть в машине с включенным мотором, его быстро занесет снегом и он может потом умереть от скопления углекислого газа.

Одной рукой Дэнни держал трубку красного телефона, а другой листал правила поведения на случай чрезвычайных обстоятельств, тщательно составленные, кстати, самим Мелом.

Красный телефон служил для связи с дежурным пожарной команды аэропорта, и Дэнни коротко изложил ему ситуацию.

— А как только мы отыщем пикап, высылайте туда «скорую помощь» — может, потребуется респиратор или обогреватель, а возможно, и то, и другое. Но лучше не выезжайте, пока не будет точно установлено местонахождение пикапа. А то еще и вас, ребята, придется откапывать.

Капельки пота покрывали теперь уже всю лысину Дэнни. Мел понимал, что Дэнни работает у пульта скрепя сердце: ему куда больше по душе то, чем он обычно занимается, планируя деятельность аэропорта, строя гипотезы и логические предположения о будущем авиации. Вот там можно размышлять не спеша, прикинуть заранее все возможности, а не решать проблему с ходу, немедленно. И Мел подумал, что есть люди, которые живут прошлым, а есть такие, как Дэнни Фэрроу, которые бегут от настоящего в будущее. Но счастлив был сейчас Дэнни или несчастлив, он все-таки справлялся с делом, хоть и потел.

Протянув руку поверх его плеча, Мел взял трубку прямого телефона, связывающего пульт с КДП. Ему ответил руководитель полетов.

— Как там у вас с «Боингом-707» компании «Аэрео Мехикан»?

— Да все так же, мистер Бейкерсфелд. Мы уже два часа бьемся, чтобы сдвинуть его с места. Пока ничего не получается.

Эта беда случилась, когда стемнело и пилот компании «Аэрео Мехикан», ведя машину к взлету, взял по ошибке правее огней, ограждающих рулежную дорожку. Тут как на грех травянистый грунт не имел стока — его собирались сделать, когда кончится зима. А пока под толстым слоем снега находился еще более толстый слой грязи. И вот, свернув не в ту сторону, стодвадцатитонный самолет глубоко увяз в грязи.

Когда стало ясно, что нагруженный самолет своими силами выбраться из этой жижи не сможет, с него сняли разгневанных, ворчащих пассажиров и по грязи и снегу отвели к спешно подброшенным автобусам. С тех пор прошло два часа, а огромный реактивный лайнер все еще стоял на прежнем месте, перекрывая собой полосу три-ноль.

— Значит, полоса и рулежная дорожка все еще не введены в строй? — спросил Мел.

— Совершенно верно, — ответил руководитель полетов. — Мы задержали все вылеты у выходных ворот и направляем машины на другие полосы.

— Здорово эта история нарушает график?

— Процентов на пятьдесят. Сейчас у нас десять рейсов дожидаются разрешения выйти на рулежную дорожку и еще с десяток ждут, когда им позволят запустить двигатели.

Вот оно, наглядное доказательство того, сколь настоятельно нужны аэропорту дополнительные взлетно-посадочные полосы — ВПП — и рулежные дорожки, подумал Мел. Уже целых три года он тщетно доказывал необходимость сооружения новой полосы параллельно три-ноль, равно как и других реконструкций. Но Совет уполномоченных под нажимом городских политических боссов неизменно отклонял его предложения. Объяснялось это тем, что городской муниципалитет по каким-то своим соображениям не желал выпускать новый заем, а это, безусловно, потребовалось бы для финансирования такого рода начинаний.

— Беда еще в том, — добавил руководитель полетов, — что из-за невозможности использовать полосу три-ноль самолеты взлетают над Медоувудом. И оттуда уже стали поступать жалобы.

Мел чертыхнулся. Городок Медоувуд, расположенный на юго-западе от аэропорта, был как заноза у него в мозгу и немало осложнял ему работу. Хотя аэропорт был построен задолго до городка, жители Медоувуда непрестанно в самой резкой форме жаловались на шум, который создают самолеты, пролетая у них над головой. В эту кампанию вскоре ввязалась пресса, что повлекло за собой новые жалобы и яростные нападки на аэропорт и его руководство. Наконец, после долгих переговоров, после шумихи в печати и, по мнению Мела Бейкерсфелда, серьезных передержек, где немалую роль уже играла политика, аэропорту и Федеральному управлению авиации пришлось пойти на уступки и обещать, что реактивные самолеты будут пролетать над Медоувудом лишь в крайних и особых случаях. Однако, поскольку взлетно-посадочных полос и так не хватало, это решение значительно сокращало возможности аэропорта.

Более того: решено было, что самолеты, взлетающие в направлении Медоувуда, поднявшись в воздух, будут тотчас принимать меры для уменьшения шума. Но тут начались протесты уже со стороны пилотов, считавших такую меру чрезвычайно опасной. Однако авиакомпании, не желая раздражать публику и вызывать нарекания, требовали, чтобы пилоты выполняли приказ.

Невзирая на это жители Медоувуда не успокаивались. Их воинственные лидеры продолжали протестовать, устраивать демонстрации, а согласно самым последним слухам, намеревались даже подать на аэропорт в суд.

— Много было звонков по этому поводу? — спросил Мел руководителя полетов. И мрачно подумал о том, что вместо работы снова придется часами разбирать петиции, вести споры и беспредметные обсуждения, которые все равно ничего не дадут.

— Да звонков пятьдесят, пожалуй, было. Это те, которым мы отвечали, а наверняка были и такие, которых с нами не соединили. Стоит взлететь самолету, и телефоны у нас начинают звонить — причем не только те, что значатся в телефонной книжке, но и незарегистрированные номера. Много бы я дал, чтобы выяснить, как их узнают.

— Но я надеюсь, вы сказали тем, кто звонил, что мы вынуждены так поступать из-за особых обстоятельств: во-первых, из-за бурана и, во-вторых, потому что вышла из строя ВПП.

— Мы все им объясняем. Но это никого не интересует. Они просто не желают, чтобы самолеты летали над ними, — и все. Есть такие, которые заявляют, что им нет дела до наших проблем, пилоты обязаны уменьшать шум, а они сегодня этого не делают.

— Черт возьми, да будь я пилотом, я тоже не стал бы этого делать! — Ну как может здравомыслящий человек, подумал Мел, требовать, чтобы пилот в такую бурю сразу после взлета снижал нагрузку на двигатели? А только это и уменьшает шум.

— Я тоже, — поддержал его руководитель полетов. — Хотя, конечно, все зависит от точки зрения. Если бы я жил в Медоувуде, может, и я бы рассуждал, как они.

— Вы бы не жили в Медоувуде. Вы бы послушались нас. А мы уже много лет назад предупреждали людей, чтобы они там не строились.

— Да, пожалуй. Кстати, один мой сотрудник сообщил мне, что они там сегодня снова устраивают сборище.

— В такую погоду?

— Да, отменять его они вроде не собираются, и, похоже, что-то они там затевают.

— Ну, о том, что они затевают, — заметил Мел, — мы очень скоро узнаем.

И все же, подумал он, если в Медоувуде действительно состоится митинг, жаль, что аэропорт как раз сегодня подбрасывает им новую пищу для трепотни. Туда, конечно, явятся и пресса, и местные политические боссы, и то, что самолеты будут летать у них над головой — хоть это и вызвано необходимостью, — даст им повод для очередных петиций и разглагольствований. Значит, чем скорее полоса три-ноль войдет в строй, тем лучше будет для всех.

— Через некоторое время я сам выеду на поле, — сказал он руководителю полетов, — и посмотрю, что там происходит. Ждите сообщений с места.

— Есть!

— Кстати, — спросил, переходя к другому, Мел, — мой брат сегодня дежурит?

— Совершенно верно. Кейз сидит у радара — на Западном направлении.

Мел знал, что Западное направление — один из самых напряженных участков в диспетчерской. Работать на Западном направлении — значит наблюдать за всеми самолетами, садящимися в западном квадранте. Мел помедлил, потом решил, что достаточно хорошо знает руководителя полетов и может задать ему вопрос, который тревожил его сейчас.

— А Кейз в порядке? Не слишком нервничает?

Руководитель полетов ответил не сразу.

— Да, пожалуй, я бы даже сказал, нервничает больше обычного.

Они прекрасно понимали друг друга, ибо младший брат Мела в последнее время был для них обоих источником немалого беспокойства.

— Честно говоря, — сказал руководитель полетов, — я бы очень хотел помочь ему, но не могу. У нас не хватает рук, все загружены до предела. — И добавил: — Включая меня.

— Я знаю. И очень ценю то, что вы не выпускаете Кейза из поля зрения.

— Так ведь при такой работе почти у каждого из нас рано или поздно нервы сдают — тут уж ничего не поделаешь. — Мел чувствовал, как руководитель полетов тщательно подбирает слова. — Иной раз человек падает духом. Но когда такое бывает, мы всегда выручаем друг друга.

— Спасибо. — Услышанное не развеяло тревоги Мела. — Может, я попозже загляну к вам.

— Есть, сэр. — И руководитель полетов повесил трубку.

Это «сэр» было просто данью вежливости. Руководитель полетов не подчинялся Мелу. Он отвечал лишь перед Федеральным управлением авиации, находящимся в Вашингтоне. Тем не менее отношения между диспетчерами и аэропортским начальством всегда были хорошие, и Мел следил за тем, чтобы они не портились.

Аэропорт — любой аэропорт — это сложный механизм, и управлять им нелегко. Нет такого человека, который отвечал бы за все, но и самостоятельно функционирующих участков тоже нет: все переплетено и взаимосвязано. Как управляющий аэропортом, Мел обладал наибольшей полнотой власти, и тем не менее были такие секторы, в работу которых он старался не вмешиваться. Одним из них является командно-диспетчерский пункт, другим — представительства авиакомпаний. Мел мог вмешиваться и вмешивался в вопросы, связанные с деятельностью аэропорта в целом или с обслуживанием пассажиров. Он мог, например, приказать авиакомпании снять с двери табличку, которая, по его мнению, сбивала с толку пассажиров или не соответствовала принятым на аэровокзале стандартам. Но то, что происходило за дверью, на которой красовалась эта табличка, естественно, находилось в ведении самой авиакомпании.

Таким образом, управляющему аэропортом надлежало быть не только хорошим администратором, но и тактиком.

Мел положил трубку на рычажок. По другому телефону Дэнни Фэрроу препирался с контролером автостоянки, издерганным и совершенно замученным жалобами, которые на протяжении последних часов поступали от владельцев машин, застрявших в снегу. «Да что же это такое, — говорили ему, — неужели ваши начальники в аэропорту не знают, что идет снег? А если знают, так почему же, черт побери, никто не пошевелится и не разгребет всю эту мерзость, чтобы люди могли вывести свою машину, когда им нужно! Или мы уже лишились своих демократических прав?»

— Скажи им, что мы установили диктатуру!

Ничего не поделаешь, говорил тем временем Дэнни, придется им подождать, пока машины расчистят снег там, где это важнее. Он подбросит людей и оборудование, как только сможет. Разговор прервали — звонил руководитель полетов с КДП. Получена новая сводка погоды: судя по всему, через час переменится ветер. Значит, придется работать на других полосах, поэтому нельзя ли ускорить расчистку полосы один-семь, левой. Он постарается, сказал Дэнни. Выяснит, как обстоят дела у «Анаконды», и позвонит.

В таком постоянном, ни на минуту не отпускающем напряжении работали люди вот уже три дня и три ночи — с тех пор, как начался буран. И в общем-то справлялись. Неудивительно поэтому, что записка, врученная Мелу посыльным четверть часа назад, лишь усилила его раздражение. Она гласила:

«м! ршила прдпрдить: комиссия борьбе заносами (по настоянию врн дмррр — почему ваш зять так вас не любит?) готовит разгромную докладную, считает взлетные плсы и рулежные држки забиты снегом (в. д. считает) из-за взмутительно бзответственнго руководства... докладная винит аэропорт (вас) задержке вылета блшинства самолетов... утверждает, если бы плса была лучше расчищена, 707 не застрял бы... а теперь материальный ущерб понесли все авиакомпании и т.д. и т.п. — ясно?.. словом, где были вы — понятно?.. слезайте со своей верхотуры и угостите меня кофе.

привет

Т.».

18

«Т» означало Таня — Таня Ливингстон, старший агент по обслуживанию пассажиров компании «Транс-Америка» и приятельница Мела. Он перечитал записку, как перечитывал обычно все послания Тани, которые никогда не мог сразу разобрать: Таня, в чьи обязанности входила ликвидация недоразумений и недовольства, возникавших у пассажиров, не признавала заглавных букв. В своей борьбе с этими буквами она дошла до того, что уговорила механика «Транс-Америки» снять их с ее машинки. Мел слышал, что потом кто-то из ее начальства поднял по этому поводу страшный шум: компания-де не потерпит, чтобы ее служащие намеренно причиняли ущерб казенному имуществу. Но Тане это сошло с рук. Как, впрочем, сходило с рук все.

Под «врн дмррр», упоминавшимся в записке, подразумевался капитан Вернон Димирест, пилот все той же «Транс-Америки». Это был один из опытнейших командиров воздушных кораблей и весьма активный член Ассоциации пилотов гражданской авиации, а в эту зиму он к тому же вошел в состав комиссии по борьбе с заносами в международном аэропорту Линкольна. Комиссия эта осуществляла надзор за состоянием взлетно-посадочных полос и рулежных дорожек во время снегопадов и устанавливала их пригодность. В состав комиссии всегда входил кто-то из действующих пилотов.

Помимо перечисленных достоинств, Вернон Димирест обладал еще одним качеством — он приходился Мелу зятем, так как был женат на его старшей сестре Саре. Надо сказать, что клан Бейкерсфелдов благодаря бракам и наследственной привязанности к определенной профессии всеми своими корнями и ветвями врос в авиацию, подобно тому как в старину целые семьи были связаны, скажем, с мореходством. Тем не менее между Мелом и его зятем существовали весьма прохладные отношения: Мел недолюбливал Вернона за самодовольство и высокомерие, причем в этом он не был одинок. Недавно Мел и капитан Димирест отчаянно сцепились на заседании Совета уполномоченных, где Димирест выступал от имени Ассоциации пилотов. И Мел заподозрил сейчас, что разгромная докладная составлена его зятем в отместку за поражение на этом заседании.

Сама по себе докладная не слишком волновала Мела. Каковы бы ни были недостатки в работе аэропорта, он знал, что при таком буране многое могло обстоять и хуже. И тем не менее какие-то осложнения эта докладная в его жизнь внесет. Она будет разослана всем авиакомпаниям, и уже завтра начнутся телефонные звонки и записки с требованием объяснений.

Мел решил на всякий случай к этому подготовиться. Он лично проведет инспекцию и проверит, как идет работа по расчистке снега, когда поедет на поле выяснять, насколько продвинулось дело с этим самолетом «Аэрео Мехикан», застрявшим на полосе.

А тем временем Дэнни Фэрроу уже снова говорил по телефону с центром по борьбе с заносами. Когда он на секунду умолк, Мел сказал:

— Я спущусь в вокзал, а потом выеду на поле.

Он вспомнил о записке Тани и ее предложении выпить кофе. И решил зайти к себе в кабинет, а потом, проходя через аэровокзал, заглянуть к ней в «Транс-Америку». При этой мысли у него потеплело на душе.

2

Мел вошел в служебный лифт, который открывался специальным ключом, и спустился из башни на этаж, где располагалась администрация. В помещениях, прилегавших к его кабинету, стояла тишина, столы стенографисток были пусты, машинки накрыты чехлами, но всюду горел свет. Мел прошел к себе. Из шкафа, встроенного в стену рядом с широким, красного дерева, письменным столом, за которым он днем работал, Мел достал толстое пальто и сапоги на меху.

Собственно, никаких особых дел сегодня в аэропорту у Мела не было. И это было естественно. Тем не менее почти все время на протяжении этих трех дней, пока бушевала пурга, он оставался на посту — на всякий случай. «Если бы не эта пурга, — размышлял он, натягивая и зашнуровывая сапоги, — я бы сидел сейчас дома с Синди и детьми».

В самом деле сидел бы?

Сколько бы человек ни старался быть объективным, подумал Мел, он не всегда может понять, что им движет. Наверное, не будь снегопада, нашлась бы другая причина не ехать домой. С некоторых пор главным его желанием стало поменьше там бывать. Работа, конечно, давала ему такую возможность. Она позволяла сколько угодно задерживаться в аэропорту, где в последнее время перед ним возникало немало разных проблем, помимо сегодняшней кутерьмы и неразберихи. И в то же время, если быть честным с самим собой, надо признать, что аэропорт помогал ему избегать ссор, которые неизменно вспыхивали между ним и Синди, как только они оставались вдвоем.

— А, черт! — неожиданно громко ругнулся Мел в тишине кабинета.

Тяжело шагая в меховых сапогах, он подошел к письменному столу. Взглянул на памятку, отпечатанную секретаршей, и понял: так оно и есть. Он вспомнил, что именно сегодня вечером состоится одно из этих нудных благотворительных сборищ, которые посещает его жена. И на прошлой неделе Мел скрепя сердце обещал быть на нем. Предстоял коктейль и ужин в фешенебельном отеле «Лейк-Мичиган инн» (так значилось в памятке). А вот в честь чего устраивают это благотворительное сборище, в памятке сказано не было. Возможно, жена и говорила ему, но он забыл. Да и не все ли равно! Синди всегда участвовала в одних и тех же сборищах, причем удивительно скучных. Главное, по ее мнению, было не в идее, а в общественном положении, которое занимали дамы-благотворительницы, заседавшие с ней в различных комитетах.

По счастью, сегодня ему, видимо, удастся сохранить мир с Синди: эта затея начинается довольно поздно, и у него еще есть в запасе два часа, а учитывая скверную погоду, не только он может опоздать. Так что он вполне успеет объехать аэропорт. Затем он побреется и переоденется у себя в кабинете и довольно скоро сможет быть в городе. И все-таки лучше, пожалуй, предупредить Синди. Мел взял трубку городского телефона и набрал свой домашний номер.

Ответила Роберта, его старшая дочь.

— Привет, — сказал Мел. — Говорит твой старик.

На другом конце провода послышался спокойный голос Роберты:

— Я чувствую.

— Ну как сегодня было в школе?

— Нельзя ли поточнее, отец? У нас была куча всяких предметов. Что именно тебя интересует?

Мел вздохнул. В иные дни ему казалось, что его домашний очаг рассыпается по частям. К примеру, Роберта сегодня — явно в «кусачем» настроении, как выражалась ее мать. Неужели все отцы, подумал Мел, теряют контакт со своими дочерьми, когда им исполняется тринадцать лет? Всего какой-нибудь год назад они были необычайно дружны — как только могут быть дружны отец и дочь. А Мел любил обеих дочерей — и Роберту, и младшую Либби. Он часто думал о том, что только благодаря им как-то держится его брак с Синди. Он, конечно, понимал, что с годами у Роберты должны появиться интересы, которых он не сможет ни разделить, ни понять. Он был готов к этому. Но он никак не ожидал, что она так скоро отойдет от него или будет относиться к нему с таким безразличием и даже пренебрежением. Правда, если смотреть на дело объективно, нельзя не признать, что нелады между ним и Синди не могли не способствовать углублению этой пропасти. Дети — они ведь все чувствуют.

— Ладно, не будем об этом, — сказал Мел. — Мама дома?

— Уехала. Она сказала: если ты позвонишь, я должна передать, что вы встретитесь в городе и чтобы ты постарался на этот раз не опаздывать.

Мел подавил в себе раздражение. Ну чего злиться: Роберта просто повторяет слова Синди. Он так и слышит, как Синди их произносит.

— Если мама позвонит, скажи ей, что я, возможно, немного опоздаю, но по не зависящим от меня причинам.

На том конце провода царило молчание, и он спросил:

— Ты меня слышишь?

— Да, — сказала Роберта. — Что-нибудь еще, отец? А то у меня много домашних заданий.

— Да, кое-что еще, — не выдержав, рявкнул он. — Будьте любезны, юная леди, изменить тон и проявлять немножко больше уважения к отцу. И еще одно: наш разговор будет закончен тогда, когда я сочту нужным.

— Как тебе угодно, отец.

— И перестань звать меня отцом!

— Хорошо, отец.

Мел чуть не прыснул со смеху, но сдержался. И спросил:

— Дома все в порядке?

— Да. Вот только Либби хочет с тобой поговорить.

— Одну минуту. Я как раз хотел сказать тебе: из-за бури я, возможно, не сумею приехать домой. В аэропорту у нас тут бог знает что творится. Поэтому я, наверно, вернусь сюда и буду ночевать здесь.

Снова пауза; казалось, Роберта взвешивала: сказать колкость или нет? Вроде, например: «Может, придумаешь что-нибудь по-новее?» Но в конечном счете решила смолчать.

— Ну а сейчас я могу позвать Либби?

— Да, можешь. Спокойной ночи, Робби.

— Спокойной ночи.

Послышался шорох — трубка переходила из рук в руки, а затем тоненький, задыхающийся от волнения голосок Либби:

— Папочка, папочка! Ну-ка угадай — что?!

Либби всегда говорила задыхающимся голосом, точно в свои семь лет бегом бежала за жизнью и очень боялась отстать.

— Дай-ка подумать, — сказал Мел. — А-а, знаю: ты сегодня играла в снежки.

— Да, играла. Только это не то.

— Ну тогда я не знаю. Придется тебе самой мне сказать.

— Так вот: мисс Керзон сказала, что дома мы должны написать про все хорошее, чего мы ждем в будущем месяце.

Он с нежностью подумал о том, что вполне может понять энтузиазм Либби. Ей в мире все казалось волнующим и хорошим, а то, что не было хорошим, быстро отбрасывалось и забывалось. Долго ли еще продлится у нее эта счастливая пора невинности? — подумал он.

— Прекрасно, — сказал Мел. — По-моему, это очень интересно.

— Папочка, папочка! А ты мне поможешь?

— Ну, если сумею.

— Мне нужна карта февраля.

Мел усмехнулся: Либби создала собственную устную скоропись, и понятия, которыми она оперировала, бывали порой куда выразительнее привычных слов. Но сейчас это навело Мела на мысль, что не мешало бы ему самому посмотреть карту февральской погоды.

— Календарь лежит у меня на столе в кабинете.

Мел подробно рассказал ей, как его найти, и услышал топот маленьких ножек. Либби уже ринулась за календарем, забыв про телефон. Положила трубку на рычаг, не сказав ни слова, видимо, Роберта.

Мел вышел из своего кабинета и пошел по административному этажу, держа на руке толстое теплое пальто.

Внезапно он остановился и посмотрел вниз, на кишевший как муравейник зал, где за последние полчаса, казалось, набралось еще больше народу. Все кресла для ожидания были заняты. Стойки информации и справочного бюро походили на островки, окруженные морем людей, среди которых было немало военных.

Перед стойками регистрации пассажиров вытянулись длинные очереди — иные, извиваясь, уходили так далеко, что конца не было видно. За стойками находилось вдвое больше кассиров и инспекторов — дежурным помогали сотрудники, оставленные из предыдущих смен, и перед ними, как партитура на дирижерском пульте, лежали расписания рейсов и схемы размещения пассажиров в самолете.

Задержки с вылетом и изменения маршрутов, вызванные бураном, подвергли серьезной проверке и расписание рейсов, и человеческое терпение. Внизу, как раз под тем местом, где стоял Мел, находилось отделение компании «Браниф», и какой-то моложавый мужчина с длинными светлыми волосами и желтым шарфом вокруг шеи громогласно возмущался:

— Что за наглость: с какой стати я должен лететь в Канзас-Сити через Новый Орлеан?! Вы что — решили перекроить географию? Дали вам капельку власти, так вы совсем рехнулись!

Агент по продаже билетов, хорошенькая брюнетка лет двадцати двух—двадцати трех, устало провела рукой по глазам и с профессиональной выдержкой ответила:

— Мы можем направить вас и прямо, сэр, но мы не знаем когда. Погода сейчас такая, что этот кружной путь будет более скорым, а стоимость — та же.

За мужчиной в желтом шарфе вытянулись длинной цепью другие пассажиры, и у каждого — свои, совершенно неотложные проблемы.

Возле стойки компании «Юнайтед эйрлайнс» разыгрывалась другая пантомима. Хорошо одетый бизнесмен, низко пригнувшись, что-то втолковывал сотруднику компании. Судя по выражению лиц и жестам, Мел Бейкерсфелд легко мог догадаться, что диалог разворачивался примерно так:

«Мне бы очень хотелось попасть на ближайший рейс».

«Сожалею, сэр, но свободных мест нет. И, как видите, у нас большая очередь на разбронирование...»

Тут агент поднял на клиента глаза и умолк. На стойке перед ним лежал портфель, и бизнесмен — не назойливо, но весьма недвусмысленно — постукивал пластиковым ярлычком по краю портфеля. Такие ярлычки выдаются членам Стотысячемильного клуба, созданного компанией «Юнайтед эйрлайнз» для своих постоянных пассажиров — элиты, которую стремятся иметь все компании. Выражение лица у кассира тотчас изменилось, и он, очевидно, сказал: «Сейчас что-ни-

24

будь устроим, сэр». Карандаш агента приподнялся и вычеркнул одну из фамилий в списке пассажиров — человека, приехавшего много раньше и имевшего все основания получить билет, — а вместо него вписал имя бизнесмена. Стоявшие позади него ничего не заметили.

Такое творилось во всех авиакомпаниях, и Мел это знал. Только наивные или очень далекие от всего люди верят в нерушимость так называемых «списков на очередь» и «списков бронирования» и в беспристрастность тех, у кого они в руках.

Взгляд Мела остановился на группе, явно только что прибывшей из города и как раз входившей в аэровокзал. Все они отряхивались от снега, как видно, метель не только не утихла, а стала еще злее. Не успел он подумать об этом, как новоприбывшие уже растворились в суетолоке вокзала.

Лишь немногие из восьмидесяти тысяч пассажиров, ежедневно проходящих через центральный зал, поднимают глаза вверх — туда, где помещается администрация, а сегодня таких было еще меньше, поэтому почти никто не замечал Мела, стоявшего там и смотревшего вниз. Для большинства пассажиров аэропорт — это авиарейсы и самолеты. Многие, наверно, понятия не имеют о том, что в аэропорту вообще есть служебные кабинеты или какая-либо администрация, в то время как это сложный, хоть и невидимый механизм, состоящий из сотен людей, — механизм, который должен работать для того, чтобы аэропорт мог функционировать.

Но, может быть, это и к лучшему, подумал Мел, спускаясь по эскалатору вниз. Если бы люди больше знали, они выявили бы и недостатки в работе аэропорта, и то, какими это чревато для них опасностями, и уже не с таким спокойным сердцем отправлялись бы в путь.

Очутившись в центральном зале, Мел направился к крылу, занимаемому «Транс-Америкой». Когда он проходил мимо стойки регистрации пассажиров, его окликнул один из инспекторов:

— Добрый вечер, мистер Бейкерсфелд. Вы ищете миссис Ливингстон?

Любопытная штука, подумал Мел: как бы ни были заняты люди, у них всегда найдется время для сплетен и наблюдения за другими людьми. Интересно, многие ли связывают его имя с именем Тани?

— Да, — сказал он. — Именно ее.

Инспектор кивком указал на дверь, на которой значилось: «Только для персонала компании».

— Она там, мистер Бейкерсфелд. У нас тут была маленькая неприятность. Миссис Ливингстон как раз этим занимается.

3

В маленькой гостиной, которую нередко использовали для особо важных персон, громко всхлипывала девушка в форме агента по продаже билетов.

Таня Ливингстон усадила ее на стул.

— Успокойся, — деловито сказала Таня, — спешить некуда. Поговорим, когда ты придешь в себя.

И Таня тоже села, разгладив узкую форменную юбку. В комнате больше никого не было. Слышалось лишь всхлипывание, да гудел воздушный кондиционер.

Между двумя женщинами было примерно пятнадцать лет разницы. Девушке едва исполнилось двадцать, а Тане — подходило к сорока. Но, глядя на нее, Таня почувствовала, что их разделяет куда большая пропасть. И пропасть эта объяснялась, видимо, тем, что Таня уже была замужем — хоть и недолго и давно, но все же была.

Второй раз за сегодняшний день она думала о своем возрасте. В первый раз эта мысль мелькнула у нее, когда, расчесывая утром волосы, она заметила серебряные нити в своей короткой густой ярко-рыжей гриве. Седины стало куда больше, чем примерно месяц тому назад, когда она впервые обратила на это внимание. И снова, как тогда, она подумала о том, что сорок лет — рубеж, когда женщина должна уже четко представлять себе, куда и зачем она идет, — не за горами. А кроме того, она еще думала, что через пятнадцать лет ее собственной дочери будет столько же, сколько этой Пэтси Смит, которая рыдала сейчас перед ней.

Тем временем Пэтси вытерла покрасневшие глаза большим полотняным платком, который дала ей Таня, и, еще давясь от слез, произнесла:

— Они бы никогда себе не позволили... так грубо разговаривать дома... даже с женой.

— Это ты про пассажиров?

Девушка кивнула.

— Да нет, многие так разговаривают и дома, — сказала Таня. — Вот выйдешь замуж, Пэтси, возможно, и тебе придется с этим столкнуться, хоть я и не пожелала бы тебе такого. Видишь ли, когда у мужчины ломаются планы, он ведет себя, как сорвавшийся с цепи медведь, — тут ты права.

— Я же очень стараюсь... мы все стараемся... весь сегодняшний день и вчера тоже... и позавчера... Но они так с нами разговаривают...

— Ты хочешь сказать, они ведут себя так, будто это ты устроила буран. Специально, чтобы осложнить им жизнь.

— Да... А потом подошел этот мужчина... До него я еще как-то держалась...

— Что же все-таки произошло? Меня ведь вызвали, когда скандал уже кончился.

Девушка постепенно начала успокаиваться.

— Ну... у него был билет на рейс семьдесят два, а рейс отменили из-за непогоды. Мы достали ему место на сто четырнадцатый, но он на него опоздал. Говорит, что был в ресторане и не слышал, как объявили посадку.

— В ресторанах посадку не объявляют, — сказала Таня. — Об этом висит объявление, а кроме того, это напечатано на всех меню.

— Я ему так и сказала, миссис Ливингстон, когда он подошел ко мне. Но он продолжал грубить. Вел себя так, точно это я виновата, что он опоздал на посадку. Сказал, что все мы безрукие и спим на ходу.

— А ты вызвала старшего?

— Да, но он был занят. Мы все были очень заняты.

— Что же было дальше?

— Я дала этому пассажиру место в дополнительном отсеке на рейс двенадцать двадцать два.

— Ну и что дальше?

— Он спросил, какой там будут показывать фильм. Я выяснила, и тогда он сказал, что видел этот фильм. И снова стал мне грубить. Он желал смотреть тот фильм, который должны были показывать на отмененном рейсе. И спросил, могу я ему дать билет на такой рейс, где показывают этот фильм. А ведь у стойки толпилась уйма пассажиров. И кое-кто из них стал громко ворчать, что я-де еле шевелюсь. Ну и вот, когда он снова спросил меня насчет фильма, тут я... — Девушка помолчала. — Очевидно, это называется — сорвалась.

27

— И швырнула ему в лицо расписание? — подсказала Таня.

Пэтси Смит кивнула — вид у нее был глубоко несчастный. Казалось, она вот-вот снова заплачет.

— Да. Сама не знаю, что на меня нашло, миссис Ливингстон... Я швырнула ему расписание через стойку. И сказала, пусть сам выбирает себе рейс.

— Надеюсь, — заметила Таня, — ты попала в него.

Девушка подняла на нее глаза. Теперь вместо слез в них уже появилась смешинка.

— Конечно, попала. — И, словно что-то вспомнив, хихикнула: — Вы бы видели его физиономию! Он был потрясен. — Лицо ее снова приняло серьезное выражение. — А потом...

— Я знаю, что произошло потом. Ты разрыдалась, что вполне естественно. Затем тебя отправили сюда, чтобы дать выплакаться. Ну а теперь возьми такси и отправляйся домой.

Девушка в изумлении уставилась на нее:

— Вы хотите сказать... это все?

— Конечно. А ты что, думала — тебя сейчас уволят?

— Я... я не знаю.

— Мы будем вынуждены тебя уволить, Пэтси, хоть нам это и очень неприятно, — заметила Таня, — если подобная история повторится. Но ты ведь больше не будешь, правда? Никогда?

Девушка решительно замотала головой:

— Нет, не буду. Не могу объяснить почему, но я твердо знаю, что во второй раз такого не сделаю.

— Тогда поставим на этом точку. Если, конечно, тебе не хочется узнать, что произошло после того, как тебя увели.

— Очень хочется.

— Один из стоявших в очереди подошел к стойке и заявил, что все слышал и видел. У него есть дочь такого же возраста, как ты, сказал он, и если бы кто-то разговаривал так с его дочерью, он бы собственноручно расквасил ему нос. Тогда другой человек из очереди — он оставил свою фамилию и адрес — сказал, что, если тот нахал на тебя пожалуется, пусть его известят и он засвидетельствует, как все было на самом деле. — Таня улыбнулась. — Так что, как видишь, на свете есть и славные люди.

— Я знаю, — сказала девушка. — Их не много, но когда попадается такой милый, приятный человек, хочется обнять его и расцеловать.

— К сожалению, нам этого нельзя — как нельзя швырять в пассажиров расписанием. Мы должны ко всем относиться одинаково и быть вежливыми, даже когда пассажиры не очень-то вежливы с нами.

— Конечно, миссис Ливингстон.

С Пэтси Смит все будет в порядке, решила Таня. Девушка не станет подавать заявление об уходе, как это делали другие, попав в подобную передрягу. Более того: сейчас, успокоившись, Пэтси словно прошла закалку, а это еще пригодится ей в будущем.

Да, подумала Таня, одному Богу известно, сколько нужно выдержки, да и твердости, для того чтобы работать с пассажирами — на любом посту.

Взять хотя бы службу бронирования.

Она понимала, что сотрудникам этой службы в городских отделениях достается, наверно, еще больше, чем тем, кто работает здесь, в аэропорту. С тех пор как начался буран, им пришлось оповестить по телефону несколько тысяч пассажиров о задержках и изменении расписания. Заниматься этим никто не любит, поскольку подобные звонки неизменно вызывают раздражение и нередко кончаются перепалкой. Такое впечатление, будто задержка вылета или прилета вдруг пробуждает дремлющий в человеке инстинкт дикаря. Мужчина ни с того ни с сего обрушивает на незнакомую женщину поток оскорблений — даже люди, обычно вежливые и мягкие, становятся язвительными и грубят. Хуже всего почему-то иметь дело с теми, кто летит в Нью-Йорк. Сотрудники отказывались предупреждать по телефону пассажиров на Нью-Йорк о новых задержках или отменах рейсов — лучше лишиться места, чем подвергать себя граду оскорблений, которые, они знали, обрушатся на них. Таня частенько задумывалась над притягательной силой, которой обладает Нью-Йорк и которая словно бацилла поражает всякого, кто стремится туда: стоит человеку собраться в путь — и он уже умирает от желания побыстрее добраться до цели.

Таня знала, что, когда сегодняшняя лихорадка спадет, многие подадут прошение о расчете — и из службы бронирования, и из других служб. Так бывало всегда. Будет и несколько случаев нервного расстройства — преимущественно среди девушек помоложе, более остро реагирующих на бестактность и грубость. Не так-то просто всегда быть вежливой, даже если ты имеешь хорошую тренировку.

И, думая об этом, Таня порадовалась, что сумела успокоить Пэтси Смит и девушка теперь уже так не поступит.

В дверь постучали. Она приоткрылась, и на пороге появился Мел Бейкерсфелд. Он был в меховых сапогах, с теплым пальто, перекинутым через руку.

— Я проходил мимо, — сказал он. — Могу зайти позже, если вы заняты.

— Нет-нет, заходите. — Таня радостно улыбнулась при виде его. — Я скоро освобожусь.

Она внимательно смотрела на Мела, пока он шел к ней, и подумала: «У него усталый вид». Потом снова повернулась к девушке, заполнила бланк и протянула ей.

— Передай это диспетчеру такси, Пэтси, он отправит тебя домой. Отдохни как следует и выходи завтра на работу. Надеемся увидеть тебя бодрой и жизнерадостной.

Когда девушка ушла, Таня повернулась на вращающемся кресле лицом к Мелу и весело сказала:

— Ну а теперь здравствуйте.

Мел сложил газету, которую принялся было просматривать, и улыбнулся:

— Привет!

— Получили мою записку?

— Я как раз пришел затем, чтобы поблагодарить вас. Хотя, наверно, и без того зашел бы. — И, кивнув на дверь, за которой только что исчезла Пэтси, спросил: — В чем дело? Перенапряжение?

— Да. — И Таня рассказала, что произошло.

Мел хмыкнул:

— Признаться, я тоже устал. Может, и меня отправите домой на такси?

Таня испытующе посмотрела на него. Взгляд ее ясных голубых глаз проникал в самую душу. Она сидела, слегка склонив голову, и в лучах света, падавшего с потолка, волосы ее отливали медью. Плотно пригнанный форменный костюм подчеркивал женственную округлость ее тоненькой стройной фигуры. И Мел уже не в первый раз вдруг почувствовал, до чего она желанна и как ему с ней хорошо.

— Надо подумать, — сказала она. — Что ж, я, пожалуй, отправила бы вас на такси, если бы вы поехали ко мне и согласились у меня пообедать. Я бы приготовила вам, скажем, тушеную телятину.

Он помедлил, взвешивая все «за» и «против», затем с сожалением отрицательно покачал головой.

— Очень бы мне хотелось, но... У нас тут столько неполадок, а кроме того, мне скоро надо быть в городе. — Он поднялся. — Но кофе мы выпить можем.

— Хорошо.

Мел открыл дверь, пропустил Таню вперед и вышел вслед за ней в шумный, забитый людьми зал.

Стойку «Транс-Америки» осаждала толпа — народу здесь стало еще больше, чем ранее, когда Мел проходил мимо.

— Придется поторопиться, — сказала Таня. — Мне еще два часа дежурить.

И они стали пробираться сквозь толпу, то и дело обходя груды багажа, — Таня шла медленнее обычного, приспосабливаясь к Мелу. Она заметила, что он сильно хромает. И ей захотелось взять его под руку, помочь, но она понимала, что это невозможно. Она ведь в форме, а сплетни и без того распространяются слишком быстро. В последнее время их с Мелом частенько видели вместе, и Таня не сомневалась, что машина слухов, работавшая в аэропорту со скоростью доисторического телеграфа в джунглях или современной счетно-вычислительной машины, уже зарегистрировала это обстоятельство. По всей вероятности, все служащие аэропорта считали, что она спит с Мелом, хотя это было и не так.

Они направлялись сейчас в «Кафе заоблачных пилотов» в центральном зале.

— Кстати, насчет тушеной телятины, — сказал Мел. — Не могли бы мы устроить это пиршество в другое время? Хотя бы послезавтра?

Танино приглашение застигло его врасплох. Правда, они уже не раз встречались и проводили вместе время — за рюмкой вина или в ресторане за обедом, — но до сих пор Таня не приглашала его к себе. Вполне возможно, что и на этот раз она приглашала всего лишь на обед. Однако... могло ведь быть и иначе.

С некоторых пор Мел чувствовал, что, если они будут встречаться не только на работе, их отношения, естественно, могут пойти дальше. Но он не ускорял событий: инстинкт подсказывал ему, что роман с Таней может перерасти в нечто более серьезное, чем легкий флирт, и глубоко увлечь их обоих. А Мелу надо было еще учитывать свои отношения с Синди. Уладить их будет не так-то просто, если вообще удастся; человек не всегда может справиться со всеми проблемами, которые наваливаются на него. Любопытная штука, подумал Мел: когда брак прочен, завести роман легко, а вот когда брак распадается — гораздо

31

труднее. И все же слишком было заманчиво приглашение Тани, чтобы пройти мимо него.

— Послезавтра воскресенье, — напомнила она. — Я не дежурю, но если вы сумеете освободиться, то мне это даже удобнее: у меня будет больше времени.

Мел улыбнулся:

— При свечах и с вином?

Он совсем забыл, что послезавтра воскресенье. Но ему все равно придется поехать в аэропорт: даже если буран утихнет, он оставит следы. Ну а Синди — она сама без всяких объяснений не раз уезжала куда-то по воскресеньям.

Таня внезапно отскочила в сторону, уступая дорогу запыхавшемуся человеку, за которым следовал носильщик в красной фуражке, толкавший перед собой тележку, нагруженную чемоданами; поверх них лежали теннисные ракетки и палки для гольфа. «Летит куда-то на юг», — не без зависти подумала Таня.

— О'кей, — сказала она, когда они с Мелом снова оказались рядом. — При свечах и с вином.

Как только они вошли в кафе, разбитная метрдотельша, сразу узнав Мела, подошла к ним и провела в дальний угол к маленькому столику, на котором стояла табличка «Занято» и за которым обычно обслуживали администрацию. Опускаясь на стул, Мел зацепился за ножку стола и, покачнувшись, ухватился за руку Тани. Это не укрылось от зоркой метрдотельши, и она усмехнулась. «Машина слухов уже готовит очередной бюллетень», — подумала Таня.

— Ну и толпа, — сказала она, — вы когда-нибудь видели такое? Все эти три дня — просто светопреставление.

Мел окинул взглядом переполненное кафе; сквозь гул голосов морзянкой прорывался звон посуды. За стеклянной дверью колыхалось неспокойное море голов.

— Если вы считаете, что у нас сегодня столпотворение, — заметил он, — подождите, пока С-5А войдет в строй.

— Знаю. Мы и сейчас едва справляемся, когда летят «Боинги-747», а если придется регистрировать сразу тысячу пассажиров... Не приведи Господь! — Таня содрогнулась. — А представляете себе, что будет твориться, когда все они начнут получать багаж? Даже думать об этом неохота.

— Не только вам, но и многим другим неохота, хотя им-то следовало бы задуматься — и уже сейчас. — Мела забавляло то, что их беседа, не успев начаться, перескочила на авиацию. Все, связанное с рейсами и самолетами, притягивало Таню как магнит, и она любила говорить об этом. Любил это и Мел, чем отчасти и объяснялось то, что ему нравилось бывать в ее обществе.

— Кто же еще не желает над этим задумываться?

— Те, в чьем ведении находятся наземные сооружения — аэровокзалы, взлетно-посадочные полосы и рулежные дорожки. Большинство ведут себя так, точно реактивные самолеты всегда будут такими, как сейчас. Они считают, что, если сидеть тихо и спокойно, новые большие самолеты не появятся и никаких сложностей не возникнет. И перестраивать наземные службы не придется.

— Но во всех аэропортах идет такое большое строительство, — задумчиво заметила Таня. — Всюду, куда ни прилетишь.

Мел предложил ей сигарету, но она отрицательно покачала головой. Тогда он закурил сам.

— В большинстве своем это строительство — всего лишь заплаты, небольшие изменения и расширения аэропортов, построенных в пятидесятых или в начале шестидесятых годов. Пока для будущего почти ничего не делается. Есть, конечно, исключения — например, лос-анджелесский аэропорт, или аэропорт Тампа во Флориде, или Даллас-Форт-Уэрт. Это будут первые в мире аэропорты, готовые к приему новых гигантских реактивных и сверхзвуковых самолетов. Неплохо обстоит дело в аэропортах Канзас-Сити, Хьюстона и Торонто. Есть план реконструкции сан-францисского аэропорта, хотя наши политики могут это завалить. Вот, пожалуй, и все в Северной Америке.

— А в Европе?

— В Европе — одно старье, — сказал Мел, — кроме Парижа. Новый северный аэропорт, который заменит Ле-Бурже, будет, пожалуй, одним из лучших. А в Лондоне такая бестолковщина, какую способны создать только англичане. — Он помолчал, задумавшись. — Впрочем, не надо принижать и другие страны: у нас у самих плохи дела. Нью-Йорк в ужасающем состоянии, хотя в аэропорту Кеннеди и производятся некоторые изменения, но слишком уж забито небо над городом. Скоро я сам стану ездить туда только поездом. Вашингтон еще кое-как справляется, хотя Национальный аэропорт — это жуткая дыра. А вот аэропорт Даллеса — это гигантский шаг вперед. Рано или поздно и в Чикаго поймут, что они отстали на двадцать лет. — Мел помолчал, подумал. — Помните, в те годы, когда стали летать первые реактивные, что творилось в аэропортах, построенных в расчете на ДС-4 и «констеллейшн»?

— Помню, — сказала Таня. — Я именно в таком и работала. И в обычные-то дни не протолкнешься, а когда много рейсов — просто дышать было нечем. Мы еще говорили, что это все равно как если б вздумали снимать большое сражение на детской площадке.

— В семидесятых годах, — заметил Мел, — будет хуже, много хуже. И не только из-за обилия пассажиров. Нас задушит другое.

— Например?

— Трудно будет со взлетно-посадочными полосами и диспетчеризацией движения, но это уже особая статья. А главное, чего никак не предусматривают те, кто планирует аэропорты, это то, что скоро — и очень скоро — наступит день, когда грузовые перевозки намного превысят пассажирские. Так было на всех видах транспорта, начиная с каноэ. Сначала перевозят людей и немного груза, а не успеешь оглянуться, и грузы начинают вытеснять человека. В авиации мы уже подошли к этому рубежу, хотя еще мало кто это сознает. Когда грузовые перевозки получат перевес — а это произойдет в ближайшие десять лет, — наши нынешние представления о том, каким должен быть аэропорт, окажутся безнадежно устаревшими. Хотите доказательства? Взгляните, куда стремится попасть молодежь, поступающая на работу в управленческий аппарат авиации. Еще совсем недавно почти никто не хотел идти в отделы грузовых перевозок. Это рассматривалось как ссылка — возможность блеснуть была лишь у тех, кто занимался пассажирами. А теперь это уже не так! Теперь все, у кого есть голова на плечах, хотят работать на грузовых перевозках. Они уже поняли, что в этом будущее и возможность быстрой карьеры.

Таня рассмеялась:

— Ну, значит, я старомодная, потому что я предпочитаю иметь дело с людьми. Грузовые перевозки как-то...

К их столику подошла официантка:

— Порционных уже нет, и если народ не схлынет, то скоро вообще ничего не останется.

Они заказали кофе, и к нему Таня — лимонный пирог, а Мел — сандвич с яичницей. Когда официантка отошла, Мел усмехнулся:

— Я, кажется, произнес что-то вроде речи. Извините.

— Наверное, захотелось попрактиковаться. — Она пытливо посмотрела на него. — В последнее время не так уж часто вам приходится произносить речи.

— Да, я ведь больше не президент Совета руководителей аэропортов. Я не езжу ни в Вашингтон, ни в другие места. — Однако не только этим объяснялось то, что Мел нигде больше не выступал и вообще стал менее заметной фигурой. И он подозревал, что Таня знает об этом.

Как ни странно, но именно на одном из выступлений Мела и свела их судьба.

Однажды на совместном совещании, какие изредка проводятся авиакомпаниями, Мел говорил о грядущих изменениях в авиации и об отставании наземных служб от прогресса, намечающегося в воздухе. Он воспользовался совещанием как поводом для того, чтобы «обкатать» речь, которую собирался произнести на общеамериканском форуме через неделю. Таня была там в числе представителей «Транс-Америки» и на другой день прислала ему одну из своих «обезглавленных» записок:

«мр б.

отличная речь, все мы назмники с удовлтврнием узнали чт творцы аэропортов заснули над чертежными досками. кто-то должен был это сказать. можно прдложение? речь прзвчит живее, если поменьше тхнки побольше нсчет члвков, пассажир в пузе (все равно, самолета или кита — помните иону?) думает только о себе, не о мироздании. уверена орвилл/уилбер именно об этом думали, как только оторвались от земли. верно?

тл.».

Записка эта не только позабавила Мела, но и заставила призадуматься. А ведь и в самом деле, решил он, все его внимание сосредоточено на цифрах и системах машин, а люди оказались за бортом. Он пересмотрел набросок речи и переставил акценты, как предлагала Таня. В результате выступление его имело огромный успех — как никогда. Ему горячо аплодировали и широко цитировали потом в газетах и журналах всего мира. Он, разумеется, позвонил Тане и поблагодарил ее. С тех пор они начали искать встреч друг с другом.

Вспомнив об этом первом послании Тани, Мел по ассоциации вспомнил и о записке, которую он получил от нее сегодня вечером.

— Спасибо, что вы сообщили мне насчет докладной комиссии по борьбе с заносами, хоть я и не очень понимаю, как вам удалось увидеть ее раньше меня.

— В этом нет ничего таинственного. Ее печатали у нас, в бюро «Транс-Америки». И я видела, как капитан Димирест просматривал ее и усмехался.

— Вернон показал вам докладную?

— Нет, просто листы лежали перед ним, а я умею читать текст вверх ногами. Кстати, вы не ответили на мой вопрос: почему ваш зять так вас не любит?

Мел нахмурился:

— Должно быть, догадывается, что и я не слишком в восторге от него.

— Если хотите, можете ему сейчас об этом сказать, — заметила Таня. — Великий человек здесь собственной персоной. — Она мотнула головой в сторону кассы, и Мел оглянулся.

Капитан Вернон Димирест, высокий широкоплечий красавец, на голову выше всех окружающих, расплачивался по счету. Хотя он был в обычном штатском костюме — твидовом пиджаке от Харриса и безукоризненно отутюженных брюках, — от всей его фигуры исходило удивительное ощущение властного превосходства («Ну прямо генерал в гражданском платье», — подумал Мел). Его волевое, с правильными чертами лицо было замкнуто и холодно — оно не изменилось и тогда, когда он заговорил с другим пилотом «Транс-Америки», стоявшим рядом. Видимо, Димирест давал пилоту указания, потому что тот выслушал его и кивнул. Димирест тем временем окинул взглядом кафе и, заметив Мела с Таней, слегка наклонил голову. Потом посмотрел на часы, еще что-то сказал пилоту и направился к выходу.

— Видно, спешит, — заметила Таня. — Времени у него действительно не так уж много. Он летит сегодня рейсом два в Рим.

Мел улыбнулся:

— Рейсом «Золотой Аргос»?

— Вот именно. Я вижу, сэр, вы читаете нашу рекламу.

— А ее трудно не читать. — Мел, конечно, знал, как знали миллионы людей, любовавшихся четырехцветным разворотом в журналах «Лайф», «Лук», «Пост», что рейс два «Транс-Америки», именуемый «Золотой Аргос», является самым фешенебельным, самым рекламным рейсом этой компании. Знал он и то, что выполняют такого рода рейсы лишь пилоты самого высшего класса.

— К тому же общеизвестно, — заметил Мел, — что Вернон на сегодня один из наиболее опытных наших пилотов.

— О да. Наиболее опытных и наиболее спесивых. — Таня помедлила и все-таки решилась: — Если вы не прочь послушать сплетни, могу сказать, что вы не одиноки в оценке вашего зятя. Я слышала, как недавно один из наших механиков сказал: жаль, что нет больше у самолетов пропеллеров, тогда хоть была бы надежда, что капитан Димирест попадет под лопасть.

— Не слишком-то гуманная шутка, — оборвал ее Мел.

— Согласна. Я лично больше склоняюсь к мнению президента нашей компании мистера Янгквиста. Насколько мне известно, он сказал про капитана Димиреста так: «Держите этого надутого индюка от меня подальше, но летать я буду только с ним».

Мел усмехнулся. Он знал обоих: да, Янгквист мог сказать такое. Мел, конечно, понимал, что не следовало ему опускаться до обсуждения Вернона Димиреста, но известие о докладной, составленной комиссией по борьбе с заносами, и мысль о неприятностях, которые она ему причинит, все еще вызывали у него раздражение. Интересно, подумал он, куда спешит сейчас его зять, — наверно, на какое-нибудь очередное любовное свидание: говорят, он на этот счет не промах. Мел посмотрел вслед Димиресту, но толпа в центральном зале уже поглотила его.

Сидевшая напротив Таня быстрым движением разгладила юбку. Мел давно подметил эту ее привычку, и она ему нравилась. В этом было что-то удивительно женственное, притягивавшее взгляд и заставлявшее вспомнить, что лишь немногим женщинам идет форма, а Тане она шла и только увеличивала ее обаяние.

Мел знал, что некоторые авиакомпании разрешают своим служащим определенного ранга ходить без формы, но в «Транс-Америке» считали, что синий с золотыми нашивками костюм придает служащему больше веса. О высоком и ответственном положении Тани свидетельствовали два золотых кольца с белой каймой, которые украшали ее рукав.

Словно угадав мысли Мела, Таня сказала:

— Я, видимо, скоро сниму эту форму.

— Почему?

— Нашему управляющему пассажирскими перевозками предложили аналогичный пост в Нью-Йорке. Заместителя переводят в управляющие, а я подала заявление с просьбой предоставить мне освобождающееся место.

Мел посмотрел на нее со смесью восхищения и любопытства:

— Что ж, я думаю, вы его получите. И пойдете дальше.

Она удивленно подняла брови:

— Вы, может, считаете, что я и вице-президентом стать могу?

— А почему бы и нет? Конечно, если захотите. Я имею в виду: если захотите стать начальством.

— Я еще не уверена, хочу я этого или чего-то другого, — задумчиво ответила Таня.

Официантка принесла еду. Когда она ушла, Таня сказала:

— Правда, у нас, работающих женщин, не всегда есть выбор. Если не хочешь торчать на одном месте до самой пенсии — а многим из нас это вовсе не улыбается, — единственный путь: карабкаться вверх.

— А замужество вы исключаете?

Таня долго и тщательно выбирала кусок лимонного пирога.

— Нет, не исключаю. Но однажды я уже обожглась, значит, могу обжечься и снова. Да и не так уж много претендентов — я имею в виду холостяков — на руку женщины с ребенком.

— Но может ведь найтись исключение.

— Этак я могу и Ирландский кубок выиграть. Вот что я вам скажу, дорогой Мел, на основе собственного опыта: мужчины предпочитают женщин без обузы. Можете спросить моего бывшего супруга. Если вы, конечно, разыщите его. Мне это пока не удалось.

— Он оставил вас, когда у вас родился ребенок?

— Что вы! Нет, конечно! Тогда Рою пришлось бы целых полгода заботиться обо мне. По-моему, в четверг я сказала ему, что беременна — я просто не могла больше молчать, — а в пятницу, когда я вернулась домой с работы, уже не было ни Роя, ни его вещей. Вот так-то.

— И с тех пор вы его ни разу не видели?

Она отрицательно покачала головой:

— Но в итоге это намного облегчило развод: ушел — и все. И никаких объяснений. Впрочем, нельзя быть совсем уж стервой. Рой не был законченным подлецом. К примеру, он не снял ни доллара с нашего общего счета в банке, хотя и мог. Я нередко думала потом, было ли это от доброты или просто он забыл. Так или иначе, все восемьдесят долларов, которые там лежали, достались мне.

— Вы никогда мне об этом раньше не рассказывали, — заметил Мел.

— А следовало?

— Возможно — чтобы я мог посочувствовать.

Она отрицательно покачала головой.

— Если бы вы лучше меня знали, вы бы поняли, что я рассказала вам это сейчас вовсе не потому, что нуждаюсь в сочувствии. В результате все ведь сложилось для меня не так уж плохо. — Таня улыбнулась. — Я даже могу стать со временем вице-президентом компании. По вашим словам.

За соседним столиком какая-то женщина воскликнула:

— О Господи! Ты только взгляни, который час!

Инстинктивно Мел посмотрел на часы. Прошло сорок пять минут с тех пор, как он расстался с Дэнни Фэрроу. Он быстро поднялся на ноги, сказав Тане:

— Подождите меня здесь. Мне надо позвонить.

Возле кассирши стоял телефон, и Мел набрал один из незарегистрированных номеров пульта управления снежной командой. В трубке послышался голос Дэнни Фэрроу: «Обождите!» — прошло несколько секунд, потом Дэнни сказал:

— Я как раз собирался звонить тебе. Насчет этого самолета «Аэрео Мехикан», который блокирует полосу.

— Ну, слушаю.

— Тебе известно, что компания запросила о помощи «ТВА»?

— Да.

— Так вот, им туда нагнали грузовиков, кранов, уйму всякой техники. Вся взлетная полоса и рулежная дорожка забиты машинами. Но чертов самолет так и не удалось сдвинуть с места. Мне сообщили, что «ТВА» послала за Патрони.

— Рад это слышать, — сказал Мел, — жаль только, что они раньше не додумались послать.

Джо Патрони был главным механиком ремонтной бригады «ТВА». Человек это был деловой, динамичный, буквально незаменимый при авариях и к тому же большой приятель Мела.

— Да они вроде сразу попытались найти Патрони, — сказал Дэнни. — Но он был дома, и не так-то просто оказалось добраться до него. Говорят, из-за бурана повреждено много телефонных линий.

— Но теперь-то его известили? Ты уверен?

— В «ТВА» утверждают, что он уже выехал в аэропорт.

Мел мысленно прикинул: он знал, что Патрони живет в Глен-Эллине, милях в двадцати пяти от аэропорта, и даже при идеальных условиях, чтобы добраться оттуда, нужно сорок минут. Сегодня же, когда дороги покрыты снегом и запружены машинами, Джо крупно повезет, если он управится быстрее чем за полтора часа.

— Да, — сказал Мел, — если кто и сумеет сдвинуть этот самолет с места, так только Патрони. Но это вовсе не значит, что надо сидеть сложа руки и ждать его. Доведи до сведения всех, что нам нужна ВПП три-ноль — и срочно. — Эта полоса нужна не только для нормальной работы аэропорта, невесело подумал Мел, но и для того, чтобы самолеты не взлетали над Медоувудом. Интересно, кончилось ли уже собрание, которое, по словам начальника КДП, решили устроить медоувудцы?

— Я уже им говорил, — сказал Дэнни. — Могу повторить еще раз. Кстати, есть и хорошие вести: мы все-таки нашли этот пикап компании «Юнайтед».

— Шофер в порядке?

— Был без сознания. Машину занесло снегом, а мотор продолжал работать, и, как мы и полагали, скопился угарный газ. Но шоферу сейчас дают кислород, и он, конечно, очухается.

— Хорошо. Я выезжаю на поле, чтобы лично проверить обстановку. Буду радировать оттуда.

— Одевайся теплее, — сказал Дэнни. — Ночь хуже некуда.

Когда Мел вернулся к столику, Таня уже собиралась уходить.

— Подождите, — сказал он, — пойдем вместе.

Она указала на нетронутый сандвич:

— А как же с ужином? Если это, конечно, ужин.

— Пока — да. — Он откусил большой кусок, поспешно глотнул кофе и схватил со стула свое пальто. — А вообще я сегодня ужинаю в городе.

Пока Мел расплачивался, двое служащих «Транс-Америки» вошли в кафе. Один из них, заметив Таню, тотчас направился к ней.

— Извините, мистер Бейкерсфелд... Миссис Ливингстон, вас ищет управляющий перевозками. У него к вам срочное дело...

Мел сунул в карман полученную от кассирши сдачу.

— Ну-ка, попробуем угадать. Наверное, опять кто-нибудь швырнул в пассажира расписанием.

— Нет, сэр. — Служащий осклабился. — Если кто сегодня и швырнет еще в пассажира расписанием, так это буду я. На борту рейса восемьдесят обнаружен «заяц».

— И только-то? — Таня была явно удивлена: на всех авиалиниях попадались безбилетные пассажиры, и это никогда не было поводом для серьезных беспокойств.

— Видите ли, — сказал инспектор, — на этот раз пассажир, как я слышал, с приветом. Получена радиограмма от пилота, и

40

к выходу выслана охрана. Так или иначе, миссис Ливингстон, вас зовут. — И, дружески кивнув, он пошел к своему коллеге.

Мел и Таня вышли из кафе в центральный зал. У лифта, который должен был доставить Мела в подземный гараж, где находилась его машина, они остановились.

— Осторожнее ездите по полю, — предупредила его Таня. — Не попадите под самолет.

— Если попаду, то вы, конечно, об этом скоро узнаете. — Он надел теплое пальто. — Сегодняшний ваш безбилетник, видно, особенный. Я постараюсь заглянуть к вам перед тем, как ехать в город: интересно, почему подняли такой шум. — Он помедлил и добавил: — По крайней мере у меня будет повод еще раз увидеть вас сегодня.

Они стояли очень близко. Внезапно их словно ветром качнуло друг к другу; руки их встретились. Таня мягко сказала:

— Разве для этого нужен повод?

В лифте, спускаясь вниз, он все еще чувствовал ласковое тепло ее руки и слышал ее голос.

4

Джо Патрони, задиристый, крепко сбитый американец итальянского происхождения, главный механик «ТВА», действительно — о чем и было доложено Мелу Бейкерсфелду — выехал в аэропорт из своего ранчо в Глен-Эллине минут двадцать назад. Но, как и предполагал Мел, продвигался он очень медленно.

В какой-то момент «бьюик» Патрони попал в пробку и вообще остановился. Впереди и позади, насколько хватало глаз, стояли машины. Патрони откинулся на сиденье и при свете хвостовых огней передней машины закурил сигару.

Немало легенд ходило об этом человеке — легенд, связанных как с его профессиональными, так и с личными качествами.

Свою рабочую жизнь он начал смазчиком в гараже. Вскоре он выиграл в кости этот гараж у своего хозяина, так что к концу партии они уже поменялись ролями. Правда, молодой парень унаследовал вместе с гаражом несколько серьезных долгов, включая долг за древний, дряхлый биплан, владельцем которого он теперь стал. Обладая незаурядной изобретательностью и хорошими техническими навыками, он починил биплан и начал на нем летать — не взяв ни одного урока, так как это было ему не по карману.

Аэроплан и возня с ним всецело поглотили Патрони — настолько, что он уговорил своего бывшего хозяина еще раз покидать кости и, дав обыграть себя, вернул ему гараж. Расставшись с гаражом, Джо нанялся на аэродром механиком. Окончил вечернюю школу, стал старшим механиком, а потом мастером с репутацией первоклассного специалиста по ликвидации аварий. Его команда могла сменить в самолете мотор быстрее, чем это указано в спецификации, причем с гарантией надежности. Через некоторое время, лишь только где-нибудь обнаруживалась неисправность или поломка, тут же говорили: «Вызовите Патрони».

Успеху его способствовало и то, что он никогда не терял времени на дипломатию. Прямо шел к цели — касалось ли дело людей или самолетов. Не обращал он внимания и на ранги и всем резал правду-матку в глаза, включая и начальство.

Как-то раз — летчики до сих пор вспоминают об этом — Патрони бросил работу и, ни слова никому не сказав, ни с кем не посоветовавшись, сел на самолет и улетел в Нью-Йорк. Он вез с собой большой пакет. Прилетев в Нью-Йорк, он сначала на автобусе, затем на метро добрался до главной конторы компании «Олимпен» в центре Манхэттена и там — без всяких объяснений и докладов — прошел прямо в кабинет президента. Войдя, он развернул пакет и выложил на блестящий полированный стол президента компании разобранный карбюратор, весь в смазке.

Президента — а он в жизни не слыхал о Патрони, и к нему без доклада никто еще не входил — чуть не хватил удар. Но Джо быстро привел его в чувство.

— Если вы хотите терять самолеты в полете, можете вышвырнуть меня отсюда. А если нет, садитесь и слушайте.

Президент сел — Джо тем временем раскурил сигару — и стал слушать. Немного погодя он вызвал вице-президента по инженерной части, а тот — еще немного погодя — приказал произвести соответствующие изменения в карбюраторе, чтобы он не покрывался льдом в полете: Патрони долгие месяцы тщетно добивался этого, разговаривая на более низком уровне.

Позже Патрони получил благодарность, и случай этот пополнил непрерывно разраставшиеся легенды о нем. Вскоре Джо сделали старшим мастером, а несколько лет спустя — главным механиком компании «ТВА» в аэропорту имени Линкольна.

Ходили легенды и о личной жизни Патрони, в частности, о том, что он каждую ночь занимается любовью со своей женой Мари — так же регулярно, как другие выпивают перед обедом. И это была правда. Собственно, как раз этим он и был занят, когда позвонили из аэропорта насчет застрявшего самолета компании «Аэрео Мехикан» и попросили помочь.

Рассказы о личной жизни Патрони обрастали деталями: любовью он, оказывается, занимался так же, как делал все, — не расставаясь с длинной тонкой сигарой, которую неизменно держал в углу рта. Только это была неправда — во всяком случае, теперь. Мари, потушив не одну загоревшуюся подушку в первые годы их брака — а она, как бывшая стюардесса «ТВА», умела гасить пожары, — категорически запретила Джо курить в постели. И Джо послушался, потому что любил жену. Впрочем, к тому были все основания. Когда он на ней женился, она была, пожалуй, самой популярной и самой хорошенькой стюардессой во всей авиации и даже теперь, после двенадцати лет брака и трех родов, все еще могла соперничать со многими своими преемницами. Были люди, которые откровенно удивлялись, как это Мари, за которой отчаянно ухаживали и капитаны, и офицеры высоких рангов, могла предпочесть им всем Джо. Но надо сказать, что Джо, даже когда он только начинал свою карьеру механика, был уже человеком многообещающим и во всех отношениях удовлетворял Мари.

Ко всему этому следует добавить, что Джо никогда не впадал в панику. Он быстро оценивал ситуацию, решал, насколько дело срочное и следует ли ради него немедленно все бросать. Когда ему позвонили насчет застрявшего «Боинга-707», он нутром почувствовал, что безумной срочности тут нет и можно еще побаловаться с женой или поужинать, но только одно из двух. И он решил пожертвовать ужином. Через некоторое время Мари, накинув халатик, помчалась на кухню и быстро приготовила Джо несколько бутербродов на дорогу — ведь до аэропорта двадцать пять миль, так что он успеет поесть. Но Джо тут же надкусил один из них.

Его не впервые вызывали в аэропорт после долгого рабочего дня, но сегодня уж больно мерзкая была погода — такой он просто не помнил. Три дня бушевала метель, всюду набралось много снега, и поездка на машине предстояла тяжелая и опасная. Вдоль улиц высились сугробы, а снег все валил и валил. На шоссе и на дорогах автомобили еле двигались, а то и вовсе стояли. Хотя «бьюик» Патрони был снабжен специальными шинами для езды по грязи и снегу, колеса все равно буксовали. «Дворники» и «антиобледенители» плохо справлялись с валившим снегом, стекла запотевали, а фары освещали лишь совсем небольшое пространство впереди. Застрявшие машины — иные из них были попросту брошены владельцами — превращали езду в гонку с препятствиями. Естественно, лишь острая необходимость могла заставить человека ехать в такую ночь.

Джо взглянул на часы. И его машина, и та, что перед ним, стояли уже несколько минут. Стояли не только они — и дальше впереди, и справа непрерывной цепью выстроились автомобили. Он отметил про себя, что давно уже не видел и встречных машин — должно быть, где-то на дороге произошла авария и застопорила движение всех четырех потоков. Ладно, решил он, если в ближайшие пять минут ничего не изменится, придется выйти и посмотреть, в чем дело, хотя так мело и валил такой густой снег, что ему крайне не хотелось высовывать нос наружу. Он еще успеет намерзнуться за ночь в аэропорту. А пока он настроил радио на волну рок-н-роллов и, включив его на полную мощность, затянулся сигарой.

Пять минут прошли. Патрони, увидев, что люди выходят из машин и идут куда-то, решил присоединиться к ним. Он прихватил с собой парку на овчине и, застегнув ее на все пуговицы, натянул капюшон. Затем поискал сверхмощный электрический фонарь, который всегда был при нем, и открыл дверцу машины — ветер со снегом тотчас ворвался в кабину. Джо поспешно шагнул наружу и захлопнул за собой дверцу.

С трудом вытаскивая ноги из снега, он двинулся в голову колонны — рядом хлопали дверцы машин, перекликались люди: «Что там стряслось?» Кто-то крикнул: «Произошла авария. Ужас что творится!» Постепенно Джо начал различать впереди мигающие огни, движущиеся тени, которые порой сливались, образуя толпу. Чей-то голос произнес: «Говорю вам, они не скоро тут расчистят. Мы теперь застряли не на один час». Внезапно из тьмы проступило нечто большое, темное, озаряемое красными огнями «мигалок». Мощный грузовик с восемнадцатиколесным прицепом лежал поперек дороги на боку, преграждая движение. Часть груза — судя по всему, ящики с консервами — рассыпалась, и какие-то ловкачи, невзирая на снег, кинулись подбирать банки — несколько ящиков уже растащили по машинам.

У места аварии стояло два полицейских патрульных автомобиля. Полицейские допрашивали шофера грузовика, который явно был цел и невредим.

— Я только всего и сделал, что притормозил, — громко оправдывался шофер. — А эта штука вдруг заскользила и плюх на землю — точно баба, которой приспичило.

Один из полисменов записывал показания в блокнот, и какая-то женщина шепнула стоявшему рядом мужчине:

— Как ты думаешь, он и это записал?

А другая женщина крикнула:

— Ну чего зря писать-то! — Ее пронзительный голос перекрыл завывания ветра. — Лучше бы убрали эту штуку с дороги!

Один из полисменов подошел к ней. Он уже был весь в снегу.

— Если бы вы помогли, мадам, приподнять эту штуку, мы были бы премного вам благодарны.

Кто-то захихикал, а женщина буркнула:

— Только и знаете языком молоть, толстозадые.

С другой стороны к месту происшествия медленно подъехал тягач — на крыше его кабины крутилась янтарная «мигалка». Шофер воспользовался тем рядом, что отведен для движения в противоположном направлении, поскольку там сейчас не было машин. Тягач остановился, шофер выскочил из кабины и при виде размеров грузовика с прицепом и положения, в котором он лежал, с сомнением покачал головой.

Патрони протиснулся вперед. Попыхивая сигарой, ярко рдевшей на ветру, он подошел к полицейскому и резко хлопнул его по плечу:

— Послушай, сынок, одним тягачом ты это чучело с места не сдвинешь. Ведь это все равно что пытаться поднять кирпич, привязав его синице к хвосту.

Полицейский обернулся:

— Может, оно и так, мистер, да только вокруг полно разлившегося бензина. Так что лучше бы вам потушить сигару.

Патрони и глазом не моргнул — он вообще не обращал внимания на правила и курил, где и когда хотел. Он ткнул сигарой в направлении перевернутого грузовика с прицепом.

— Больше того, сынок, ты будешь лишь терять время — и мое, и свое собственное, да и всех тех, кто тут застрял, — если станешь поднимать эту махину. Тебе надо сдвинуть ее на обочину, чтоб возобновилось движение, а для этого нужны три грузовика: один с этой стороны, чтобы толкал, а два — с той, чтоб тащили. — И он пошел в обход поваленного автокара и прицепа, чтобы с помощью своего электрического фонаря осмотреть их со всех сторон. Как всегда, решая ту или иную проблему, он был всецело поглощен делом. Он снова ткнул в воздух сигарой. — Надо поставить рядом два тягача и подсоединить их тросами к трем точкам. Сначала надо сдвинуть кабину — это можно быстро сделать. Мы спрямим ее с прицепом. И тогда третий грузовик...

— Стойте-ка, — перебил его полицейский. И крикнул своему коллеге: — Хэнк, тут один малый явно говорит дело.

Через десять минут Джо уже работал вместе с полицейскими и, по сути, руководил всей операцией. Следуя его совету, по радио вызвали еще два тягача. А пока шофер первого тягача под руководством Патрони подсоединял цепи к осям перевернувшегося автомобиля. Все уже приняло совсем другой вид, стало ясно, что «сдюжим» — словечко это всегда было в ходу, когда за дело брался энергичный главный механик «ТВА».

За это время Патрони не раз вспоминал о том, что вынудило его выехать из дома ночью: ведь его уже давно ждали в аэропорту. Он понимал, что быстрее попадет туда, если поможет ликвидировать пробку на шоссе. Ведь ни его машина, ни остальные не сдвинутся с места, пока злополучный грузовик с прицепом не будет убран с середины шоссе. Повернуть назад и попытаться проехать в аэропорт по другой дороге было тоже невозможно, потому что и сзади стояли автомобили: полицейский сказал Патрони, что вереница их тянется на многие мили. Он вернулся к себе в машину и по радиотелефону, который ему установило и ежемесячно оплачивало руководство аэропорта, позвонил в технический отдел. Он известил, что задерживается в пути, а в ответ ему сообщили о приказании Мела Бейкерсфелда срочно очистить и ввести в строй полосу три-ноль.

Патрони дал по телефону несколько советов, но он и сам понимал, что главное — как можно быстрее прибыть на место происшествия самому.

Он снова вылез из «бьюика» — снег все продолжал валить. Обойдя заносы, уже образовавшиеся вдоль цепочки машин, он вышел на дорогу и чуть ли не бегом припустился по ней; вскоре он с облегчением увидел, что первый из двух дополнительных тягачей уже прибыл.

5

Расставшись с Таней, Мел Бейкерсфелд спустился на лифте в подземный гараж. Его радиофицированная служебная машина горчично-желтого цвета стояла неподалеку, в специально отведенном для нее боксе.

Мел выехал на поле недалеко от того места, где находились галереи-гармошки для посадки в самолет. Ветер и снег со страшной силой тотчас обрушились на ветровое стекло его машины. «Дворники» отчаянно метались туда и сюда, но снег сразу же застилал стекло. В неплотно прикрытое окно вдруг ворвался порыв ледяного ветра и швырнул горсть снега в кабину. Мел поспешно поднял стекло. Уж очень резким оказался переход от уютного тепла аэровокзала к этой дикой злой мгле.

Впереди, там, где кончались галереи-гармошки, замаячили самолеты. Здания аэровокзала перекрывали ветер, здесь не так крутила пурга, и Мел увидел сквозь освещенные окна самолетов, что внутри уже сидят пассажиры. Несколько машин были явно готовы к взлету — пилоты только ждали указания из диспетчерской, чтобы запустить двигатели, но их задерживали, поскольку была блокирована полоса три-ноль. На поле и на взлетно-посадочных полосах виднелись смутные очертания и навигационные огни других самолетов, только что прибывших и еще не успевших заглушить двигатели. Их держали в так называемой «предвариловке» — в ожидании, пока освободятся места у галерей-гармошек. То же происходило, наверно, и у семи других отсеков аэровокзала.

Приемник в машине Мела, работавший двухсторонней связью и настроенный сейчас на прием с земли, внезапно ожил.

— Диспетчеру — «Истерну» семнадцатому, — раздался голос одного из воздушных диспетчеров, — даю взлет с полосы два-пять. Настройтесь на частоту взлета.

Послышался треск.

— Говорит «Истерн» семнадцатый. Вас понял.

И тотчас чей-то раздраженный голос:

— Земля, я «Пан-Америкэн» пятьдесят четвертый, иду по рулежной дорожке к полосе два-пять. Впереди двухмоторная каракатица — частная «сессна». Жму на тормоза, чтоб не врезаться.

— «Пан-Америкэн» пятьдесят четвертый, стоп! — Короткая пауза, и снова голос диспетчера: — «Сессна» семьдесят три, говорит диспетчер. Сверните на первом пересечении направо. Пропустите самолет компании «Пан-Американ».

И вдруг приятный женский голос:

— Земля, я «сессна» семьдесят три. Я сворачиваю. Можешь лететь, «Пан-Американ». У-у, медведь!

Смешок. И голос:

— Спасибо, лапочка. Подмажь губки, пока взлечу.

И грозный голос диспетчера:

— Диспетчер — всем самолетам! Предлагаю использовать радио только в служебных целях.

Диспетчер был раздражен: Мел это почувствовал, несмотря на обычный, профессионально спокойный тон. Да и кого бы не вывела из себя сегодняшняя погода и эта неразбериха в воздухе и на земле? Мел с тревогой вспомнил о своем брате Кейзе, который сидел сейчас в радарной КДП и принимал самолеты с Запада, самого перегруженного направления.

Из диспетчерской шли непрерывные указания самолетам, и радио работало без передышки. Подождав, пока закончится очередной диалог, Мел включил свой микрофон:

— Наземный диспетчер, говорит машина номер один. Нахожусь у выходных ворот шестьдесят пять, следую в направлении полосы три-ноль, к застрявшему самолету «Аэрео Мехикан».

Диспетер дал указания двум только что севшим самолетам, и Мел услышал:

— Диспетчер — машине номер один. Вас понял. Следуйте за ДС-9 «Эйр Канада», который выруливает за ворота впереди вас. Остановитесь, не доезжая полосы два-один.

Мел подтвердил прием. Он увидел, как самолет компании «Эйр Канада» вырулил за ворота — его высокий изящный хвост, поставленный под прямым углом к фюзеляжу, плыл в воздухе.

Здесь, недалеко от выходных ворот, Мел ехал осторожно, внимательно следя за тем, чтобы не столкнуться с «вошками», как в аэропорту называли машины, обслуживающие самолет на земле. Наряду с обычными машинами было тут сегодня и несколько «собирателей вишен» — грузовиков с подъемными платформами, насаженными на стальной передвигающийся стержень. Стоя на этих платформах, рабочие сметали снег с крыльев самолетов и разбрызгивали гликоль, чтобы воспрепятствовать образованию льда. И люди, и машины были все в снегу.

Мел резко затормозил, чтобы не столкнуться с «душистым фургоном», который мчался ему наперерез, спеша избавиться от своего малоприятного груза — четырехсот галлонов, выкачанных из воздушных туалетов. Содержимое фургона вывалят в измельчитель, находящийся в специальном здании, которое старательно обходят остальные служащие аэропорта, а оттуда перекачают в городскую канализацию. Обычно эта процедура занимает мало времени, за исключением тех случаев, когда пассажиры заявляют о потерях — челюстей, сумочек, кошельков, даже туфель, случайно упавших во время полета в туалет. А это случается иногда раз, иногда два раза в день. Тогда все содержимое туалетов приходится пропускать через сито, а уборщикам остается лишь надеяться, что утерянные вещи быстро найдутся.

Но Мел понимал, что, даже если не будет такого рода потерь, санитарным командам все равно предстоит основательно поработать этой ночью. Управляющий по опыту знал, что с ухудшением погоды возрастает потребность в туалетах и на земле, и в воздухе. Интересно, подумал Мел, многие ли имеют представление о том, что санинспекторы в аэропорту каждый час получают сообщения о погоде и соответственно распределяют уборщиков и запасы туалетной бумаги.

Самолет компании «Эйр Канада», за которым следовал Мел, вырулил за пределы аэровокзала и стал набирать скорость. Мел нажал на акселератор, стараясь не отстать. Он как-то увереннее себя чувствовал, когда видел впереди хвостовые огни ДС-9: «дворники» на его ветровом стекле не справлялись со снегом, и он, по сути дела, ехал вслепую. В смотровом зеркальце он заметил надвигавшийся на него сзади силуэт другого реактивного самолета. По радио зазвучал предупреждающий голос наземного диспетчера:

— «Эр Франс» четыре-ноль четыре, между вами и «Эйр Канадой» — служебная машина.

Только через четверть часа Мел добрался до пересечения рулежной дорожки со взлетно-посадочной полосой, где застрял самолет «Аэрео Мехикан». К тому времени цепочка самолетов, выруливавших для взлета с двух других действующих полос, осталась уже позади.

Мел остановил машину и вышел. Здесь, в безлюдье и тьме, ветер буйствовал, казалось, еще безудержнее. Он свистел и завывал над пустынной взлетной полосой. «Появись здесь сегодня волки, — подумал Мел, — я бы ничуть не удивился».

Какая-то призрачная фигура окликнула его из снежной мглы:

— Это вы, мистер Патрони?

— Нет, это не Патрони. — Мел обнаружил, что и ему приходится кричать, чтобы перекрыть вой ветра. — Но Джо Патрони в пути.

Человек подошел ближе. Он был закутан в доху, и тем не менее лицо у него посинело от холода.

— Мы, конечно, будем рады увидеть Патрони, но черт меня побери, если я понимаю, что он тут может сделать. Мы почти все перепробовали, чтобы вытащить эту махину. — И он показал на самолет, черневший позади. — Застрял напрочь.

Мел назвал себя и поинтересовался, с кем он разговаривает.

— Моя фамилия Ингрем, сэр. Я старший техник «Аэрео Мехикан». И, признаться, очень бы хотел сейчас, чтоб у меня была другая работа.

Переговариваясь на ходу, они приблизились к застрявшему «Боингу-707», инстинктивно ища укрытия под его крыльями и фюзеляжем. Красный свет ритмично мигал под брюхом большого лайнера. При этом неверном свете Мел увидел под снегом раскисшую землю, в которой завязли колеса самолета. На взлетно-посадочной полосе и прилегающей к ней рулежной дорожке, словно родственники, столпившиеся у постели умирающего, стояли грузовики и подсобные машины — топливозаправщик, тележки для багажа, почтовый фургон, два автобуса для команды и ревущий передвижной генератор.

Мел поднял воротник пальто.

— Нам совершенно необходима эта взлетная полоса — срочно, сегодня. Что вы для этого сделали?

За эти два часа, доложил Ингрем, с аэровокзала подогнали к самолету старые трапы и спустили по ним пассажиров. Процесс этот оказался медленным и небезопасным, так как ступеньки едва успевали очищать ото льда — настолько быстро они снова обледеневали. Одну пожилую женщину пришлось даже нести на руках. Детей передавали по цепочке в одеялах. Теперь все пассажиры уехали в автобусах вместе со стюардессами и вторым пилотом. Командир экипажа и первый пилот остались на местах.

— А вы пытались сдвинуть самолет после того, как сошли пассажиры?

Старший техник кивнул:

— Мы дважды запускали двигатели. Командир корабля включал их на всю мощь, какую считал возможной. Но вытащить самолет не удалось. Похоже, что он еще глубже увяз.

— А сейчас что делаете?

— Снимаем груз — вдруг поможет. Большая часть горючего, — добавил Ингрем, — уже откачана топливозаправщиками, а это немало, поскольку баки были заполнены для полета. Освободили также багажные и грузовые отсеки. Почтовый фургон забрал мешки с почтой.

Мел кивнул. Почта-то улетит — в этом он не сомневался. Почтовое отделение в аэропорту постоянно следило за соблюдением воздушного графика. Там было точно известно, на каком самолете находятся мешки с почтой, и в случае задержки почтовые служащие мгновенно перебрасывали их с одного рейса на другой. Словом, почте с застрявшего самолета повезет куда больше, чем пассажирам. Максимум через полчаса она уже отправится по назначению — в случае необходимости кружным путем.

— Вам не нужна дополнительная помощь? — спросил Мел.

— Нет, сэр, пока нам никто не нужен. У меня тут почти вся наша бригада «Аэрео Мехикан» — двенадцать человек. Половина из них греется сейчас в автобусе. Но Патрони, конечно, может понадобиться больше народу. Все будет зависеть от того, что он задумает. — Ингрем повернулся и мрачно посмотрел на неподвижный лайнер. — Если хотите знать мое мнение, дело это долгое, и нам потребуются подъемные краны, домкраты, а может, и пневматические мешки, чтоб приподнять крылья. Однако большую часть оборудования мы сможем пустить в дело, только когда рассветет. Так что на эту операцию может уйти почти весь завтрашний день.

— Исключено: я не могу вам дать не только завтрашний день, но даже сегодняшнюю ночь, — резко оборвал его Мел. — Полоса должна быть очищена... — Он вдруг умолк, вздрогнув от предчувствия, неожиданно нахлынувшего с такой силой, что ему стало страшно.

По телу его снова прошла дрожь. Что с ним? Да ничего особенного, уверил он себя: это от непогоды, от резкого, холодного ветра на поле. Но странное дело: он ведь не сейчас вышел из машины и, казалось бы, уже должен был привыкнуть к холоду.

С другого конца поля, перекрывая вой ветра, долетел рев двигателей реактивного самолета. Шум нарастал и потом сразу стал тише — самолет взлетел. Это повторилось еще. И еще раз. Значит, там все в порядке.

А здесь? И снова на какую-то долю секунды им овладело предчувствие беды. Даже не предчувствие, а что-то неуловимое, как дыхание надвигающейся серьезной опасности. Нельзя, конечно, придавать таким вещам значения: интуиции, предчувствиям не место в жизни прагматика. Правда, однажды, много лет назад, у него было точно такое же чувство, будто надвигается нечто неотвратимое, что приведет к гибельному концу. Мел вспомнил и то, каким оказался этот конец, который он не в состоянии был предотвратить...

Он снова посмотрел на «боинг». Машину засыпало снегом, и очертания ее стали расплывчатыми. Собственно говоря, ведь помимо того, что оказалась заблокированной взлетно-посадочная полоса и приходится взлетать над Медоувудом, ничего страшного не произошло. Ну увяз в снегу самолет, но никто при этом не пострадал, никакого материального ущерба не нанесено — словом, ничего особенного.

— Пошли ко мне в машину, — предложил он старшему технику. — Выясним по радио, что происходит.

По дороге он вспомнил, что Синди уже наверняка с нетерпением ждет его в городе.

Мел не выключал обогревателя, и в машине сейчас было тепло и уютно. Ингрем удовлетворенно крякнул. Он слегка распахнул доху и, нагнувшись, подставил руки под струю теплого воздуха.

— Машина номер один — пульту снежной команды. Дэнни, я на ВПП три-ноль, у застрявшего самолета. Позвони в ремонтную «ТВА» и узнай насчет Патрони. Где он? Когда должен прибыть? Все.

В ответ заскрипел голос Дэнни Фэрроу:

— Пульт снежной команды — машине номер один. Вас понял. Кстати, Мел, звонила твоя жена.

Мел нажал на кнопку микрофона.

— Она оставила номер, по которому ей звонить?

— Точно.

— Машина номер один — пульту снежной команды. Позвони ей, пожалуйста, Дэнни. Скажи, что, к сожалению, я немного задержусь. Но сначала выясни насчет Патрони.

— Ясно. Жди.

И радио умолкло.

Мел сунул руку в карман пальто, вытащил пачку «Мальборо» и предложил Ингрему сигарету.

— Спасибо.

Они закурили, глядя на то, как «дворники» ходят туда и сюда по ветровому стеклу.

— Там, наверху, — Ингрем движением головы указал на освещенную кабину самолета, — эта сволочь капитан, наверно, льет крокодиловы слезы в свое сомбреро. Теперь уж он будет следить за синими огнями — глаз от них не оторвет, как от свечей на алтаре.

— Кстати, ваши наземные команды — из мексиканцев или американцев? — спросил Мел.

— Мы все американцы. Только болваны вроде нас и могут работать в такую чертову погоду. Вы знаете, куда должен был лететь этот самолет?

Мел отрицательно покачал головой.

— В Акапулько. И до того, как это случилось, я готов был бы полгода поститься, лишь бы полететь на нем. — Старший техник ухмыльнулся: — А вы представляете себе, каково это было: сел в самолет, уютно устроился — и на тебе! — вылезай. Слышали бы вы, как чертыхались пассажиры, особенно женщины. Я узнал от них сегодня немало словечек.

Снова ожило радио.

— Пульт управления снежной командой — машине номер один, — раздался голос Дэнни Фэрроу. — Я выяснял у «ТВА» насчет Патрони. Они связывались с ним; но дело в том, что он застрял по дороге. На шоссе пробка, и он будет не раньше чем через час. Он передал указания. Все понял?

— Понял, — сказал Мел. — Валяй указания.

— Патрони опасается, как бы самолет не увяз еще глубже. Говорит, это легко может случиться. Поэтому считает: если команда не уверена в успехе, пусть лучше ничего не предпринимают, пока он не приедет.

Мел искоса взглянул на Ингрема:

— А как относятся к этому в «Аэрео Мехикан»?

Старший техник кивнул, давая понять, что там относятся положительно.

— Патрони может делать любые попытки. Будем его ждать.

Дэнни Фэрроу спросил:

— Понял? Все ясно?

Мел нажал на кнопку микрофона:

— Ясно.

— О'кей. Слушай дальше. «ТВА» срочно вызывает дополнительный персонал для помощи. И еще, Мел: снова звонила твоя жена. Я передал ей то, что ты сказал.

Мел почувствовал: Дэнни недоговаривает, зная, что его могут услышать и другие, чье радио включено на частоту аэропортовских служб.

— Ей это не понравилось? — спросил Мел.

— По-моему, нет. — Секундная пауза. — Я советую, как только сможешь, доберись до телефона.

Должно быть, Синди говорила с Дэнни ядовитее обычного, подумал Мел, но тот, как верный друг, не стал сейчас об этом распространяться.

Что же до самолета, то тут надо ждать Патрони. Его совет — ничего не предпринимать, чтобы самолет глубже не увяз, — звучит разумно.

Тем временем Ингрем уже застегивал пальто и натягивал толстые рукавицы.

— Спасибо за обогрев, — сказал он и вышел на ветер и снег, поспешно захлопнув за собой дверцу машины.

Мел видел, как он бредет по сугробам, направляясь к машинам, сгрудившимся на рулежной дорожке.

По радио слышно было, как диспетчер пульта управления снежной командой переговаривается с центром по борьбе с заносами. Мел дождался, пока переговоры закончатся, затем включил микрофон.

— Дэнни, говорит машина номер один. Еду к «Анаконде».

И он двинулся вперед, осторожно ведя машину сквозь крутящийся снег, в темноте, прорезаемой лишь редкими огнями на взлетно-посадочной полосе.

Снегоуборочная команда «Анаконда», передовой отряд и главное звено в аэропортовской системе борьбы с заносами, находилась в этот момент на взлетно-посадочной полосе одинсемь, левой. Сейчас он сам убедится, мрачно подумал Мел, есть ли хоть доля правды в неблагоприятной для него докладной, состряпанной капитаном Димирестом от имени комиссии по борьбе с заносами, или же это лишь его злопыхательские измышления.

6

Предмет размышлений Мела — капитан Вернон Димирест — находился в этот момент в трех милях от аэропорта. Он ехал на своем «Мерседесе-230», и путешествие это по сравнению с тем, которое он проделал ранее — из дома в аэропорт, — было много легче: теперь он выбирал улицы, по которым недавно прошелся снегоочиститель. Снег, подхлестываемый ветром, по-прежнему валил вовсю, но здесь он не успел еще лечь толстым слоем, и потому езда была нетрудной.

Димирест направлялся к скоплению четырехэтажных зданий неподалеку от аэропорта, известных среди летчиков под названием «Квартал стюардесс». Именно здесь жили многие стюардессы, работавшие на разных авиалиниях в аэропорту Линкольна. Обычно две-три девушки снимали одну квартиру, и те, кто заглядывал к ним, называли эти квартиры «стюардессиными гнездышками».

Здесь в часы, свободные от работы, частенько устраивались веселые пирушки и завязывались романы, регулярно возникавшие между стюардессами и мужской половиной экипажей.

Впрочем, нравы в «стюардессиных гнездышках» не отличались особой распущенностью — здесь происходило то же, что и везде, где живут одинокие молодые женщины. Разница состояла лишь в том, что развлекались тут и вели себя «аморально» люди, связанные с авиацией.

Оснований для этого было предостаточно. И стюардессы, и члены экипажа — мужчины, с которыми их сталкивала жизнь, — капитаны, первые и вторые пилоты — были все без исключения людьми отменными. Все они занимали определенное место в авиации, выдержав безжалостную конкуренцию и пройдя жесткий отбор, отсекающий менее способных. В результате такого отбора остаются лишь самые незаурядные. И образуется своеобразное сообщество смекалистых, неглупых людей, любящих жизнь и способных оценить друг друга.

Вернон Димирест за время работы в авиации оценил немало стюардесс — да и его оценили по достоинствам многие. Он то и дело заводил романы с хорошенькими и неглупыми молодыми женщинами, взаимности которых мог бы добиваться монарх или модный киноактер — и тщетно, потому что стюардессы, с которыми были знакомы — и притом весьма интимно — Димирест и его коллеги-пилоты, не были ни проститутками, ни распутными женщинами. Просто это были веселые, компанейские и весьма искушенные в плотских радостях существа, которые умели оценить настоящего мужчину и не отказывались приятно провести время без особых забот и хлопот.

Одной из тех, кто, так сказать, оценил по достоинству капитана Вернона Димиреста, и притом, по-видимому, не на один день, была пикантная, привлекательная брюнетка по имени Гвен Мейген. Она была дочерью английского фермера и десять лет назад, покинув родину, переехала в Штаты. Прежде чем поступить на службу в «Транс-Америку», Гвен некоторое время работала манекенщицей в одном из домов моделей в Чикаго. Возможно, поэтому она умела с таким изяществом и достоинством держаться на людях, ничем не выдавая темперамента, которым отличалась в постели.

К этой-то молодой женщине и направлялся сейчас Вернон Димирест.

Через несколько часов оба они полетят в Рим — капитан Димирест в пилотской кабине в качестве командира экипажа, а Гвен Мейген — в пассажирском салоне в качестве старшей стюардессы. В Риме экипаж получит трехдневный отдых — «на пересып», в то время как другой экипаж, который сейчас отдыхает в Италии, поведет самолет обратно в аэропорт Линкольна.

Слово «пересып» давно вошло в официальный жаргон, которым пользовались служащие авиакомпаний. Тот, кто его изобрел, по-видимому, обладал чувством юмора, и слово это вошло в обиход: летчики на отдыхе и буквально, и фигурально следовали его значению. Вот и Димирест с Гвен Мейген намеревались интерпретировать его по-своему. Они решили по прибытии в Рим тотчас уехать в Неаполь и устроить там сорокавосьмичасовой «пересып». Это была мечта, идиллия, и Вернон Димирест улыбнулся сейчас, подумав об этом. Он уже подъезжал к «Кварталу стюардесс» и, вспомнив, как удачно для него сегодня все складывается, улыбнулся еще шире.

Попрощавшись со своей женой Сарой, которая, как всегда, пожелала ему удачного полета, он рано приехал в аэропорт. Живи Сара в другом веке, она бы наверняка занималась вышиванием или вязанием в отсутствие своего повелителя. Но Сара жила в наше время и потому, как только он уедет, она с головой погрузится во всякую светскую чепуху — будет ходить в свой клуб, играть в бридж и писать маслом, то есть займется тем, что составляет основу ее жизни.

Сара Димирест была на редкость бесстрастная и унылая женщина; муж сначала примирился с этими ее качествами, а потом — в силу своеобразной извращенности — даже начал их ценить. Когда во время полетов или романов с более интересными женщинами ему случалось вспомнить о доме, он мысленно — впрочем, не только мысленно, но и в беседах с друзьями — называл свое возвращение к родному очагу: «в ангар на стоянку». Были у его брака и другие преимущества. Пока он существовал, женщины, с которыми Димирест заводил романы, вольны были влюбляться в него по уши и выдвигать любые требования, но ни одна не могла надеяться, что он пойдет с ней под венец. Таким образом, брак прочно защищал его от скоропалительных решений, которые он в угаре страсти мог принять. Ну а Сара... Время от времени он снисходил до интимных отношений с ней, подобно тому как хозяин иной раз бросает старой собаке сахарную кость. Сара покорно отвечала на его посягательства и вела себя как положено, хотя он и подозревал, что и вздохи, и прерывистое дыхание были скорее результатом привычки, чем страсти, и что, прекрати он супружеские отношения совсем, ее бы это мало тронуло. Не сомневался он и в том, что Сара догадывалась о его похождениях на стороне: она инстинктивно чувствовала, что он ей изменяет, хоть и не располагала фактами. Однако она предпочитала ничего об этом не знать, что вполне устраивало Вернона Димиреста.

Радовало его сегодня и еще одно — докладная комиссии по борьбе с заносами; воспользовавшись ею, он крепко дал под дых этому надутому индюку, своему шурину Мелу Бейкерсфелду. Идея такой докладной принадлежала самому Димиресту. Два других представителя авиакомпаний в комиссии сначала держались иной точки зрения: руководство аэропорта, говорили они, делает все возможное в создавшихся чрезвычайных обстоятельствах. Капитан Димирест утверждал обратное. Наконец ему удалось склонить их на свою сторону, и было решено поручить Димиресту самому написать докладную, что он и сделал, не пожалев яда. Он даже не дал себе труда проверить факты, безоговорочно утверждая, что дело поставлено плохо — и все: ну чего еще проверять, когда вокруг столько снега? Зато уж он постарался пошире разослать докладную, чтобы причинить максимум неприятностей Мелу Бейкерсфелду и как следует досадить ему. Как только докладная будет размножена, ее направят вице-президентам всех авиакомпаний, а также в конторы авиакомпаний в Нью-Йорке и в других городах. Зная, как приятно найти козла отпущения и свалить на кого-то вину за неполадки, капитан Димирест был уверен, что телефоны и телетайпы сразу заработают, как только она поступит.

Словом, он отомстил своему родственничку, не без удовольствия подумал Вернон Димирест, — не бог весть как страшно, но все же отомстил. Теперь его хромоногий шурин дважды подумает, прежде чем выступать против капитана Димиреста и Ассоциации пилотов гражданской авиации, как он это сделал публично две недели тому назад.

Капитан Димирест развернул свой «мерседес», аккуратно затормозил на стоянке у домов и вышел из машины. Оказывается, он приехал даже немного раньше — на четверть часа раньше, чем обещал Гвен заехать за ней. Тем не менее он решил к ней подняться.

Отпирая наружную дверь ключом, который дала ему Гвен, он вдруг заметил, что тихонько напевает про себя «O sole mio»*, и улыбнулся. А почему бы, собственно, и нет? Вполне подходящая песенка. Неаполь... теплая южная ночь, а не снежная, вид на залив при свете звезд, тихие звуки мандолины, кьянти за ужином и рядом — Гвен. И от всего этого его отделяют какие-то двадцать четыре часа.

И, поднимаясь в лифте, он продолжал напевать. Тут ему вспомнилось еще одно приятное обстоятельство: его ожидал очень легкий полет.

Хотя капитан Димирест и был командиром экипажа, которому предстояло вылететь в рейс номер два «Золотой Аргос», делать ему сегодня почти ничего не придется. На этот раз он полетит в качестве пилота-контролера. Самолет же поведет другой пилот — Энсон Хэррис, по рангу почти равный Димиресту. Это он будет сегодня сидеть в командирском кресле слева. А Димирест будет сидеть справа — там, где обычно сидит первый пилот, — и наблюдать за действиями Хэрриса, чтобы потом доложить, как он справился с полетом.

Хэррису был назначен контрольный полет в связи с тем, что «Транс-Америка» решила перевести его с внутренних линий на международные. Однако прежде он должен был совершить два полета за океан с пилотом, имеющим ранг инструктора. А Вернон Димирест как раз имел этот ранг.

После того как Хэррис совершит два полета — а сегодняшний был вторым по счету, — его проэкзаменует старший пилот, и лишь потом ему доверят международный рейс.

В подобного рода полетах — равно как и во время контрольных полетов, которые регулярно, каждые полгода, обязаны совершать все пилоты всех авиакомпаний, — проводилась тщательная проверка навыков поведения в воздухе и умения летать. Испытания проходили на обычных рейсовых самолетах, и пассажиры могли догадаться об этом, лишь увидев двух капитанов с четырьмя нашивками на рукаве, сидящих в пилотской кабине.

---

* «О солнце мое» (ит.). — *Здесь и далее примеч. пер.*

Хотя пилоты по очереди проверяли друг друга, они обычно серьезно и требовательно подходили к делу. Так они сами хотели. Слишком многое ставилось на карту — и человеческие жизни, и собственная квалификация, — чтобы из дружеских чувств не хвалить друг друга и не прощать друг другу промахов. Пилот, проходивший проверку, знал, что его действия должны во всем отвечать стандарту. И если он в чем-то этому стандарту не соответствовал, на него поступал неблагоприятный отзыв, что могло повлечь за собой более строгую проверку со стороны старшего пилота авиакомпании, от которого уже зависело, оставить или уволить испытуемого.

Не давая испытуемым никаких поблажек, коллеги, однако, относились к ним с подчеркнутым уважением. Все — кроме Вернона Димиреста.

Димирест же относился ко всем пилотам, проходившим у него испытание, как учитель к провинившимся школьникам, которых надо распечь. Более того: в роли такого школьного учителя Димирест держался неизменно официально, был высокомерен, резок и жесток. Он не скрывал своей убежденности в том, что никто не может сравниться с ним в искусстве пилотирования. Коллеги, которым приходилось все это выносить, внутренне кипели от негодования, но выхода не было, и они подчинялись. Зато потом они клялись друг другу, что, когда наступит черед Димиреста проходить проверку, они будут так придираться к нему, так его третировать, что он не обрадуется. И они старались выполнить свою угрозу — вот только результат всегда был один и тот же: Вернон Димирест безукоризненно вел самолет и придраться ни к чему не удавалось.

Вот и сегодня, перед контрольным полетом, Димирест, следуя обычной линии поведения, позвонил Энсону Хэррису домой.

— Вечером будет трудно ехать, — без всякого вступления сказал Димирест. — Я люблю, чтобы мой экипаж был вовремя на месте, и прошу вас выехать заблаговременно в аэропорт.

Энсон Хэррис, который за двадцать два года безупречной службы ни разу не опоздал на работу, едва не задохнулся от возмущения. К счастью, прежде чем он сумел выдавить из себя хоть слово, капитан Димирест повесил трубку.

Все еще внутренне негодуя, но не желая дать повод Димиресту в чем-либо его упрекнуть, капитан Хэррис прибыл в аэропорт не за час до вылета, как предписывалось, а почти за три часа. Капитан Димирест увидел его в «Кафе заоблачных пилотов», куда он зашел после схватки с комиссией по борьбе с заносами. Димирест был в твидовом пиджаке и брюках — форменный костюм, как всегда, висел у него в шкафчике, и он намеревался переодеться позже. А капитан Хэррис, уже немолодой мужчина с проседью, пилот-ветеран, которого молодежь именовала не иначе как «сэр», был в форме «Транс-Америки».

— Привет, Энсон! — Вернон Димирест опустился рядом с ним на табурет у стойки. — Я вижу, вы послушались моего доброго совета.

Капитан Хэррис крепче сжал чашку с кофе, но в ответ сказал только:

— Добрый вечер, Вернон.

— Подготовка к полету начнется на двадцать минут раньше обычного, — предупредил его Димирест. — Я хочу проверить, в порядке ли у вас бортовой журнал и на месте ли все инструкции.

Какое счастье, подумал Хэррис, что жена только вчера проверила инструкции и внесла туда последние изменения. Но еще надо будет просмотреть в экспедиции почту, не то этот мерзавец может потом поставить ему в вину, что он не исправил какой-то пункт, текст которого был утвержден только сегодня. Чтобы чем-то занять руки и успокоиться, капитан Хэррис набил трубку и закурил.

Он почувствовал на себе критический взгляд Димиреста.

— У вас неформенная рубашка.

На секунду Хэррис не поверил, что его коллега говорит это всерьез. Но когда понял, что тот и не думает шутить, лицо его стало цвета спелой сливы.

Форменные рубашки вызывали крайнее раздражение у пилотов не только «Транс-Америки», но и других авиакомпаний. Рубашки эти приобретались у поставщиков авиакомпании и стоили девять долларов; они были плохо сшиты, притом из материала весьма сомнительного качества. В обычном же магазине можно было купить рубашку куда лучше и дешевле, причем по виду она почти не отличалась от форменной. Многие пилоты ходили поэтому в неформенных рубашках. В том числе и *Вернон Димирест*. Энсон Хэррис не раз слышал, как презрительно отзывался Димирест о рубашках, поставляемых компанией, и противопоставлял им те, которые носил сам.

Димирест велел официантке подать кофе и примирительно сказал Хэррису:

— Ничего страшного. Я не напишу в рапорте о том, что видел вас в неформенной рубашке. Только переоденьтесь до того, как явитесь на мой корабль.

«*Сдержись!* — сказал себе Энсон Хэррис. — *Великий Боже, дай мне силы! Только бы не сорваться — ведь именно этого добивается сукин сын. Но почему? Почему?*»

Ладно. Ладно, решил он про себя: он проглотит обиду, сменит рубашку и наденет форменную. Он не даст Димиресту повода упрекнуть его хоть в чем-то — пусть даже в самой малости. Правда, не так-то просто будет добыть сегодня форменную рубашку. Наверно, придется одолжить ее — поменяться с кем-нибудь из капитанов или первых пилотов. Когда он скажет, зачем ему это нужно, никто не поверит. Он сам еле поверил своим ушам.

Ну ничего, у Димиреста тоже будет контрольный полет... *и пусть он поостережется... и в очередной раз, и во все последующие.* У Энсона Хэрриса немало хороших друзей среди старших пилотов. И уж он позаботится о том, чтобы Димиреста заставили надеть форменную рубашку, заставили следовать правилам во всем — во всем, вплоть до мелочей... *А не то...* Эта хитрая сволочь еще попомнит его, мрачно подумал Хэррис. Уж он постарается, чтобы попомнил.

— Эй, Энсон! — В голосе Димиреста звучал смешок. — Вы сейчас откусите мундштук у своей трубки.

Ведь и в самом деле чуть не откусил. Вспомнив сейчас эту сцену, Вернон Димирест хмыкнул. Да, полет будет легкий — для него.

Лифт остановился на четвертом этаже, и мысли Димиреста вернулись к настоящему. Он вышел в коридор, застланный ковром, и уверенно свернул налево — к квартире, которую Гвен Мейген занимала вместе со стюардессой «Юнайтед эйрлайнз». Димирест знал от Гвен, что ее соседки не будет дома — она улетела в ночной рейс. Он по обыкновению отстучал на звонке свои инициалы азбукой Морзе — точка-точка-точка-тире тире-точка-точка, — затем вошел, воспользовавшись тем же ключом, которым отпер дверь подъезда.

Гвен была в душе. Он услышал шум воды. Когда он подошел к двери ее спальни, она окликнула его: «Вернон, это ты?» Даже сейчас, перекрывая шум душа, голос ее звучал мягко и мелодично. И Димирест подумал: «Неудивительно, что Гвен имеет такой успех у пассажиров». Он сам видел, как они буквально тают — особенно мужчины, — когда она с присущим ей обаянием обращается к ним.

Он крикнул в ответ:
— Да, крошка.

Ее тонкое белье лежало на постели: нейлоновые трусики; прозрачный лифчик телесного цвета и такого же цвета пояс с резинками, комбинация из французского шелка с ручной вышивкой. Гвен носила обычную форму, но любила, чтобы под ней было дорогое белье. Кровь быстрее побежала по жилам Димиреста, и он нехотя отвел глаза от соблазнительных вещиц.

— Я рада, что ты пришел пораньше, — снова крикнула она. — Мне хотелось поговорить с тобой до полета.

— Отлично — время у нас есть.

— Если хочешь, можешь пока приготовить чай.

— О'кей.

Она приучила Вернона к английской манере пить чай в любое время дня, хотя прежде, до их знакомства, он вообще не любил чай. А теперь он так к нему пристрастился, что даже пил чай дома; это крайне удивляло Сару, особенно когда он требовал, чтобы чай был заварен по всем правилам, как учила его Гвен: сначала нагреть чайник, потом кипящей водой заливать чай.

Он прошел в крошечную кухоньку, где ему было все знакомо, и поставил чайник на конфорку. Потом отыскал в холодильнике пакетик молока, вылил его в молочник, отпил немного сам, а остальное поставил обратно. Он, конечно, предпочел бы виски с содовой, но, как большинство пилотов, уже за сутки до полета не брал в рот ни капли спиртного. По привычке он посмотрел на часы — было без трех минут восемь. И он машинально подумал о том, что в аэропорту сейчас уже кипит работа и какие-то люди готовят для него элегантный, рассчитанный на большие расстояния «Боинг-707», на котором он будет совершать свой пятитысячемильный полет в Рим.

В ванной закрыли кран, вода перестала литься. И в наступившей тишине Димирест снова стал весело напевать: «О соле мио».

7

Резкий, холодный ветер по-прежнему бушевал над аэропортом, по-прежнему валил густой снег.

Сидя в своей машине, Мел Бейкерсфелд вдруг снова почувствовал озноб. Полоса три-ноль и застрявший на ней самолет остались позади; теперь Мел направлялся к полосе один-семь, левой, по которой только что прошли снегоочистители. Откуда этот озноб? — подумал он. Дает себя знать холод или боль в покалеченной ноге, или это опять предчувствие беды, которое возникло у него недавно?

Ногу Мел повредил себе шестнадцать лет назад у берегов Кореи, когда служил в морской авиации и летал с авианосца «Эссекс». Тогда, за полсуток до рокового вылета (он это отчетливо помнил), у него возникло предчувствие беды. Это не был страх — подобно многим своим коллегам он научился жить рядом с опасностью, — а скорее подсознательная уверенность в том, что на него надвигается что-то неотвратимое и это может кончиться гибелью для него. На другой день в бою с МиГ-15 самолет Мела подстрелили над морем.

Он сумел немного спланировать, но левая нога у него попала под педаль и там застряла. Самолет быстро погружался в воду — он шел ко дну со скоростью кирпича, — и Мел, выхватив охотничий нож, в последнем, отчаянном усилии полоснул по педали и по ноге. Уже под водой ему каким-то чудом удалось высвободить ногу. И он вынырнул, преодолевая адскую боль.

Целых восемь часов его носило по волнам, и он уже начал терять сознание, когда его подобрали. Потом он узнал, что перерезал себе сухожилия, и нога у него перестала сгибаться в щиколотке.

Со временем флотские медики подлечили ему ногу, но с тех пор Мел уже не летал. Правда, боль время от времени вдруг возвращалась, всякий раз напоминая о том, как много лет назад инстинкт предупреждал его о надвигавшейся беде. Вот такое же предчувствие появилось у него и теперь.

Осторожно ведя машину, чтобы не сбиться в темноте с пути. Мел продвигался к полосе один-семь, левой. По словам руководителя полетов, именно эта полоса будет нужна диспетчерам, когда переменится ветер, а он, судя по прогнозам, должен был вот-вот перемениться.

В настоящее время в аэропорту пользовались двумя полосами — два-пять и один-семь, правой. А всего взлетно-посадочных полос было пять. И здесь, на этих полосах, вот уже три дня и три ночи буран давал аэропорту жестокий бой.

Самой длинной и широкой была полоса три-ноль, перекрытая «боингом» компании «Аэрео Мехикан». (Если ветер изменится и самолет будет подлетать с противоположной стороны, ее можно заменить полосой один-два.) Она была почти в две мили длиной и шириной с городской квартал; в аэропорту шутили, что с одного ее конца не видно другого, потому как Земля-то ведь круглая.

Остальные четыре полосы были на полмили короче и гораздо уже.

С тех пор как начался снегопад, все полосы непрерывно расчищали, освобождали от снега, подметали и посыпали песком. Машины — с ревущими дизелями стоимостью в несколько миллионов долларов — останавливались лишь для заправки или смены обслуживающего персонала. Этой работы никто из пассажиров не видел, потому что самолеты выпускали уже на расчищенную полосу и притом лишь после того, как ее поверхность была осмотрена и признана безопасной. На этот счет существовали очень строгие правила. Полдюйма твердого снегового покрова или три дюйма пушистого снега — максимум, что разрешалось оставлять на полосе, используемой реактивными самолетами. Если оставить более толстый покров, снег будет всосан двигателями и они могут заглохнуть.

А жаль, подумал Мел Бейкерсфелд, что снегоуборочные команды не работают на глазах у публики. Зрелище это было грандиозное и захватывающее. Даже сейчас, в буран, в темноте, вид движущихся машин производил внушительное впечатление. Каскады снега гигантской дугой низвергались с высоты ста пятидесяти футов. Они сверкали и переливались в лучах фар и двадцати вращающихся прожекторов, установленных на крышах машин.

В аэропорту эту снегоуборочную команду называли «Анакондой».

У нее были голова, хвост, туловище и все аксессуары змеи, и продвигалась она вперед, извиваясь, словно в танце.

Во главе ехал «лидер», старший техник аэропортовских служб, на легковой машине — ярко-желтой, как и все остальные машины «Анаконды». «Лидер» устанавливал скорость движения, которая обычно была довольно большой. В его распоряжении имелось два радиопередатчика, и он поддерживал постоянную связь с пультом управления снежной командой и с диспетчерской. С помощью системы световых сигналов он общался с теми, кто следовал за ним: зеленый сигнал — «набрать скорость»; желтый — «так держать», красный — «сбавить скорость», а многократное повторение красного сигнала означало «стоп». «Лидер» обязан был знать назубок всю карту аэропорта и уметь ориентироваться даже в такую темную ночь.

За «лидером» — так в оркестре после дирижера идет концертмейстер — следовал снегоочиститель номер один; сегодня это был гигант «ошкош» с огромным ножом впереди и другим ножом поменьше — сбоку. Чуть позади и правее снегоочистителя номер один шел снегоочиститель номер два. Первый снегоочиститель отгребал снег в сторону; второй подбирал все, что счищал первый, и, добавив свое, отгребал всю массу снега еще дальше.

За снегоочистителями шел «сноубласт» — шестьсот ревущих лошадиных сил. «Сноубласт» стоил шестьдесят тысяч долларов и был «кадиллаком» среди снегоочистительных машин. Мощными насосами он всасывал снег, который отгребали оба снегоочистителя, и выбрасывал его могучим каскадом за пределы взлетно-посадочной полосы.

Во втором эшелоне, еще правее, шли два других снегоочистителя и второй «сноубласт».

За снегоочистителями и «сноубластами» шли грейдеры — пять в ряд — и ножами счищали все неровности, оставшиеся после снегоочистителей. За ножом у грейдеров были установлены крутящиеся щетки. Они подметали полосу, словно гигантская метла.

Следом шли машины с песком. Как только одиннадцать машин очищали от снега пространство, три огромных грузовика с бункерами вместимостью четырнадцать кубометров каждый ровным слоем разбрасывали песок.

Песок здесь применялся не такой, как везде. Повсюду за пределами аэропорта — на шоссе, на городских улицах и площадях — к песку прибавляют соль, ускоряющую таяние льда. Но этого никогда не делают на поле. Соль разъедает металл, укорачивает его жизнь, а к самолетам относятся более бережно, чем к автомобилям.

Последним в «Анаконде» ехал «хвостовой Чарли» — младший техник на легковой машине. Его обязанностью было наблюдать за строем и подгонять отстающих. Он поддерживал радиосвязь с «лидером», которого подчас и не видел за пеленой снега в темноте.

Кроме того, было еще и «окружение»: резервный снегоочиститель — на случай, если какой-нибудь выйдет из строя; ремонтная машина с механиками; цистерны с бензином и дизельным топливом, а также вызываемый в определенное время по радио пикап с кофе и пончиками.

Мел дал газ, обогнал «окружение» и притормозил рядом с машиной младшего техника. Его появление тотчас было замечено. Он услышал, как «лидер» сообщил по радио: «К нам подъехал мистер Бейкерсфелд».

«Анаконда» двигалась быстро — со скоростью сорок миль в час вместо обычных двадцати пяти. «Лидер» явно спешил, учитывая предполагаемую перемену ветра и необходимость в связи с этим срочно подготовить взлетно-посадочную полосу.

Переключив свое радио на волну наземной службы, Мел услышал, как «лидер» докладывает диспетчеру:

— ...идем по полосе один-семь, левой, приближаемся к пересечению с полосой два-пять. Прошу разрешения пересечь.

Полоса два-пять действовала — на нее один за другим садились самолеты.

— Наземный диспетчер — «лидеру» «Анаконды»: остановитесь у пересечения. Два самолета идут на посадку. Не разрешаю, повторяю: не разрешаю пересекать полосу. Подтвердите прием.

Диспетчер произнес это таким тоном, словно просил прощения. Там, наверху, понимали, как трудно остановиться «Анаконде» и потом снова двинуться вперед. Но приближавшиеся самолеты, по всей вероятности, снижались вслепую, по приборам, и уже шли на посадку — один за другим. В такую погоду только в случае крайней необходимости диспетчер мог приказать летчику снова набрать высоту и сделать еще один круг.

Мел увидел, как впереди вспыхнули и повелительно замигали красные огни: «Анаконда» сбавила скорость и замерла.

Младший техник, веселый молодой негр, выпрыгнул из своей машины и подошел к машине Мела. Когда он открыл дверцу, внутрь ворвался ветер — Мел почувствовал его, но не услышал свиста из-за работавших вхолостую дизелей. Младший техник пригнулся к самому уху Мела:

— Послушайте, мистер Би, хотите прокатиться с нами? Я тогда велю кому-нибудь из ребят присмотреть за вашей машиной.

По лицу Мела расплылась улыбка. Все в аэропорту знали, как он любил в свободную минуту посидеть за баранкой тяжелой машины. «А почему бы и нет?» — подумал Мел. Ведь он выехал на поле для того, чтобы проверить, как убирают снег и соответствует ли это докладной Вернона Димиреста. Теперь ему было ясно, что докладная — сплошная выдумка и все идет как надо. Но, может быть, не мешает еще немного задержаться и понаблюдать «изнутри».

Он кивнул в знак согласия и крикнул:

— О'кей, я поеду на втором «сноубласте».

— Отлично, сэр!

Младший техник включил ручной фонарик и, сгибаясь под напором ветра, пошел впереди Мела мимо застывших в неподвижности грузовиков с песком и щеток. Мел заметил, что на полосе, расчищенной всего несколько минут назад, уже снова лежит снег. Сзади, с ремонтного грузовика, соскочил человек и бегом направился к машине Мела.

— Поторапливайтесь, мистер Би. Остановка короткая. — Молодой негр посветил фонариком, пока Мел лез наверх. А там наверху, в кабине «сноубласта», водитель уже поджидал его, распахнув дверцу. Где-то на полпути острая боль в покалеченной ноге вдруг пронзила Мела, но времени пережидать ее не было. Впереди красные огни сменились зелеными: очевидно, оба самолета сели и прокатили мимо пересечения. «Анаконде» надо было спешить, чтобы пройти через полосу до посадки очередного самолета, а это могло произойти через минуту или две. Обернувшись, Мел увидел, как младший техник помчался к своему «хвостовому Чарли».

«Сноубласт» уже двинулся и с глухим ревом набирал скорость. Шофер бросил искоса взгляд на Мела, опустившегося рядом с ним на одно из двух сидений с мягкой обивкой.

— Здравствуйте, мистер Бейкерсфелд.

— Как дела, Вилл? — Мел сразу узнал в шофере клерка, который обычно выдавал жалованье в аэропорту.

— Отлично, сэр. Немного устал только.

Он старательно держал дистанцию между своей машиной и третьим и четвертым снегоочистителями: прожектора на них были отсюда еле видны. Огромные полукруглые ножи «сноубласта» уже заработали, сгребая снег и направляя его к всасывающему устройству. Белый фонтан взвился вверх и, образуя стройную арку, упал за пределами полосы.

Здесь, наверху, было такое ощущение, точно ты находишься на капитанском мостике. Шофер, совсем как рулевой, легко держал баранку. На панели перед ним мерцало в темноте множество разных дисков и кнопок. Как и на корабле, стремительно двигались скоростные «дворники», расчищая веером налипший на стекло снег и обеспечивая ясную видимость.

— Все, конечно, устали, — заметил Мел. — В утешение могу лишь сказать, что всю жизнь так не будет.

Несколько лет назад в такую снежную бурю аэропорт наверняка бы закрыли. А сейчас он мог работать главным образом потому, что наземная техника — правда, только в этой области — шла в ногу с прогрессом в воздухе. Но много ли таких примеров? Мел мрачно вынужден был признать, что немного.

— А впрочем, — нарушил молчание шофер, — неплохо оставить на время счетную машину и поработать на этой; к тому же чем дольше продержится такая погода, тем больше сверхурочных я получу. — Он нажал на кнопку, и кабина накренилась вперед, давая ему возможность проверить, как работают ножи. С помощью другой кнопки он слегка изменил их положение и затем выровнял кабину. — Я ведь не обязан этим заниматься — вы это знаете, мистер Бейкерсфелд. Я добровольно сюда пошел. Мне здесь нравится. Тут как-то... — Он помедлил. — Сам не знаю.

— Ближе к природе? — подсказал Мел.

— Да, пожалуй. — Шофер рассмеялся. — Может, я снег люблю.

— Да нет, Вилл, не думаю.

Мел повернулся и стал смотреть вперед — по направлению движения «Анаконды». Да, стихия разбушевалась вовсю. И все-таки он любил здесь бывать, пожалуй, потому, что на поле, среди этого огромного пустого пространства, когда ты совсем один, чувствуешь себя как-то ближе к полету — полету настоящему, в простейшем смысле этого слова, когда человек вступает в борьбу со стихией. А когда слишком долго сидишь в аэропорту или в конторе авиакомпании, утрачиваешь это чувство — тебя захлестывают вещи второстепенные, не имеющие к авиации отношения. Наверно, всем нам, авиационным чиновникам, подумал Мел, надо время от времени выходить на поле — встать в дальнем конце взлетно-посадочной полосы и почувствовать, как ветер сечет лицо. Тогда легче нам будет отделить побочное от главного. Да и мозги проветрятся.

Мел нередко выходил вот так на поле, когда ему нужно было подумать, спокойно что-то взвесить наедине с собой. Он не намеревался заниматься этим сегодня, но вдруг обнаружил, что мысль сама заработала: он думал, как это часто бывало с ним в последние дни, о будущем аэропорта и о своем собственном.

8

Всего лет пять тому назад аэропорт Линкольна считался одним из лучших и самых современных в мире. Им восторженно любовались многочисленные делегации, политические деятели с гордостью говорили о нем и чванливо утверждали, что это «последнее слово в авиации» и «символ реактивной эпохи». Политические деятели и сегодня с гордостью говорили о нем, но уже с меньшими основаниями. Большинству из них было невдомек, что международный аэропорт Линкольна, как и очень многие другие крупные аэропорты, быстро превращался в «гроб повапленный».

Мелу Бейкерсфелду пришло на ум это выражение, когда он ехал в темноте по левой полосе один-семь. Очень точное определение, подумал он. У аэропорта были серьезные коренные недостатки, но они находились вне поля зрения публики — только люди причастные знали о них.

Путешественники и посетители международного аэропорта Линкольна видели главным образом основной пассажирский зал — ярко освещенный, снабженный кондиционерами «Тадж-Махал». Аэровокзал из сверкающего стекла и хрома был просторен и производил внушительное впечатление. Разветвляющиеся коридоры вели в элегантные залы ожидания. Целая сеть служебных помещений окружала пространство, отведенное для пассажиров. В аэровокзале было шесть специализированных ресторанов — начиная от зала, где подавались изысканнейшие блюда на фарфоровых тарелках с золотой каймой, и кончая стойками, где можно на ходу съесть сосиски. Много было баров с притемненным уютным освещением, и других, освещенных неоном, где пьют стоя; много было туалетов. Дожидаясь своего рейса, пассажир мог, не покидая аэровокзала, купить все необходимое, снять комнату в гостинице или койку, сходить в турецкую баню с массажистом, постричься, отутюжить костюм, вычистить ботинки и даже умереть и быть похороненным фирмой «Бюро святого духа», которая имеет свое отделение на нижнем этаже.

Аэровокзал до сих пор выглядел весьма внушительно. Недостатки начинались там, где начиналась собственно авиация, и касались они прежде всего взлетно-посадочных полос и рулежных дорожек.

Лишь немногие из восьмидесяти тысяч пассажиров, которые ежедневно прилетали и улетали с этого аэродрома, представляли себе, насколько все здесь несовершенно — и, следовательно, опасно для жизни. Уже год назад взлетно-посадочных полос и рулежных дорожек едва хватало для приема и отправки самолетов, а сейчас они были перегружены сверх меры. В обычное время на двух главных полосах самолеты взлетали и садились через каждые тридцать секунд. Учитывая жалобы жителей Медоувуда и желание руководства аэропорта пойти им навстречу, приходилось в часы пик пользоваться полосой, пересекавшей одну из этих двух. В результате самолеты взлетали и садились на пересекавшихся полосах, и бывали минуты, когда воздушным диспетчерам оставалось лишь затаить дыхание и молиться, чтобы ничего не произошло. Всего неделю назад Кейз, брат Мела, мрачно предрек:

«Ну хорошо, мы в диспетчерской лезем из кожи вон и разводим самолеты, когда они буквально на волоске от столкновения, так что пока никакой аварии на этом пересечении не произошло. Но рано или поздно у кого-нибудь из нас на секунду отключится внимание или кто-то что-то неправильно вычислит — и тогда столкновение неизбежно. Я только молю Бога, чтобы это случилось не в мое дежурство и не у меня, потому что, случись такое, авария будет не меньшая, чем в Большом каньоне».

Кейз имел в виду как раз то пересечение полос, которое только что миновала «Анаконда». Мел снова посмотрел из кабины «сноубласта» назад. «Анаконда» проехала пересечение, и сквозь поредевший на миг снегопад Мел увидел, как на полосе мелькнули навигационные огни стремительно взлетавшего самолета. А в нескольких ярдах позади — Мел глазам своим не поверил — уже надвигались огни другого самолета, который сел, казалось, в ту же секунду.

Шофер «сноубласта» тоже оглянулся. И присвистнул:

— Ого, эти двое чуть не столкнулись!

Мел кивнул. Самолеты действительно были так близки к столкновению, что у него даже холодок пробежал по коже. Должно быть, диспетчер, дававший указания пилотам обеих машин, предельно сократил допуск. Опытный диспетчер все правильно рассчитал, но это был риск. Сейчас оба самолета были уже вне опасности: один — в воздухе, другой — на земле. Но то, что диспетчерам частенько приходилось принимать подобные решения, создавало атмосферу постоянной нервотрепки.

Мел неоднократно указывал на это Совету уполномоченных и городским боссам, от которых зависит финансирование аэропорта. Он не только ратовал за то, чтобы немедленно приступить к строительству дополнительных взлетно-посадочных полос и рулежных дорожек, но и убеждал прикупить земли вокруг аэропорта, чтобы постепенно его расширить. Это вызывало бесконечные дискуссии, а порой весьма горячие споры. Некоторые члены Совета уполномоченных и руководители города смотрели на дело так же, как Мел, но были и такие, которые резко выступали против. Трудно было убедить людей в том, что аэропорт, построенный для реактивных самолетов в конце пятидесятых годов, мог так быстро устареть и что его эксплуатация в таком виде, как сейчас, чревата опасностью для жизни людей. Никого не интересовало то, что так же обстояли дела и в других аэропортах — в нью-йоркском, сан-францисском, чикагском и прочих, — политики просто не желали ничего об этом знать.

Мел подумал: может быть, Кейз и прав. Возможно, нужна крупная катастрофа, чтобы общественное мнение всполошилось, как это было в 1956 году, когда произошла авария в Большом Каньоне, заставившая президента Эйзенхауэра и конгресс 85-го созыва выделить ассигнования для починки вентиляции в туннелях. Как ни странно, деньги на всякие улучшения, не связанные с оперативной деятельностью, можно было почти всегда получить. Так, например, предложение построить трехэтажные гаражи мгновенно было одобрено городскими заправилами. Еще бы: ведь гаражи — это нечто, так сказать, зримое и осязаемое для широкой публики, иными словами, для избирателей. А вот взлетно-посадочные полосы и рулежные дорожки — другое дело. Каждая новая полоса стоит несколько миллионов долларов, и на строительство ее требуется два года, но лишь немногие, кроме пилотов, диспетчеров и руководства аэропорта, знают, в каком состоянии — хорошем или плохом — находится та или иная полоса.

Так или иначе, в аэропорту Линкольна дело скоро дойдет до точки. Должно дойти. За последние месяцы Мел все чаще и чаще наблюдал симптомы, указывавшие на приближение критической минуты, и знал, что, когда час пробьет, придется решать: либо усиленно развивать наземные сооружения в соответствии с прогрессом в воздухе, либо сидеть сложа руки и смотреть, как другие опережают тебя. В авиации статус-кво не бывает.

Ко всему этому примешивалось еще одно обстоятельство.

С будущим аэропорта было связано будущее самого Мела. Каким будет аэропорт, таким будет и престиж Мела в глазах тех, с чьим мнением приходится считаться.

Еще совсем недавно все знали Мела Бейкерсфелда как человека, активно выступавшего за логическое развитие наземных сооружений в аэропортах; о нем говорили как о многообещающем молодом даровании в руководстве авиацией. Потом случилась беда, и все изменилось. С тех пор прошло четыре года, и будущее Мела в глазах других людей — да и в его собственных — уже не было столь ясным и безоблачным.

Событием, столь резко повлиявшим на судьбу Мела, было убийство Джона Ф. Кеннеди.

— Вот и конец полосы, мистер Бейкерсфелд. Вы поедете с нами назад или останетесь? — прервал размышления Мела голос шофера «сноубласта».

— Что вы сказали?

Шофер повторил вопрос. Впереди снова замигали красные огни, и «Анаконда» остановилась. Правая половина полосы была очищена от снега. Теперь «Анаконда» развернется и поедет назад, чтобы расчистить левую половину. Со всеми остановками «Анаконде» требуется от сорока пяти минут до часа, чтобы очистить от снега и посыпать песком одну полосу.

— Нет, — сказал Мел. — Я здесь выйду.

— Есть, сэр.

Шофер посигналил светом машине младшего техника, и тот сейчас же помчался куда-то. Когда Мел спустился со «сноубласта», его машина уже стояла рядом. С других снегоочистителей и грузовиков тоже спрыгивали люди и бежали к пикапу с кофе.

Возвращаясь к аэровокзалу, Мел связался по радио с пультом управления снежной командой и подтвердил Дэнни Фэрроу, что полоса один-семь, левая, скоро войдет в строй. Потом переключил радио на наземного диспетчера, приглушив звук, — голоса звучали глухо, неразборчиво, не нарушая хода его мыслей.

Когда он сидел в кабине «сноубласта», ему вспомнилось то, что так сильно повлияло на весь ход его жизни.

Было это четыре года тому назад.

Да, уже целых четыре года, с удивлением подумал Мел, прошло с того серого ноябрьского дня, когда он почти маши нально, едва понимая, что делает, придвинул к себе стоявший на его столе переносной микрофон — микрофон, которым он редко пользовался и который перекрывал все остальные в аэровокзале, — и, врезавшись в сообщение о прилете какого-то самолета, громко объявил — голос его эхом прокатился по огромным залам, где тотчас наступила мертвая тишина, — объявил всем страшную весть, которую лишь несколько секунд назад узнал из Далласа.

Он говорил, а сам смотрел на фотографию, висевшую на стене его кабинета, — фотографию с надписью «Моему другу Мелу Бейкерсфелду, который, как и я, жаждет расширить тесные земные границы. Джон Ф. Кеннеди».

Фотографию эту он до сих пор хранит — как хранит многие воспоминания.

Воспоминания начинались с того дня, когда Мел произнес речь в Вашингтоне.

В ту пору Мел был не только управляющим аэропортом, но и президентом Совета руководителей аэропортов — самым молодым из всех, кто когда-либо возглавлял этот небольшой, но весьма влиятельный орган, объединяющий администрацию крупнейших аэропортов мира. Штаб-квартира Совета находилась в Вашингтоне, и Мел часто туда летал.

А речь свою он произнес на Всеамериканском конгрессе по планированию.

Авиация, заявил тогда Мел, является единственной сферой, где с успехом может развиваться международное сотрудничество. Для нее не существует не только идеологических, но и географических границ. Давая возможность людям разных национальностей перемещаться по свету — при том, что стоимость билетов непрерывно снижается, — авиация на сегодняшний день является наиболее реальным средством познания мира, какое изобрел человек.

Весьма существенную роль тут играет международная торговля. Переброска грузов по воздуху, уже и сейчас достигшая большого размаха, неизбежно будет возрастать. Новые гигантские реактивные самолеты, которые вступят в строй в семидесятых годах, будут самым быстрым и дешевым средством для переброски грузов; через какие-нибудь десять лет океанские суда поставят в доки как музейные экспонаты: грузовые самолеты вытеснят их — так же, как пассажирские самолеты в свое время нокаутировали «Куин Мэри» и «Куин Элизабет». Возникнет новая торговая армада, которая будет циркулировать по всему миру, неся процветание ныне нищим странам. В техническом отношении, сказал тогда Мел, авиация сможет выполнять эту — и даже большую — роль еще при жизни тех, кто сейчас уже вступил в зрелый возраст.

Однако, продолжал он, в то время как конструкторы самолетов ткут из тонких нитей мечты плотную ткань реальности, в строительстве наземных сооружений по большей части преобладает либо близорукость, либо неоправданная спешка. Аэропорты, взлетно-посадочные полосы, аэровокзалы созданы по требованиям вчерашнего дня, без всякой — за очень небольшим исключением — попытки предвидеть будущее. Короче говоря, темпы развития авиации либо недоучитываются, либо просто игнорируются. Аэропорты строятся по частям, как попало, в соответствии со вкусами тех или иных городских заправил. Как правило, основная часть средств тратится на аэровокзал, то есть на показуху, и меньшая — на оперативные участки. Строительство аэропортов никем не координируется и не планируется — ни в национальном, ни в международном масштабе.

«Мы преодолели звуковой барьер, — сказал тогда Мел. — Но мы еще не преодолели барьера наземного».

Он перечислил области, требующие особого изучения, и призвал к созданию международного органа по проектированию аэропортов — во главе с США и при благосклонном участии президента.

Его речь была встречена овацией — зал стоя аплодировал ему — и вызвала положительный отклик в самых разных кругах и таких газетах, как лондонская «Таймс», «Правда» и «Уолл-стрит джорнэл».

На другой день Мел получил приглашение в Белый дом.

Президент принял его очень тепло. Между ними состоялась приятная, непринужденная беседа в личном кабинете президента на втором этаже. Джон Ф. Кеннеди, как обнаружил Мел, разделял многие его взгляды.

За этой встречей последовали другие, иногда в присутствии «мозгового треста», то есть помощников Кеннеди, — в тех случаях, когда правительство собиралось рассматривать вопросы, связанные с авиацией. После нескольких таких совещаний в Белом доме, за которыми следовали неофициальные беседы с президентом, Мел вполне там освоился. Его отношения с Джоном Ф. Кеннеди, любившим окружать себя знающими, умными людьми, постепенно приобрели самый дружеский характер.

Примерно через год после первой встречи президент спросил Мела, что бы он сказал, если бы его поставили во главе Федерального управления авиации. После своего переизбрания — а это уже считалось делом решенным — Кеннеди намеревался передвинуть Хейлеби, тогдашнего главу Федерального управления авиации, на другой пост. Так вот, согласился бы Мел взять на себя проведение в жизнь тех мер, за которые он так ратовал, еще не будучи у руководства? Мел сказал, что это было бы очень интересно и, если ему сделают такое предложение, он не ответит отказом.

Слух об этом, без всякого участия Мела, тотчас распространился. Мела включили в круг «приближенных». И престиж его, уже и так достаточно высокий, еще больше возрос. Совет руководителей аэропортов снова выбрал его президентом. Совет уполномоченных по его аэропорту основательно повысил ему жалованье. Не достигнув еще и сорока, он уже стал Маленьким Роландом* в авиации.

А через полгода Джон Ф. Кеннеди отправился в свое роковое путешествие в Техас.

В первые минуты Мел был просто ошарашен вестью о гибели президента; потом зарыдал как дитя. И лишь позже он понял, что пули убийцы рикошетом сразили и многих других, в том числе его самого. Он обнаружил, что уже не является «своим» в Вашингтоне. Наджиб Хейлеби действительно ушел из Федерального управления авиации на пост первого вице-президента «Пан-Америкэн», но Мел не был назначен на его место. К тому времени власть и влияние перешли к другим людям. Как узнал потом Мел, его имя даже не значилось среди кандидатов, предложенных президенту Джонсону на пост главы Федерального управления авиации.

Второй срок пребывания Мела на посту президента Совета руководителей аэропортов прошел гладко и ровно, и его сменил очередной подающий надежды молодой человек. Поездки Мела в Вашингтон прекратились. Выступал он теперь только перед своими коллегами и в известном смысле воспринял эту перемену

---

* Герой старинной шотландской баллады, который с помощью волшебника Мерлина отправился на поиски своей сестры и вывел ее из страны эльфов, куда ее утащили злые духи.

с облегчением. Дел в аэропорту у него стало много больше: объем воздушных перевозок резко возрастал. Он усиленно занимался планированием и отдавал немало сил Совету уполномоченных, пытаясь склонить его на свою сторону. Словом, забот хватало — и на работе, и дома. Все дни его были заполнены до краев.

И тем не менее его не покидало чувство, что он упускает время и возможности. Это чувствовали и другие. И Мел пришел к выводу, что, если не произойдет какой-то коренной перемены, его карьера так и кончится на том, с чего началась.

— Диспетчерская — машине номер один: сообщите местонахождение. — Голос по радио резко вернул Мела к действительности, нарушив ход его мыслей.

Он повернул рычажок и ответил. Он подъезжал к главному зданию аэровокзала — огни его были уже отчетливо видны, несмотря на снегопад. Стоянки для самолетов, как он заметил, были по-прежнему забиты, а у галерей-гармошек, дожидаясь своей очереди, вытянулись вереницей прибывшие самолеты.

— Машина номер один, задержитесь, дайте пройти «Лейк-Сентрал», затем следуйте за ним.

— Говорит машина номер один. Вас понял.

Выждав две-три минуты, Мел въехал в подземный гараж аэровокзала.

Рядом с его боксом находилась запертая будка с внутренним телефоном. Мел открыл ее своим ключом и набрал номер пульта управления снежной командой. Трубку снял Дэнни Фэрроу.

— Есть что-нибудь новое? — спросил Мел. — Как там обстоят дела с этим самолетом «Аэрео Мехикан»?

— Все так же, — ответил Дэнни Фэрроу. — А с КДП просили тебе передать, что отсутствие в эксплуатации полосы три-ноль на пятьдесят процентов замедляет движение. И всякий раз, как над Медоувудом взлетает самолет, оттуда поступают жалобы по телефону.

— Придется медоувудцам потерпеть, — мрачно заметил Мел. Устроят они свое собрание или нет, а он ничего не может сделать, чтобы избавить их от шума. Куда важнее наладить нормальную работу аэропорта. — А где Патрони?

— Да все там же. По-прежнему на шоссе.

— Но он все же сумеет добраться?

— Ребята из «ТВА» говорят, что да. У него в машине есть телефон. Так что он поддерживает с ними связь.

— Поставь меня в известность, как только он появится, — распорядился Мел. — Где бы я ни был.

— Насколько я понимаю, ты будешь уже в городе.

Мел помолчал. Собственно, у него не было никаких оснований задерживаться дольше в аэропорту. И тем не менее предчувствие надвигающейся беды, возникшее на поле, почему-то не проходило. Он вспомнил о своем разговоре с руководителем полетов, о самолетах, дожидавшихся своей очереди, чтобы подойти к галереям-гармошкам. И неожиданно для себя решил:

— Нет, я не еду в город. Нам позарез нужна эта полоса, и я не тронусь с места, пока не буду точно знать, что Патрони прибыл и взялся за дело.

— В таком случае, — сказал Дэнни, — я советовал бы тебе сейчас же позвонить жене. Запиши номер.

Мел записал, опустил трубку на рычажок и тотчас набрал городской номер. Он попросил позвать Синди и после недолгой паузы услышал ее резкий голос:

— Мел, почему тебя до сих пор нет?

— Извини, я задержался. У нас тут, в аэропорту, столько всяких дел. Такой буран, что...

— Черт бы тебя побрал, приезжай сюда — и быстро!

Голос жены звучал приглушенно, и Мел понял, что рядом с ней кто-то есть. Тем не менее Синди сумела вложить в эти несколько слов достаточно злости.

Слушая голос жены, Мел иногда вспоминал ту Синди, какую он знал до женитьбы, пятнадцать лет назад. Ему казалось, что она была много мягче тогда. Ведь именно ее мягкость, ее женственность и покорили его, когда они встретились в Сан-Франциско, куда он приехал в отпуск из Кореи. Синди была актрисой на совсем маленьких ролях (ее надежды стать звездой не оправдались и явно не могли оправдаться). Ей поручали все более и более скромные роли в летних программах и на телевидении, и впоследствии в минуту откровенности она призналась, что замужество явилось для нее счастливым выходом из положения.

С годами это получило несколько иное освещение, и Синди стала играть на том, что она-де пожертвовала ради Мела своей карьерой и отказалась от возможности выйти в звезды. Однако в последнее время Синди перестала упоминать о своем актерском прошлом. Объяснялось это тем, что, как она вычитала в какой-то статье, опубликованной в «Городе и деревне», актрисы, за редким исключением, не числятся в

«Справочнике именитых людей», а Синди больше всего на свете хотела видеть там свое имя.

— Я приеду, как только смогу, — сказал ей Мел.

— Это меня не устраивает, — безапелляционно заявила Синди. — Тебе уже давно следовало быть здесь. Ты же прекрасно знаешь, как важен для меня сегодняшний вечер, и еще неделю назад твердо обещал быть.

— Неделю назад я понятия не имел, что разразится такой буран, какого мы шесть лет не видали. У нас вышла из строя очень важная взлетно-посадочная полоса, застрял самолет — речь идет о безопасности пассажиров.

— Но там же есть люди, которые на тебя работают! Или ты подобрал себе таких бестолковых помощников, что не можешь оставить их без присмотра?

— Они достаточно толковые, — с раздражением сказал Мел. — Но мне платят за то, чтобы я тоже что-то делал.

— Очень жаль, что только для меня ты ничего не желаешь делать. Не в первый раз я еду на важные для меня собрания, а ты мне все портишь...

По этому вдруг обрушившемуся на него водопаду слов Мел чувствовал, что Синди вот-вот взорвется. Он отчетливо представлял себе, как она стоит сейчас, выпрямившись, на высоких каблуках, решительная, энергичная, голубые глаза сверкают, светлая, тщательно причесанная голова откинута назад, — она всегда была чертовски привлекательна, когда злилась. Должно быть, отчасти поэтому в первые годы брака Мела почти не огорчали сцены, которые устраивала ему жена. Чем больше она распалялась, тем больше его влекло к ней. В такие минуты Мел опускал глаза на ноги Синди — а у нее были удивительно красивые ноги и лодыжки, — потом взгляд его скользил вверх, отмечая все изящество ее ладной, хорошо сложенной фигуры, которая неизменно возбуждала его.

Он чувствовал, как между ними начинал пробегать ток, взгляды их встречались, и они в едином порыве устремлялись в объятия друг друга. Тогда исчезало все — гнев Синди утихал; захлестнутая волной чувственности, она становилась ненасытной, как дикарка, и, отдаваясь ему, требовала: «Сделай мне больно, черт бы тебя побрал! Да сделай же мне больно!» А потом, вымотанные и обессиленные, они и не вспоминали о причине ссоры: возобновлять перебранку уже не было ни сил, ни охоты.

Так они не столько разрешали, сколько откладывали разрешение своих разногласий, которые — Мел понимал это уже тогда — носили отнюдь не шуточный характер. И с годами, по мере того как остывала страсть, они стали все больше отдаляться друг от друга.

Затем уже и физическая близость перестала быть панацеей, а в последний год супружеские отношения между ними вообще почти прекратились. Собственно, Синди, которая всегда отличалась изрядным аппетитом в постели, каковы бы ни были отношения между ними, в последние месяцы, казалось, утратила всякий интерес к плотским радостям. Мела это удивляло. Не завела ли она себе любовника? Вполне возможно, и в таком случае Мелу следовало бы на это реагировать. Но самое печальное заключалось в том, что ему легче было ничего не замечать.

Тем не менее бывали минуты, когда вид разгневанной Синди или звук ее повелительного голоса по-прежнему возбуждали его, вызывая желание. Вот и сейчас, слушая, как она честит его по телефону, он почувствовал знакомое волнение.

Улучив удобный момент, он сумел вставить:

— Это неправда, я вовсе не стремлюсь портить тебе удовольствие. Как правило, я всегда езжу, куда ты хочешь, даже если считаю, что это не так уж важно. Мне, например, куда больше хотелось бы проводить вечера дома с детьми.

— Пустая болтовня, — отрезала Синди. — И ты это прекрасно знаешь.

Он почувствовал, как весь напрягся, и рука его крепче сжала телефонную трубку. Затем подумал: а ведь, пожалуй, она права — в известной мере. Еще сегодня вечером он сам напомнил себе о том, что иной раз задерживается в аэропорту, когда мог бы поехать домой, — задерживается только потому, что ему хочется избежать очередной ссоры с Синди. Разве в таких случаях он учитывал интересы Роберты и Либби — впрочем, никто, наверное, не считается с интересами детей, когда брак трещит по всем швам. Не надо было ему сейчас говорить о них.

Но сегодня-то дело было не в этом. Он должен оставаться в аэропорту по крайней мере до тех пор, пока не будет уверен, что блокированной полосой занялись всерьез.

— Послушай, — сказал Мел, — давай уточним одно обстоятельство. Я этого не говорил тебе до сих пор, но в прошлом году я сделал кое-какие подсчеты. Ты просила меня пойти с тобой на пятьдесят семь благотворительных сборищ. Мне удалось пойти на сорок пять, хотя сам бы я, конечно, никогда на них не пошел. Согласись, что процент получается не такой уж плохой.

— Мерзавец! Что ты там считаешь — я же не в кегли с тобой играю! Все-таки я твоя жена.

— Полегче на поворотах! — оборвал ее Мел. И, чувствуя, как и в нем закипает гнев, добавил: — Кстати, позволь тебе заметить, что ты повысила голос. Или ты хочешь, чтобы все эти милые люди, которые тебя окружают, узнали о том, как ты командуешь мужем?

— А мне плевать! — Но произнесла она это все же гораздо тише.

— Я прекрасно знаю, что ты моя жена, и потому намерен приехать туда, к тебе, как только смогу. — Интересно, подумал Мел, что бы произошло, если бы Синди сейчас находилась рядом и он мог бы обнять ее? Ожила бы старая магия? Пожалуй, нет, решил он. — Так что займи мне место и скажи официанту, чтобы он подержал мой суп на огне. Кроме того, извинись и объясни, почему я задерживаюсь. Я полагаю, кое-кто там, наверно, все-таки слышал, что существует такая вещь, как аэропорт... Кстати, — внезапно вспомнил он, — а по какому поводу сегодня сборище?

— Я же объясняла тебе на прошлой неделе.

— Ну так скажи еще раз.

— Коктейль и ужин в рекламных целях — для костюмированного бала, который в будущем месяце проводит фонд помощи детям Арчидоны. Присутствует пресса. Будут снимать.

Теперь Мел понял, почему Синди так хотела, чтобы он приехал побыстрее. При нем у нее больше шансов попасть в объектив фотоаппарата, а затем — и на светскую страничку завтрашней газеты.

— Все остальные члены нашего комитета уже здесь, — добавила Синди, — и почти все с мужьями.

— Но не все?

— Я же сказала: почти все.

— И ты еще сказала, что это в фонд помощи детям Арчидоны?

— Да.

— Какой Арчидоны? Есть два таких города: один в Эквадоре, другой в Испании. — В колледже Мел увлекался географией, а память у него была хорошая.

Впервые Синди ответила не сразу.

— Ну какое это имеет значение? — с досадой сказала она. — Сейчас не время для идиотских вопросов.

Мел едва удержался, чтобы не расхохотаться. Так, значит, Синди не знает! Ну конечно, в этом благотворительном мероприятии ее интересовало не то, ради чего оно затевается, а кто его затевает.

И он спросил лукаво:

— И сколько писем ты рассчитываешь получить после сегодняшнего вечера?

— Не понимаю.

— Ну что ты, отлично понимаешь.

Человеку, желавшему попасть в «Справочник именитых людей», надо было представить восемь рекомендательных писем от лиц, уже фигурировавших в нем. В последний раз Мел слышал, что Синди набрала четыре.

— Честное слово, Мел, если ты скажешь что-либо подобное — сегодня или вообще когда-нибудь...

— А эти письма будут бесплатные или ты собираешься платить за них, как за два предыдущих? — Он чувствовал, что взял над ней верх. А это бывало редко.

— Это грязная инсинуация, — возмущенно заявила Синди. — Как можно купить себе право на...

— Чушь собачья! — сказал Мел. — Ведь у нас с тобой общий счет, и мне пересылают все оплаченные чеки. Ты что — забыла?

Наступило молчание.

— Слушай меня! — заявила Синди тихо, звенящим от злости голосом. — Я советовала бы тебе приехать сюда, и побыстрее. Если ты не приедешь или приедешь и будешь ставить меня в глупое положение какими-нибудь своими идиотскими высказываниями вроде тех, которые я только что слышала, между нами все будет кончено. Ясно?

— Не уверен. — Мел произнес это нарочито спокойно. Инстинктивно он почувствовал, что это важная минута для них обоих. — Может, ты мне все-таки объяснишь, что именно ты имеешь в виду.

— Сам поймешь, — сказала Синди.

И повесила трубку.

Пока Мел шел из гаража в свой кабинет, гнев его с каждым шагом все возрастал. Вообще он не так быстро вскипал, как Синди. Но сейчас он был в ярости.

Что именно так бесило его, он и сам не знал. Главным образом, конечно, Синди, но были и другие причины: то, что он в профессиональном плане не сумел как следует подготовиться к вступлению в новую эру авиации; то, что он оказался не способен внушить другим свои убеждения; то, что надежды его не сбылись. Словом, думал Мел, и в личной жизни, и в работе он не достиг ничего. Брак его близок к краху — во всяком случае, есть все основания так полагать, — а это значит, что он может потерять и детей. Да и аэропорт, где он отвечает за жизни тысяч и тысяч ежедневно доверчиво стекающихся сюда людей, приходит в упадок, несмотря на все его усилия и попытки кого-то в этом убедить. Не удается ему удержать дело на том высоком уровне, которого он сумел было здесь достичь.

По пути к себе он не встретил никого из подчиненных. Тем лучше: обратись сейчас к нему кто-нибудь с вопросом, он мог бы ответить резкостью. Войдя в свой кабинет, он сбросил пальто прямо на пол. И закурил сигарету. Вкус у нее был какой-то горький, и он тут же ее загасил. Шагнув к столу, он почувствовал, как снова — еще сильнее, чем прежде, — заныла нога.

Было время — как давно, казалось, это было, — когда в такие вот вечера, если больная нога начинала его беспокоить, он отправлялся домой, и Синди укладывала его в постель. Сначала он принимал горячую ванну, потом ложился ничком на кровать, и она массировала ему спину и шею холодными крепкими пальцами, пока боль не утихала. Сейчас трудно даже представить себе, чтобы Синди стала этим заниматься, а если и стала бы, едва ли бы это теперь ему помогло. Когда нарушается связь между людьми, она нарушается во всем — не только в том, что люди перестают друг друга понимать.

Сев за стол, Мел опустил голову на руки.

И вдруг, совсем как раньше, на поле, его пронзила дрожь. В эту минуту в тишине кабинета зазвонил телефон. Мел не сразу снял трубку. Звонок продолжал трещать; неожиданно Мел понял, что это звонит красный телефон, который стоит на столике рядом с его письменным столом, — телефон особого назначения. В два прыжка он подскочил к нему.

— Бейкерсфелд слушает.

Он услышал какое-то позвякивание и шумы на линии: его подключали к нужному номеру.

— Говорит КДП, — услышал он голос руководителя полетов. — У нас в воздухе ЧП третьей категории.

9

Кейз Бейкерсфелд, брат Мела, уже отработал треть своей восьмичасовой смены в радарной КДП.

В радарной буран тяжело сказывался на людях, хотя они и не ощущали его. Стороннему наблюдателю, подумал Кейз, не понимающему, о чем говорят все эти экраны, могло казаться, что буран, бушующий за стеклянными стенами диспетчерской, на самом деле разыгрался за тысячи миль отсюда.

Радарная находилась в башне, этажом ниже застекленного помещения — так называемой «будки», — откуда руководитель полетов давал указания о передвижении самолетов на земле, их взлетах и посадках. Власть тех, кто сидел в радарной, простиралась за пределы аэропорта: они отвечали за самолет в воздухе, после того как он выходил из-под опеки местных наземных диспетчеров или ближайшего регионального КДП. Региональные КДП, обычно отстоящие на многие мили от аэропорта, ведут наблюдение за основными авиатрассами и самолетами, следующими по ним.

В противоположность верхней части башни радарная не имела окон. Днем и ночью в международном аэропорту Линкольна десять диспетчеров и старших по группе работали в вечной полутьме, при тусклом лунном свете экранов. Все четыре стены вокруг них были заняты всякого рода оборудованием — экранами, контрольными приборами, панелями радиосвязи. Обычно диспетчеры работали в одних рубашках, поскольку температура зимой и летом была здесь — чтобы не портилось капризное электронное оборудование — около двадцати восьми градусов.

В радарной принято держаться и говорить спокойно. Однако под этим внешним спокойствием таится непрестанное напряжение. Сейчас это напряжение было сильнее обычного из-за бурана — оно особенно возросло за последние несколько минут. Впечатление было такое, точно кто-то до предела натянул и так уже натянутую струну.

Напряжение усилил появившийся на экране сигнал, в ответ на который в диспетчерской сразу замигал красный огонек и загудел зуммер. Зуммер умолк, но огонек продолжал мигать. На полутемном экране вдруг возникла так называемая «двуглавка», похожая на дрожащую зеленую гвоздику: она оповещала о том, что где-то самолет терпит бедствие. Это был военный самолет КС-135; находясь высоко над аэропортом, он попал в шторм и запрашивал о срочной посадке. У экрана, на плоской поверхности которого возник сигнал бедствия, работал Кейз Бейкерсфелд; к нему тотчас подключился старший по группе. Оба стали срочно давать указания соответствующим диспетчерам — по внутреннему телефону и другим самолетам — по радио.

Руководитель полетов на верхнем этаже был немедленно поставлен в известность о сигнале бедствия. Он, в свою очередь, объявил ЧП третьей категории и оповестил об этом все наземные службы аэропорта.

Экран, на котором сосредоточилось сейчас всеобщее внимание, представлял собой стеклянный круг величиной с велосипедное колесо, горизонтально вмонтированный в крышку консоли. Стекло было темно-зеленое, и на нем загоралась ярко-зеленая точка, лишь только какой-нибудь самолет появлялся в воздухе в радиусе сорока миль. По мере продвижения самолета передвигается и точка. У каждой точки ставится маленький отметчик из пластмассы. В обиходе отметчики эти называют «козявками», и диспетчеры передвигают их рукой, следуя за продвижением самолета и изменением его положения на экране. Лишь только в поле наблюдения появляется новый самолет, он тут же оповещает о себе по радио и соответственно получает своего отметчика. Новые радарные системы сами передвигают «козявок» — на радарном экране появляется соответствующая буква и указание высоты, на которой идет самолет. Однако новые системы еще не были широко внедрены и, как все новое, имели недостатки, требовавшие устранения.

В этот вечер на экране было необычно много самолетов, и кто-то даже заметил, что зеленые точки плодятся с быстротой муравьев.

Кейз сидел на сером стальном стуле у самого экрана, низко пригнув к нему длинное тощее тело. В его позе чувствовалось предельное напряжение: ноги так крепко обхватили ножки стула, что, казалось, приросли к нему. В зеленоватом отблеске экрана его глубоко запавшие глаза были как два черных провала. Всякого, кто хорошо знал Кейза, но не видел его этак с год, поразила бы происшедшая в нем перемена — изменилось все: и внешность, и манера держаться. От прежней мягкости, добродушия, непринужденности не осталось и следа. Кейз был на шесть лет моложе своего брата Мела, но теперь выглядел много старше.

Его коллеги, работавшие с ним в радарной, разумеется, заметили эту перемену. Знали они и ее причину и искренне сочувствовали Кейзу. Однако их работа требовала точности. Вот почему главный диспетчер Уэйн Тевис так пристально наблюдал за Кейзом и видел, как нарастает в нем напряжение. Худой, длинный техасец с медлительной, певучей речью, Тевис сидел в центре радарной на высоком табурете и через плечи диспетчеров, работавших каждый у своего экрана, наблюдал за происходящим. Тевис сам приделал к своему табурету ролики и время от времени разъезжал на нем по радарной точно на лошади, отталкиваясь от пола каблуками сшитых на заказ техасских сапог.

Еще час назад Уэйн Тевис обратил внимание на Кейза и с тех пор не выпускал его из поля зрения. Тевису хотелось быть наготове на случай, если придется срочно заменить Кейза, а инстинкт подсказывал ему, что такая необходимость может возникнуть.

Главный диспетчер был человек добрый, хотя и вспыльчивый. Он понимал, как может подействовать на Кейза такая замена, и ему очень не хотелось к этому прибегать. Но если будет надо, он это сделает.

Не сводя глаз с экрана, находившегося перед Кейзом, Тевис неторопливо протянул:

— Кейз, старина, ведь этот «Браниф» может столкнуться с «Истерном». Надо бы завернуть «Браниф» вправо, тогда «Истерн» может следовать прежним курсом.

Это Кейз должен был заметить сам, но не заметил. Главная проблема, над которой лихорадочно трудилась сейчас вся радарная, заключалась в том, чтобы расчистить путь для военного самолета КС-135, который уже начал спуск по приборам с высоты в десять тысяч футов. Это было нелегко, потому что под большим военным самолетом находились пять гражданских самолетов, круживших на расстоянии тысячи футов друг от друга в ограниченном воздушном пространстве. И все они ждали своей очереди, чтобы приземлиться. А на расстоянии двух-трех миль от них с каждой стороны летели другие самолеты, и еще ниже три самолета уже заходили на посадку. Между ними были оставлены коридоры для взлетов, тоже сейчас забитые самолетами. И вот среди всех этих машин надо было как-то провести военный самолет. И при нормальных-то условиях это была задача непростая, даже для очень крепких нервов. А сейчас положение осложнялось тем, что на КС-135 отказало радио и связь с пилотом прекратилась.

Кейз Бейкерсфелд включил микрофон:

— «Браниф» восемьсот двадцать девятый, немедленно сверните вправо, направление ноль-девять-ноль.

В такие минуты, как бы сильно ни было напряжение и в каком бы взвинченном состоянии ни находился человек, голос его должен звучать спокойно. А голос Кейза звенел, выдавая волнение. Он заметил, как Уэйн Тевис бросил на него настороженный взгляд. Но на экране приближавшиеся друг к другу огоньки начали расходиться. Пилот «Бранифа» точно выполнил указание. В решающие минуты — а именно такой была эта минута — воздушные диспетчеры благодарили Бога за то, что пилоты быстро и точно выполняли их указания. Они могут возмущаться и даже нередко возмущаются потом вслух по поводу того, что им вдруг изменили курс и они вынуждены были сделать внезапный резкий поворот, так что пассажиры полетели друг на друга. Но если диспетчер говорит: «немедленно», они повинуются, а уже потом спорят.

Через минуту-другую «Браниф», как и «Истерн», летевший на той же высоте, получит новые указания. Но прежде надо дать новый курс двум самолетам «ТВА» — тому, что летит выше, и тому, что летит чуть ниже, — а кроме того, самолетам «Лейк-Сентрал», «Эйр Канада» и «Свиссэр», только что появившимся на экране. Пока КС-135 не пройдет на посадку, все эти самолеты будут летать зигзагами в пределах ограниченного пространства, поскольку ни один из них не должен выйти из своей зоны. В известном смысле это напоминало сложную шахматную игру, только в этой игре все пешки находились на разном уровне и передвигались со скоростью нескольких сот миль в час. Причем в ходе игры их надо было не только двигать вперед, но и поднимать или опускать — да так, чтобы каждая фигура отстояла от всех других минимум на три мили по горизонтали и на тысячу футов по вертикали и ни одна из них не вылезала за край доски. А пока шла эта опасная игра, тысячи пассажиров сидели в своих воздушных креслах и с нетерпением ждали, когда же наконец завершится их полет.

Стоило напряжению на секунду ослабнуть, и Кейз тотчас вспоминал о пилоте военного самолета — каково-то ему сейчас пробиваться сквозь буран и забитый другими машинами воздух. Наверно, ему очень там одиноко. Таким же одиноким чувствовал себя и Кейз — все люди одиноки, даже в толпе. У пилота есть второй пилот и команда, и у Кейза рядом коллеги — только протяни руку. Но важна не эта близость. Она ничего не значит, когда человек замыкается в своем внутреннем мире, куда никому нет доступа и где он остается один на один со своими воспоминаниями, с пониманием и сознанием происходящего, со своим страхом. Совсем один — с той минуты, как появился на свет, и до самой смерти. Всегда, постоянно один.

Кто-кто, а Кейз Бейкерсфелд знал, как одинок может быть человек.

Кейз дал новый курс самолетам компаний «Свиссэр», «ТВА», «Лейк-Сентрал» и «Истерн». Он услышал, как за его спиной Уэйн Тевис вновь пытался вызвать по радио КС-135. По-прежнему никакого ответа, но сигнал бедствия, посылаемый пилотом КС-135, продолжал мигать на экране. Местонахождение зеленой точки показывало, что пилот четко выполнял указания, которые были даны ему перед тем, как отказало радио. Он, естественно, понимал, что диспетчеры тогда смогут предвидеть его действия. Знал он и то, что радар на земле засечет его местонахождение, и не сомневался, что все другие самолеты будут убраны с его пути.

Военный самолет, насколько было известно Кейзу, вылетел с Гавайских островов, не останавливаясь, заправился в воздухе над Западным побережьем и следовал на воздушную базу Эндрюс близ Вашингтона. Однако западнее срединной линии, перерезающей континент, у него отказал мотор, затем обнаружились неполадки в проводке, побудившие командира самолета принять решение о незапланированной посадке в Смоки-Хилле, штат Канзас. Но взлетно-посадочные полосы на аэродроме в Смоки-Хилле не были очищены от снега, и КС-135 повернули на международный аэропорт Линкольна. Воздушные диспетчеры проложили военному самолету трассу на северо-восток, через Миссури и Иллинойс. А затем, когда он находился милях в тридцати от аэропорта имени Линкольна, заботу о нем принял на себя Кейз Бейкерсфелд. Вот тут-то вдобавок к прочим бедам на самолете отказало еще и радио.

Обычно, в нормальных условиях, военные машины держатся вдали от гражданских аэропортов. Но в такой буран пилот, естественно, запросил о помощи и тотчас получил ее.

В темной тесной радарной было жарко не только Кейзу. Однако ничто в голосе диспетчеров при переговорах с воздухом не выдавало волнения или напряжения. У пилотов и без того хватает забот. Особенно сегодня, когда буран швырял самолеты и приходилось лететь по приборам, при нулевой видимости, а это требовало всего их умения. К тому же многие пилоты находились в воздухе дольше положенного из-за задержек с посадкой самолетов, а теперь летное время у них еще удлинялось.

С каждого диспетчерского поста непрерывным потоком шли по радио приказания: надо было по возможности преградить самолетам доступ в опасную зону. А они ждали, когда наконец им разрешат приземлиться, и число их с каждой минутой все возрастало. Один из диспетчеров тихим напряженным голосом бросил через плечо: *«Чак, у меня тут пожар. Можешь взять на себя «дельту» семь-три?»* Диспетчеры прибегали к таким перебросками, когда чувствовали, что задыхаются и не в состоянии сами справиться. *Другой голос: «Черт!.. У меня своих хватает... Подожди!.. Ладно, беру твою «дельту» на себя».* Секундная пауза. *«Дельта» семь-три, говорит центр наблюдения за воздухом аэропорта Линкольна. Сделайте левый поворот, держитесь направления один-два-ноль. Высота прежняя — четыре тысячи!..»* Диспетчеры всегда старались помочь друг другу. Ведь, может, через несколько минут тебе самому потребуется помощь: *«Эй, следи за этим — вон он подлетает с противоположной стороны. О Господи! Прямо как на выезде из города в час пик...»* «Американ» *четыре-четыре, держитесь того же курса. Сообщите свою высоту!.. «Люфтганза» взлетела с отклонением от курса. Уберите к черту самолет из зоны прилета!»* Взлетавшие самолеты направляли в обход зоны бедствия, а вот прибывающие самолеты приходилось держать в воздухе, теряя на этом драгоценное время. Даже после того как чрезвычайная обстановка разрядится, потребуется больше часа, чтобы ликвидировать пробку в воздухе, — это знали все.

Кейз Бейкерсфелд отчаянно старался сосредоточиться, чтобы держать в памяти свой сектор и все самолеты в нем. Нужно было мгновенно запоминать местонахождение самолетов, их опознавательные знаки, типы, скорость, высоту полета, последовательность посадки — словом, диаграмму, в которой непрерывно происходили изменения и конфигурация которой ни на секунду не застывала. И в более-то спокойные времена напряжение не покидает диспетчера, сегодня же, в такой буран, мозг и вовсе работал с предельной нагрузкой. Самое страшное — «потерять картинку», а такое может случиться, если усталый мозг взбунтуется, и тогда все исчезнет. Время от времени это и случалось — даже с самыми лучшими работниками.

А Кейз был одним из лучших. Еще год назад именно к нему обращались коллеги, когда перенапряжение выводило их из игры: «Кейз, тону. Можешь выручить на несколько минут?» И он всегда выручал.

Но в последнее время роли переменились. Теперь коллеги помогали ему, сколько могли, хотя, конечно, есть предел помощи, которую один человек может оказать другому без ущерба для своей работы.

Тем временем надо было давать по радио новые указания. А Кейз был предоставлен самому себе: Тевис вместе со своим высоким табуретом переехал на другой конец комнаты, чтобы проверить другого диспетчера. Мозг Кейза отщелкивал решения: *«Завернуть «Браниф» влево, «Эйр Канада» — вправо, «Истерну» — изменить курс на сто восемьдесят градусов».* Приказания были тотчас выполнены: на экране радара светящиеся точки пере- *строились. «Самолет «Лейк-Сентрал» менее скоростной, с ним дело терпит, «Свиссэр» — реактивный: может столкнуться с «Истерном». Надо дать «Свиссэр» новый курс, и немедленно — но какой? Да думай же скорее! Завернуть вправо на сорок пять гра- дусов — только на минуту, потом снова выпрямить курс. Не забывай о «ТВА» и «Ориент»! Появился новый самолет, идет с запада на большой скорости — опознавай, находи ему место. Думай, думай!»*

Стиснув зубы, Кейз мрачно твердил про себя: «Только не потерять сегодня картинку, только не потерять сейчас, только не потерять».

Боязнь именно сегодня «потерять картинку» объяснялась одним обстоятельством — тайной, о которой не знал никто, даже его жена Натали. Лишь Кейз — один лишь Кейз — знал, что сегодня он в последний раз сидит перед экраном и несет вахту. Сегодня последний день его работы в пункте наблюдения за воздухом, и скоро этот день подойдет к концу.

А затем подойдет к концу и его жизнь.

— Передохните, Кейз, — послышался голос руководителя полетов.

Кейз не заметил, как он вошел. Он бесшумно возник в комнате и сейчас стоял возле Уэйна Тевиса.

Минуту назад Тевис спокойно сказал руководителю полетов:

— По-моему, Кейз в полном порядке. Был момент, когда я волновался за него, но он вроде сдюжил.

Тевис был рад, что ему не пришлось прибегать к крайней мере и заменять Кейза. Но руководитель полетов тихо сказал:

— Надо все-таки дать ему передышку. — И, подумав, доба- вил: — Я сам ему скажу.

Кейзу достаточно было одного взгляда на этих двоих, чтобы понять, почему ему дают передышку. Обстановка не разряди- лась, и они боялись, что он не справится. Вот и решили сменить его, хотя ему положено было отдыхать лишь через полчаса. Отказаться? Ведь для диспетчера его класса это оскорбление, тем более что все, конечно, заметят. А потом он подумал: ну чего ради поднимать шум? Не стоит. К тому же десятиминутный перерыв поможет ему прийти в себя. За это время ЧП будет ликвидировано, он вернется и спокойно доведет смену до конца.

Уэйн Тевис нагнулся к нему.

— Ли сменит вас, Кейз. — И подозвал диспетчера, только что вернувшегося после положенного по графику перерыва.

Кейз молча кивнул, но продолжал оставаться на месте и давать по радио инструкции самолетам, пока его сменщик «запоминал картинку». На передачу дел одним диспетчером другому уходило обычно несколько минут. Заступающий должен был изучить расположение точек на экране и как следует запомнить обстановку. Кроме того, он должен был соответствующим образом настроиться, напрячься.

Это умение напрячься — напрячься намеренно и сознательно — было особенностью их профессии. Диспетчеры говорили: «Надо обостриться», — и Кейз за пятнадцать лет работы в службе наблюдения за воздухом постоянно видел, как это происходило с ним самим и с другими. «Надо обостриться», потому что без этого нельзя приступать к работе. А в другое время действовал рефлекс — скажем, когда диспетчеры ехали вместе в аэропорт на служебном автобусе. Отъезжая от дома, все свободно, непринужденно болтали. На небрежно брошенный кем-нибудь вопрос: «Пойдешь играть в кегли в субботу?» — следовал столь же небрежный ответ: «Конечно» или: «Нет, на этой неделе не смогу». Однако по мере приближения к аэропорту беседа становилась все менее оживленной, и на этот же вопрос в четверти мили от аэропорта уже отвечали лишь коротко: «Точно» или: «Исключено», а то и вовсе ничего.

Наряду с умением обострять мысли и чувства от диспетчера требовались еще и собранность и железное спокойствие. Эти два требования, трудно совместимые в одном человеке, изнуряли нервную систему и в конечном счете разрушали здоровье. У многих диспетчеров развивалась язва желудка, что они тщательно скрывали, боясь потерять работу. По этим соображениям они лечились у частных врачей, которым платили сами, вместо того чтобы пользоваться бесплатной медицинской помощью, предоставляемой авиакомпаниями. Они прятали бутылки с маалоксом — средством от повышенной кислотности — в своих шкафчиках и во время перерыва втихомолку потягивали белую сладкую жидкость.

Сказывалось это и в другом. Иные диспетчеры, Кейз Бейкерсфелд знал таких, распускались дома, становились мелочными, придирчивыми и, чтобы хоть немного расслабиться после дежурства, устраивали сцены — «для разрядки». Если еще добавить то, что работали они по сменам и часы отдыха у них все время менялись, а это чрезвычайно осложняло семейную жизнь, — нетрудно себе представить результат. У воздушных диспетчеров был длинный список разрушенных семей и большой процент разводов.

— О'кей, — сказал диспетчер, заступавший на место Кейза, — Я готов.

Кейз слез с кресла и снял наушники, а его коллега надел их. И, еще не успев как следует усесться, стал давать указания самолету «ТВА».

Руководитель полетов сказал Кейзу:

— Брат просил передать вам, что, наверно, заглянет позже.

Кейз кивнул и вышел из радарной. Он не обиделся на руководителя полетов — ведь ему приходилось отвечать за все — и был сейчас даже рад, что не стал возражать и воспользовался предложенной передышкой. Больше всего на свете Кейзу хотелось закурить сигарету, глотнуть кофе и посидеть одному. Рад был он и тому, раз уж так получилось, что не ему придется возиться с этим ЧП. Слишком много было у него на счету этих ЧП, чтобы жалеть, что не он распутает еще и этот узел.

В международном аэропорту Линкольна, как и в любом крупном аэропорту, ЧП возникали по нескольку раз в день. Это могло произойти в любую погоду — не только в такой буран, как сегодня, а при голубых небесах. Когда случалось ЧП, о нем узнавали лишь немногие, потому что, как правило, ЧП завершались благополучно и даже пилотам в воздухе далеко не всегда сообщали, почему тому или иному самолету не дают посадки или вдруг велят изменить курс. Во-первых, им вовсе и не обязательно было об этом знать, а во-вторых, не было времени давать по радио объяснения. Зато наземные службы — аварийные команды, «Скорая помощь» и полиция, а также руководство аэропорта — немедленно оповещались и принимали меры в зависимости от категории бедствия. Первая категория была самой серьезной и в то же время самой редкой, поскольку бедствие первой категории означало, что самолет разбился. Вторая категория означала наличие опасности для жизни или серьезных повреждений. Третья категория, объявленная сейчас, являлась просто предупреждением: соответствующие службы аэропорта должны быть наготове, их услуги могут понадобиться. А вот для диспетчеров ЧП любой категории означало дополнительное напряжение со всеми вытекающими отсюда последствиями.

Кейз вошел в гардеробную, примыкавшую к радарной. Сейчас, получив возможность спокойно размышлять, он от души пожелал, чтобы пилот КС-135 и все другие пилоты, находившиеся сегодня в воздухе, благополучно приземлились, несмотря на буран.

В гардеробной, маленькой квадратной комнатке с одним-единственным окном, вдоль трех стен стояли металлические шкафчики, а посредине — деревянная скамья. У окна висела доска для объявлений, на которой были небрежно наляпаны официальные бюллетени и оповещения различных комиссий и общественных организаций аэропорта. Свет голой лампочки, свисавшей с потолка, казался ослепительно ярким после полутьмы радарной. В гардеробной никого больше не было, и Кейз выключил электричество. На крыше башни стояли прожекторы, и в комнату проникало достаточно света.

Кейз закурил сигарету. Потом открыл свой шкафчик и достал пластмассовое ведерко, куда Натали укладывала ему завтрак. Наливая из термоса кофе, он подумал: интересно, вложила ли она ему в завтрак записку, а если не записку, то какую-нибудь вырезку из газеты или журнала. Натали частенько это делала — иной раз что-то одно, а иной раз и то, и другое, должно быть, в надежде развлечь его. Она много думала об этом с тех пор, как с ним случилась беда. Сначала она прибегала к простейшим способам, а потом, видя, что это не помогает, к более сложным, хотя Кейз неизменно понимал — и это не трогало его, но и не раздражало, — зачем Натали так поступает и чего она добивается. Впрочем, последнее время записки и вырезки стали появляться реже.

Должно быть, и Натали в конце концов отчаялась. Она уже не находила для него слов, а по ее покрасневшим глазам он понимал, что она частенько плачет.

Когда Кейз заметил это, ему захотелось ей помочь. Но как, если он не в состоянии помочь самому себе?

Фотография Натали была приклеена к дверце его шкафчика с внутренней стороны — цветная фотография, снятая самим Кейзом. Он принес ее сюда три года назад. Сейчас при свете, падавшем из окна, на ней почти ничего нельзя было различить, но он так хорошо знал ее, что ему не требовалось яркого освещения.

На фотографии Натали была в купальном костюме. Она сидела на скале и смеялась, приложив тонкую красивую руку к глазам, чтобы защитить их от солнца. Ее светло-каштановые волосы были отброшены назад, на маленьком задорном личике виднелись веснушки, неизменно выступавшие летом. Вообще Натали Бейкерсфелд была похожа на шаловливую, своевольную дриаду, но в то же время в ней чувствовалась сила воли, и аппарат зафиксировал и то, и другое. Она сидела на фоне синего озера, скал и высоких елей. Кейз и Натали отправились тогда на машине в Канаду и проводили отпуск на Халибертонских озерах, впервые оставив своих детей Брайана и Тео в Иллинойсе с Мелом и Синди. Впоследствии оба вспоминали об этом отпуске как о самых счастливых днях своей жизни. Пожалуй, именно сегодня, подумал Кейз, стоит еще раз вспомнить об этом.

Из-за фотографии торчала сложенная бумажка. Это была одна из записок, которую Натали сунула ему как-то в завтрак. Было это месяца два-три назад, но почему-то он решил ее сохранить. И хотя Кейз наизусть знал содержание записки, он достал ее сейчас и подошел к окну, чтобы прочесть. Это была вырезка из журнала, а под ней — несколько строк, приписанных рукой жены.

Натали многим интересовалась, иногда вещами совершенно неожиданными, и неизменно пыталась приобщить к кругу своих интересов Кейза и мальчиков. Вырезка касалась экспериментов, проводимых американскими генетиками. В ней говорилось о том, что можно замораживать человеческую сперму. При низкой температуре она сохраняется бесконечно долго, совершенно не утрачивая своих свойств. Затем ее можно оттаять и использовать для оплодотворения женщины в любое время — и в наши дни, и через несколько поколений.

Натали под этим приписала:

Ковчег мог бы быть вдвое меньше, если б Ною
Был известен способ замораживания сперматозоид.
Оказывается, можно иметь сколько хочешь детей.
Лишь бы в холодильнике был мороз посильней.
Я рада, что наши
Родились от папаши и мамаши.
Я счастлива, милый, что нежность и страсть
Имеют над нами по-прежнему власть.

Тогда она еще пыталась — отчаянно пыталась — вернуть их жизнь в прежнее русло... склеить ее, склеить семью... чтобы было так, как раньше. *Чтобы нежность и страсть имели над нами по-прежнему власть.*

В эту борьбу включился и Мел, пытаясь вместе с Натали вырвать брата из пучины тоски и депрессии, которая все больше засасывала его.

И что-то в душе Кейза поддалось, откликнулось. В глубине его сознания зажглась искорка воли, он пытался найти в себе силы и выйти с помощью близких из своего оцепенения, ответить любовью на любовь. Но ничего не получилось. Не получилось — впрочем, он знал, что не получится, — потому что в нем не осталось ни чувств, ни эмоций. Он не мог разжечь в себе ни тепла, ни любви, ни даже злости. Только пустота, самобичевание и всеобъемлющее отчаяние.

Теперь, видимо, и Натали почувствовала всю тщету своих усилий — он был уверен, что это так. Наверно, потому она и плачет украдкой.

А Мел? Должно быть, и Мел тоже от него отступился. Хотя, видимо, еще не совсем — Кейз вспомнил, что сказал ему руководитель полетов: «Ваш брат просил передать вам, что, наверно, заглянет позже».

Было бы куда проще, если бы Мел этого не делал. Кейз почувствовал, что ему сейчас не по силам эта встреча, хотя всю жизнь они были очень близки — как только могут быть близки братья. Приход Мела может все осложнить.

А Кейз слишком выдохся, слишком устал, чтобы вынести новые осложнения.

Он снова подумал: интересно, вложила ли Натали сегодня записку в его завтрак. И, надеясь, что вложила, стал осторожно вынимать еду.

Сандвичи с ветчиной и салатом, коробочка с деревенским сыром, груша, оберточная бумага. И больше ничего.

Теперь, когда он знал, что никакой записки нет, ему отчаянно захотелось, чтобы она была, любая записка, пусть даже совсем пустячная. Потом он вдруг вспомнил: ведь он же сам виноват, что ее нет, у Натали просто не было времени что-либо написать. Ему нужно было сегодня успеть кое-что сделать до работы, и он уехал из дома раньше обычного. Натали заранее он не предупредил, и ей пришлось в спешке готовить ему еду. В какую-то минуту он даже заявил, что ему вообще ничего не нужно; можно ведь позавтракать в одном из аэропортовских кафетериев. Но Натали, зная, что в кафетериях обычно многолюдно и шумно, а Кейз этого терпеть не может, сказала: «Нет», — и быстро что-то ему приготовила. Она не спросила его, почему он уезжает раньше обычного, хотя он понимал, что это не могло не интересовать ее. Но, к счастью для Кейза, вопроса не последовало. Если бы она спросила, ему пришлось бы что-то выдумать, а ему не хотелось в эти последние часы ей лгать.

Времени у него хватило на все. Он приехал в район аэропорта и снял номер в гостинице «О'Хейген», который забронировал раньше по телефону. Он все тщательно рассчитал и продумал еще много недель назад, но не осуществлял своего плана, решив хорошенько поразмыслить, прежде чем приступать к его выполнению. На минуту заглянув к себе в номер, Кейз тут же вышел из гостиницы и прибыл в аэропорт как раз к началу дежурства.

Гостиница «О'Хейген» находилась в нескольких минутах езды от аэропорта. Через два с небольшим часа смена Кейза окончится, и он быстро доберется туда. Ключ от номера лежал у него в кармане, и Кейз вынул его, чтобы удостовериться, что он на месте.

10

Сообщение, полученное Мелом Бейкерсфелдом от руководителя полетов о том, что медоувудцы задумали устроить митинг, оказалось верным.

Этот митинг в зале воскресной школы при медоувудской баптистской церкви — в пятнадцати секундах лета на реактивном самолете, поднявшемся с полосы два-пять, — шел уже полчаса. Начался он позже, чем предполагалось, так как почти всем присутствовавшим — а их собралось человек шестьсот, не считая детей, — пришлось с большим трудом, пешком или на автомобилях, прокладывать себе путь по глубокому снегу. Но так или иначе, они явились.

Это было весьма смешанное сборище, типичное для таких мест, где живут люди не очень большого достатка — преимущественно чиновники средней руки, ремесленники и местные торговцы. Были тут и мужчины, и женщины, в большинстве своем — ведь это была пятница, начало уик-энда — одетые кое-как. Исключение составляли лишь полдюжины посторонних да несколько репортеров.

Народу в зале воскресной школы набилось много — стало душно, в воздухе висел дым. Все стулья были заняты, и еще человек сто, а то и больше стояли.

Уже одно то, что столько людей покинули теплый дом и пришли сюда в такую непогоду, достаточно ясно свидетельствовало об их заинтересованности и тревоге. А кроме того, все они были разъярены до предела.

Их ярость — столь же ощутимая в зале, как табачный дым, — питалась двумя источниками. Во-первых, у медоувудцев давно уже накопилось раздражение против аэропорта, который день и ночь обрушивал на их крыши и барабанные перепонки оглушительный грохот, нарушавший мир и покой, не дававший ни спать, ни бодрствовать. А во-вторых, этот грохот раздражал их и сейчас, когда на протяжении почти всего митинга собравшиеся то и дело не слышали друг друга.

Правда, они были подготовлены к тому, что так будет. Собственно, из-за этого и созывался митинг и был взят напрокат из церкви переносной микрофон. Однако никто не предполагал, что в этот вечер самолеты будут взлетать как раз над их головой, выводя из строя и человеческие уши, и микрофон. Объяснялось это — о чем собравшиеся не знали, да и не желали знать — тем, что на полосе три-ноль застрял «Боинг-707» и другим самолетам приходилось пользоваться полосой два-пять. А эта полоса была, как стрела, нацелена на Медоувуд; самолеты же, взлетавшие с полосы три-ноль, проходили не над самым городком, а стороной.

В наступившем на миг молчании председатель митинга, красный как рак, заорал что было мочи:

— Леди и джентльмены, вот уже много лет мы пытаемся договориться с руководством аэропорта и авиакомпаний. Мы неоднократно отмечали, что аэропорт нарушает мир наших очагов. Мы доказывали с помощью сторонних, незаинтересованных свидетелей, что нормальная жизнь при том звуковом вале, который на нас обрушивают, невозможна. Мы говорили, что наша психика находится под угрозой, что наши жены, наши дети и мы сами живем на грани нервного расстройства, и многие уже страдают от него.

Председателя, лысеющего мужчину с квадратной челюстью, медоувудского домовладельца и управляющего книгопечатной фирмой, звали Флойд Занетта. Ему было под шестьдесят, и он играл довольно видную роль в делах общины.

Он стоял на небольшом возвышении в конце зала, а рядом с ним сидел безукоризненно одетый мужчина помоложе. Это был Эллиот Фримантл, адвокат. У ног его стоял раскрытый черный кожаный портфель.

— Что же делают аэропорт и авиакомпании? — продолжал Занетта. — Я сейчас скажу, что они делают. Они притворяются — притворяются, будто слушают нас. И дают лживые обещания — одно за другим, хотя вовсе не собираются их выполнять. И руководство аэропорта, и Федеральное управление авиации, и авиакомпании — все они лгуны и обманщики...

Слова «обманщики» уже никто не слышал.

Оно потонуло в расколовшем воздух грохоте, который, нарастая в немыслимом крещендо, достиг поистине чудовищной силы — казалось, чья-то гигантская рука схватила здание и сотрясла его. Многие из сидевших в зале зажали уши руками. Несколько человек боязливо метнули взгляд на потолок. Другие, возмущенно сверкая глазами, принялись что-то горячо обсуждать с соседями, хотя лишь человек, умеющий читать по губам, мог бы их понять, ибо ни одного слова не было слышно. Кувшин с водой на столе у председателя покачнулся и, не подхвати его Занетта, неминуемо упал бы на пол и разбился.

Звук затих почти так же стремительно, как возник. Самолет «Пан-Америкэн», вылетевший рейсом пятьдесят восемь, был уже далеко, на расстоянии нескольких тысяч футов от земли, и продолжал забираться все выше и выше, пробиваясь сквозь буран и мглу к ясным высям, где он ляжет на курс, чтобы лететь во Франкфурт, в Германию. А за ним по полосе два-пять, высвобожденной для взлетов — над Медоувудом, — уже катил самолет «Континентл эйрлайнз», рейс двадцать три, направлявшийся в Денвер, штат Колорадо. На соседней рулежной дорожке стояли цепочкой самолеты, дожидаясь своей очереди на взлет.

Так было весь вечер — еще до того, как начался митинг, и теперь медоувудцам, чтобы довести дело до конца, приходилось пользоваться краткими перерывами между оглушительным шумом то и дело взлетавших самолетов.

Пользуясь паузой, Занетта стремительно продолжал:

— Так вот, я сказал, что они лгуны и обманщики. Все, что происходит здесь сейчас, убедительно свидетельствует об этом.

Они обязаны хотя бы принимать меры по приглушению звука, но сегодня даже это...

— Господин председатель, — послышался женский голос из глубины зала, — все это мы уже слышали. Мы это знаем, и, сколько ни повторяй, ничего от этого не изменится. — Все взоры обратились к говорившей, которая уже поднялась с места. У нее было энергичное умное лицо; прядь длинных, до плеч, каштановых волос упала ей на лоб, но молодая женщина нетерпеливым жестом отбросила ее назад. — А я, как и все остальные, хочу знать, что мы все-таки можем сделать и на что мы можем рассчитывать?

Раздался взрыв аплодисментов и одобрительные возгласы.

— Будьте любезны, дайте мне закончить... — раздраженно сказал Занетта.

Но ему это не удалось.

Снова оглушительный грохот обрушился на воскресную школу.

Это вышло так смешно, что все расхохотались — впервые за вечер. Даже председатель криво усмехнулся и беспомощно развел руками.

Как только грохот утих, чей-то мужской голос сварливо буркнул:

— Да продолжайте же!

Занетта кивнул. И продолжал свою речь, выбирая паузы между взрывами грохота, совсем как альпинист, перескакивающий со скалы на скалу. Жители Медоувуда, заявил он, должны отбросить деликатность и попытки договориться с руководителями аэропорта, воззвав к их разуму. Пора перейти в атаку, опираясь на закон. В конце концов, жители Медоувуда — граждане США и обладают определенными правами, которые сейчас попираются. Чтобы отстоять их, надо обратиться в суд, следовательно, медоувудцы должны быть готовы вести борьбу в суде — борьбу упорную, даже если потребуется, жестокую. Что же до тактики, то, по счастью, мистер Эллиот Фримантл, известный юрист, хотя его контора и находится далеко отсюда, в городе, согласился присутствовать на нашем собрании. Мистер Фримантл хорошо знаком с законами о превышении шума, нарушении спокойствия и правильном использовании воздушного пространства, и очень скоро те, кто невзирая на буран пришел на собрание, будут иметь удовольствие услышать этого уважаемого джентльмена. Собственно говоря, он прибыл сюда с готовым предложением.

Слушая эти стереотипные фразы, Эллиот Фримантл ерзал на стуле. Он легонько провел рукой по своим аккуратно подстриженным седеющим волосам, пощупал, тщательно ли выбриты подбородок и щеки — а он брился за час до собрания, — и его острый нюх подтвердил, что запах дорогого одеколона, который он всегда употреблял после бритья и облучения кварцем, все еще ощущается. Закинув ногу на ногу, он полюбовался двухсотдолларовыми блестящими ботинками из крокодиловой кожи и провел рукой по складке брюк своего твидового костюма, сшитого на заказ. Эллиот Фримантл давно обнаружил, что клиенты предпочитают процветающих юристов — и непроцветающих врачей. Если юрист выглядит процветающим, значит, он умеет добиваться успеха в суде, а ведь как раз успеха и жаждут те, кто затевает тяжбу.

Именно на это и рассчитывал Эллиот Фримантл: он надеялся, что большая часть присутствующих скоро обратится в суд и что он будет представлять их там. А пока он с нетерпением дожидался той минуты, когда эта старая курица Занетта перестанет кудахтать, усядется наконец на место и он, Фримантл, возьмет слово. Легче всего потерять доверие аудитории или присяжных, если дать им время поразмыслить и догадаться, о чем ты будешь говорить, прежде чем ты раскрыл рот. Остро отточенная интуиция подсказала Фримантлу, что именно это сейчас и происходит. А значит, придется потрудиться больше обычного, чтобы утвердить свою компетентность и превосходство своего интеллекта.

Собственно говоря, кое-кто из коллег мог бы поставить под сомнение превосходство интеллекта Эллиота Фримантла. Они, пожалуй, могли бы даже возразить, когда председатель назвал его джентльменом.

Коллеги-юристы склонны были порой считать Фримантла эксгибиционистом, добивавшимся высоких гонораров главным образом благодаря врожденному умению подать себя и привлечь к себе внимание. Все, правда, соглашались с тем, что у него был завидный нюх, позволявший откапывать выгодные дела, которые вызывали потом много шума.

Ситуация в Медоувуде возникла словно по заказу для Эллиота Фримантла.

Он где-то прочел о проблеме, вставшей перед населением этого городка, и попросил знакомых порекомендовать его кому-нибудь из домовладельцев как единственного юриста, способного им помочь. В результате комитет домовладельцев обратился к нему, и то обстоятельство, что они нашли его, а не он — их, дало ему психологическое преимущество, на которое он и рассчитывал. Готовясь к встрече с медоувудцами, он полистал законы и последние решения судов, связанные с проблемой шума и нарушения спокойствия — а надо сказать, что этот вопрос был для него абсолютно новым, — и когда представители комитета прибыли к нему, он уже говорил с ними уверенно, как человек, посвятивший этой проблеме всю жизнь.

Через некоторое время он предложил им план действий, что и привело к данному собранию и его появлению на нем.

Слава Богу, кажется, Занетта завершает свое многословное вступление. Оставаясь до конца банальным, он изрек:

— Итак, я имею честь и удовольствие представить вам...

Не успел Занетта произнести его имя, как Эллиот Фримантл вскочил на ноги. И начал говорить еще до того, как тот опустил свой зад на стул. По своему обыкновению, адвокат обошелся без вступления.

— Если вы ждете от меня сочувствия, можете сразу уходить, потому что его не будет. Вы не услышите от меня ни слова сочувствия ни сегодня, ни при других наших встречах, если таковые состоятся. Я не из тех, кто поставляет носовые платки для слез, потому, если они вам нужны, запаситесь ими сами или подарите их друг другу. Мой бизнес — закон. Закон, и только закон.

Он говорил намеренно резко и знал, что шокирует их, но именно этого он и добивался.

Он заметил, что репортеры подняли на него глаза и обратились в слух. Их было трое за столиком возле президиума, отведенным для прессы: двое молодых людей из крупных ежедневных городских газет и пожилая дама из местного еженедельника. Все трое были ему нужны, и он позаботился о том, чтобы узнать их имена и еще до собрания перекинуться с ними несколькими словами. И вот карандаши уже забегали по бумаге. Отлично! Эллиот Фримантл при осуществлении любого из своих проектов неизменно высоко ставил сотрудничество с прессой и по опыту знал, что легче всего достичь расположения газетчиков, дав им материал для живого рассказа. Обычно это ему удавалось. Газетчики ценили это куда больше, чем бесплатную выпивку и еду, и чем живее и колоритнее было дело, тем благоприятнее пресса отзывалась о нем.

Чуть поубавив агрессивности, Фримантл продолжал:

— Если мы решим, что я буду представлять ваши интересы, мне придется задать вам ряд вопросов — о влиянии шума на ваш дом, ваши семьи, ваше физическое и моральное состояние. Но не думайте, что я стану задавать вам эти вопросы, потому что меня волнует ваша участь. Честно говоря, нисколько. Пора вам узнать, что я чрезвычайно эгоистичен. Если я стану задавать вам эти вопросы, то лишь затем, чтобы выяснить, насколько велик с точки зрения закона нанесенный вам ущерб. А я уже сейчас убежден в том, что известный ущерб вам нанесен — быть может, даже значительный, и, следовательно, по закону вы имеете право на компенсацию. Однако каких бы ужасов вы мне ни наговорили, я не лишусь сна: благополучие моих клиентов не интересует меня за пределами моей конторы и суда. Но... — Фримантл сделал тут эффектную паузу и выбросил палец вперед, как бы подчеркивая свои слова: — ...но у меня в конторе и в суде вам как моим клиентам я отдам максимум внимания и умения во всем, что касается правовых вопросов. И в этом отношении, если мы, конечно, будем работать вместе, обещаю, что вы будете рады иметь меня на своей стороне, а не на стороне противника.

Теперь Фримантл уже завладел вниманием всего зала. Мужчины и женщины подались вперед на своих стульях, стараясь не пропустить ни одного его слова, хотя ему все же пришлось сделать паузу, пока пролетал самолет. Но были и такие — правда, их оказалось немного, — на чьих лицах появилось выражение враждебности. Фримантл почувствовал, что надо сбавить тон. Он позволил себе улыбнуться — быстрой, мгновенно гаснущей улыбкой — и, снова став серьезным, продолжал:

— Я сообщаю вам об этом для того, чтобы мы лучше понимали друг друга.

Несколько человек закивали и заулыбались:

— Конечно, если вы хотите нанять более симпатичного малого, который выдаст вам вагон сочувствия, но, быть может, не так уж разбирается в законах, — Эллиот Фримантл пожал плечами, — это ваше дело.

Фримантл внимательно следил за аудиторией и увидел, как солидный мужчина в роговых очках наклонился к сидевшей рядом с ним даме и что-то прошептал. По выражению их лиц Фримантл догадался, что мужчина сказал: «Вот это похоже на дело! Именно это мы и хотели услышать».

Эллиот Фримантл, по обыкновению, сумел весьма точно оценить настроение собравшихся и рассчитал, как ему себя вести. Он сразу понял, что эти люди устали от общих фраз и изъявлений сочувствия — благожелательных, но малоэффективных. Его же слова, грубоватые и резкие, действовали как холодный, отрезвляющий душ. Теперь, не давая им передышки, чтобы не рассеивалось внимание, надо перейти к иной тактике. Настало время оперировать фактами, привести этим людям положения закона о борьбе с шумом. Чтобы удержать внимание аудитории — а Эллиот Фримантл хорошо знал правила игры, — надо говорить быстро, так, чтобы слушатели еле успевали осознать сказанное, но в то же время могли, хоть и не без напряжения, следить за логикой речи.

— Внимание! — скомандовал он. — Сейчас я буду говорить о специфике вашей проблемы.

Закон о борьбе с шумом, объявил он, непрерывно изучается судами страны. Меняются старые концепции. Согласно новым судебным постановлениям, чрезмерный шум может рассматриваться как нарушение спокойствия и попрание прав собственности. Более того, суды склонны налагать запреты и штрафы в тех случаях, когда такое нарушение прав, включая чрезмерный шум от самолетов, может быть доказано.

Эллиот Фримантл помолчал, пока не стих возникший над головой грохот, и поднял руку:

— Я думаю, вам не составит труда доказать это здесь.

Карандаши всех трех репортеров за столиком прессы забегали по бумаге.

В Верховном суде США, продолжал Фримантл, уже был такой прецедент. В деле «США против Каузби» суд постановил, что фермер из Гринсборо, штат Северная Каролина, имеет право на компенсацию, поскольку военные самолеты низко пролетают над его домом и «вторгаются» в пределы его собственности. Сообщая о решении по «делу Каузби», судья Уильям О'Дуглас заявил: «..если мы хотим, чтобы землевладелец не только пользовался своей землей, но и получал от нее удовольствие, он должен иметь право исключительного контроля и над окружающей атмосферой». Тот же принцип был положен в основу и при рассмотрении в Верховном суде другого дела — «Григгс против графства Аллегени». В штатах Орегон и Вашингтон, где соответственно рассматривались дела «Сорнберг против портлендского аэропорта» и «Мартин против аэропорта Сиэтл», были приняты решения о возмещении ущерба за нарушение закона о борьбе с шумом, хотя самолеты и не пролетали непосредственно над домами истцов. Есть и другие города и поселки, которые либо уже подали, либо собираются подавать в суд, причем некоторые для подкрепления своих жалоб пользуются магнитофонными записями и киносъемкой. На магнитофонной пленке фиксируется уровень шумов, и кинокамеры запечатлевают, на какой высоте летел самолет. Дело в том, что шум нередко оказывается сильнее, а высота полета ниже, чем утверждают руководители аэропорта и авиакомпании. В Лос-Анджелесе, например, один домовладелец подал в суд на лос-анджелесский международный аэропорт; он заявил, что, сажая самолеты на полосе, которую недавно протянули чуть ли не до самого его дома, руководство аэропорта обесценило его собственность без всяких на то законных прав. Домовладелец требовал десять тысяч долларов компенсации за нанесенный ущерб. Словом, в суды поступает все больше и больше такого рода дел.

Речь Фримантла была краткой и впечатляющей. Когда он упомянул конкретную сумму — десять тысяч долларов, — это, как он и рассчитывал, еще больше разожгло интерес аудитории. Слова его звучали авторитетно, убедительно и казались основанными на многолетнем опыте. Только сам Фримантл знал, что все эти «факты» почерпнуты из вырезок одной городской газеты, в картотеке которой он провел вчера два часа.

Были, однако, факты, о которых он умолчал. Решение Верховного суда по поводу фермера Каузби было вынесено двадцать лет назад, и общий ущерб составил смехотворную сумму — семьсот тридцать пять долларов, иными словами, стоимость погибших от шума кур. Жалоба лос-анджелесского домовладельца до сих пор в суде не рассматривалась и, возможно, никогда не будет рассмотрена. Зато о гораздо более важном деле — «Бэттен против США», по которому Верховный суд принял решение в 1963 году, Эллиот Фримантл намеренно умолчал. А суд тогда постановил, что к слушанию будут приниматься лишь те дела, где речь идет о «физическом вторжении в пределы собственности», шум же не является таковым. И поскольку в Медоувуде никакого физического вторжения в пределы частной собственности не было, то исходя из дела Бэттена можно было сделать вывод, что в данном случае обращение в суд обречено на провал.

Однако Фримантл вовсе не собирался делать эти факты достоянием гласности — во всяком случае, до поры до времени;

103

данного юриста вообще не слишком волновал вопрос о том, будет или не будет дело медоувудцев выиграно в суде. Ему нужно было одно: заполучить их в качестве клиентов и притом за максимальный гонорар.

С этой целью он уже подсчитал число присутствующих и мысленно произвел кое-какие арифметические выкладки. Результат окрылил его.

Из шестисот человек, находящихся в зале, человек пятьсот, а то и больше — домовладельцы. Если учесть, что здесь сидят не только мужья, но и жены, значит, он может рассчитывать как минимум на двести пятьдесят клиентов. Далее: если каждый из них подпишет соглашение, в соответствии с которым он, Фримантл, будет представлять интересы этого клиента за гонорар в сто долларов — а Эллиот Фримантл надеялся, что до конца вечера сумеет это провернуть, — то общая сумма вознаграждения может составить свыше двадцати пяти тысяч долларов.

Ему уже не раз удавались такие трюки. Просто удивительно, чего можно добиться при известной напористости, особенно когда люди накалены и жаждут настоять на своих правах. В портфеле у него лежала довольно солидная пачка бланков следующего содержания:

Настоящее соглашение между... именуемым (ми) отныне истцом (ами), и Фримантлом и Саем, юристами... которые берут на себя представительство законных интересов истца (ов) по делу об ущербе, наносимом самолетами, базирующимися в международном аэропорту Линкольна... составлено в том, что истец (цы) согласен (ны) выплатить указанным Фримантлу и Саю 100 долларов, в четыре приема по 25 долларов, с внесением первого взноса немедленно и выплатой остатка поквартально... По успешном завершении тяжбы Фримантл и Сай получают 10 процентов от общей суммы штрафа, выплаченного истцу (ам) за нанесение ущерба...

Эти десять процентов были вставлены на всякий случай, поскольку едва ли удалось бы добиться какого-либо возмещения. Однако в юриспруденции тоже случаются порой странные вещи, а Эллиот Фримантл старался предусмотреть все.

— Я информировал вас о существующих законах, — сказал он. — Теперь я намерен дать вам один совет. — И он озарил аудиторию одной из своих редких улыбок, которая вспыхнула и тотчас погасла. — Этот совет будет бесплатным, совсем как рекламный тюбик зубной пасты, но за каждый последующий тюбик уже придется платить. — Раздался смех, который он резко оборвал мановением руки. — Совет мой заключается в том, что время не ждет, пора действовать. И действовать немедленно. Это вызвало аплодисменты и еще большее одобрение. — Некоторые, — продолжал Фримантл, — склонны считать, что процедура закона отнимает слишком много времени и растягивается до бесконечности. Нередко это действительно так, но при наличии решимости и хорошего знания законов судопроизводство можно ускорить. В данном случае необходимо немедленно подавать в суд, иначе аэропорт и авиакомпании смогут сослаться на то, что самолеты взлетают над Медоувудом уже несколько лет, и в шуме, который они производят, нет ничего необычного. — В эту минуту, словно для придания большей весомости его словам, очередной самолет с грохотом поднялся в воздух. Перекрывая шум, Эллиот Фримантл крикнул: — Повторяю: я советую вам больше не ждать! Решение должно быть принято сегодня. Сейчас!

Моложавый мужчина в пиджаке из альпаки и спортивных брюках, сидевший в одном из передних рядов, вскочил на ноги.

— Скажите же, с чего начать!

— Для начала, если хотите, можете нанять меня представителем ваших законных интересов.

Двести — триста голосов разом ответили:

— Да, хотим.

Теперь, в свою очередь, на ноги вскочил председатель и поднял руку, требуя тишины. Он был явно доволен. Репортеры с интересом наблюдали за возбужденной аудиторией.

Сработало — как и рассчитывал Эллиот Фримантл. Теперь все пойдет по заведенному образцу. В ближайшие полчаса большинство соглашений, лежавших в его портфеле, будет подписано, а остальные унесут домой, там их обсудят и скорее всего завтра отправят ему по почте. Эти люди не боялись подписывать бумаги или обращаться в суд: они привыкли к тому и к другому, когда приобретали свои дома. Да и сто долларов — не такая уж крупная сумма. Кое-кому она может даже показаться заниженной. И лишь немногим придет в голову заняться подсчетом, который проделал в уме Эллиот Фримантл. Но даже если они и поднимут разговор об общей сумме, он всегда может сказать, что столь высокий гонорар объясняется тем, что ему придется защищать слишком много народу.

К тому же за эти денежки он покажет им недурной спектакль с фейерверком — и в суде, и еще кое-где. Он взглянул на часы: пора закругляться. Теперь, когда он уже был связан с ними, ему хотелось закрепить эту связь, поставив первый акт пьесы. Как и все, что он делал до сих пор, это тоже было заранее спланировано и должно было привлечь внимание читателей завтрашних газет куда больше, чем митинг. А кроме того, это явится подтверждением его слов о том, что он не намерен терять зря время.

Актерами в пьесе будут жители Медоувуда, пришедшие на митинг, а Фримантл рассчитывал, что все присутствующие согласятся покинуть зал и еще какое-то время побыть вне дома.

Местом действия будет аэропорт.

Время — сегодняшний вечер.

11

Итак, Эллиот Фримантл наслаждался успехом, а приблизительно в это же время бывший строитель-подрядчик по имени Д. О. Герреро, озлобленный и доведенный до крайности своими неудачами, решил сдаться и прекратить борьбу с жизнью.

Герреро находился в пятнадцати милях от аэропорта; он сидел запершись в одной из комнат жалкого, неблагоустроенного дома на южной окраине города. Квартира его помещалась как раз над шумной грязной закусочной на 51-й улице, недалеко от складов.

Д. О. Герреро был худой, долговязый, сутуловатый. На длинном, узком лице с острым подбородком тускло поблескивали глубоко запавшие глаза, тонкие губы были бескровны, над ними тоненькой полоской выделялись рыжеватые усы. На тощей шее выступал острый кадык. Лоб из-за больших залысин казался даже высоким. Руки вечно что-то крутили, пальцы никогда не знали покоя. Он дымил не переставая, прикуривая одну сигарету от другой. Ему было около пятидесяти, но выглядел он старше. Небритый, в несвежей рубашке, он сидел весь взмокший, хотя в комнате было прохладно.

Герреро был женат уже восемнадцать лет. Брак его принадлежал к числу удачных, хоть и не самых ярких. Д. О. — так звали его друзья и знакомые — и Инес Герреро относились друг к другу вполне терпимо, и мысль о том, что можно было найти другого спутника жизни, не приходила ни тому, ни другому в голову. Во всяком случае, Д. О. Герреро никогда не интересовался женщинами, бизнес и финансовые дела куда больше занимали его. Однако за последний год в отношениях между супругами образовалась трещина, и Инес, как ни старалась, не сумела ее залатать. Объяснялось это отчасти целым рядом неудач в делах, которые привели к тому что семья от сравнительного благополучия дошла до нищеты: Герреро пришлось расстаться со своим уютным и просторным, хоть и заложенным за большую сумму пригородным домом и переехать в менее респектабельное жилище, а оттуда — в эту жалкую, продуваемую сквозняками, наводненную тараканами двухкомнатную квартиру

Хотя Инес Герреро это крайне огорчало, она бы стойко снесла все беды, если бы муж с каждым днем не становился все мрачнее и не вскипал по пустякам, так что порой с ним просто невозможно было разговаривать. Недели две назад, вспылив, он ударил Инес, рассек ей лицо и даже не попросил прощения, да и потом ни словом не обмолвился, хотя, заговори он об этом, она, конечно, простила бы его. Опасаясь подобных вспышек, она отослала двух детей-подростков, мальчика и девочку, к своей замужней сестре в Кливленд, а сама осталась с мужем и устроилась официанткой в кафе. Работа была тяжелая, платили мало, но она по крайней мере зарабатывала себе на хлеб. Муж, казалось, совершенно не интересовался ею и не замечал отсутствия детей; настроение его становилось все более подавленным, и он все больше замыкался в себе.

Сейчас Инес была на работе. Д. О. Герреро находился в квартире один. Он мог бы и не запирать дверь маленькой спальни и все-таки запер ее, чтобы никто не мог ему помешать.

Д. О. Герреро, как и многим другим персонажам этого повествования, предстояло вскоре ехать в аэропорт У него было забронировано место — что подтверждалось билетом — на самолет «Транс-Америки», вылетавший сегодня рейсом два «Золотой Аргос» в Рим. Сейчас билет этот находился в кармане его пальто, которое лежало рядом с ним, на колченогом стуле.

Инес Герреро ничего не знала ни о предстоявшем полете в Рим, ни о причинах, побудивших мужа решиться на него.

Билет этот давал право на полет туда и обратно и стоил четыреста семьдесят четыре доллара. Правда, Герреро с помощью обмана удалось получить кредит. Он заплатил всего сорок

107

семь долларов, которые добыл, заложив последнюю ценность своей жены — кольцо ее матери (Инес еще не заметила его исчезновения), — и подписал обязательство выплатить остальную сумму вместе с процентами путем ежемесячных взносов в течение двух лет.

Однако это свое обязательство он вовсе не собирался выполнять.

Ни одна уважающая себя финансовая компания или банк не дали бы Д. О. Герреро взаймы даже на автобусный билет до ближайшего городка, не говоря уже о билете на самолет, да еще в Рим. Они бы прежде всего изучили состояние его дел и обнаружили, что он уже многие годы неплатежеспособен и у него куча долгов, а его компания по строительству домов «Герреро контрактинг инкорпорейтед» год назад объявлена банкротом.

Более тщательное расследование выявило бы, что на протяжении последних восьми месяцев, используя имя жены, Герреро пытался сколотить капитал для земельных спекуляций, но и тут потерпел неудачу. Естественно, что при этом он все больше и больше запутывался в долгах. И вот теперь некоторые подтасовки, на которые он пошел, а также то обстоятельство, что он по-прежнему числился в банкротах, грозили ему уголовным преследованием и почти неизбежно тюрьмой. Нависла над ним и другая угроза — менее серьезная, но столь же неотвратимая: он уже три недели не платил за свою жалкую квартиру, и хозяин грозился завтра выселить его. А если их выселят, им некуда будет деваться.

Д. О. Герреро дошел до полного отчаяния. Все его средства иссякли.

Общеизвестно, что авиакомпании легко предоставляют кредит, а если выплата долга задерживается, не слишком строги при взыскании его. Одним словом, Герреро все рассчитал. За многие годы существования авиации выяснилось, что пассажиры ведут себя на удивление честно и большинство авиакомпаний терпит лишь незначительные убытки. Неудачники вроде Д. О. Герреро редко пытаются за их счет поправить свои дела, поэтому авиакомпании — за отсутствием надобности — не разработали системы, которая позволила бы им вскрыть уловку, использованную Герреро.

С помощью двух простейших приемов он исключил всякую возможность хотя бы поверхностной проверки своего финансового положения. Во-первых, он изготовил «справку с предприятия», отпечатав ее на бланке усопшей компании, которую сам

108

же раньше возглавлял (другой, не той, что обанкротилась), и указав в качестве адреса компании собственный почтовый адрес. Во-вторых, печатая эту справку, он намеренно исказил свою фамилию, поставив букву «Б» вместо «Г»; таким образом, обычная проверка кредитоспособности некоего «Берреро» не могла дать никаких результатов. Затем в качестве удостоверения личности он предъявил билет социального страхования и водительские права, предварительно изменив на обоих заглавную букву своей фамилии, а потом снова написал ее так, как надо. И наконец, заполняя долговое обязательство, он постарался поставить подпись неразборчиво, чтобы никто не мог понять — Герреро это или Берреро.

В результате кассир, выдавая ему вчера билет, проставил в нем: «Д. О. Берреро», и Герреро призадумался, взвешивая, как это обстоятельство может отразиться на его планах. Он решил, что все будет в порядке. Если впоследствии начнется дознание, то ошибку в одной букве можно объяснить просто опиской. Ничто ведь не доказывает, что он это сделал злонамеренно. Тем не менее он решил, что, регистрируясь в аэропорту, попросит исправить свою фамилию — и в списке пассажиров, и у себя на билете. Ему было крайне важно лететь под собственной фамилией, чтобы тут все было в ажуре. Так уж он задумал.

А задумал Герреро взорвать самолет. Вместе с самолетом он, естественно, уничтожит и себя, но это соображение его не останавливало: он пришел к убеждению, что его жизнь не приносит больше пользы ни ему, ни другим.

Зато смерть его может принести пользу, а на это-то он и делал ставку.

Прежде чем взойти на борт самолета «Транс-Америки», он застрахует свою жизнь на семьдесят пять тысяч долларов в пользу жены и детей. Он рассуждал так: до сих пор он мало что сделал для них, зато этим своим последним поступком сразу им все возместит. Это будет жертва, продиктованная любовью.

В его исковерканном жизнью, затуманенном отчаянием мозгу не возникло даже и мысли о команде самолета или о пассажирах, которые полетят вместе с ним и должны будут тоже погибнуть. Подобно многим психопатам он смотрел на остальных людей лишь как на возможную помеху в осуществлении его плана.

Ему казалось, что он предусмотрел все.

То, каким путем он приобрел билет, уже не будет иметь значения, лишь только самолет поднимется в воздух. Никто не сможет доказать, что он и не намеревался платить по своему долговому обязательству, и даже если выплывет наружу то, что справка с предприятия фальшивая — а по всей вероятности, это все-таки выплывет, — наличие ее докажет лишь, что он получил кредит незаконно. А это само по себе никак не может повлиять на выплату страховки, ибо эти два действия юридически не взаимосвязаны.

Ведь он намеренно купил билет туда и обратно, чтобы создать видимость, будто не только намеревался долететь до места назначения, но и вернуться. А рейс в Рим он выбрал потому, что в Италии жил у него двоюродный брат, которого он никогда не видел, но не раз говорил, что хотел бы его навестить, об этом знала Инес. Таким образом, по крайней мере то, что он отправился именно в Рим, будет выглядеть вполне логично.

Д. О. Герреро уже несколько месяцев вынашивал свой план, в то время как положение его все ухудшалось. Он тщательно изучил историю авиационных катастроф — те случаи, когда самолеты были взорваны людьми, стремившимися таким путем получить страховку. Число подобных случаев оказалось на удивление большим. Причина взрыва неизменно выявлялась в ходе расследования после катастрофы, и если злоумышленник оставался жив, его привлекали к суду как убийцу. Страховка же, естественно, объявлялась недействительной.

Само собой разумеется, узнать, какой процент неразгаданных катастроф следует отнести на счет диверсии, не представлялось возможным. Главную роль играло наличие или отсутствие обломков. Если удавалось найти обломки самолета, опытные эксперты собирали их вместе и по ним пытались разгадать тайну катастрофы. Как правило, им это удавалось. Значит, рассудил Д. О. Герреро, надо разработать такой план, чтобы не осталось обломков.

По этой-то причине он и выбрал беспосадочный международный рейс в Рим.

Значительная часть трассы рейса два «Золотой Аргос» пролегала над океаном, а там, если самолет рассыплется в воздухе, ничего уже не найдешь.

С помощью брошюрок авиакомпании, где для удобства пассажиров указаны воздушные трассы и скорость полета и вам даже предлагают «определить ваше местонахождение в пути», Герреро высчитал, что после четырех часов полета при более или менее благоприятном ветре самолет будет находиться где-то над центральной частью Атлантики. Герреро намеревался проверить свои расчеты в пути и при необходимости изменить их. Первым делом он установит точное время взлета, затем будет внимательно слушать объявления, которые в ходе полета делает командир экипажа по радио. Располагая такой информацией, он без труда сообразит, запаздывает самолет или, наоборот, летит с опережением графика и насколько. После чего в заранее намеченном пункте — примерно в восьмистах милях к востоку от Ньюфаундленда — он произведет взрыв. И тогда самолет или то, что от него останется, упадет прямо в океан.

И никаких обломков никто никогда не найдет.

Остатки самолета навсегда будут погребены в таинственных глубинах Атлантического океана. И никаких расследований, никаких последующих выяснений причины гибели самолета. Живые будут раздумывать, гадать, строить предположения; они могут даже догадаться об истине, но узнать — никто никогда ничего не узнает.

И страховка — за отсутствием доказательства диверсии — будет полностью выплачена.

Весь этот план зиждился на одном — на взрыве. Естественно, взрыв должен быть достаточно сильным, чтобы уничтожить самолет, и кроме того, что не менее важно, он должен произойти в нужный момент. По этой-то причине Д. О. Герреро решил держать взрывное устройство при себе и сам произвести взрыв. И вот сейчас, запершись в спальне, он изготовлял бомбу и, хотя как строитель привык обращаться с взрывчаткой, за эти четверть часа успел изрядно вспотеть.

Механизм состоял из пяти частей — трех динамитных шашек, небольшого детонатора с двумя ответвлявшимися от него проводами и батареи от радиотранзистора. Динамитные шашки были маленькие — каждая дюйм с четвертью в диаметре и восемь дюймов в длину, — но чрезвычайно мощные: в них содержалось сорок процентов нитроглицерина. Герреро скрепил их вместе черной изоляционной лентой и для маскировки уложил в коробочку из-под кукурузных хлопьев с аккуратно оторванной боковиной.

Герреро разложил все, что ему требовалось, в определенном порядке на стареньком покрывале, которым была застелена кровать, где он трудился: деревянную прищепку для белья, две кнопки, квадратик чистого пластика и обрывок веревки. Это «оборудование», которому предстояло уничтожить самолет стоимостью шесть с половиной миллионов долларов, обошлось Герреро меньше чем в пять долларов. И все, включая динамит, оставшийся от тех дней, когда он работал подрядчиком, было куплено в хозяйственном магазине.

Тут же лежал небольшой плоский чемоданчик, в каких бизнесмены возят свои бумаги и книги. Туда-то и вкладывал сейчас Герреро взрывной механизм. С этим чемоданчиком в руках он войдет в самолет.

Устройство он изготовил наипростейшее. Действительно, подумал Герреро, настолько простое, что человек, никогда не имевший дела со взрывчаткой, даже и не поверил бы, что эта штука может сработать. И тем не менее она сработает и разнесет в щепы самолет, все уничтожит.

В одну из динамитных шашек он всунул карандаш, сделав в ней углубление дюйма в полтора. Потом вынул карандаш и вложил детонатор того же диаметра. От него тянулись два изолированных провода. Теперь надо только пропустить по этим проводам ток — и три шашки динамита взорвутся.

Клейкой лентой он прочно прикрепил коробочку из-под кукурузных хлопьев, в которой лежали динамитные шашки, к внутренним стенкам чемоданчика. Рядом пристроил деревянную прищепку для белья и батарею, которая явится запалом. Прищепка, снабженная металлической пружинкой, должна была служить рубильником, который в нужный момент пропустит от батареи ток.

Один из проводов от детонатора он подключил к батарее.

Руки у него дрожали. Он чувствовал, как под рубашкой струйками стекает пот. Сейчас, когда детонатор уже вмонтирован в схему, достаточно одной ошибки, одного неловкого движения — и он взорвет себя, эту комнату и большую часть здания: все разлетится на куски.

Теперь настала очередь прищепки для белья.

В каждую из ножек он воткнул изнутри по кнопке.

Если нажать на прищепку, ножки вместе с кнопками сойдутся и пропустят ток. А пока он проложил между ними изолятор — кусочек пластика.

Затаив дыхание, он подключил провод от детонатора и динамитной шашки к одной из кнопок на прищепке. Теперь настала очередь взяться за второй провод.

Он переждал, чувствуя, как колотится сердце, потом вытер потные руки платком. Нервы его были натянуты как струны, все чувства обострены до предела. Матрас под ним был тонкий, весь в буграх. Когда он переменил позу, старенькая железная кровать возмущенно взвизгнула.

Он снова принялся за работу. С огромной осторожностью подключил он короткий провод сначала к другой клемме батареи, потом — к другой кнопке. Теперь только квадратик пластика удерживал кнопки на расстоянии, а как только они соприкоснутся, по ним пройдет электрический ток и произойдет взрыв.

В пластике толщиной в одну шестнадцатую дюйма у самого края была проделана дырочка. Д. О. Герреро взял шнурок — последнюю часть устройства, еще лежавшую на постели, — один конец его пропустил через дырочку и крепко завязал, стараясь не сдвинуть пластик. Другой конец он просунул в дырку, которую просверлил в боковине чемоданчика, под ручкой, чтоб не было заметно. Высвободив немного шнурок внутри чемоданчика, он сделал снаружи второй узел — достаточно большой, чтобы шнур не мог уползти назад. Теперь оставалось только сделать петлю с внешней стороны — совсем маленькую, лишь бы просунуть палец, что-то вроде петли висельника в миниатюре, — и отрезать лишнее.

Ну вот, теперь все готово.

Достаточно пропустить палец в петлю и потянуть за шнурок! В чемоданчике кусок пластика выскочит из прищепки и провода соединятся. По ним пробежит электрический ток, и раздастся взрыв, оглушающий, разрушительный, все уничтожающий.

Теперь, когда дело было сделано, Герреро вздохнул с облегчением и закурил сигарету. Он криво усмехнулся, подумав о том, насколько более сложной представляют себе бомбу люди, в том числе и сочинители детективных историй. В книгах он читал о мудреных механизмах, бикфордовых шнурах, часах, которые тикают, или шипят, или трещат и действие которых можно приостановить, лишь бросив механизм в воду. На самом же деле никаких таких сложностей не требовалось, несколько самых обычных, ничуть не романтических предметов, и вот она — бомба. И притом такая, что взрыв ее ничто не способно предотвратить, если он дернет за шнурок, — ни вода, ни пуля, ни человеческая отвага.

Зажав сигарету в зубах и щурясь от дыма, Д. О. Герреро осторожно положил в чемоданчик разные бумаги, прикрыв ими динамитные шашки, прищепку, провода, батарею и шнурок. Он позаботился о том, чтобы бумаги в чемоданчике не скользили, а

113

шнурок мог бы свободно двигаться под ними. Даже если по каким-то причинам ему придется открыть чемоданчик, содержимое его покажется вполне невинным. Он закрыл чемоданчик и запер.

Затем посмотрел на дешевенький будильник, стоявший у кровати, — его наручные часы давно уже отправились к ростовщику. Было самое начало девятого, до отлета оставалось меньше двух часов. Пора ехать. Он доберется на метро до городского аэровокзала и там сядет на аэропортовский автобус. Герреро оставил себе столько денег, сколько требуется на автобусный билет и на страховку — не больше. Тут ему пришла в голову мысль, что нужно ведь время для приобретения страховки в аэропорту. Он быстро натянул пальто, предварительно проверив, лежит ли у него во внутреннем кармане билет на Рим.

Потом отпер дверь спальни, взял чемоданчик и, осторожно неся его, вышел в жалкую, бедную гостиную.

Еще одно. Письмо Инес. Он отыскал кусочек бумаги и карандаш и, подумав секунду, написал:

«Несколько дней меня не будет. Уезжаю. Надеюсь скоро удивить тебя добрыми вестями».

И подписался: «Д. О.».

Еще секунду он помедлил, чувствуя, как в нем что-то смягчается. Не слишком он расщедрился на теплые слова в этой записке, а ведь она подводила черту под восемнадцатью годами супружества. Потом он все же решил, что хватит и этого, было бы ошибкой сказать больше. Даже если от самолета ничего не останется, расследование пойдет своим чередом и список пассажиров будут изучать под микроскопом. Тогда и эту записку, и другие оставшиеся после него бумаги будут тщательно смотреть.

Он положил записку на стол, где Инес не могла ее не обнаружить.

Спускаясь по лестнице, Д. О. Герреро услышал голоса и музыку, доносившуюся из автомата в закусочной. Крепко держа чемоданчик, он одной рукой поднял воротник пальто. Под пальцами, сжимавшими ручку, он чувствовал петлю, так походившую на петлю висельника.

На улице, когда он вышел из дома, все еще валил снег.

ЧАСТЬ ВТОРАЯ

(20.30 — 23.00)

1

Вернувшись в теплую машину, Джо Патрони, главный механик «ТВА», вызвал по радиотелефону аэропорт. Он сообщил, что все еще находится в пути — на дороге из-за аварии пробка, — но все же надеется скоро прибыть. А как там с самолетом «Аэрео Мехикан», спросил он, все еще не вытащили? Нет, сообщили ему, не вытащили, и он нужен позарез: каждые две-три минуты звонят в «ТВА» и спрашивают, где Патрони и долго ли его еще ждать.

Немного обогревшись, Джо выскочил из машины и, преодолевая буран, увязая в снегу, заспешил по шоссе к месту аварии.

Обстановка вокруг завалившегося грузовика с прицепом выглядела так, точно все это было инсценировано для съемок широкоэкранной картины. Гигантский прицеп по-прежнему лежал на боку, перегораживая четыре полосы шоссе. К этому времени машину уже накрыло толстым слоем снега и она походила на перевернутого мертвого динозавра. Белый снег, яркий свет прожекторов, «мигалки» — все это создавало впечатление, что дело происходит днем. Прожекторы были установлены на трех грузовиках, которые посоветовал вызвать Патрони. Ярко-красные «мигалки» сверкали на крышах полицейских машин, которых за последнее время еще прибавилось, — казалось, полицейские только и были заняты тем, чтобы следить за работой «мигалок». Словом, настоящий фейерверк — как на празднике 4 июля*.

Сходство со спектаклем стало еще более разительным, когда прибыла телевизионная группа. Самоуверенные телевизионщики

---

* 4 июля — День независимости, национальный праздник США.

подъезжали по обочине, отчаянно гудя, сверкая вопреки правилам «мигалкой» на крыше своего коричневого фургона. С характерной для людей этой профессии беспардонностью четверо молодчиков принялись командовать, точно эта авария была устроена специально для них и все дальнейшее должно быть подчинено их желаниям. Полицейские не только не обратили внимания на «мигалку», незаконно установленную на крыше телевизионного фургона, но, повинуясь указаниям съемочной группы, уже размахивали руками, передвигая грузовики.

А Патрони, прежде чем отправиться к себе в машину звонить по телефону, тщательно разъяснил, где должны встать грузовики, чтобы объединенными усилиями сдвинуть с места опрокинутый грузовик с прицепом. Уходя, он видел, как шоферы грузовиков и выделенные им в помощь рабочие стали подсоединять к кабине и прицепу тяжелые цепи, которые затем надо будет закрепить, на что потребуется еще несколько минут. Полиция охотно приняла помощь Патрони, и полицейский лейтенант, прибывший к тому времени на место действия, гаркнул, приказывая шоферам грузовиков во всем слушаться Джо. Теперь же цепи были сняты, за исключением одной, с которой, оскалившись нацеленным на него телевизионным камерам, возился в свете прожекторов шофер грузовика.

За камерами и прожекторами толпились пассажиры застрявших машин. Большинство с интересом следили за съемкой, забыв и о своем желании поскорее сдвинуться с места, и о ночном холоде.

Внезапный порыв ветра швырнул мокрым снегом в лицо Патрони. Он схватился за ворот своей парки, но было уже поздно: снег проник внутрь, и рубашка сразу намокла. Неприятно, но ничего не поделаешь. Патрони добрался до лейтенанта полиции и спросил:

— Кто, черт побери, переставил грузовики? Этак они не сдвинут с места и кучу дерьма. Они могут разве что толкать друг друга.

— Да знаю я, мистер. — Лейтенант, высокий, широкоплечий, возвышавшийся как башня над коротконогим, приземистым Патрони, был явно смущен. — Но телевизионщикам хотелось получше все заснять. Они с местной станции, и им это нужно для сегодняшних новостей — про буран. Вы уж меня извините.

Один из телевизионщиков в теплом пальто, застегнутом на все пуговицы, поманил лейтенанта, жестом показывая, что хочет снять его на пленку. Лейтенант вздернул голову, несмотря на валивший снег, и с хозяйским видом направился к грузовику, возле которого шла съемка. Двое полицейских последовали за ним. Став лицом к камере, лейтенант принялся размахивать руками, давая указания шоферу грузовика — указания совершенно бесполезные, но могущие произвести внушительное впечатление с экрана.

Патрони же, подумав о том, с каким нетерпением его ждут в аэропорту, почувствовал, что в нем закипает гнев. Он чуть не ринулся на всю эту аппаратуру — так и схватил бы телевизионный аппарат, прожекторы и расколошматил. Мускулы его невольно напряглись, дыхание участилось. Но усилием воли он взял себя в руки.

Патрони отличался буйным, неуемным нравом; по счастью, его нелегко было вывести из равновесия, но если это случалось, то выдержка и благоразумие покидали его. Всю свою сознательную жизнь он старался научиться владеть собой, но это не всегда ему удавалось, хотя сейчас достаточно было вспомнить об одном случае, чтобы он сумел взять себя в руки.

А тогда он этого сделать не сумел. И воспоминание о том, что произошло, всю жизнь преследовало его.

Во время второй мировой войны Джо служил в авиации и занимался любительским боксом, причем считался опасным противником. Он был боксером среднего веса и в какой-то момент чуть не стал участником чемпионата ВВС на европейском театре военных действий от своей дивизии.

На матче, устроенном в Англии незадолго до вторжения в Нормандию, ему пришлось выступать против командира самолета по имени Терри О'Хейл, разнузданного хулигана из Бостона, известного своей подлостью как на ринге, так и вне его. Джо был тогда рядовым авиационным механиком; он знал О'Хейла и не любил его. Это не имело бы значения, если бы О'Хейл не прибег на ринге к одному тщательно рассчитанному приему — не шептал все время сквозь зубы: «*Ах ты, грязный даго, итальяшка... Ты почему не воюешь на другой стороне, сосунок?.. Ты же ревешь от восторга, когда они сбивают наши машины, а, даго?*» И так далее все в том же роде. Патрони прекрасно понимал, что это гамбит, попытка вывести его из себя, и пропускал оскорбления мимо ушей, пока О'Хейл вопреки правилам не ударил его дважды в низ живота, судья же, плясавший сзади них, не заметил этих ударов.

Оскорбления, эти два удара в низ живота и невыносимая боль сыграли свое дело, и Патрони вскипел, на что его противник и рассчитывал. Но он не рассчитывал, что Патрони так стремительно, так яростно и так безжалостно обрушится на него — О'Хейл рухнул и, когда судья отсчитал десять, был уже мертв.

Патрони не поставили это в вину. Хотя судья не заметил запрещенных ударов, их заметили зрители, стоявшие у ринга. Но даже если бы они и не заметили, все равно Патрони ведь делал лишь то, что положено — сражался в меру своего умения и сил. Только сам он знал, что на какие-то секунды рассудок ему изменил и он был безумен. Позже, наедине с собой, Джо вынужден был признать: даже понимая, что О'Хейл умирает, он не смог бы совладать с собой.

После этого прискорбного случая он не перестал боксировать и не «повесил свои перчатки на гвоздь», как обычно пишут в романах. Он продолжал драться на ринге во всю силу своих физических возможностей, не стараясь особенно сдерживаться, но тщательно следя за тем, чтобы не пересечь черту между разумом и безумием. Ему это удавалось — он это понимал, ибо стоило ему распалиться, как разум вступал в единоборство со звериным началом и побеждал. Тогда — и только тогда — Патрони ушел из бокса и уже не ступал на ринг до конца своих дней.

Но одно дело — уметь держать себя в руках, а другое — избавиться от подобных вспышек ярости вообще. И когда лейтенант полиции вернулся, вдоволь накрасовавшись перед телевизионным аппаратом, Патрони накинулся на него:

— Вы на целых двадцать минут задержали пробку на дороге. Десять минут ушло у нас на то, чтобы расставить как надо грузовики, и теперь еще десять минут уйдет, чтобы вернуть их на прежнее место.

В этот момент над ними раздался шум пролетавшего самолета — напоминание о том, что Патрони следовало поторапливаться.

— Послушайте, мистер. — Лицо лейтенанта побагровело, хотя оно и так уже было красным от ветра и холода. — Вбейте себе в башку, что командую здесь я. Мы рады любой помощи, включая вашу. Но решения принимаю я.

— Тогда примите же наконец!

— Я буду делать то, что я...

— Ну нет, вы будете слушать меня. — Патрони горящими глазами смотрел на полицейского, возвышавшегося над ним. Лейтенант, видимо, почувствовав скрытый гнев старшего меха-

118

ника, его привычку командовать, умолк. — В аэропорту очень сложная ситуация. Я говорил вам об этом и говорил, почему я там нужен. — Как бы подчеркивая свои слова, Патрони ткнул в воздух горящей сигарой. — Может, и у других есть причины спешить, но ограничимся пока тем, что я вам сказал. У меня в машине телефон, и я сейчас же позвоню своему начальству. А оно позвонит вашему. И не успеете вы глазом моргнуть, как вас вызовут по вашему радио и спросят, почему вы изображаете из себя телевизионного героя, вместо того чтобы заниматься делом. Так что решение, как вы изволили выразиться, за вами! Звонить мне по телефону или будем пошевеливаться?

Лейтенант смотрел на Джо и, казалось, готов был испепелить его взглядом. Ему очень хотелось дать волю гневу, но он сдержался. И повернулся всем своим большим телом к телевизионщикам:

— Живо убирайте отсюда всю эту бодягу! Слишком долго вы тут, ребята, копаетесь.

Один из телевизионщиков крикнул через плечо:

— Еще несколько минут, шеф!

Лейтенант в два прыжка очутился рядом с ним.

— Вы меня слышали? Убирайтесь сейчас же! — Все еще разгоряченный стычкой с Патрони, лейтенант пригнулся к нему, и телевизионщик съежился.

— О'кей, о'кей! — Он поспешно замахал своей группе, и переносные прожекторы потухли.

— Поставить эти два грузовика, как были! — Слова команды пулеметной очередью слетали с губ лейтенанта. Полицейские кинулись выполнять его приказания. А сам он подошел к Патрони и жестом показал на перевернутый прицеп: он явно решил, что полезнее иметь Патрони в качестве союзника, чем противника. — Мистер, вы по-прежнему считаете, что нам надо оттаскивать его на обочину? Вы уверены, что мы не сумеем поставить его на колеса?

— Сумеете, конечно, если хотите забаррикадировать дорогу до рассвета. Вам ведь надо сначала разгрузить прицеп и только потом...

— Знаю, знаю! Забудем об этом. Оттащим его на обочину, а об ущербе будем думать потом. — И, указав на длинную череду застывших в неподвижности машин, лейтенант добавил: — Если хотите рвануть отсюда, как только освободится дорога, выведите машину из своего ряда и подгоните сюда. Дать вам сопровождающего до аэропорта?

Патрони кивнул:

— Спасибо.

Через десять минут последний крюк тяги был укреплен. Тяжелые цепи протянулись от одного из аварийных грузовиков и обмотались вокруг осей перевернутого грузовика; прочные тросы соединяли цепи с лебедкой на аварийном грузовике. Цепи со второго грузовика подсоединили к прицепу, а третий грузовик поставили за прицепом, чтобы толкать его.

Шофер грузовика, пострадавший лишь незначительно, хоть он и перевернулся вместе с машиной, тяжело вздохнул, глядя на происходящее.

— Моим хозяевам это не понравится! Машины-то ведь совсем новенькие. А вы превратите их в лом.

— Только доделаем то, что ты начал, — заметил молодой полицейский.

— Ну еще бы! Вам-то все равно, а я потерял хорошую работу, — угрюмо буркнул шофер. — Может, теперь попробую чего полегче — скурвлюсь и пойду в полицию.

— А почему бы и нет? — осклабился полицейский. — Ты ведь уже и так скурвился.

— Как считаете, можно приступать? — обратился лейтенант к Патрони.

Джо кивнул. И пригнулся, проверяя, хорошо ли натянуты цепи и тросы.

— Только потихоньку, не спеша, — предупредил он.

На первом грузовике заработала лебедка; колеса грузовика заскользили по снегу, шофер прибавил скорости, чтобы натянуть цепь. Передняя часть перевернутого транспорта застонала, сдвинулась фута на два, отчаянно скрежеща металлом, и снова застыла.

Патрони замахал рукой:

— Не останавливайтесь! Сдвигайте с места прицеп!

Цепи и тросы натянулись. Колеса всех трех грузовиков скользили по мокрому, уже плотно утрамбованному снегу. Грузовик и прицеп сдвинулись еще фута на два под нестройное «ура» стоявшей вокруг толпы. Телевизионщики снова заработали; свет их прожекторов создавал дополнительное освещение.

На дороге осталась широкая, глубокая вмятина. Грузовик и прицеп вместе с грузом были уже серьезно повреждены, крыша на прицепе с того боку, который протащили по шоссе, смялась. Цена, которую придется заплатить — страховым компаниям, конечно, — за то, чтоб побыстрее восстановить движение на шоссе, будет немалая.

Два снегоочистителя работали по обе стороны поваленного грузовика с прицепом, расчищая накопившиеся со времени аварии сугробы. К этому времени и машины, и люди уже были в снегу — и Патрони, и лейтенант, и полицейские, — словом, все, кто находился под открытым небом.

Моторы грузовиков снова взревели. Из-под колес, скользивших на мокром, утрамбованном снегу, шел дым. Медленно, величаво перевернутая махина сдвинулась на два-три дюйма, потом на два-три фута и съехала к дальнему краю дороги. Прошло всего несколько секунд, и прицеп перегораживал уже не четыре, а лишь одну полосу на шоссе. Теперь три грузовика без труда сдвинут его на обочину.

Полицейские засигналили фонариками, готовясь рассасывать грандиозную пробку, на что у них уйдет, наверно, не один час. Гул самолета, пронесшегося над головой, снова напомнил Патрони, что главная его забота — впереди.

Лейтенант полиции, к которому он подошел, снял фуражку и стряхнул с нее снег. Потом кивнул Патрони:

— Теперь ваша очередь, мистер, поезжайте.

С обочины на шоссе вырулила патрульная машина. Лейтенант ткнул в нее пальцем:

— Держитесь за машиной. Я сказал им, что вы поедете следом, и велел побыстрее проложить вам дорогу в аэропорт.

Патрони кивнул. Когда он уже садился в свой «бьюик», лейтенант крикнул ему вслед:

— Эй, мистер... Спасибо.

2

Капитан Вернон Димирест отворил дверцу шкафа, отступил на шаг и протяжно свистнул.

Он стоял на кухне у Гвен Мейген, в «Квартале стюардесс». Гвен все еще не вышла из душа; дожидаясь ее, Димирест решил приготовить чай и в поисках чашек и блюдец открыл шкаф.

Все четыре полки перед ним были плотно уставлены бутылочками. Это были маленькие бутылочки вместимостью в полторы унции, какие авиакомпании выдают пассажирам в полете.

Над большинством этикеток была наклеена марка авиакомпании, и все бутылочки были не откупорены. Быстро произведя в уме подсчет, Димирест решил, что их здесь штук триста.

Он и раньше видел казенное вино в квартирах стюардесс. Но никогда не видел в таком количестве.

— У нас есть припасы еще и в спальне, — услышал он за спиной веселый голос Гвен. — Мы собираем для вечеринки. По-моему, достаточно набрали, правда?

Он не слышал, как она вошла, и обернулся. До чего же она хороша и свежа; с тех пор как начался их роман, всякий раз при виде ее он испытывал восхищение. В такие минуты, как ни странно, он, обычно уверенный в своем успехе у женщин, удивлялся, что Гвен принадлежит ему. Она была в узкой форменной юбке и блузке, которые делали ее совсем юной. Ее живое лицо с высокими скулами было слегка запрокинуто, густые черные волосы блестели в электрическом свете. Темные глубокие глаза с улыбкой и нескрываемым одобрением смотрели на него.

— Можешь поцеловать меня, — сказала она. — Я еще не намазалась.

Он улыбнулся: чистый мелодичный голос с английским акцентом придавал ей еще больше очарования. Подобно многим девушкам, окончившим дорогую английскую частную школу, Гвен усвоила все благозвучие английских интонаций. Порой Вернон Димирест нарочно втягивал Гвен в беседу — с единственной целью насладиться звучанием ее речи.

Но сейчас они стояли, крепко прижавшись друг к другу, и губы ее жадно отвечали на его поцелуи.

— Нет! — решительно заявила Гвен, внезапно отстраняясь от него. — Нет, Вернон, не надо. Не сейчас.

— Почему? У нас достаточно времени. — Голос Димиреста звучал глухо, в нем слышалось нетерпение.

— Я же сказала, что мне надо с тобой поговорить, а на то и на другое у нас нет времени. — Гвен заправила блузку, выбившуюся из юбки.

— А, черт! — буркнул он. — Доводишь меня черт-те до чего, а потом... Ну ладно, подожду до Неаполя. — Он легонько поцеловал ее. — Пока будем лететь в Европу, думай о том, что я сижу в кабине и тихо плавлюсь.

— Ничего, я снова доведу тебя до кондиции. Можешь на меня положиться. — Она рассмеялась и, прильнув к нему, провела длинными тонкими пальцами по его лицу, взъерошила волосы.

— О Господи, — вздохнул он, — вот сейчас ты ведешь себя как надо.

— Хорошенького понемножку. — И Гвен сняла его руки со своей талии. Потом повернулась и подошла к шкафу, который он открыл.

— Постой, постой. Ты так и не объяснила мне, что это значит. — И Димирест указал на миниатюрные бутылочки с наклейками авиакомпании.

— Это? — Гвен, подняв брови, окинула взглядом четыре уставленные бутылочками полки и придала своему лицу выражение оскорбленной невинности. — Скромные отходы, то, что не потребовалось пассажирам. Неужели, капитан, вы намерены донести на меня и сообщить об отходах?

— Отходы в таком количестве? — иронически проронил он.

— А почему бы и нет? — Гвен взяла бутылочку джина «Бифитер», снова поставила ее и взяла другую — виски «Канадиан клаб». — А все-таки одно можно сказать в пользу авиакомпании: алкоголь они покупают самого высокого качества. Хочешь выпить?

Он отрицательно покачал головой:

— Ты могла бы предложить мне кое-что получше.

— Могла бы, если бы ты не изображал из себя строгого судью.

— Я просто не хочу, чтобы ты попалась.

— Никто не попадается, хотя все это делают. Посуди сам: каждому пассажиру первого класса положено две бутылочки; но есть такие, которые выпивают только одну, и всегда есть такие, которые вообще не пьют.

— В правилах сказано, что вы обязаны возвратить неоткупоренные бутылки.

— О Господи! Так мы и делаем: возвращаем две-три для вида, а остальные девочки делят между собой. Так же поступаем мы и с вином. — Гвен хихикнула. — Мы очень любим пассажиров, которые просят вина перед самой посадкой. Тогда можно на законных основаниях откупорить бутылку, налить пассажиру бокал, а остальное...

— Ясно. А остальное унести домой?

— Хочешь взглянуть? — Гвен открыла другую дверцу шкафа. На полках стояло около дюжины бутылок вина.

Димирест усмехнулся:

— Ну и ну!

— Это не только мои. Моя напарница и одна из девчонок, что живет рядом, дали мне свою долю на сохранение — для вечеринки. — Она взяла его под руку. — Ты ведь тоже придешь, конечно?

— Если пригласят, наверно, приду.

Гвен закрыла дверцы шкафа.

— Можешь не сомневаться: пригласят.

Они прошли на кухню, и она налила в чашки приготовленный им чай. Он любовался каждым ее движением. У Гвен был какой-то удивительный дар даже вот такое чаепитие на ходу обставлять со всей торжественностью.

Теперь, когда она достала из другого шкафа чашки и Димирест увидел, что они тоже с маркой «Транс-Америки», он только усмехнулся. Не следовало ему проявлять такую щепетильность при виде бутылочек с ярлыками авиакомпании, подумал он: в конце концов, уловки стюардесс ни для кого не секрет. Просто его изумило количество бутылочек.

Он знал, что все стюардессы довольно быстро обнаруживают, что экономное расходование припасов в самолетных подсобках может существенно облегчить им жизнь дома. Они приходят в самолет с полупустыми чемоданчиками, которые затем набивают оставшейся едой, причем первоклассной, поскольку авиакомпании покупают только самое лучшее. Пустой термос отбывает из самолета полным — со сливками, а порой и с шампанским. Кто-то даже уверял Димиреста, что предприимчивая стюардесса может наполовину сократить свой счет у бакалейщика. Только на международных рейсах девушки ведут себя осторожнее, так как по правилам все оставшиеся продукты сразу после посадки должны быть уничтожены.

Все это, разумеется, строго запрещено всеми авиакомпаниями, и тем не менее все идет своим чередом.

Стюардессы знают, что по окончании полета никакой инвентаризации не производится. Во-первых, на это просто нет времени, и, во-вторых, авиакомпаниям дешевле возместить убытки, чем поднимать вокруг этого шум. В результате многие стюардессы сумели за счет авиакомпании обзавестись одеялами, подушками, полотенцами, льняными салфетками, рюмками и столовыми приборами в поистине ошеломляющем количестве: Вернону Димиресту доводилось посещать «гнездышки», где почти все предметы повседневного обихода явно прибыли из кладовых авиакомпаний.

В размышления его вторгся голос Гвен:

— Я вот что хотела сказать тебе, Вернон: я беременна.

Она произнесла это столь небрежно, что смысл ее слов не сразу дошел до его сознания. И потому он ошарашенно переспросил:

— Ты что?

— Беременна: бе-ре-ме...

— Можешь не произносить по слогам, — раздраженно оборвал он ее. Но мозг его все еще не желал воспринимать услышанное. — Ты в этом уверена?

Гвен рассмеялась своим приятным серебристым смехом и глотнула чаю. Димирест видел, что она забавляется его растерянностью. Но до чего же она была сейчас желанна и хороша.

— Дорогой мой, — заметила она, — какой банальный вопрос! Во всех книгах, какие я читала, мужчина в таких случаях задает вопрос: «А ты уверена?»

— Черт побери, Гвен! — взорвался Димирест. — Ты все-таки уверена или нет?

— Конечно. Иначе я бы тебе этого не сказала. — Она протянула руку к стоявшей перед ним чашке. — Еще чаю?

— Нет!

— Все очень просто, — спокойно сказала Гвен. — Это произошло во время «пересыпа» в Сан-Франциско... Помнишь, мы еще ночевали в этом роскошном отеле на Ноб-Хилле, где открывается такой вид из окон... Как он назывался, этот отель?

— «Фейрмонт». Да, помню. Продолжай.

— Ну вот: боюсь, я там была неосторожна. Я перестала принимать пилюли, потому что начала от них полнеть, и, кроме того, я считала, что в тот день могу не беспокоиться, но, видно, ошиблась. Словом, из-за моей небрежности теперь во мне сидит крошечный Вернон Димирест, который с каждым днем будет все расти.

Наступило молчание. Потом он, запинаясь, сказал:

— Вероятно, я не должен об этом спрашивать...

Она прервала его:

— Нет, должен. Ты имеешь право спросить. — Темные глаза Гвен открыто и прямо смотрели на него. — Ты хочешь знать, был ли кто-то еще и уверена ли я, что это твой ребенок. Так?

— Послушай, Гвен...

Она дотронулась до его руки.

— Не надо деликатничать. Всякий на твоем месте задал бы такой вопрос.

Он с несчастным видом махнул рукой.

— Забудь об этом и извини меня.

— Но я готова тебе ответить. — Она заговорила быстрее и более сбивчиво: — Никого другого не было. И быть не могло. Видишь ли... дело в том, что я люблю тебя. — Впервые она не смотрела на него. И, помедлив, продолжала: — По-моему, я любила тебя... я даже уверена, что любила... еще до той нашей поездки в Сан-Франциско. Сейчас, когда я думаю об этом, я рада, что это так, потому что надо любить человека, от которого у тебя ребенок, правда?

— Послушай меня, Гвен. — Он накрыл ее руки своими. Пальцы у Вернона Димиреста были сильные, тонкие, привыкшие управлять и подчинять себе, но умевшие и ласкать. И сейчас они ласково гладили ее руки. Обычно грубый и резкий с мужчинами, Вернон Димирест был неизменно нежен с женщинами, которые ему нравились. — Нам надо серьезно поговорить и все обдумать. — Теперь, придя в себя от неожиданности, он привел свои мысли в порядок. Ему стало ясно, что делать дальше.

— А тебе ничего не нужно предпринимать. — Гвен вскинула голову, голос ее был спокоен. — И, пожалуйста, не волнуйся: я не стану устраивать сцен и осложнять тебе жизнь. Я этого не сделаю. Я ведь знала, на что шла, знала, что это может произойти. Я, правда, этого не ожидала, но так получилось. И я решила сказать тебе об этом сегодня только потому, что ребенок твой: это часть тебя, и ты должен знать. А теперь, когда ты знаешь, я говорю тебе: можешь не волноваться. Я сама со всем справлюсь.

— Не горячись, я тебе, конечно, помогу. Не воображаешь же ты, что я отвернусь от тебя и сделаю вид, будто это меня не касается. — А про себя он думал: «Главное — не тянуть: чем быстрее избавимся от маленького негодника, тем лучше. Надо бы еще выяснить, насколько она религиозна; есть ли у нее предубеждения против аборта?» В разговорах с ним Гвен никогда не касалась вопросов веры, но бывает, что люди, от которых меньше всего можно этого ожидать, оказываются вдруг верующими. И он спросил:

— Ты католичка?

— Нет.

Ну, это уже лучше, подумал он. В таком случае ей, пожалуй, надо побыстрее слетать в Швецию — на это понадобится всего несколько дней. «Транс-Америка» тут, конечно, поможет — авиакомпании всегда помогают в таких случаях, при условии, что официально им ничего неизвестно: нужно лишь намекнуть на аборт, но не произносить этого слова. Тогда Гвен сможет полететь на самолете «Транс-Америки» в Париж, а оттуда «Эр Франс» доставит ее в Стокгольм — по служебному билету, на основе взаимных услуг. Конечно, хоть она и бесплатно полетит в Швецию, все равно за операцию придется выложить немалую сумму: среди авиационных служащих даже ходила шутка, что шведы чистят не только внутренности, но и карманы своих пациенток. Все это, конечно, обошлось бы много дешевле в Японии. Многие стюардессы летят в Токио и делают там аборт за пятьдесят долларов. И даже как будто в клиниках. Но Димиресту почему-то Швеция или Швейцария представлялись более надежным местом. Если он когда-нибудь сделает стюардессе ребенка, заявил однажды Димирест, то избавляться от него она будет по первому классу.

Но то, что с Гвен это произошло именно сейчас, было чертовски некстати и нарушало все его планы: он задумал расширять свой дом и уже вышел за рамки бюджета. Ничего не поделаешь, мрачно решил он, придется продать кое-что из акций — пожалуй, «Дженерал дайнэмикс»: он уже неплохо на них заработал, и пора воспользоваться барышом. Надо будет позвонить маклеру, как только они вернутся из Рима... и из Неаполя.

И он спросил:

— Но ты все же поедешь со мной в Неаполь?

— Конечно. Я так давно мечтала об этом. К тому же я купила новую ночную рубашку. Ты ее увидишь завтра вечером.

Он встал из-за стола и ухмыльнулся:

— Бесстыжая девка.

— Бесстыжая беременная девка, которая бесстыдно любит тебя. А ты меня любишь?

Она подошла к нему, и он начал ее целовать — в губы, в щеки, в ухо, чувствуя, как напрягаются ее руки, обвившие его шею. И он шепнул:

— Я люблю тебя. — В эту минуту Димирест не сомневался, что говорит правду.

— Вернон, дорогой...

— Да?

Щека, прильнувшая к его щеке, была такая мягкая. Голос звучал глухо — она говорила, уткнувшись ему в плечо:

— Как я тебе сказала, так и будет. Тебе не придется мне помогать. Только если ты в самом деле захочешь.

— А я и хочу. — Он решил, что прозондирует почву насчет аборта по пути в аэропорт.

Гвен высвободилась из его объятий и посмотрела на свои часики: восемь двадцать.

— Пора, капитан. Поехали.

— Я думаю, ты понимаешь, что тревожиться тебе не о чем, — говорил Вернон Димирест, ведя машину. — Авиакомпании привыкли к тому, что их незамужние стюардессы беременеют. Это случается на каждом шагу. Согласно последнему отчету, десять процентов стюардесс ежегодно оказываются беременными.

Вот теперь, не без удовольствия отметил он про себя, они уже подходят к сути дела. Прекрасно! Важно отвлечь Гвен от всяких сентиментальных глупостей, связанных с этим будущим ребенком. Димирест знал: если она расчувствуется, тут вопреки здравому смыслу могут произойти самые нелепые вещи.

Он осторожно вел машину, твердо, но бережно держа руль, — он всегда бережно обращался с любым механизмом, будь то автомобиль или самолет. На окраине города улицы были покрыты толстым слоем снега, хотя их только что расчищали, когда он ехал из аэропорта к Гвен. Снег продолжал валить, и в местах, открытых ветру, особенно там, где не было зданий, громоздились высокие сугробы. Капитан Димирест осторожно огибал их. Ему вовсе не улыбалось застрять где-нибудь по дороге или вылезти хотя бы на минуту из машины, пока они не доберутся до гаража «Транс-Америки».

Гвен, уютно пристроившаяся рядом с ним на кожаных подушках сиденья, недоверчиво спросила:

— Неужели... неужели правда, что ежегодно десять стюардесс из ста оказываются беременными?

— Год на год, конечно, не приходится, но обычно это более или менее так, — подтвердил он. — Таблетки, несомненно, изменили это соотношение, но, насколько мне известно, ненамного. Как один из руководителей нашей ассоциации, я имею доступ к такого рода данным. — Он сделал паузу, дожидаясь реакции Гвен. Но она молчала, и он продолжал: — Нельзя забывать, что стюардессами работают главным образом девушки из фермерского сословия, а если и городские, то из скромных семей. Они росли в глуши, жили более чем заурядно. И вдруг перед ними открывается совсем другая жизнь: новые города, номера в дорогих отелях, встречи с интересными людьми. Словом, они начинают приобщаться к la dolce vita*. — Он усмехнулся. — Ну и в итоге на донышке бокала иной раз остается осадок.

— Какое свинство! — Гвен вспылила впервые за все время их знакомства. — Какое высокомерие! — возмущенно продолжала она. — Одно слово: мужчина. Так вот, если в моем бокале или во мне кое-что и осталось, то позволь тебе напомнить, что это твое, и хотя мы вовсе не собирались ничего оставлять, я бы подыскала для этого иное выражение. И еще: меня, черт возьми, отнюдь не устраивает то, что ты сваливаешь меня в одну кучу со всеми этими девочками «из фермерского сословия» и «из скромных семей».

Щеки Гвен горели, глаза сверкали от возмущения.

— Эй! — сказал он. — А мне нравится твое настроение.

— Что ж, если будешь продолжать в том же духе, тебе не придется жаловаться на то, что оно у меня изменилось.

— Неужели я говорил такие уж гадости?

— Ты просто невыносим.

— Не сердись, пожалуйста. — Димирест сбавил скорость и остановился у светофора, искрившегося мириадами красных точек сквозь падающий снег. Они молча подождали, пока свет не стал зеленым, ярким, как на рождественской открытке. Когда они двинулись дальше, он мягко сказал: — Ни в какую кучу сваливать тебя я не собирался, потому что ты — исключение. Ты же умница и только по неосторожности попала в беду. Ты сама так сказала. Просто мы, наверно, оба были неосторожны.

— Ладно, хватит об этом. — Вспышка гнева у Гвен уже прошла. — Но никогда не суди обо мне по другим. Я — это я, и никто другой.

Некоторое время они молчали. Затем Гвен задумчиво произнесла:

— Пожалуй, так мы его и назовем.

— Кого и как?

— Я вспомнила о том, что сказала тебе — насчет того, что во мне сидит маленький Вернон Димирест. Если родится мальчик, мы назовем его Вернон Димирест-младший, как принято у американцев.

Его имя ему не слишком нравилось, и он только хотел было сказать: «Я вовсе не хочу, чтобы мой сын...», но сдержался. Это было бы уже опасно.

---

* Сладкой жизни (ит.).

— Видишь ли, Гвен, я ведь хотел только сказать, что авиакомпании привыкли к подобным вещам. Ты знаешь о существовании такого документа «Один-три», или «Три пункта о беременности»?

Она коротко сказала:

— Да.

Естественно, что Гвен знала об этом документе. Почти все стюардессы были в курсе того, что авиакомпании могут сделать для них в случае беременности — если, конечно, стюардесса согласится на определенные условия. В компании «Транс-Америка» этот документ обычно называли «3 ПБ». В другой компании он назывался иначе и условия были немного иные, но принцип был везде одинаков.

— Я знала девушек, которые прибегали к его помощи, — сказала Гвен. — Но никогда не думала, что и мне придется этим воспользоваться.

— Большинство из них, наверно, тоже этого не предполагали. — Димирест помолчал и добавил: — Но ты не должна волноваться. Авиакомпании не склонны это рекламировать, и все делается шито-крыто. Как у нас со временем?

Гвен приблизила руку с часами к освещенному щитку с приборами.

— Будем вовремя.

Он осторожно вывел свой «мерседес» на среднюю полосу, угадывая ее границы под мокрым снегом, и обогнал неуклюжий грузовик. Несколько человек, по всей вероятности, аварийная команда, стояли на ступеньке, уцепившись за борт грузовика. Одежда на них была мокрая, они выглядели усталыми и несчастными. И Димирест подумал: «Интересно, как бы они реагировали, если б узнали, что мы с Гвен через несколько часов будем под теплым неаполитанским солнцем».

— Не знаю, право, — промолвила вдруг Гвен, — не знаю, найду ли я в себе силы воспользоваться этим документом.

Как и Димирест, Гвен понимала, чем руководствовалось аэропортовское начальство, составляя специальный документ на случай беременности стюардесс. Ни одной компании не хотелось расставаться со своими стюардессами. Их обучение стоило дорого, и квалифицированная стюардесса являлась крупным капиталовложением. Да и, кроме того, не так-то просто найти подходящих девушек с хорошей внешностью, манерами и обаянием.

Программа помощи была составлена с таким расчетом, чтобы ее было легко и просто осуществлять. Если беременная стюардесса не собиралась выходить замуж, она, естественно, стремилась по окончании беременности вернуться на прежнее место, причем авиакомпания обычно была только рада ее возвращению. Поэтому, согласно программе, ей предоставлялся официальный отпуск с сохранением занимаемой должности. В отделе же персонала существовали специальные секции, которые заботились об этих молодых женщинах, помогая им, в частности, выбрать больницу, а потом поместить ребенка на воспитание либо по месту жительства матери, либо в более отдаленном месте — по ее желанию. Был тут и психологический момент: девушка знала, что кто-то подумает о ней и позаботится о ее интересах. Случалось даже, что ей давали ссуду. Если после родов стюардессе не хотелось возвращаться на прежнюю базу, ее переводили в другое место по ее выбору.

За это авиакомпания брала со стюардесс три обязательства — отсюда и название документа: «Один-три».

Во-первых, девушка обязана была оповещать отдел персонала о своем местонахождении в течение всего периода беременности.

Во-вторых, она обязана была сразу после рождения ребенка отдать его в приют для последующего усыновления. Ей не сообщали, кто его усыновил, и, таким образом, ребенок навсегда уходил из ее жизни. Авиакомпания, правда, гарантировала соблюдение всех необходимых процедур при усыновлении или удочерении и заботилась о том, чтобы ребенок попал в хорошую семью.

В-третьих, стюардесса могла воспользоваться программой «Один-три» лишь в том случае, если она сообщала авиакомпании фамилию отца ребенка. После этого представитель отдела персонала — человек, искушенный в такого рода делах, — немедленно вызывал отца, чтобы добиться от него денежной помощи. Представитель отдела персонала должен был получить у него письменное согласие оплатить расходы по пребыванию стюардессы в больнице и по уходу за ребенком, а если удастся, то и возместить с его помощью, хотя бы частично, ее потери в заработке. Авиакомпании предпочитали, чтобы такие соглашения заключались по доброй воле и без шума. Однако в случае необходимости они могли осуществить нажим на неподатливых отцов, используя свой немалый вес в обществе.

Компании, конечно, почти не приходилось прибегать к таким методам, когда отцом ребенка был кто-нибудь из членов экипажа — сам командир, или первый, или же второй пилот. В таких случаях, особенно при желании отца сохранить все в тайне, достаточно было легкого увещевания. И тогда уж компания действительно сохраняла все в тайне. Устанавливалась разумная сумма, которая выплачивалась в течение определенного срока по частям, или же компания вычитала соответствующий процент из жалованья своего служащего. А для того чтобы избежать излишних расспросов дома, эти вычеты проводились по графе «Персональные издержки».

Все деньги, полученные таким путем, выплачивались беременной стюардессе. Компания ничего себе не брала.

— Видишь ли, программа тем хороша, — сказал Димирест, — что женщина не чувствует себя одинокой и брошенной.

До сих пор он старательно избегал одного — всякого упоминания слова «аборт». Ни одна авиакомпания не могла, да и не желала открыто связываться с абортом. Советы такого рода обычно давались в неофициальном порядке инспекторами из отдела персонала, которые уже по опыту знали, как это можно устроить. Если девушка решалась на аборт, их задача была помочь ей сделать его в хороших клинических условиях, чтобы она не попала в лапы шарлатанов или плохих врачей, к которым иной раз обращаются доведенные до отчаяния женщины.

Гвен с любопытством посмотрела на своего спутника:

— Скажи мне вот что. Откуда ты так хорошо об этом осведомлен?

— Я же говорил тебе: как один из руководителей нашей ассоциации...

— Все это так, но это ассоциация летчиков. И стюардессы не имеют к тебе никакого отношения — во всяком случае, в таком плане.

— Непосредственно мне, конечно, не приходилось этим заниматься.

— Значит, Вернон, ты уже сам попадал в такого рода истории... какая-то стюардесса уже была беременна от тебя... Ведь так, Вернон?

Он нехотя кивнул:

— Да.

— Тебе, конечно, не сложно укладывать к себе в постель стюардесс, этих, по твоим словам, доверчивых сельских девчонок. Или, может, они были из «скромных городских семей»? — В голосе Гвен звучала горечь. — Ну и сколько же их было? Десяток, два? Я не прошу точной цифры — приблизительно.

132

Он вздохнул:

— Одна, всего одна.

Ему, конечно, невероятно везло. Их могло бы быть гораздо больше, но он сказал правду... почти правду: ведь был же еще тот случай с выкидышем. Впрочем, это можно не считать.

Движение на шоссе становилось все интенсивнее по мере того, как они приближались к аэропорту, до которого теперь оставалось всего каких-нибудь четверть мили. Яркие огни огромного аэровокзала даже сквозь снегопад освещали небо.

Гвен сказала:

— Та девушка, которая забеременела от тебя... мне не важно знать ее имя...

— Да я и не сказал бы.

— Она воспользовалась этой штукой — документом «Один-три»?

— Да.

— И ты помогал ей?

— Я уже спрашивал тебя: за кого ты меня принимаешь? — нетерпеливо отрезал он. — Конечно, я ей помогал. Если уж тебе непременно надо все знать, изволь: компания вычитала из моего жалованья определенный процент. Потому я и знаю, как это делается.

Гвен улыбнулась:

— «Персональные издержки»?

— Да.

— И твоя жена знала об этом?

Он помедлил, прежде чем ответить.

— Нет.

— А что произошло с ребенком?

— Он был отдан на воспитание.

— Кто это был?

— Ребенок.

— Ты прекрасно понимаешь, о чем я спрашиваю. Это был мальчик или девочка?

— По-моему, девочка.

— *По-твоему?*

— Я знаю, девочка.

Вопросы Гвен вызвали у него чувство неловкости. Они оживили воспоминания, которые он предпочитал похоронить.

Оба молчали, когда «мерседес» свернул к широкому, внушительному главному подъезду аэропорта. Высоко над входом, зали-

133

тым ярким светом прожекторов, устремлялись в небо футуристические параболы — творение общепризнанного победителя международного конкурса скульпторов, символизирующее, как тогда было сказано, благородное будущее авиации. Взору Димиреста открылся сложный серпантин шоссейных дорог, «восьмерок», мостов и туннелей, спроектированных с таким расчетом, чтобы машины могли идти, не снижая скорости, хотя сегодня из-за трехдневного снегопада они ехали медленнее, чем всегда. Высокие сугробы громоздились даже на проезжей части. Общую сумятицу еще усиливали снегоочистители и грузовики, старавшиеся удержать снег хотя бы за пределами уже расчищенного пространства.

После нескольких коротких остановок Димирест наконец свернул на служебную дорогу, которая вела к главному ангару «Транс-Америки», где они оставят машину и сядут на автобус для летного состава.

Гвен вдруг сбросила с себя оцепенение.

— Вернон!

— Да?

— Спасибо за то, что ты был честен со мной. — Она протянула руку и дотронулась до его руки, лежавшей на руле. — У меня все будет в порядке. Просто слишком много сразу на меня свалилось. И я хочу ехать с тобой в Неаполь.

Он улыбнулся, кивнул, потом на минуту выпустил руль и крепко сжал пальцы Гвен.

— Мы отлично проведем там время. Обещаю тебе, что мы оба запомним эту поездку.

И он постарается, сказал себе Димирест, выполнить обещание. Собственно, это будет не так уж и трудно. Его тянуло к Гвен; ни к кому он еще не испытывал такой нежности, никто не был ему душевно так близок. Если бы не то, что у него есть жена... И снова, уже не в первый раз, у него мелькнула мысль порвать с Сарой и жениться на Гвен. Но он тут же прогнал эту мысль. Он знал немало своих коллег, переживших подобное, — пилотов, которые после многих лет совместной жизни бросали жен ради более молодых женщин. И в итоге чаще всего оказывались у разбитого корыта с солидным грузом алиментов на плечах.

Так или иначе, во время этого полета, а может быть, в Риме или в Неаполе, ему придется провести еще один серьезный разговор с Гвен. До сих пор они говорили не совсем в том ключе, как ему бы хотелось, и вопрос об аборте не был затронут.

А пока — мысль о Риме напомнила об этом Димиресту — ему предстояло более неотложное дело: возглавить рейс номер два «Транс-Америки».

3

Ключ был от комнаты 224 в гостинице «О'Хейген».

В полутемной гардеробной, примыкавшей к радарной, Кейз Бейкерсфелд вдруг осознал, что он уже несколько минут сидит, уставившись на этот ключ с пластмассовым ярлычком. А может быть, лишь несколько секунд? Возможно. Просто он перестал ощущать течение времени, как и многое другое; утратил способность ориентироваться. Иной раз дома Натали вдруг замечала, что он стоит застыв и смотрит в пространство. И лишь когда она озабоченно спрашивала: «Что ты тут делаешь?» — к нему возвращалось сознание, способность действовать и думать.

И тогда — да и сейчас — усталое, измотанное напряжением сознание, должно быть, отключалось. Где-то у него в мозгу был этакий крошечный предохранитель, защитный механизм, вроде того, который отключает мотор при перегреве. Правда, между мотором и человеческим мозгом есть существенная разница: мотор можно выключить и, если нет надобности, больше не включать. Мозг же — нельзя.

Сквозь единственное окно в гардеробную проникало достаточно света от прожекторов, установленных на башне. Но Кейзу свет не был нужен. Он сидел на деревянной скамье, так и не притронувшись к сандвичам, которые приготовила ему Натали, и, глядя на ключ от номера в гостинице «О'Хейген», раздумывал над тем, какой загадкой является человеческий мозг.

Человеческий мозг может рождать смелые образы, создавать поэзию и радары, вынашивать идею Сикстинской капеллы и сверхзвукового самолета «конкорд». И в то же время мозг — из-за своей способности хранить воспоминания и осознавать происшедшее — может терзать человека, мучить его, не давая ни минуты покоя; только смерть кладет этому конец.

Смерть... стирающая воспоминания, несущая забвение и покой.

Это и побудило Кейза Бейкерсфелда принять решение сегодня ночью покончить с собой.

Пора уже было возвращаться в радарную. До конца смены оставалось еще несколько часов, а Кейз заключил с собой договор: довести до конца сегодняшнюю вахту в радарной. Он не мог бы сказать, почему он так решил, — просто считал это правильным и привык быть добросовестным во всем. Добросовестность была у них в крови — это, пожалуй, единственное, что роднило его с Мелом.

Так или иначе, когда смена окончится — и его последнее обязательство будет выполнено, — ничто уже не помешает ему пойти в гостиницу «О'Хейген», где он зарегистрировался сегодня днем, и, не теряя времени, принять сорок таблеток нембутала, которые лежали у него в кармане. Он собирал их по две-три штуки на протяжении нескольких месяцев. Врач прописал ему это снотворное, и каждый раз, когда Натали покупала его в аптеке, Кейз незаметно откладывал и прятал половину. А на днях пошел в библиотеку и по учебнику клинической токсикологии выяснил, что количество нембутала, которым он располагал, значительно превышало роковую дозу.

Смена его закончится в полночь. Вскоре после этого он примет таблетки и быстро заснет последним сном.

Он посмотрел на свои наручные часы, повернув циферблат к свету, падавшему из окна. Было почти девять. Пора возвращаться в радарную? Нет, надо еще немного подождать. Ему хотелось прийти туда совершенно спокойным, чтобы нервы были готовы к любым случайностям, которые могут произойти в течение этих последних оставшихся ему часов.

Кейз Бейкерсфелд снова повертел в руках ключ от номера в гостинице. Комната 224.

Странное совпадение: номер комнаты, которую он снял, оканчивался на «двадцать четыре». Некоторые люди верят в нумерологию, в оккультное значение цифр. Кейз не верил, и тем не менее цифра «двадцать четыре» вторично врывалась в его жизнь.

Первый раз это была дата — 24-е число, и было это полтора года назад. Глаза Кейза увлажнились. День этот врезался в его память, вызывая угрызения совести и душевную тоску всякий раз, когда он вспоминал о нем. Отсюда и возник мрак, окутавший постепенно его сознание, отсюда возникло его отчаяние. Это же привело его к решению покончить сегодня с жизнью.

* * *

Летнее утро. Четверг. Двадцать четвертое июня.

Это был день, точно специально созданный для поэтов, влюбленных и фотографов, снимающих на цветную пленку, — один из тех дней, которые человек сохраняет в памяти и потом извлекает из нее, как листок старого календаря, когда много лет спустя хочет вспомнить что-то радостное и прекрасное. В Лисберге, штат Виргиния, при восходе солнца небо было таким ясным, что в сводке погоды стояло: «ПИВБ» — на языке авиаторов это значит: «Потолок и видимость безграничны», лишь после полудня то тут, то там стали появляться облачка, похожие на рваные клочки ваты. Солнце грело, но не пекло, легкий ветерок с гор Блу-Ридж приносил аромат клевера.

По пути на работу в то утро — а он ехал в Вашингтонский центр наблюдения за воздухом в Лисберге — Кейз видел дикие розы в цвету. Ему даже вспомнилась строка из Китса, которого он учил в школе: «И пышное цветенье лета...» Она как-то очень перекликалась с этим днем.

Он пересек границу Виргинии: ехал он из Адамстауна, штат Мэриленд, где они с Натали снимали для себя и двух своих сыновей славный небольшой домик. Крыша его «фольксвагена» была опущена; он вел машину не спеша, наслаждаясь мягким воздухом и нежарким солнцем; вот впереди показались знакомые низкие современные строения воздушной диспетчерской, но он по-прежнему чувствовал себя в необычно размягченном состоянии духа. Впоследствии он не раз спрашивал себя, не явилось ли это причиной того, что произошло потом.

Даже в главном здании — доме с глухими толстыми стенами, куда не было доступа дневному свету, — Кейзу казалось тогда, что вокруг все еще сияет летний день. Среди семидесяти с лишним диспетчеров, сидевших в одних рубашках без пиджаков, царила какая-то атмосфера легкости и не чувствовалось напряжения, обычного при их работе. Одной из причин, очевидно, было то, что при такой удивительно ясной погоде им меньше приходилось следить за полетами. Многие некоммерческие самолеты — частные, военные и даже некоторые лайнеры — летели сегодня, пользуясь визуальным наблюдением, иными словами, по методу: «Ты меня видишь — я тебя вижу», когда пилот сам следит за своим местонахождением в воздухе и ему нет нужды связываться по радио с КДП и сообщать, где он находится.

Лисбергский центр играл в авиации важную роль. Отсюда велось наблюдение за движением по всем авиалиниям над шестью восточными прибрежными штатами и давались указания самолетам. Зона наблюдения превышала сто тысяч квадратных миль. Как только самолет, летящий по приборам, покидал аэропорт в этой зоне, он тут же попадал под наблюдение и контроль Лисберга. И находился под контролем до тех пор, пока не заканчивал полета или не покидал зоны. Если же какой-то самолет подлетал к зоне, сведения о нем тотчас поступали от одного из двадцати аналогичных центров, разбросанных по всем Соединенным Штатам. Лисбергский центр считался одним из самых загруженных в стране. В нем осуществлялось наблюдение за южным концом «Северо-Восточного коридора», занимающего первое место в мире по числу самолетов, пролетающих в течение дня.

Как ни странно, близ Лисбергского центра не было ни одного аэропорта; ближайший, по которому он и назывался, находился в Вашингтоне, то есть на расстоянии сорока миль. Центр — группа низких современных строений с площадкой для машин — был расположен среди виргинских полей; с трех сторон его окружала возделанная земля. А с четвертой протекала маленькая речушка под названием Бычий ручей, навеки прославившаяся благодаря двум сражениям Гражданской войны. Кейз Бейкерсфелд как-то раз после работы ходил к этому ручью, размышляя о превратностях судьбы — о прошлом Лисберга и таком непохожем на прошлое настоящем.

В это утро, несмотря на ясный, солнечный день за окном, в просторной и высокой, точно неф собора, главной диспетчерской люди работали как всегда. Диспетчерская — огромное помещение, больше футбольного поля — была по обыкновению слабо освещена, чтобы яснее видны были экраны двух-трех десятков радаров, установленных в несколько рядов и ярусов под нависающими сверху козырьками. Вошедшего прежде всего оглушал шум. Из помещения, где сосредоточиваются данные о полете и где установлены огромные счетно-вычислительные машины, соответствующая электронная аппаратура и автоматические телетайпы, доносился непрерывный гул и стрекот машин. А над десятками диспетчеров, дающих указания самолетам, стоял непрекращающийся гул переговоров по радио на разных частотах. Шум механизмов и человеческие голоса сливались в монотонный гул, который не затихал ни на секунду, хотя его и приглушали звукопоглощающие стены и потолок.

Над аппаратурой во всю длину диспетчерской был проложен мостик для наблюдения, куда иногда приводили посетителей посмотреть, как внизу идет работа. Отсюда, с этой высоты, диспетчерская была очень похожа на биржу. Диспетчеры редко смотрели вверх, на мостик: они привыкли ни на что не обращать внимания, чтобы не отвлекаться от работы, а поскольку лишь немногим посторонним разрешали сюда входить, диспетчеры почти никого, кроме друг друга, и не видели. Таким образом, работа в диспетчерской была не только отчаянно напряженной, но и по-монастырски аскетической — ведь женщин сюда не брали.

В комнате, примыкавшей к диспетчерской, Кейз стащил с себя куртку и вошел в помещение в свежей белой рубашке, которая была своего рода формой для диспетчеров. Никто не знает, почему диспетчеры работают в белых рубашках — такого правила нет, просто так заведено. Пока Кейз шел к своему месту, несколько коллег дружелюбно пожелали ему доброго утра, и это тоже было необычно. В диспетчерской царило всегда такое напряжение, что люди лишь поспешно кивали друг другу или бросали коротко «привет», а иногда обходились и без этого.

Кейз работал в секторе Питсбург — Балтимор. Наблюдение за сектором осуществляли трое. Кейз был диспетчером на радаре; в его обязанности входило поддерживать связь с самолетами и давать им по радио указания. Два младших диспетчера занимались сбором данных о полетах и связью с аэропортами. Старший по группе координировал деятельность всех троих. В тот день с ними работал стажер, которого Кейз натаскивал на протяжении нескольких недель.

Вместе с Кейзом Бейкерсфелдом в помещение вошли еще несколько человек; все они встали за теми, кого пришли сменить: нужно две-три минуты, чтобы «запомнить картинку». Так было у всех экранов по всей диспетчерской.

Став у своего сектора, позади диспетчера, которого он сменял, Кейз сразу почувствовал, как обострилось его восприятие, усилилась работа мысли. Так будет функционировать его мозг в течение ближайших восьми часов, не считая двух коротких перерывов.

Самолетов в небе, как обнаружил Кейз, было, несмотря на дневное время, довольно много, — правда, почти всюду стояла хорошая погода. На темной поверхности экрана ярко горело пятнадцать зеленых звездочек, обозначавших самолеты в воздухе, или «целей», как называли их те, кто работал на радарах. Самолет «Конвейр-440» компании «Аллегени» летел на высоте восьми тысяч футов, приближаясь к Питсбургу. За этим самолетом на разной высоте летели: ДС-8 компании «Нейшнл», «Боинг-727» компании «Америкэн эйрлайнз», два частных самолета — реактивный самолет «лир» и «Фейрчайлд Ф-27» — и еще один самолет компании «Нейшнл» — на сей раз турбореактивный «электра». Кейз отметил про себя, что на экране вот-вот появится еще несколько самолетов — из других секторов, а также те, что должны вылететь из балтиморского аэропорта. В Балтимор же летел ДС-9 — вскоре он перейдет в зону наблюдения Балтиморского аэропорта; за ним летел самолет компании «ТВА», потом самолет компании «Пьемонт эйрлайнз», потом какой-то частный самолет, два самолета компании «Юнайтед» и самолет компании «Мохаук». Все они летели на положенной высоте и на достаточном удалении друг от друга, за исключением двух самолетов «Юнайтед», летевших в Балтимор: по мнению Кейза, они, пожалуй, слишком сблизились. Словно прочитав мысли Кейза, диспетчер, все еще сидевший у экрана, дал одному из самолетов другой, обходной курс.

— «Картинку запомнил», — спокойно сказал Кейз.

Диспетчер, которого он сменял, кивнул и встал с места.

Старший группы — Перри Юнт — надел наушники и, нагнувшись над Кейзом, стал вглядываться в экран, оценивая ситуацию. Перри, высокий стройный негр, был на несколько лет младше Кейза. Голова у него работала быстро, и он обладал хорошей памятью, способной хранить уйму всевозможной информации и затем выдавать ее по частям или всю сразу с точностью вычислительной машины. В трудные минуты легче дышалось, когда Перри был рядом.

Кейз уже принял три самолета и передал несколько самолетов другим центрам, когда старший дотронулся до его плеча.

— Кейз, я сегодня контролирую две группы — вашу и соседнюю. Не вышел один человек. У тебя пока все в порядке?

Кейз кивнул.

— Вас понял. — Он передал по радио коррекцию к курсу самолету компании «Истерн», затем указал на стажера Джорджа Уоллеса, опустившегося в кресло рядом с ним. — При мне Джордж — он подстрахует меня.

— О'кей.

Перри Юнт снял наушники и перешел к соседней группе. Такого рода ситуации возникали и прежде, и все протекало гладко. Перри Юнт и Кейз уже несколько лет работали вместе, каждый знал, что может вполне положиться на другого.

Кейз повернулся к стажеру, сказал:

— Джордж, «запоминай картинку».

Джордж Уоллес кивнул и ближе пригнулся к экрану. Ему было лет двадцать пять, и он уже два года работал стажером: до этого он проходил военную службу в авиации. Уоллес успел показать, что у него живой, быстрый ум и что он обладает способностью не терять голову в минуты напряжения. Через неделю он должен был стать полноправным диспетчером, хотя практически уже сейчас мог занять этот пост.

Кейз намеренно дал сблизиться самолетам «Америкэн эйр-лайнз» и «Нейшнл»: он был уверен, что мигом сумеет развести их, если возникнет опасность. Однако Джордж Уоллес сразу заметил непорядок и предостерег Кейза; тот выправил положение.

Это был единственный надежный способ проверить способности нового диспетчера. Стажера иногда специально оставляли одного у экрана и, если возникали сложности, давали ему возможность проявить изобретательность и справиться самому. В такие минуты диспетчеру-инструктору полагалось сидеть спокойно и, сжав кулаки, обливаться потом. Кто-то однажды сказал: «Это все равно что висеть в воздухе, зацепившись ногтями за карниз». Решение о том, чтобы вмешаться или вообще подменить стажера, следовало принимать вовремя — не слишком рано, но и не слишком поздно. Приняв решение вместо стажера, можно навсегда подорвать у него уверенность в себе, и тогда из него никогда уже не выйдет хорошего диспетчера. С другой стороны, если инструктор не вмешается в нужную минуту, в воздухе может произойти ужасающая катастрофа.

Риск и нервное напряжение при этом так возрастают, что многие диспетчеры отказываются брать стажеров. Они ссылаются на то, что не получают за это ни благодарности, ни дополнительной оплаты. Более того: в случае катастрофы инструктор целиком в ответе. Так зачем же взваливать на себя и ответственность, и дополнительную нагрузку?

Однако Кейз охотно выступал в роли инструктора и терпеливо готовил стажеров. И хотя порой он тоже терзался и потел, но все же брался за эту работу, потому что считал ее необходимой. И сейчас гордился тем, что из Джорджа Уоллеса получается отличный диспетчер.

— Я бы развернул «Юнайтед», рейс двести восемьдесят четыре, вправо, — спокойно сказал сейчас Уоллес, — чтобы он не летел на одной высоте с «Мохауком».

Кейз кивнул и нажал на кнопку микрофона:

— Вашингтонский центр — самолету «Юнайтед», рейс двести восемьдесят четыре. Сверните вправо, курс ноль-шесть-ноль.

В ответ почти тотчас прохрипело:

— Вашингтонский центр, говорит «Юнайтед», рейс двести восемьдесят четыре. Вас понял: ноль-шесть-ноль.

Там, в ясном небе, где сверкает солнце, на расстоянии многих миль от центра, мощный элегантный реактивный самолет незаметно свернет, согласно указаниям, со своего курса, в то время как пассажиры будут по-прежнему спать или читать. И на экране радара ярко-зеленая звездочка в полдюйма величиной, обозначающая самолет компании «Юнайтед», начнет перемещаться в новом направлении.

Под диспетчерской находится комната, уставленная сплошь полками, на которых размещены магнитофоны: диски их величественно вращаются, записывая переговоры между землей и воздухом, чтобы потом можно было при необходимости поставить пленку и прослушать. Все указания, которые дает каждый из диспетчеров, записываются и хранятся. Время от времени старшие по группе весьма придирчиво прослушивают записи. И если что-то было сделано не так, диспетчера тотчас ставят об этом в известность; диспетчеры, конечно, не знают, когда тот или иной из них попадает под проверку. На двери комнаты с магнитофонами висит табличка, с мрачным юмором оповещающая: *Старший брат слушает тебя*.

Время шло.

Перри Юнт то и дело возникал за спиной Кейза. Он по-прежнему наблюдал за двумя группами и возле каждой задерживался — ровно на столько, сколько требовалось, чтобы осмыслить обстановку в воздухе. Положение дел у Кейза, видимо, удовлетворяло его, гораздо больше времени он проводил возле другой группы, где возникли сложности. Утро шло, и число самолетов в воздухе уменьшалось — их снова станет больше перед полуднем. Вскоре после 10.30 Кейз Бейкерсфелд и Джордж Уоллес поменялись местами. Теперь стажер сидел у экрана, а Кейз наблюдал за ним сбоку. Довольно быстро Кейз обнаружил, что не нужен Уоллесу — тот явно уже поднабрался опыта и ничего не упускал из виду. И Кейз, насколько позволяли обстоятельства, расслабился.

Без десяти одиннадцать Кейз почувствовал потребность сходить в туалет. За последние месяцы он перенес несколько вспышек желудочного гриппа и опасался, что начинается новая. Он поманил Перри Юнта и доложился ему. Старший кивнул.

— Джордж справляется?

— Не хуже ветерана. — Кейз сказал это достаточно громко, чтобы Джордж мог услышать.

— Я присмотрю, — сказал Перри. — Можешь быть свободным, Кейз.

— Спасибо.

Кейз отметил в журнале своего сектора время ухода, Перри нацарапал свои инициалы на следующей строке, тем самым принимая на себя руководство Уоллесом. Через несколько минут, когда Кейз вернется, эта процедура будет повторена.

Кейз Бейкерсфелд, выходя из диспетчерской, видел, как старший по группе всматривался в экран, слегка опершись на плечо Джорджа Уоллеса.

Уборная, куда направился Кейз, находилась этажом выше. Несмотря на матовое стекло, в нее все же проникал яркий свет дня. Облегчившись и вымыв руки, Кейз подошел к окну и распахнул его. Ему захотелось взглянуть, не изменилась ли погода. День сиял по-прежнему. Задняя стена здания, в которой было прорезано окно, выходила на служебный двор, за ним расстилались цветущие зеленые луга, виднелись деревья. Воздух уже успел нагреться. В знойном мареве стоял навевавший дремоту гул насекомых.

Кейз застыл у окна — уж очень не хотелось ему расставаться с этим радостным, солнечным пейзажем и возвращаться в полумрак диспетчерской. За последнее время нежелание идти в диспетчерскую часто возникало у него — пожалуй, даже слишком часто, — и он подумал, что если признаться по чести, то оно объяснялось не столько полумраком, который там царит, сколько напряжением. Было время, когда Кейз без труда справлялся со своими обязанностями и легко переносил напряжение, которого требовала от него работа. Сейчас же ему приходилось порой заставлять себя работать.

Пока Кейз Бейкерсфелд стоял у окна и раздумывал, «Боинг-727» компании «Ориент», следовавший из Миннеаполиса-Сент-Пола, приближался к Вашингтону. В салоне самолета стюардесса склонилась над пожилым мужчиной. Лицо его было мертвенно-бледно,

143

он молчал, видимо, не в силах произнести ни слова. Стюардесса решила, что у него, должно быть, сердечный приступ. Она поспешила к летчикам, чтобы оповестить о случившемся командира экипажа. Через несколько минут, по приказу командира, первый пилот запросил Вашингтонский центр наблюдения за воздухом о специальном разрешении совершить срочную посадку в вашингтонском аэропорту.

Кейз не раз уже задумывался — как задумался сейчас, — сколько еще сможет выдержать его усталый мозг. Ему недавно исполнилось тридцать восемь. Он работал диспетчером добрых полтора десятка лет.

Самым удручающим было то, что хотя на этой работе человек к сорока пяти — пятидесяти годам полностью изнашивается и чувствует себя стариком, до выхода на пенсию остается еще десять — пятнадцать лет. Многим воздушным диспетчерам это оказывается не под силу, и они не дотягивают до конца.

Кейз знал, как знали и другие диспетчеры, что о влиянии их работы на организм уже давно официально известно. У врачей, которые наблюдают за состоянием здоровья авиационного персонала, накопились горы материалов на этот счет. В числе болезней, являвшихся прямым следствием профессии диспетчера, фигурировали: нервное истощение, стенокардия, язва желудка, тахикардия, психические расстройства и множество других, менее тяжелых заболеваний. Это подтверждали известные медики, занявшиеся по собственной инициативе соответствующими исследованиями. Один из них писал: «Диспетчер проводит долгие ночи без сна, раздумывая, каким чудом ему удалось удержать столько самолетов от столкновения. За истекший день он сумел избежать катастрофы, но будет ли удача и завтра сопутствовать ему? И вот через какое-то время что-то в нем отказывает — происходят изменения в его физическом или психическом состоянии, а иногда — и в том, и в другом».

Вооруженное этими данными — да и не только этими, — Федеральное управление авиации обращалось в конгресс с предложением установить для воздушных диспетчеров срок выхода на пенсию в пятьдесят лет или после двадцати лет службы. Двадцать лет работы воздушным диспетчером, утверждали врачи, равняется сорока годам работы в любой другой профессии. Федеральное управление авиации предупреждало законо-

144

дателей, что от их решения зависит безопасность граждан: на диспетчеров, прослуживших свыше двадцати лет, уже нельзя полагаться. Кейз вспомнил, что конгресс игнорировал это предупреждение и отказался утвердить законопроект.

А затем и специальная комиссия, созданная президентом, проголосовала против предложения о сокращении срока службы для диспетчеров, и Федеральному управлению авиации, которое тогда находилось при президенте, посоветовали прекратить свои попытки и успокоиться. Официально оно так и поступило. Однако, насколько было известно Кейзу, да и другим тоже, люди, работавшие в Вашингтоне в Федеральном управлении авиации, были убеждены, что этот вопрос снова возникнет, но лишь после того, как по вине усталого диспетчера произойдет очередная авиационная катастрофа, а то и несколько, и тогда пресса вместе с общественностью поднимут по этому поводу шум.

Мысли Кейза снова перенеслись к расстилавшемуся перед ним пейзажу. День был поистине великолепный, и даже отсюда, из окна уборной, свежесть лугов так и манила к себе. Хорошо бы выйти туда, растянуться и поспать на солнышке. Но, увы, это не для него, и вообще пора было возвращаться в диспетчерскую. Он сейчас и вернется — вот только постоит еще немного у окна.

Получив разрешение из Вашингтонского центра, «Боинг-727» компании «Ориент» пошел вниз. Другим самолетам, летевшим ниже, были спешно даны указания либо изменить курс, либо покружить на безопасном расстоянии от снижавшегося самолета. В возросшем к полудню потоке машин был проложен нисходящий коридор, по которому самолет компании «Ориент» и продолжал снижаться. Об этом был предупрежден КДП вашингтонского аэропорта, которому предстояло принять самолет от Вашингтонского центра и посадить его. А пока полетом этого самолета и всех прочих машин в этом секторе руководила группа, соседняя с группой Кейза, — та самая, за которой в дополнение к своему основному сектору наблюдал молодой негр Перри Юнт.

В этот момент в воздушном пространстве площадью всего в несколько миль находилось пятнадцать машин, общая скорость которых составляла семь тысяч пятьсот миль в час. Все они должны были лететь на известном расстоянии друг от друга. И сквозь их строй надо было провести и посадить самолет компании «Ориент».

Подобные ситуации возникали по нескольку раз в день, а в плохую погоду — по нескольку раз в течение часа. Иногда чрезвычайное положение создавалось в нескольких местах сразу, и тогда диспетчеры, чтобы различить их, говорили: ЧП-1, ЧП-2, ЧП-3.

Перри Юнт, как всегда спокойно и уверенно, давал указания. Если он включался в работу группы, то на нем лежала обязанность по ликвидации ЧП — он давал указания спокойным, ровным тоном, так что посторонний никогда бы и не догадался о наличии ЧП. Правда, другие самолеты не могли слышать переговоры с самолетом компании «Ориент», так как пилоту велено было переключиться на специальную радиоволну.

Все шло хорошо. Самолет компании «Ориент» спускался по проложенному курсу. Еще несколько минут — и чрезвычайное положение будет ликвидировано.

Хотя напряжение было предельным, Перри Юнт все же улучил минуту и переключился на соседнюю группу, которой вообще-то должен был уделять все свое внимание, чтобы проверить, как идут дела у Джорджа Уоллеса. Все вроде бы обстояло хорошо, однако Перри чувствовал бы себя спокойнее, если бы Кейз Бейкерсфелд был на месте. Он бросил взгляд на дверь. Но Кейз не появлялся.

Кейз тем временем продолжал стоять у раскрытого окна. Он смотрел на поля Виргинии, и ему вдруг вспомнилась Натали. Он вздохнул. Последнее время между ними стали возникать ссоры из-за его работы. Жена то ли не могла, то ли не желала его понять. Ее очень беспокоило здоровье Кейза. Она хотела, чтобы он бросил эту работу и, пока еще молод и не совсем растратил здоровье, нашел себе другое занятие. Он понимал теперь, что зря делился с Натали своими сомнениями, зря рассказывал ей о коллегах-диспетчерах, преждевременно состарившихся или ставших инвалидами. Натали забеспокоилась — быть может, и не без основания. У него же были соображения, мешавшие расстаться с работой, перечеркнуть все эти годы, когда он совершенствовался и набирался опыта, — соображения, которые Натали, да, наверное, и любой другой женщине, трудно понять.

Над Мартинсбергом, штат Западная Виргиния, милях в тридцати к северо-западу от Вашингтонского центра, четырехместный частный самолет «бич-бонанза», летевший на высоте семь тысяч футов, свернул с авиатрассы В-166 на авиа-

трассу В-44. Маленький самолетик с хвостом, похожим на бабочку, летел со скоростью сто семьдесят пять миль в час в Балтимор. Он вез семейство Редфернов — Ирвинга Редферна, инженера-экономиста, работавшего консультантом по договорам, его жену Мерри и двух детей — Джереми, десяти лет, и Валери, девяти лет.

Ирвинг Редферн был человек педантичный и осторожный. В такую ясную погоду он мог бы лететь по методу визуального наблюдения. Однако он счел более благоразумным лететь по приборам и с тех пор, как покинул свой родной аэропорт в Чарлстоне, штат Западная Виргиния, на протяжении всего полета поддерживал контакт с соответствующими диспетчерскими пунктами. Только что Вашингтонский центр дал ему новый курс, приказав свернуть на авиатрассу В-44. Он свернул на нее — стрелка его магнитного компаса слегка качнулась и успокоилась.

Редферны летели в Балтимор частично по делам, которые были там у Ирвинга, а частично — чтобы развлечься: вечером они всем семейством собирались пойти в театр. И сейчас, пока глава семьи вел самолет, дети и Мерри болтали о том, что они будут есть на обед в аэропорту Френдшип.

Диспетчером, давшим из Вашингтона новый курс Ирвингу Редферну, был Джордж Уоллес, стажер, уже почти закончивший прохождение практики у Кейза. Он обнаружил самолет Редферна, как только машина появилась у него на экране в виде яркой зеленой точки, меньшей по размеру, чем остальные, и передвигавшейся медленнее других. Около «бич-бонанзы» никаких других самолетов вроде бы не было, и Редферн мог спокойно лететь дальше. Перри Юнт, старший группы, в этот момент снова переключился на соседний участок. Теперь, когда самолет компании «Ориент» был благополучно сдан на попечение КДП вашингтонского аэропорта, Юнт решил помочь другому своему подопечному развести самолеты, скопившиеся в воздухе. Время от времени он все же поглядывал на Джорджа, а раз даже спросил: «Все в порядке?» Джордж Уоллес кивнул, хотя уже взмок от напряжения. Сегодня движение в воздухе возросло что-то раньше обычного.

Неведомо для Джорджа Уоллеса, или Перри Юнта, или Ирвинга Редферна в нескольких милях к северу от авиатрассы В-44 лениво кружил тренировочный самолет воздушных сил национальной гвардии марки Т-33. Самолет был приписан к аэропорту Мартина, близ Балтимора, а национальный гвардеец, пилотировавший его, занимался вообще-то продажей автомобилей и звали его Хэнк Нил.

Сейчас лейтенант Нил проходил военную переподготовку без отрыва от работы и поднялся в небо один для тренировочного полета с виражами. Поскольку ему было приказано летать в строго определенной зоне к северо-западу от Балтимора, об этом полете никого не уведомляли, и Вашингтонский центр понятия не имел о том, что Т-33 находится в воздухе. Все это прошло бы незамеченным, если бы Нилу не надоело выполнять задание и если бы он не был пилотом-лихачом. Пока его самолет лениво описывал круги, он время от времени поглядывал наружу и заметил, что забрался немного южнее положенного, тогда как на самом деле довольно далеко отклонился на юг. Несколько минут назад он вошел в район, контролируемый Джорджем Уоллесом в Лисберге, и появился у него на экране в виде зеленой точки, более яркой, чем та, что обозначала «бич-бонанзу» с семейством на борту. Опытный диспетчер сразу понял бы, что это за точка. А Джордж, занятый другими самолетами, даже не заметил появившегося на экране нового сигнала.

Тем временем лейтенант Нил, летевший на высоте пятнадцать тысяч футов, решил закончить свою практику акробатическим трюком — сделать две «мертвые петли», пару «бочек» и вернуться на базу. Он круто развернул свой Т-33 и повел его по кругу, чтобы, согласно правилам, посмотреть, нет ли самолетов над ним или под ним. При этом он еще больше приблизился к авиатрассе В-44.

Нет, раздумывал тем временем Кейз Бейкерсфелд, жене его, видимо, не понять, что даже если тебе и очень хочется, нельзя вот так взять и уйти с работы. Особенно когда у тебя семья, дети, которых надо учить. А тем более когда для своей работы ты терпеливо накапливал знания, которые нигде больше не сможешь применить. Есть профессии, позволяющие человеку перейти на другое место и там использовать свой опыт и свои знания. Для воздушного диспетчера это исключено. Его специальность не нужна в частной промышленности, да и вообще он нигде больше не нужен.

Сознание, что ты находишься в капкане — а именно так обстояло дело, — приходило вместе с другими разочарованиями. В их числе была оплата труда. Когда ты молод, полон энтузиазма, горишь желанием работать в авиации, шкала оплаты воздушного диспетчера кажется тебе вполне приемлемой и даже высокой. И только позже начинаешь понимать, насколько она не соответствует той страшной ответственности, которая лежит на тебе. В воздушном флоте наиболее ценными специалистами были сейчас пилоты и воздушные диспетчеры. Однако пилоты зарабатывали тридцать тысяч долларов в год, тогда как потолком для старшего диспетчера было десять тысяч. Все были убеждены, что меньше пилотам платить нельзя. Но даже пилоты, известные своим эгоцентризмом и умением постоять за себя, считали, что воздушные диспетчеры должны получать больше.

Да и перспективы продвижения по службе у воздушного диспетчера — в противоположность людям многих других профессий — не слишком блестящие. Постов старших по группе очень немного, и лишь редкие счастливчики получают их.

И тем не менее — если ты, конечно, не легкомыслен и не относишься наплевательски к делу, что для диспетчера вообще исключено, — никуда отсюда не уйдешь. Поэтому, решил Кейз, и он не может уйти. Придется еще раз поговорить с Натали: пора ей примириться и понять, что перемены невозможны. Да и не намерен он в этом возрасте заново пробивать себе путь в жизни.

Теперь ему уже действительно пора было возвращаться на место. Взглянув на свои часы, он не без чувства вины обнаружил, что прошло почти пятнадцать минут с тех пор, как он покинул диспетчерскую. Большую часть этого времени он провел в состоянии какой-то сонной одури, что бывало с ним редко, а сейчас, видимо, объяснялось размагничивающим действием летнего дня. Кейз закрыл окно в уборной. И, выйдя в коридор, поспешно зашагал в главную диспетчерскую.

Высоко над округом Фредерик, штат Мэриленд, лейтенант Нил выровнял свой Т-33 и полетел прямо. Он окинул небрежным взором окружающее пространство: никаких самолетов поблизости не было. Тогда он круто пошел вниз, начиная первую «петлю» и последующую «бочку».

Войдя в диспетчерскую, Кейз Бейкерсфелд сразу почувствовал, что темп работы изменился. Гул голосов возрос. Все диспетчеры были заняты и уже не поднимали на него глаз, когда он проходил мимо. Кейз расписался в журнале и поставил время, затем встал за Джорджем Уоллесом, «запоминая картинку», стараясь приучить глаза к полутьме диспетчерской, особенно ощутимой после яркого солнечного света. Когда Кейз появился, Джордж буркнул: «Привет!» — и продолжал передавать по радио инструкции самолетам. Через минуту-другую, «запомнив картинку», Кейз сменит Джорджа и сядет на свое место. А все-таки Джорджу, подумал Кейз, наверно, полезно было побыть одному — он теперь увереннее будет себя чувствовать. Перри Юнт, наблюдавший за соседней группой, заметил, что Кейз вернулся.

Кейз изучил экран и передвигавшиеся по нему точки — самолеты, опознанные Джорджем, затем переключил внимание на маленькие передвижные указатели курса. В этот момент неопознанная ярко-зеленая точка бросилась Кейзу в глаза. Он резко спросил Джорджа:

— Это что за самолет рядом с «бич-бонанзой» четыреста третьим?

Лейтенант Нил выполнил первую «петлю» и «бочку». Он снова взмыл вверх на высоту пятнадцать тысяч футов, все еще находясь над округом Фредерик, хотя чуть южнее. Он выровнял свой Т-33, резко опустил его носом вниз, вошел в пике и начал вторую «петлю».

— Какой самолет?.. — Джордж Уоллес взглядом проследил за пальцем Кейза и ахнул. Потом сдавленным голосом произнес: — О Господи!

Быстрым движением Кейз сорвал с Джорджа наушники и плечом вытолкнул его из кресла. Затем включил рычажок нужной частоты, нажал кнопку передачи:

— «Бич-бонанза» четыреста третий, говорит Вашингтонский центр. Слева от вас — неопознанный самолет. Немедленно развернитесь вправо!

Т-33 достиг самой нижней точки «петли». Лейтенант Нил взял штурвал на себя и, дав полный газ, стремительно пошел вверх. А как раз над ним по авиатрассе В-44 летел крошечный «бич-бонанза» с Ирвингом Редферном и его семьей.

В диспетчерской затаив дыхание, стиснув зубы, молча следили за сближением ярких зеленых точек.

В наушниках вдруг загрохотало:

— Вашингтонский центр, говорит «бич»... — И все: связь прервалась.

Инженер-экономист Ирвинг Редферн был довольно опытным пилотом-любителем, но не профессионалом.

Пилот, привыкший водить самолеты по трассе, получив указание Вашингтонского центра, тотчас круто развернул бы самолет вправо. Он почувствовал бы по голосу Кейза, что это необходимо, и действовал бы не раздумывая и ничего не выясняя — пока. Пилот-профессионал плюнул бы на все возможные последствия перемены курса, лишь бы — главное! — избежать аварии, потому что этим, несомненно, объяснялись указания центра. Позади него, в пассажирской кабине, мог пролиться кофе, могли разлететься во все стороны тарелки с завтраком и даже кое-кого могло слегка ранить. Позже могли начаться жалобы, обвинения, быть может, даже расследование со стороны Совета гражданской авиации. Но при минимальном везении все остались бы живы. Для этого достаточно было быстро отреагировать — и все. Семейство Редфернов в таком случае тоже не погибло бы.

У пилотов-профессионалов благодаря тренировкам и опыту рефлексы действуют быстро и точно. Ирвинг Редферн этим качеством не обладал. Человек он был педантичный, ученого склада, привыкший сначала думать, а потом действовать, и действовать при этом по всем правилам. Поэтому прежде всего он подумал о том, что надо подтвердить Вашингтонскому центру получение радиограммы. На это и ушло у него две или три секунды — все время, каким он располагал. Т-33, выходя из «петли», взмыл вверх и протаранил «бич-бонанзу» — раздался визг металла, и левое крыло отлетело. Т-33, тоже тяжело поврежденный, некоторое время еще продолжал лететь вверх по инерции, но его передний отсек стал рассыпаться. И тогда лейтенант Нил, еще не очень понимая, что происходит — а он лишь на миг уловил очертания промелькнувшего мимо другого самолета, — выбросился из кабины и повис на раскрывшемся парашюте. Под ним, потеряв управление и нелепо крутясь в воздухе, «бич-бонанза» с семейством Редфернов падал вниз.

У Кейза дрожали руки, когда он снова нажал кнопку микрофона:

— «Бич-бонанза» четыреста третий, говорит Вашингтонский центр. Вы меня слышите?

Джордж Уоллес стоял подле Кейза, губы его безмолвно шевелились. В лице не было ни кровинки.

Пока они, застыв от ужаса, смотрели на экран, зеленые точки на нем сблизились, произошла яркая вспышка, и все погасло.

Перри Юнт, почувствовав что-то неладное, подъехал к ним на своем табурете:

— В чем дело?

У Кейза пересохло во рту, он с трудом произнес:

— По-моему, произошло столкновение в воздухе.

Вот тогда-то и раздался этот голос, возникнув словно из кошмарного сна, и все, кто его слышал, дорого бы дали, чтобы никогда его не слышать, но теперь он уже на всю жизнь врезался в их память.

В обреченном «бич-бонанзе», который, крутясь, летел на землю, Ирвинг Редферн, по-прежнему сидя в кресле пилота, — возможно, непроизвольно, а возможно, в отчаянной попытке хоть что-то сделать, предпринять, — нажал на передаточную кнопку своего микрофона, и радио заработало.

В Вашингтонском центре ожил консольный динамик, который включил Кейз, как только возникло ЧП. Сначала раздался грохот, потом пронзительные отчаянные крики, от которых стыла кровь. В диспетчерской все головы повернулись к консоли. Лица побелели. Джордж Уоллес истерически всхлипывал. Старшие групп, бросив свои посты, кинулись к группе Кейза.

И вдруг, перекрывая эти крики и шум, отчетливо и ясно раздался голос, испуганный, одинокий, молящий. Сначала не все слова можно было разобрать. Только потом, когда снова и снова прокручивали ленту магнитофона, различили все слова и опознали голос — он принадлежал девятилетней девочке, Валери Редферн.

*— ...Мамочка!.. Папочка!.. Помогите мне, я не хочу умирать...
Милый Боженька, я же хорошая... Пожалуйста! Я не хочу...
По счастью, передача на этом оборвалась.*

*«Бич-бонанза» упал и сгорел у селения Лиссабон, штат Мэриленд. Ни одного из четверых пассажиров нельзя было опознать, и то, что от них осталось, похоронили в общей могиле.
А лейтенант Нил благополучно опустился на парашюте в пяти милях от места катастрофы.*

*Все три диспетчера, имевшие отношение к трагедии — Джордж Уоллес, Кейз Бейкерсфелд и Перри Юнт, — были тотчас отстранены от работы до окончания расследования.
Стажера Джорджа Уоллеса впоследствии полностью оправдали, так как в момент катастрофы он еще не получил квалификации диспетчера. Тем не менее его уволили с государственной службы и навсегда запретили работать в воздушной диспетчерской.*

Вся ответственность пала на молодого негра Перри Юнта. Комиссия по расследованию на протяжении многих дней и недель гоняла ленту на магнитофоне, изучала доказательства и проверяла решения, которые Юнту пришлось принимать в течение секунд в обстановке страшного напряжения, и наконец решила, что ему следовало не уделять столько времени самолету компании «Ориент», а заняться лучше наблюдением за Джорджем Уоллесом во время отсутствия Кейза Бейкерсфелда. То обстоятельство, что Перри Юнт по доброй воле нес двойную нагрузку, от чего он вполне мог бы отказаться, — не было принято во внимание комиссией. Юнту вынесли порицание и понизили его в звании.

Кейза Бейкерсфелда полностью оправдали. Комиссия по расследованию особо постаралась отметить, что Кейз официально отпросился с дежурства, что просьба его была оправданна и что, покидая помещение и возвращаясь на свой пост, он, согласно инструкции, расписался в журнале. Более того: по возвращении он сразу уловил угрозу катастрофы и попытался ее предотвратить. Комиссия отметила его умение быстро ориентироваться и действовать, хотя это и не предотвратило катастрофы.

Первоначально вопрос о том, сколько времени отсутствовал Кейз в диспетчерской, не возникал. Но ближе к концу расследования Кейз, чувствуя, как складываются дела Перри Юнта, сам попытался заговорить об этом и принять на себя всю тяжесть вины. Его любезно выслушали, но было совершенно ясно, что комиссия рассматривает его показания лишь как благородный поступок — и ничего больше. Кейза даже не дослушали до конца, как только стало ясно, куда он клонит. В окончательном докладе комиссии о нем вообще не было сказано ни слова.

Воздушные силы национальной гвардии провели собственное расследование, в ходе которого выяснилось, что лейтенант Хэнк Нил по легкомыслию нарушил приказ оставаться в районе Мидлтаунской воздушной базы и приблизился на своем Т-33 к авиатрассе В-44. Однако доказать, где именно он находился, не представлялось возможным, поэтому никаких обвинений против него выдвинуто не было. И лейтенант продолжал продавать автомобили, а по уик-эндам — летать.

Когда Перри Юнт узнал о решении комиссии, с ним случился нервный шок. Пришлось положить его в больницу, в психиатрическое отделение. Здоровье его уже пошло на поправку, когда вдруг он получил по почте из анонимного источника отпечатанный типографским способом бюллетень, который издавала некая правая группа в Калифорнии, выступавшая, в частности, против предоставления неграм гражданских прав. В бюллетене содержалось намеренно искаженное описание редферновской трагедии. Перри Юнт был изображен там невеждой и тупицей, не способным понять возложенной на него ответственности и оставшимся безразличным к гибели семейства Редфернов. Этот инцидент, утверждал бюллетень, должен послужить предостережением «добросердечным либералам», которые помогают неграм получать ответственные посты, никак не отвечающие их умственным способностям. Бюллетень призывал «гнать метлой» всех негров, работающих воздушными диспетчерами, «пока не повторилось еще раз такое».

В любое другое время человек, обладавший умом Перри Юнта, внимания бы не обратил на этот бюллетень — ну стоит ли связываться с маньяками? Но Юнт не вполне еще поправился, и бюллетень оказал на него роковое действие: состояние его резко ухудшилось, и он надолго застрял бы в больнице. Однако правительственная комиссия отказалась оплачивать больничные счета на том основании, что его болезнь не была вызвана травмой, полученной при исполнении служебных обязанностей. Юнта выписали из больницы, но в диспетчерскую он не вернулся. Кейз слышал, что он нанялся на работу в балтиморский портовый бар и стал сильно пить.

Джордж Уоллес вообще исчез с горизонта. Ходили слухи, что он записался в армию — на сей раз в пехоту, а не в авиацию — и что у него серьезные неприятности с военной полицией. Говорили, что Уоллес частенько ввязывался в ссоры и драки и при этом делал все, чтобы его избили. Впрочем, слухи эти ничем не подтверждались.

Что же до Кейза Бейкерсфелда, то какое-то время казалось, что жизнь его потечет по-прежнему. Когда расследование закончилось, ему разрешили возобновить работу — на прежнем месте и в прежней должности. И он вернулся в Лисберг. Коллеги, понимая, что трагедия, случившаяся с Кейзом, легко могла произойти с любым из них, относились к нему дружелюбно и сочувственно. И первое время все шло хорошо.

После того как ему не удалось привлечь внимание комиссии к тому, что в тот роковой день он слишком долго проторчал в уборной, Кейз больше ни с кем на эту тему не заговаривал, даже с Натали. Однако память об этом прочно засела в его мозгу.

Натали была внимательной и любящей женой. Она понимала, что Кейз травмирован и что после такого шока человек не может сразу прийти в себя, и всячески старалась подстраиваться под его настроение: она болтала и была оживлена, когда чувствовала, что ему это по душе, и молчала, когда он молчал. Оставаясь наедине с Брайаном и Тео, Натали терпеливо объясняла сыновьям, почему они должны бережно относиться к отцу.

Кейз не мог не понимать и не ценить усилий Натали. И тактика ее могла бы дать результаты, если бы не одно обстоятельство: воздушному диспетчеру необходим сон. Кейз же мало спал, а случалось, что и не спал всю ночь.

Когда же он засыпал, его преследовал один и тот же кошмар: ему снилась диспетчерская в Вашингтонском центре за несколько минут до воздушной катастрофы... сближающиеся точки на экране... он слышал свой собственный голос, дающий по радио указания... затем — крики и голос маленькой Валери Редферн...

Иногда сон несколько видоизменялся. Вот Кейз хочет шагнуть к своему месту, чтобы сорвать с головы Джорджа Уоллеса наушники и предупредить Редферна, но ноги его не слушаются, все его движения замедленны, точно воздух вокруг загустел и надо взламывать его. Мозг Кейза работал с невероятной четкостью; если бы только быстрее двигаться, он успел бы, предотвратил бы трагедию... Но как он ни старался, как ни напрягал все силы, наушники слишком поздно оказывались у него в руках. В другой раз ему удавалось вовремя схватить наушники, тогда отказывал голос. Если б только он мог произнести хоть слово, он бы успел предупредить, спасти их. Он напрягал легкие, голосовые связки, посылая им мысленный приказ, но ни звука не вылетало из его горла.

Словом, так или иначе, кончался сон всегда одним и тем же — последними словами, долетевшими по радио с «бич-бонанзы», которые Кейз столько раз слышал с магнитофонной ленты во время расследования. Он просыпался и, лежа рядом со спящей Натали, думал, вспоминал, мечтая о чуде — чуде, которое изменило бы прошлое. А потом он уже боялся заснуть, гнал от себя сон, чтобы избежать кошмара и новой пытки.

Вот тогда-то в тишине ночи совесть и стала все чаще и чаще напоминать ему об украденных у работы минутах — роковых минутах, когда он мог и должен был раньше вернуться на свое место, но по беспечности не сделал этого, погруженный в думы о своем, личном. Кейз ведь знал то, чего не знали другие: что трагедия с Редфернами произошла по его вине, а вовсе не по вине Перри Юнта. Перри оказался случайной жертвой, жертвой стечения обстоятельств. Он был другом Кейза и не сомневался, что, будучи человеком добросовестным, тот быстро вернется в диспетчерскую. Кейз же, зная, что его друг работает за двоих, понимая, какое это дополнительное бремя, задержался намного дольше, чем требовалось, и тем подвел Перри: в итоге Перри Юнт оказался во всем виноват и пострадал вместо Кейза.

Перри Юнт стал козлом отпущения.

Но Перри все же остался жив. А Редферны погибли. Погибли потому, что Кейз размечтался, наслаждаясь солнечным теплом, оставив недостаточно опытного стажера справляться с обязанностями, которые лежали на нем, Кейзе, и к выполнению которых он был более подготовлен. Конечно же, вернись он раньше, он обнаружил бы Т-33 задолго до того, как самолет приблизился к машине Редфернов. Это несомненно. Ведь он сразу заметил его, как только вернулся, но было уже поздно.

Снова и снова... час за часом, будто привязанная к жернову, мысль Кейза возвращалась в ночи к изначальной точке, терзая его, доводя до безумия невыносимой болью, угрызениями совести. Порой он засыпал в изнеможении — и опять кошмар, и опять он просыпался.

Мысль о Редфернах ни днем, ни ночью не покидала его. Ирвинг Редферн, его жена, дети стояли перед глазами Кейза, хотя он никогда в жизни не видел их. Собственные дети — Брайан и Тео, живые и здоровые, — были как бы вечным для него укором. Ему казалось, что он виноват даже в том, что живет, дышит.

Бессонница, потеря душевного равновесия стали вскоре сказываться на его работе. Он утратил быстроту реакции, начал колебаться, прежде чем принять решение. Раза два он даже «терял картинку» и вынужден был обращаться за помощью к коллегам. Впоследствии он понял, сколь тщательно за ним все время наблюдали. Его начальники по опыту знали, что может произойти, к каким последствиям приводит переутомление.

Его вызывали к начальству, неофициально дружески с ним беседовали — это ничего не дало. Тогда по рекомендации Вашингтона и с согласия самого Кейза его перевели с Восточного побережья на Средний Запад, в международный аэропорт имени Линкольна, надеясь, что перемена места благотворно скажется на нем. Проявляя такую гуманность, чиновники учитывали и то, что старший брат Кейза, Мел, работает в этом аэропорту управляющим и, возможно, сумеет как-то повлиять на него. Натали, хотя и любила Мэриленд, без малейших возражений переехала на новое место. И ничто не помогло.

Чувство вины не покидало Кейза, как не покидали его и кошмары — они только усугубились, приобрели иные формы, но не изменились по существу. Спать без снотворного, выписанного приятелем Мела, он уже не мог.

Мел понимал, что происходит с братом, но далеко не все: Кейз по-прежнему ни словом не обмолвился о своем затянувшемся пребывании в уборной в Лисбергском центре. Через некоторое время Мел, видя, как ухудшается состояние брата, настоятельно посоветовал ему сходить к психиатру, но Кейз отказался. Рассуждал он весьма просто. Что толку искать какую-то панацею, какое-то заклинание, которое избавило бы его от чувства вины, если сам он сознает свою вину и ничто на земле или на небе, никакая клиническая психиатрия ничего тут не могут изменить?

Состояние Кейза все ухудшалось, так что под конец уже и Натали, при всем ее умении приноравливаться к обстоятельствам, стало невмоготу. Натали знала, что он плохо спит, но она понятия не имела о его кошмарах. И потому, потеряв терпение, она как-то раз спросила с досадой:

— Мы что, теперь до конца жизни должны носить власяницу? И мы уже не можем ни повеселиться, ни посмеяться? Если ты намерен и дальше так жить, то учти: я так жить не стану, и я не позволю, чтобы Брайан и Тео жили в такой атмосфере.

Кейз молчал, и Натали продолжала:

— Я уже не раз говорила тебе: наша жизнь, наш брак, дети — все это куда важнее твоей работы. Если она тебе не по силам, зачем себя изнурять? Брось и займись чем-то другим. Я знаю, ты всегда говоришь мне: у нас будет меньше денег, и полетит пенсия. Но это же еще не все в жизни. Как-нибудь справимся. Трудностей я не боюсь, Кейз Бейкерсфелд, и примирюсь с ними. Возможно, я и похнычу, но совсем немного, а больше так жить нельзя. — Она еле сдерживала слезы, но, совладав с собой, докончила: — Предупреждаю тебя, надолго меня не хватит. Если ты будешь упорствовать, тебе придется жить дальше одному.

Впервые Натали намекнула на возможность разрыва. И тогда же Кейзу впервые пришла в голову мысль о самоубийстве.

Потом эта мысль утвердилась и переросла в решение.

Дверь погруженной во мрак гардеробной распахнулась. Щелкнул выключатель. Кейз сощурился от яркого света над головой: он снова был в башне международного аэропорта имени Линкольна.

В комнату вошел другой диспетчер — тоже на перерыв. Кейз спрятал в ведерко сандвичи, к которым так и не притронулся, запер шкафчик и направился назад, в радарную. Его коллега с любопытством поглядел ему вслед. Ни тот, ни другой не произнесли ни слова.

Интересно, подумал Кейз, посадили ли тот военный самолет, у которого отказало радио. Скорее всего посадили и экипаж при этом не пострадал. Во всяком случае, Кейз надеялся, что все сошло благополучно. Ему очень хотелось, чтобы в этот вечер хоть у кого-то что-то было хорошо. Направляясь к радарной, он сунул руку в карман и нащупал ключ от номера гостиницы, желая лишний раз удостовериться, что он на месте. Скоро этот ключ понадобится ему.

4

Прошел почти час с тех пор, как Таня Ливингстон рассталась с Мелом Бейкерсфелдом в центральном зале аэропорта. Но даже и сейчас — хотя с тех пор произошло немало событий — она все еще чувствовала прикосновение его руки и вспоминала, каким тоном он ей сказал, когда они ехали в лифте: «По крайней мере у меня будет повод еще раз увидеть вас сегодня».

Тане хотелось верить, что и Мел тоже помнит об этом и найдет время заглянуть к ней, хотя она знала, что ему надо ехать в город.

«Повод», о котором упомянул Мел, заключался в известии, полученном Таней в кафе. «На борту рейса восемьдесят обнаружен «заяц», — пояснил Тане сотрудник «Транс-Америки» и добавил: — Видите ли, на этот раз пассажир, как я слышал, с приветом».

Сотрудник оказался прав.

Сейчас Таня снова была в маленькой гостиной, расположенной позади стоек «Транс-Америки», где еще совсем недавно она успокаивала агента по продаже билетов — Пэтси Смит. Теперь же вместо Пэтси перед ней сидела маленькая старушка из Сан-Диего.

— Вы, видно, не новичок в этом деле, — заметила Таня. — Верно?

— Ну конечно, моя дорогая. Я уже не раз так летала.

Старушка удобно расположилась в кресле; сложив на коленях ручки, она теребила отороченный кружевами носовой платочек. Вся в черном, в старомодной блузке с высоким воротником, она вполне могла бы сойти за чью-то прабабушку, собравшуюся в церковь. На самом же деле она была поймана с поличным, когда летела без билета из Лос-Анджелеса в Нью-Йорк.

Безбилетные пассажиры, прочитала где-то Таня, попадались еще в семисотом году до Рождества Христова на кораблях финикийцев, бороздивших восточную часть Средиземного моря. Тогда в случае поимки их ждала смерть: взрослым вспарывали живот, а детей живьем сжигали на жертвенном огне.

С тех пор наказания стали менее жестокими, и число «зайцев», естественно, не уменьшилось.

Интересно, подумала Таня, представляют ли себе люди — кроме, конечно, узкого круга сотрудников авиакомпаний, — какого размаха достигла «заячья эпидемия» с тех пор, как появились реактивные самолеты и резко возросло количество пассажиров и скорость их передвижения. По всей вероятности, никто и понятия об этом не имеет. Авиакомпании усиленно стараются хранить тайну из опасения, как бы обнародование этих данных не ударило по ним же и не привело к тому, что «зайцев» станет еще больше. Тем не менее кое-кто уже раскусил, что проехать без билета крайне просто; к числу таких людей принадлежала и старушка из Сан-Диего.

Звали ее миссис Ада Квонсетт — Таня проверила это по карточке социального обеспечения, которую предъявила ей старушка, — и она, несомненно, спокойно долетела бы до Нью-Йорка, если бы не допустила промаха. Она поведала своему соседу по креслу, что летит без билета, и тот сообщил стюардессе. Стюардесса доложила командиру корабля, который, в свою очередь, радировал об этом в ближайший аэропорт, и кассир с охранником уже поджидали самолет в международном аэропорту имени Линкольна, чтобы снять с борта старушку. Ее привели к Тане, в обязанности которой входили и объяснения с «зайцами», когда компании удавалось их поймать.

Таня привычным жестом разгладила свою узкую форменную юбку.

— Ну ладно, — сказала она, — расскажите-ка лучше, как было дело.

Старушка разжала и снова сжала ручки — кружевной платочек при этом немножко переместился.

— Видите ли, я вдова и у меня есть дочь — она замужем и живет в Нью-Йорке. Временами мне становится очень одиноко и хочется повидать ее. Тогда я еду в Лос-Анджелес и сажусь на самолет, который летит в Нью-Йорк.

— Вот так просто — садитесь и летите? Без билета?

Миссис Квонсетт была явно возмущена.

— Ах, душенька, откуда же мне взять денег на билет! Я живу на то, что получаю по социальному обеспечению, да еще на маленькую пенсию за покойного мужа. Я могу заплатить только за автобус из Сан-Диего до Лос-Анджелеса — вот и все.

— А в автобусе, значит, вы платите?

— Ну конечно. Там народ суровый. Я как-то раз попыталась купить билет до первой остановки, а поехать дальше. Но они в каждом городе проверяют билеты, и шофер обнаружил, что мой билет уже недействителен. Они очень некрасиво себя вели тогда. Совсем не то что служащие авиакомпании.

— Интересно, — спросила Таня, — а почему вы не воспользовались аэропортом Сан-Диего?

— Да боюсь я, душенька: знают они меня там.

— Вы хотите сказать, что вас уже ловили в Сан-Диего?

Старушка потупилась:

— Да.

— А вы летали без билета и на самолетах других компаний? Не только нашей?

— Ну конечно. Но «Транс-Америка» нравится мне больше всех других.

Тане очень хотелось, чтобы голос ее звучал сурово, но выдержать нужный тон было трудно: казалось, речь шла о прогулке до ближайшего магазина на углу. И тем не менее ей удалось с бесстрастным лицом спросить:

— Чем же вам так нравится «Транс-Америка», миссис Квонсетт?

— Да видите ли, уж очень разумные люди работают у вас в Нью-Йорке. Я вот поживу недельку-другую у дочки и решаю, что пора домой. Иду в вашу компанию и все им рассказываю.

— И вы рассказываете все как есть? Что прилетели в Нью-Йорк без билета?

— Ну конечно, милочка. Тогда меня спрашивают, когда я прилетела и номер рейса — я всегда это записываю, чтобы не забыть. Потом они смотрят в какие-то бумаги.

— В журнал, — подсказала Таня. «Неужели этот разговор происходит наяву, а не во сне?» — мелькнула у нее мысль.

— Да, душенька, по-моему, как раз так это и называется.

— Продолжайте, пожалуйста.

Старушка удивленно посмотрела на нее:

— А что же еще продолжать-то? После этого они отправляют меня домой. Обычно в тот же день, на одном из ваших аэропланов.

— И все? И никто ничего не говорит вам?

Миссис Квонсетт мило улыбнулась — ну прямо как если бы сидела за чайным столом у викария.

— Иной раз случается, конечно, что и пожурят. Скажут, что я плохо себя вела и не должна больше так поступать. Но ведь это же пустяки, правда?

— Нет, — сказала Таня. — Это вовсе не пустяки.

Самое невероятное, подумала Таня, что все это правда. Авиакомпании знают, что такие случаи нередки. «Заяц» спокойно садится в самолет — а есть много способов туда попасть — и тихо сидит до отлета. Поймать его довольно трудно, если только он не забредет в первый класс, где лишний пассажир сразу заметен, или если самолет вдруг окажется забитым до отказа. Да, конечно, стюардессы пересчитывают пассажиров по головам, и их цифра может не сойтись с количеством пассажиров по списку, который вручает экипажу контролер у выхода на поле. В этот момент могут возникнуть подозрения, что кто-то летит без билета, но тогда перед контролером, производящим посадку, встает вопрос: либо он выпускает самолет, но отмечает в журнале, что подсчет по головам не совпал с количеством выданных билетов, либо он должен заново проверять билеты у всех находящихся на борту.

Такая проверка билетов может занять добрых полчаса, а каждая минута пребывания на земле самолета стоимостью шесть миллионов долларов обходится в огромную сумму. Кроме того, нарушается расписание движения — и данного самолета, и всех, следующих за ним. Да и пассажиры, которым предстоит пересадка или которые спешат к определенному часу, начинают злиться и выходить из себя, а командир корабля, понимая, что рушится его репутация пунктуального летчика, злится на сотрудника компании. Сотрудник начинает думать, что, может, он и ошибся. Да к тому же, если он не докажет, что у него были достаточно веские основания для задержки самолета, ему грозит «баня» от управляющего перевозками. В итоге пусть даже безбилетник будет обнаружен, но потеря в долларах и нервах намного превысит стоимость поездки одного человека.

Поэтому авиакомпании в таких случаях делают единственно разумную вещь: закрывают двери и отправляют самолет.

На этом обычно все и кончается. В полете стюардессам уже не до проверок, а по окончании пути пассажиры не станут ждать, пока у них проверят билеты. В результате «заяц» без всяких неприятностей и расспросов спокойно выходит из самолета.

Рассказывая Тане о том, каким способом она возвращается домой, маленькая старушка ничего не прибавила. Авиакомпании считают, что безбилетников быть не должно, а если таковые все же попадаются, значит, виноваты сами компании, не сумевшие этому помешать. Потому-то авиакомпании и возвращают безбилетников туда, откуда они прилетели, и, поскольку нет иного выхода, нарушители, как все пассажиры, получают обычное место и обычное обслуживание, включая еду.

— А вы симпатичная, — сказала миссис Квонсетт, — я сразу узнаю симпатичных людей, с первого взгляда. Только вы моложе большинства сотрудников, которых мне приходилось встречать.

— Вы имеете в виду тех, кто возится с безбилетниками и плутами?

— Совершенно верно. — Старушку просто невозможно было смутить. Она одобрительно оглядела Таню. — На мой взгляд, вам не больше двадцати восьми.

Таня коротко отрезала:

— Тридцать семь.

— А выглядите вы все же очень молодо, хоть и видно, что женщина зрелая. Это, наверно, оттого, что вы замужем.

— Оставьте вы свои штучки, — сказала Таня. — Это вам не поможет.

— Но вы все-таки замужем.

— Была. Когда-то.

— Какая жалость! У вас могли бы быть прелестные детки. С такими же золотисто-рыжими волосами.

С золотисто-рыжими — возможно, но без седины, подумала Таня. Седину эту она заметила утром. А что до детей, то она могла бы сказать, что у нее есть ребенок, который сейчас дома и, надо надеяться, спит. Вместо этого она сурово сказала миссис Квонсетт:

— Ведь это бессовестно — то, что вы делаете. Обманываете, нарушаете закон. Вы хоть понимаете, что вас можно отдать под суд?

Впервые на детски-наивном старческом личике промелькнула победоносная улыбка.

— Но этого же никто не сделает, правда? За это под суд не отдают.

Продолжать, видимо, не имело смысла. Таня, как и миссис Квонсетт, отлично знала, что авиакомпании никогда не отдают под суд «зайцев», так как связанная с этим шумиха может принести куда больше вреда, чем пользы.

Правда, если порасспросить как следует старушку, от нее можно получить информацию, которая наверняка пригодится в будущем.

— Миссис Квонсетт, — сказала Таня, — вы столько раз летали бесплатно на самолетах «Транс-Америки», что, думается, могли бы немного нам помочь.

— С большой радостью.

— Я бы хотела знать, как вы попадаете на борт самолета. Старушка улыбнулась:

— Видите ли, душенька, есть разные способы. И я стараюсь по возможности их менять.

— Ну расскажите мне все-таки.

— Так вот: как правило, я стараюсь приехать в аэропорт заранее, чтобы получить посадочный талон.

— Разве это так просто?

— Получить посадочный талон? Ну что вы, очень даже просто. Сейчас авиакомпании вместо посадочных талонов часто используют конверты от билетов. Так вот я подхожу к какой-нибудь стойке и говорю, что потеряла свой конверт и не могут ли они дать мне другой. Я выбираю стойку, где побольше народу и обслуживающий персонал очень занят. И мне всегда дают.

Еще бы не дать, подумала Таня. Это вполне естественная просьба, и ее часто слышишь. С той только разницей, что в отличие от миссис Квонсетт другие пассажиры просто хотят иметь свежий конверт для своего билета — без всякого тайного умысла.

— Но ведь конверт-то вам выдается пустой, — заметила Таня. — Он же не заполнен.

— Я сама его заполняю — в дамском туалете. У меня всегда с собой несколько старых посадочных талонов. Так что я знаю, где и что надо писать. И всегда держу в сумочке толстый черный карандаш. — Положив кружевной платочек на колени, миссис Квонсетт открыла сумочку из черных бусин. — Видите?

— Вижу, — сказала Таня и, потянувшись к сумке, извлекла карандаш. — Не возражаете, если я оставлю это себе?

Миссис Квонсетт сделала слегка оскорбленное лицо.

— Но это же мой. Впрочем, если он вам нужен, я, конечно, могу купить другой.

— Продолжайте, — сказала Таня. — Итак, у вас есть посадочный талон. Что происходит дальше?

— Я направляюсь к тому месту, откуда должна идти посадка на аэроплан.

— К выходу?

— Совершенно верно. Я дожидаюсь той минуты, когда молодой человек, который проверяет билеты, очень занят —

а он всегда занят, когда на посадку проходит сразу большая группа, — тогда я проскальзываю мимо него — и прямо в аэроплан.

— А если кто-нибудь попытается вас остановить?

— Кто же станет меня останавливать, если у меня есть посадочный талон?

— Даже стюардессы не проверяют?

— Они молоденькие девочки, душенька. Обычно они болтают друг с другом, а если и уделяют кому-то внимание, то лишь мужчинам. Их интересует только номер рейса, а уж я стараюсь, чтобы номер был правильный.

— Но вы сказали мне, что не всегда пользуетесь посадочным талоном.

Миссис Квонсетт покраснела.

— Тогда, видите ли, мне приходится прибегать к небольшим уловкам. Иногда я говорю, что мне надо пройти, чтобы проститься с дочкой — почти все компании разрешают это, вы же знаете. Или, если аэроплан прилетел откуда-нибудь и здесь у него только стоянка, я говорю, что хочу вернуться на свое место, а билет, мол, оставила в аэроплане. Или говорю, что тут мой сын только что прошел на посадку и забыл свой бумажник, ну и мне надо его отдать. В таких случаях я всегда держу в руке бумажник, и это действует лучше всего.

— Да, могу себе представить, — сказала Таня. — Я вижу, вы очень тщательно все продумали. — Теперь у нее есть материал на целый бюллетень для контролеров и стюардесс, размышляла она. И тут же усомнилась: а будет ли от этого бюллетеня какой-нибудь толк?

— Это я унаследовала от моего покойного супруга... Он преподавал геометрию и всегда говорил, что каждый угол надо учитывать.

Таня в упор посмотрела на миссис Квонсетт. Она что, издевается над ней? Но лицо старушки из Сан-Диего оставалось невозмутимо-спокойным.

— Есть еще одна чрезвычайно важная вещь, о которой я вам не сказала.

В другом конце комнаты зазвонил телефон. Таня встала, чтобы снять трубку.

— Эта старая перечница все еще у вас? — раздался голос управляющего перевозками. Он отвечал за все виды перевозок, которые осуществляла компания «Транс-Америка» через аэропорт имени Линкольна. Обычно это был спокойный, добродушный человек. Сегодня же голос его звучал раздраженно. На нем, естественно, не могли не сказаться эти трое суток, когда вылеты самолетов задерживались, приходилось объясняться с пассажирами и предлагать им другие маршруты, не говоря уже о бесконечных требованиях, поступавших из главной конторы компании на Восточном побережье США.

— Да, — ответила Таня.

— Удалось из нее выудить что-нибудь полезное?

— Немало. Я пришлю вам отчет.

— Когда будете его отсылать, не забудьте о заглавных буквах, чтобы его можно было прочесть.

— Слушаюсь, сэр.

«Сэр» прозвучало столь ядовито, что на другом конце провода на минуту воцарилось молчание. Потом УП буркнул:

— Извините, Таня. Я, видно, пережал — очень мне досталось сейчас из Нью-Йорка. Вот я и повел себя с вами, как мальчишка-стюард, которому попалась под ноги кошка, — только вы, конечно, не кошка. Могу я вам чем-нибудь помочь?

— Мне нужен билет на сегодня в один конец до Лос-Анджелеса для миссис Ады Квонсетт.

— Это так зовут старую курицу?

— Совершенно верно.

УП кисло произнес:

— Очевидно, за счет компании?

— Боюсь, что да.

— Больше всего мне противно то, что придется отправить ее раньше честных людей, которые живыми деньгами заплатили за свои билеты и уже столько часов ждут возможности вылететь. Но я думаю, что вы правы: лучше побыстрее сбросить этот груз с плеч.

— Я тоже так думаю.

— Я велю зарезервировать один билет. Можете забрать его в билетной кассе. Только не забудьте предупредить Лос-Анджелес, чтобы они вызвали полицию и выдворили эту старую калошу из аэропорта.

— А может, она мать Уистлера*, — вполголоса заметила Таня.

---

* Джеймс Уистлер (1834—1903) — американский художник-эклектик. В Лувре висит знаменитый портрет его матери, весьма своеобразно названный «Композиция из серого с черным».

166

УП хмыкнул:

— Так пусть Уистлер и покупает ей билет.

Таня улыбнулась и повесила трубку. Затем повернулась к миссис Квонсетт.

— Вы не рассказали мне еще об одной важной вещи — насчет того, как вы ведете себя уже в самолете.

Старушка явно медлила. Когда Таня, разговаривая по телефону, упомянула об обратном билете в Лос-Анджелес, миссис Квонсетт поджала губы.

— Вы ведь уже сказали мне почти все, — не отступалась Таня. — Так заканчивайте. Если, конечно, есть что добавить.

— Безусловно, есть. — Миссис Квонсетт утвердительно кивнула. — Я хотела вам еще сказать, что лучше всего не выбирать больших рейсов — ну тех, что через всю страну и без посадок. Они часто бывают забиты до отказа и даже в туристском классе вам дают номер места. Тогда все сложнее, хотя мне много раз пришлось летать и такими рейсами, потому что не было других.

— Значит, вы выбираете не прямые маршруты. Но неужели вас не обнаруживают на посадках?

— Я притворяюсь, будто сплю. Ну и меня, конечно, не беспокоят.

— А на сей раз побеспокоили?

Тонкие губы миссис Квонсетт растянулись в усмешке; у нее был такой сокрушенный вид.

— Все из-за этого человека, который сидел со мной рядом. Такой оказался мерзкий человечишка. Я доверилась ему, а он тут же выдал меня стюардессе. Вот и доверяй после этого людям.

— Миссис Квонсетт, — сказала Таня, — я надеюсь, вы слышали, что мы намерены отправить вас назад в Лос-Анджелес.

В серых старческих глазках мелькнул огонек и погас.

— Слышала, душенька. Я боялась, что этим кончится. Но можно мне пока выпить чайку? Я уж тогда пойду, а вы скажите, когда мне надо вернуться...

— Ну нет! — Таня решительно замотала головой. — Одна вы никуда не пойдете. Чаю выпить вы можете, но только с вами будет один из сотрудников. Я сейчас пошлю за кем-нибудь, чтобы вы ни минуты не были одна, пока не сядете в самолет и не улетите в Лос-Анджелес. Стоит только отпустить вас — и я знаю, что будет дальше. Мы и глазом не успеем моргнуть, как вы будете сидеть в самолете на Нью-Йорк.

По враждебному взгляду, который миссис Квонсетт метнула на нее, Таня поняла, что угодила в точку.

Через десять минут все было сделано. Для миссис Квонсетт зарезервировали место на рейс сто три, вылетавший в Лос-Анджелес через полтора часа. Рейс был беспосадочный, так что она никак не могла выйти из самолета в пути и повернуть назад. Управляющему перевозками в Лос-Анджелесе было сообщено обо всем по телетайпу; соответствующая записка лежала для команды рейса сто три.

Маленькую старушку из Сан-Диего поручили заботам сотрудника «Транс-Америки», недавно нанятого юноши, который по возрасту годился ей во внуки. Этому сотруднику, которого звали Питер Кокли, Таня дала самые точные указания:

— Будете находиться при миссис Квонсетт до момента отлета. Она говорит, что хочет выпить чаю. Отведите ее в кафе и дайте ей поесть, если она попросит, хотя в полете будет подан ужин. И что бы она ни делала, будьте при ней. Если ей понадобится пойти в туалет, ждите у дверей и ни при каких обстоятельствах не выпускайте ее из виду. Когда настанет время отлета, подведите ее к выходу, пройдите вместе с ней к самолету и сдайте с рук на руки старшей стюардессе. Не забудьте напомнить, чтобы ей ни под каким предлогом не разрешали выходить из самолета. Это хитрющая старушенция, так что будьте бдительны.

Выходя из комнаты, старушка схватила молодого сотрудника под руку и повисла на нем.

— Надеюсь, вы не станете возражать, молодой человек. Старые люди нуждаются в опоре. А вы мне так напоминаете моего дорогого зятя. Он был вот такой же красавец, хотя теперь он, конечно, много старше вас. Вообще ваша компания, я смотрю, подбирает очень приятных людей. — И миссис Квонсетт с укором поглядела на Таню. — Во всяком случае, таких у вас большинство.

— Запомните, что я вам сказала, — напутствовала Таня Питера Кокли. — У нее неиссякаемый запас всяких трюков.

— Не очень-то это любезно с вашей стороны, — холодно парировала миссис Квонсетт. — Я уверена, что молодой человек сам сумеет составить обо мне мнение.

Молодой сотрудник смущенно улыбался.

— Хоть вы и вели себя не очень красиво, душенька, знайте, что я на вас не сержусь, — сказала Тане миссис Квонсетт и с этими словами вышла из комнаты.

Через несколько минут Таня покинула маленькую гостиную, где она провела сегодня уже два объяснения, и вернулась в контору «Транс-Америки». Было без четверти девять. Сев за свой стол, она подумала: интересно, разделалась ли компания с миссис Адой Квонсетт или им еще придется с ней возиться. Таня не была уверена, что на этом удастся поставить точку. И на своей машинке без заглавных букв она принялась печатать записку управляющему перевозками.

«упр. првзками
от: тани ливигстн...
предмт: мамочка уистлера»

И остановилась, задумавшись: где-то сейчас Мел и зайдет ли к ней.

5

Нет, решил Мел Бейкерсфелд, не может он сегодня вечером ехать в город.

Мел сидел у себя в кабинете на административном этаже. Он задумчиво барабанил по столу, где стояли телефоны, связывавшие его с различными службами аэропорта.

Взлетно-посадочная полоса три-ноль все еще была перекрыта самолетом «Аэрео Мехикан». В результате положение создавалось критическое и приходилось задерживать все большее число самолетов — как в воздухе, так и на земле. Возникала реальная угроза того, что в ближайшие два-три часа придется закрыть аэропорт.

А пока самолеты продолжали взлетать над Медоувудом, этим осиным гнездом, что немало осложняло и без того сложную ситуацию. Все телефоны аэропорта и командно-диспетчерского пункта разрывались от звонков медоувудских жителей — тех, кто остался дома и горестно сетовал на свою участь. Но куда больше было тех (сообщили Мелу), кто находился сейчас на митинге протеста, и уже прошел слух — об этом несколько минут назад передал руководитель полетов, — что вечером недовольные собираются устроить демонстрацию в аэропорту.

Здесь только не хватает демонстрантов, мрачно подумал Мел.

Правда, одно было утешительно: ЧП третьей категории можно было считать ликвидированным, поскольку военный самолет КС-135 благополучно приземлился. Но когда одно ЧП кончается, никто не может поручиться за то, что тут же не возникнет другого. Мела не оставляло какое-то смутное беспокойство, предчувствие беды, посетившее его на поле час назад. И это ощущение, трудно определимое или объяснимое, не покидало его. Но было предостаточно и реальных причин, побуждавших его оставаться на работе.

Конечно, Синди, которая все еще ждет его на этом своем благотворительном шабаше, поднимет дикий шум. Но она и так уже зла на него за то, что он задерживается, а если он и вовсе не приедет — что ж, побушует немного больше, только и всего. Так что, пожалуй, лучше выдержать первый натиск сейчас и дать Синди немного излить свою ярость. Бумажка с номером телефона, по которому можно ее вызвать, все еще лежала у него в кармане. Он достал ее и набрал номер.

Как и раньше, он прождал несколько минут, прежде чем Синди подошла к телефону, но, к его удивлению, никакого извержения вулкана не последовало — вместо этого были холод и сухость. Она молча выслушала Мела, пытавшегося объяснить ей, почему он не может покинуть аэропорт. И когда ожидаемого взрыва не произошло, он вдруг начал запинаться и бормотать что-то нечленораздельное, малоубедительное даже для него самого. Он умолк.

Последовала пауза, затем Синди холодно спросила:

— Ты все сказал?

— Да.

Голос у нее звучал так, точно она говорила с кем-то малознакомым и глубоко ей омерзительным:

— Я не удивляюсь, потому что и не ждала, что ты приедешь. Когда ты сказал, что скоро будешь, я не сомневалась, что ты врешь, как всегда.

— Я вовсе не врал и не как всегда, — вспылил он. — Я ведь уже говорил сегодня, сколько раз я выезжал с тобой...

— Ты как будто заявил, что ты все сказал.

Мел умолк. Какой смысл спорить?

— Я слушаю тебя, — устало произнес он.

— Так вот, я пыталась сказать тебе, когда ты меня прервал — тоже, как всегда...

— Синди, ради всего святого!..

— ...что, почувствовав вранье, я немного пораскинула мозгами. — Она помолчала. — Ты говоришь, что задерживаешься в аэропорту?

— По-моему, именно об этом и идет у нас разговор...

— Надолго?

— До полуночи... а может быть, и на всю ночь.

— Тогда я к тебе приеду. Можешь не сомневаться. Нам надо поговорить.

— Послушай, Синди, ни к чему это. Не время сейчас и не место.

— Ничего, время вполне подходящее. А то, что я хочу тебе сказать, может быть сказано где угодно.

— Синди, ну пожалуйста, будь благоразумна. Я согласен: нам многое надо обсудить, но...

Мел умолк, вдруг поняв, что говорит сам с собой. Синди уже повесила трубку.

Мел, в свою очередь, положил трубку на рычаг и какое-то время сидел молча — в кабинете царила полная тишина. Затем, сам не зная почему, он снова снял трубку и во второй раз за этот вечер набрал свой домашний номер. Раньше к телефону подходила Роберта. На этот раз трубку сняла миссис Себастьяни, которая обычно сидела с детьми, когда родителей не было дома.

— Я просто хотел проверить, все ли в порядке, — сказал Мел. — Девочки уже легли?

— Роберта легла, мистер Бейкерсфелд. А Либби собирается.

— А вы не позовете Либби к телефону?

— М-м... разве что на минуту, если вы обещаете, что не будете долго разговаривать с ней.

— Обещаю.

Миссис Себастьяни, как всегда, ужасно педантична, подумал Мел. Она требует повиновения не только от детей, но и от всего семейства. Глядя на ее тихого, как мышь, супруга, который появлялся иногда вместе с ней, Мел спрашивал себя, неужели эта пара способна испытывать супружеские страсти. Пожалуй, нет. Миссис Себастьяни никогда не допустила бы такое.

Он услышал шлепанье ног Либби по полу.

— Папочка, — спросила Либби, — а наша кровь все время бегает по телу без остановки — всегда-всегда?

Либби, как правило, задавала самые неожиданные вопросы. Она находила новые темы с такой же легкостью, с какой ребенок находит рождественские подарки под елкой.

— Не всегда, деточка, ничто не бывает вечно. Кровь циркулирует в нас, пока мы живем. В твоем тельце кровь циркулирует уже семь лет — с тех пор как сердечко начало биться.

— А я чувствую свое сердечко, — сказала Либби. — Оно у меня в коленке.

Мел хотел было объяснить ей, что сердце находится не в коленке, хотел рассказать, что есть у человека пульс, артерии и вены, потом передумал. Еще успеется. Если человек чувствует, что у него бьется сердце — где бы оно ни билось, — уже хорошо. Либби всегда инстинктивно тянулась к самому существенному — порой у него возникала мысль, что ее маленькие ручонки достают звезды истины с небес.

— Спокойной ночи, папочка.

— Спокойной ночи, моя радость.

Мел по-прежнему не понимал, зачем позвонил домой, но после этого звонка ему, несомненно, стало легче.

Что же до Синди, то, приняв решение, она обычно выполняла его и, следовательно, вполне могла нагрянуть в аэропорт. Впрочем, пожалуй, это и к лучшему. Перед ними стоит серьезная дилемма: сохранять хрупкую скорлупку их брака ради детей или нет. И здесь они смогут поговорить наедине, вдали от ушей Роберты и Либби, которые и так уже слышали немало их ссор.

Собственно, сейчас никаких срочных дел у Мела не было, просто надо на всякий случай находиться на посту, вот и все. Он вышел из своего кабинета на галерею и посмотрел вниз, в центральный зал, где по-прежнему бурлила толпа.

Пройдет совсем немного лет, размышлял Мел, и аэровокзал придется коренным образом перестраивать. Необходимо что-то придумать — и срочно, — чтобы изменить систему посадки в самолет и высадки пассажиров. Когда люди по одному идут на посадку или покидают самолет, это занимает много времени. Стоимость же пребывания на земле самолетов, строительство которых с каждым годом обходится все дороже, непрерывно возрастает. Поэтому и конструкторы, и те, кто составляет рейсы, стараются, чтобы машины больше летали, ибо это приносит доход, и меньше стояли на земле, ибо тут никакого дохода нет — одни расходы.

Уже разрабатывается идея создания «пассажирских контейнеров» по принципу грузового «иглу», используемого компанией «Америкэн» для загрузки своих самолетов. У многих других авиакомпаний есть разновидности этой системы.

«Иглу» представляет собой контейнер, по форме и размеру точно соответствующий фюзеляжу самолета. Его заранее загружают, затем поднимают до уровня фюзеляжа и за несколько минут вставляют в самолет. В грузовом самолете — в противоположность пассажирскому — фюзеляж представляет собой пустую коробку. Теперь, когда такой самолет прибывает в аэропорт, из него быстро вынимают «иглу» и вставляют новое. С минимальной затратой времени и труда огромный самолет можно быстро разгрузить, снова загрузить и подготовить к вылету.

Можно было бы создать «пассажирские контейнеры» по тому же принципу, и Мел уже видел разработку этой идеи в чертежах. Это будут маленькие удобные секции с вмонтированными в них сиденьями, куда пассажиры будут садиться прямо у регистрационной стойки. Затем контейнеры с пассажирами по конвейерной ленте вроде той, по которой сейчас двигается багаж, будут переброшены к месту посадки. Там их вставят в самолет, прилетевший, быть может, всего несколько минут назад и уже успевший выгрузить контейнеры с прибывшими пассажирами.

Когда контейнеры с пассажирами встанут на место, окошки в них точно совпадают с окошками фюзеляжа. Двери в каждом контейнере автоматически уйдут в стены, чтобы стюардессы и пассажиры могли беспрепятственно переходить из одной секции в другую. В самолет будут доставлены и новые подсобки со свежими запасами пищи, питья и новой сменой стюардесс.

Со временем можно настолько усовершенствовать систему «пассажирских контейнеров», что пассажиры будут занимать свои места в контейнере уже на городском аэровокзале, а также перемещаться с одного самолета на другой и даже из одного аэропорта в другой.

Примерно в этом же направлении работает мысль тех, кто в Лос-Анджелесе трудится над созданием «поднебесного салона». Такой салон, вмещающий сорок пассажиров, сможет передвигаться и как автобус, и как геликоптер. На дорогах — и на шоссе, и на городских улицах — он будет идти на своем моторе; добравшись же до ближайшего гелипорта, превратится в контейнер, вставляемый в большой геликоптер, — словом, сам сможет передвигаться между аэропортами.

И все это будет, думал Мел. Если не совсем такое, то что-то похожее. Самые фантастические мечты так быстро становились реальностью, что это поистине завораживало тех, кто работал в авиации.

173

Крик, донесшийся откуда-то снизу, из зала, нарушил раздумья Мела.

— Эй, Бейкерсфелд! Эй, там, наверху!

Мел опустил взгляд и поискал глазами, кто его зовет. Определить это было трудно, так как человек пятьдесят задрали голову и смотрели вверх. Но через какое-то время Мел все же обнаружил кричавшего. Это был Иган Джефферс, высокий стройный негр в узких, обтягивающих фигуру бежевых брюках и рубашке с короткими рукавами. Он отчаянно махал темной жилистой рукой.

— Спускайтесь, Бейкерсфелд! Вы меня слышите? Тут неприятности.

Мел улыбнулся. Джефферс, имевший концессию на чистку обуви в аэровокзале, был личностью весьма своеобразной. С широкой нахальной усмешкой на некрасивом лице он мог сказать человеку любую гадость, все сходило ему с рук.

— Я вас слышу, Иган Джефферс. А может, вы сюда подниметесь?

Усмешка стала шире.

— Черта с два, Бейкерсфелд. Я концессионер, не забывайте об этом.

— Если забуду, вы тут же процитируете Акт о гражданских правах.

— Правильно, Бейкерсфелд. А теперь спускайте сюда вашу задницу.

— А вы не распускайте язык у меня в аэропорту.

Но в общем-то Мела все это забавляло, и, отойдя от балюстрады, окружавшей галерею, он зашагал к служебному лифту. А Иган Джефферс продолжал стоять внизу.

У Джефферса в аэровокзале было четыре киоска для чистки обуви. Это была далеко не главная концессия — куда более крупные концессии имели владельцы автостоянки, ресторана и газетных киосков, которые приносили поистине астрономические доходы по сравнению с доходами чистильщика обуви. Но Иган Джефферс, некогда сам чистивший ботинки на тротуаре, самозабвенно считал, что только его концессия дает возможность аэропорту сводить концы с концами.

— У нас контракт — у меня с аэропортом. Верно?

— Верно.

— Так вот в этой хитрой бумаженции сказано, что я обладаю ис-клю-чи-тель-ным правом чистить здесь обувь. Ис-клю-чи-тель-ным. Верно?

— Верно.

— Значит, правильно я сказал вам, что у вас неприятности. Пошли, Бейкерсфелд.

Они пересекли центральный зал, направляясь к эскалатору, который вёл вниз и по которому Джефферс сбежал, перескакивая через ступеньку. По дороге он весело махал каким-то людям. Мел следовал за ним на некотором расстоянии, чтобы не перетруждать ногу.

Иган Джефферс указал вниз — на стойки компаний «Хертц», «Эвис» и «Нейшнл», дававших автомобили внаём.

— Вот! Полюбуйтесь, Бейкерсфелд! Вот кто отбирает у меня клиентов — у меня и у тех ребят, которые работают на меня.

Мел вгляделся повнимательнее. Возле стойки компании «Эвис» красовалась зазывная надпись:

ЧИСТИТЕ ОБУВЬ, НАНИМАЯ МАШИНУ, —
ПОЛЬЗУЙТЕСЬ НАШИМИ УСЛУГАМИ

МЫ СТАРАЕМСЯ ИЗО ВСЕХ СИЛ!

А рядом со стойкой находилась электрическая машина для чистки обуви, установленная таким образом, чтобы человек, разговаривая с клерком, мог ею пользоваться, как гласила надпись на табличке.

Мела это позабавило, и в то же время он понимал, что Иган Джефферс прав. Закон был на стороне этого балагура. В его контракте чёрным по белому написано, что никто, кроме него, не имеет права чистить обувь в аэропорту, так же как Джефферс, например, не имеет права давать внаём машины или продавать газеты. Каждый концессионер приобретал, таким образом, исключительные права в обмен на существенную долю своих доходов, которые он отдавал аэропорту.

Иган Джефферс остановился в отдалении, а Мел направился к стойке. По дороге он вытащил из кармана свою особую книжечку, в которой значились домашние телефоны ответственных сотрудников аэропорта. Был тут телефон и управляющего компании «Эвис». При его приближении девушка за стойкой автоматически включила улыбку.

— Разрешите мне воспользоваться вашим телефоном, — сказал Мел.

Она возразила:

— Сэр, это телефон не для публики...

— Я — управляющий аэропортом. — Мел протянул руку, снял трубку и набрал номер. Такие случаи, когда его не узнавали в собственном аэропорту, бывали нередко. Ведь работа Мела в основном протекала, так сказать, за кулисами, не на глазах у публики, так что те, кто обслуживал пассажиров, редко видели его.

Слушая гудки в трубке, он подумал о том, как было бы хорошо, если бы и остальные его проблемы решались так же легко.

Телефон прозвонил раз двенадцать, прежде чем послышался голос управляющего компанией «Эвис»:

— Кен Кингсли слушает.

— А если бы мне нужна была машина? — спросил Мел. — Где вы пропадали?

— Играл с сынишкой в поезд. Это отвлекает меня от мыслей об автомобилях. И людях, которые по поводу их звонят.

— С сынишкой? Хорошо, наверное, иметь мальчишку, — сказал Мел. — У меня вот только девочки. Ваш мальчик интересуется машинами?

— Восьмилетний гений. Если вам понадобится человек, чтобы управлять этим вашим игрушечным аэропортом, дайте мне знать.

— Непременно, Кен. — И Мел подмигнул Игану Джефферсу. — Впрочем, ваш малыш может уже и сейчас взяться за дело. Например, установить дома машину для чистки обуви. Я случайно знаю, где есть одна лишняя. Впрочем, и вы тоже.

В трубке наступило молчание. Затем послышался вздох.

— И почему это вам, ребята, вечно хочется задушить чью-то инициативу?

— Главным образом потому, что мы людишки мелочные и премерзкие. Но мы можем и всерьез стать такими. Кстати, помните графу в контракте, где сказано, что любые изменения во внешнем виде стойки и рекламы подлежат утверждению руководства аэропорта? А потом, есть еще одна графа насчет того, что нельзя ущемлять права других арендаторов.

— Понял, — сказал Кингсли. — Иган Джефферс раскрыл свою пасть.

— И, скажем прямо, не для того, чтобы кричать «ура».

— О'кей, ваша взяла. Сейчас велю моим людям убрать эту чертову штуку. Делать это с крейсерской скоростью?

— Не обязательно, — сказал Мел. — Достаточно будет, если вы уберете машину в ближайшие полчаса.

— Ну и мерзавец же вы.

Но Мел слышал, как управляющий компанией «Эвис» хмыкнул, вешая трубку.

Иган Джефферс одобрительно закивал, по обыкновению широко осклабившись. А Мел невесело подумал: «Я всем приятель и друг в аэропорту. Только и делаю, что улаживаю чьи-то дела». Хотелось бы ему уладить и свои собственные.

— Пятерка, Бейкерсфелд, — сказал Джефферс. — Смотрите только, чтоб больше этого не было. — И, все так же широко улыбаясь, он деловито зашагал к эскалатору, ведущему наверх.

Мел не спеша последовал за ним. В центральном зале больше всего народу теснилось у стоек «Транс-Америки», возле табличек с надписью:

РЕГИСТРАЦИЯ ПАССАЖИРОВ
ТОЛЬКО НА РЕЙС НОМЕР ДВА «ЗОЛОТОЙ АРГОС»
БЕСПОСАДОЧНЫЙ ДО РИМА

Неподалеку Таня Ливингстон оживленно разговаривала с группой пассажиров. Она помахала Мелу и через минуту-другую подошла к нему.

— Просто вздохнуть некогда — тут у нас сумасшедший дом. Я думала, вы уже давно в городе.

— У меня изменились планы, — сказал Мел. — А я думал, вы уже отдежурили.

— УП попросил задержаться. Хотим отправить «Золотой Аргос» по расписанию. Это якобы необходимо для престижа, а я подозреваю, что просто капитан Димирест не желает ждать.

Мел усмехнулся:

— Вот тут вы необъективны. Впрочем, это и со мной случается.

Таня жестом указала на небольшое возвышение, окруженное круглой стойкой:

— Если я не ошибаюсь, это главный предмет вашей свары с зятем? Из-за этого капитан Димирест так зол на вас, правда?

За стойкой, на которую указывала Таня, продавали страховые полисы. Возле нее находилось человек десять заполнявших бланки страховок на случай катастрофы в воздухе.

— Да, — признал Мел, — из-за этого главным образом у нас и шли раздоры — во всяком случае, последнее время. Вернон и Ассоциация пилотов гражданской авиации считают, что надо ликвидировать страховые стойки в аэропортах, а также машины по продаже страховых полисов. Я же держусь иного мнения. Мы с ним сцепились из-за этого на заседании Совета уполномоченных. И Вернон никак не мог пережить — да и до сих пор не может, — что я тогда взял верх.

— Я слышала об этом. — Таня испытующе посмотрела на Мела. — Мы тоже не все согласны с вами. В данном случае мы считаем, что капитан Димирест прав.

Мел покачал головой:

— Нет, тут у нас с вами разные точки зрения. Я много об этом думал: доводы Вернона просто несостоятельны.

Они показались Мелу несостоятельными еще в тот день, месяц назад, когда Вернон Димирест появился в международном аэропорту Линкольна на заседании Совета уполномоченных. Вопрос обсуждался по настоянию Вернона, выступавшего от имени Ассоциации пилотов гражданской авиации, которая вела кампанию за то, чтобы запретить продажу страховок в аэропортах. Мел помнил это заседание во всех подробностях. По вторникам утром в конференц-зале аэропорта обычно собирался Совет уполномоченных. На этот раз все пять уполномоченных были налицо: миссис Аккерман, хорошенькая брюнетка, домохозяйка, попавшая в Совет, судя по слухам, потому, что была любовницей мэра, и четверо мужчин — университетский профессор, председатель Совета, два местных дельца и профсоюзный деятель в отставке.

Заседал Совет на административном этаже в конференц-зале, стены которого были обшиты красным деревом. В одном конце зала на возвышении сидели уполномоченные в откидных кожаных креслах за элегантным овальным столом. А ниже стоял менее элегантный стол. За ним сидел Мел Бейкерсфелд в окружении начальников служб. Рядом находился стол для прессы, а другой конец зала был отведен для публики, поскольку заседания Совета формально считались открытыми. Места для публики, как правило, пустовали.

В тот день единственным посторонним, находившимся в зале, помимо уполномоченных и аппарата, был капитан Вернон Димирест в своей нарядной форме с четырьмя золотыми нашивками, ярко сверкавшими при свете, падавшем сверху. Он сидел в части зала, отведенной для публики, разложив подле себя на двух стульях книги и бумаги. Совет любезно решил послушать сначала капитана Димиреста, а уж потом приступить к повседневным делам.

Димирест встал. Он обратился к Совету в своей обычной самоуверенной манере, лишь изредка заглядывая в записи. Он выступает здесь, заявил Димирест, от имени Ассоциации пилотов гражданской авиации, поскольку является председателем местного ее отделения. Однако излагает он свое собственное мнение, правда, разделяемое большинством пилотов всех компаний.

Уполномоченные откинулись в своих креслах и приготовились слушать.

Продажа страховок в аэропорту, сказал Димирест, является нелепым архаизмом, сохранившимся с той поры, когда авиация только делала свои первые шаги. Само присутствие стоек страховых компаний и машин по продаже страховок в залах аэропорта оскорбительно для гражданской авиации, которая, если учитывать налетанный километраж, является наиболее безопасным из всех видов транспорта.

Разве человеку, отправляющемуся в путешествие по железной дороге или на автобусе, или же садящемуся на океанский лайнер, или выезжающему на собственной машине из гаража, суют под нос специальные страховки на случай смерти или увечья? Конечно же, нет!

Тогда почему это происходит в авиации?

Димирест сам ответил на свой вопрос. Это происходит потому, заявил он, что страховые компании знают, где можно хорошо поживиться, «а на последствия им плевать».

Гражданские самолеты являются сравнительно новым средством сообщения, поэтому многие считают путешествие по воздуху рискованным, хотя уже доказано, что в самолете человек подвергается меньшей опасности, чем у себя дома. Это врожденное недоверие к авиации стремительно возрастает, стоит произойти очередной катастрофе. Трагедия неизбежно производит сильное впечатление, вычеркивая из памяти то обстоятельство, что куда чаще смерть и увечье настигают человека более привычным путем.

Собственно, то обстоятельство, что летать совсем не опасно, заметил Димирест, подтверждается самими страховыми компаниями. Пилотам, которые, естественно, летают куда больше пассажиров, продают страховку по обычному тарифу, а при групповом приобретении страховок пилоты платят даже меньше, чем публика.

179

И тем не менее страховые компании, поощряемые алчностью аэропортовских властей, с покорного согласия авиакомпаний, продолжают жиреть на страхе и доверчивости пассажиров.

Мел слушал, сидя за своим столом, и про себя отметил, что шурин очень ясно и точно излагает вопрос, хотя, конечно, замечание об «алчности аэропортовских властей» не слишком мудрое. Двое или трое уполномоченных, в том числе миссис Аккерман, насупились.

Однако Вернон Димирест, казалось, не заметил впечатления, произведенного его словами.

— А теперь, сударыня и господа, мы подходим к самому главному и существенному.

Дело в том, сказал он, что безответственная продажа страховок в аэропорту любому пассажиру и члену экипажа, которые могут без труда приобрести их как через представителя страховых компаний, так и благодаря машинам, — «страховок, сулящих крупные суммы, почти состояния, в обмен на несколько долларов», представляет собой подлинную опасность и для пассажиров, и для команды.

И Димирест возбужденно продолжал:

— Эта система — если можно назвать системой то, что оказывает обществу столь плохую услугу, а большинство пилотов считает, что это так, — предоставляет преступникам и маньякам золотую возможность заниматься саботажем и массовыми убийствами. Цель при этом у них может быть наипростейшая: поживиться самим или дать возможность поживиться наследникам.

— Капитан! — Миссис Аккерман выпрямилась в своем кресле. По тону ее и по выражению лица Мел понял, что она все это время пережевывала про себя замечание Димиреста об алчности аэропортовских властей и теперь дошла до точки кипения. — Капитан, мы уже очень долго слушаем ваши рассуждения. А есть у вас факты, подкрепляющие все это?

— Конечно, сударыня. И фактов много.

Вернон Димирест тщательно подготовился. С помощью выкладок и диаграмм он показал, что катастрофы, происшедшие в воздухе вследствие насилия или взрыва бомб, составляют полтора случая в год. Побудительные мотивы у преступников разные, но чаще всего — возможность получить деньги по страховке. Были, конечно, и такие случаи, когда бомбы не взрывались или их удавалось обнаружить; были аварии, наводившие на мысль о саботаже, но доказательства отсутствовали.

Димирест перечислил нашумевшие катастрофы: самолеты компании «Канадиан Пасифик» — в 1949 и в 1965 годах; «Уэстерн» — в 1957 году; «Нейшнл» — в 1960 году и подозрение на саботаж — в 1959 году; два самолета компании «Мехикан» — в 1952-м и 1953 годах; Венесуэльской компании — в 1960 году; компании «Континентл» — в 1962 году; компании «Пасифик» — в 1964 году; компании «Юнайтед» — в 1950-м, 1955-м и подозрение на саботаж — в 1965 году. В девяти из этих тринадцати случаев все пассажиры и команда погибли.

Правда, когда ясно, что авария произошла из-за саботажа, все страховки тотчас аннулируются. Короче говоря, нормальные, читающие газеты люди поняли, что саботаж не окупается. Узнали они и то, что даже если катастрофа случилась в воздухе и не осталось никого в живых, но удалось найти остатки самолета, можно установить, произошел ли в самолете взрыв и отчего.

Однако, напомнил уполномоченным Димирест, бомбы и саботаж — дело рук людей отнюдь не нормальных. Это люди аморальные, психопаты, одержимые преступной идеей, бессовестные убийцы. Как правило, они мало информированы, а если что и знают, то мозг психопата так устроен, что он думает лишь о своей навязчивой идее и видоизменяет факты так, как ему заблагорассудится.

Тут миссис Аккерман снова вмешалась, уже не скрывая своей неприязни к Димиресту:

— Я не уверена, капитан, что кто-либо из нас достаточно компетентен, чтобы рассуждать о процессах, происходящих в мозгу психопата.

— А я и не рассуждаю, — нетерпеливо оборвал ее Димирест. — Да и не в том дело.

— Извините, но вы все-таки рассуждаете. И я считаю, что дело именно в этом.

Вернон Димирест вспыхнул. Он привык быть хозяином положения, чьи действия не оспариваются, и не сумел сдержать свой необузданный нрав.

— Сударыня, вы от природы глупы или строите из себя идиотку?

Председатель Совета резко застучал молотком по столу, а Мел Бейкерсфелд чуть не расхохотался.

Что ж, подумал Мел, на этом можно, пожалуй, поставить точку. Вернону лучше заниматься своим летным делом, в котором он большой мастак, а не дипломатией — надо же с таким треском провалиться. Шансы на то, что Совет уполномоченных хоть что-то предпримет в соответствии с просьбой Димиреста, были сейчас равны нулю с минусом... во всяком случае, если не прийти ему на помощь. Какую-то секунду Мел колебался, Димирест наверняка понял, что слишком далеко зашел. Однако еще есть время обернуть все шуткой, над которой все посмеются, включая Милдред Аккерман. А Мел обладал даром сглаживать противоречия, давая возможность обеим сторонам «спасти лицо». К тому же он знал, что Милли Аккерман благосклонна к нему — они отлично ладили, и она всегда внимательно прислушивалась ко всему, что говорил Мел.

А потом Мел решил: пошел он к черту. Случись такая штука с ним, Мелом, шурин вряд ли пришел бы ему на помощь. Так что пусть Вернон сам выбирается из той каши, которую заварил. А он, Мел, через некоторое время просто выскажет свое мнение.

— Капитан Димирест, — холодно заметил председатель Совета, — ваше последнее замечание ничем не оправдано и вообще ни к месту. Прошу вас взять свои слова обратно.

Димирест был все еще возбужден, щеки его пылали. Секунду подумав, он кивнул.

— Хорошо, я беру свои слова обратно. — И взглянул на миссис Аккерман. — Прошу даму извинить меня. Возможно, она понимает, что для меня, как и для большинства пилотов гражданской авиации, это чрезвычайно больная тема. Когда тебе самому все настолько очевидно... — И он умолк, не закончив фразы.

Миссис Аккерман смотрела на него горящими от возмущения глазами. Плохо он извинился, подумал Мел. Теперь при всем желании ничего уже не сгладишь.

— Капитан, а чего вы, собственно, от нас хотите? — спросил один из уполномоченных.

Димирест шагнул к возвышению.

— Я призываю вас, — сказал он проникновенно, — ликвидировать страховые машины и продажу страховок у стоек, я хочу, чтобы вы обещали, что не будете больше сдавать места в аренду страховым компаниям.

— Вы хотите ликвидировать продажу страховок вообще?

— В аэропортах — да. Могу добавить, сударыня и господа, что сотни пилотов гражданской авиации призывают и другие аэропорты поступить так же. Кроме того, мы обращаемся в конгресс с просьбой принять меры и объявить вне закона продажу страховок в аэропортах.

— Какой смысл вводить такой запрет в Соединенных Штатах — ведь гражданская авиация существует и в других странах!

Димирест слегка улыбнулся:

— А мы ведем эту кампанию в международном масштабе.

— Что значит — в международном?

— Нас активно поддерживают пилоты сорока восьми стран. Большинство из них считают, что, если в Северной Америке — в Соединенных Штатах или в Канаде — будет сделан первый шаг, другие страны последуют их примеру.

Все тот же уполномоченный скептически заметил:

— ·Я бы сказал, что слишком многого вы хотите.

— Должны же пассажиры иметь право приобрести страховку, если они того хотят, — вставил председатель.

Димирест кивнул:

— Конечно. Никто и не говорит, что они не имеют на это права.

— Нет, вы именно так говорите, — снова заявила о себе миссис Аккерман.

Димирест поджал губы.

— Сударыня, кто угодно может застраховать свою жизнь на время путешествия. Нужно лишь позаботиться об этом заранее, обратившись к страховому агенту или даже в бюро путешествий. — Он обвел взглядом уполномоченных. — Сейчас многие страхуют свою жизнь на случай возможной катастрофы в пути и пользуются всеми видами транспорта, зная, что они застрахованы на всю жизнь. А застраховаться так можно разным путем. Например, все крупные кредитные общества — «Клуб гастрономов», «Америкэн экспресс», «Carte Blanche»* — предоставляют своим членам постоянную страховку на время путешествия; страховка эта автоматически возобновляется каждый год, и за нее, естественно, взимают определенную плату.

— Почти у всех деловых людей, пользующихся воздушным транспортом, — продолжал Димирест, — есть по крайней мере одна из вышеупомянутых кредитных карточек, так что отмена продажи страховок в аэропортах не причинит неудобств или сложностей деловым людям.

---

* Букв.: белый бланк (фр.). Употребляется обычно для обозначения полной свободы действий. В данном случае название одного из крупнейших европейских кредитных обществ.

— К тому же при общей страховке и платить приходится мало. Я это знаю по собственному опыту. — Вернон Димирест помолчал и добавил: — Самое при этом важное, что такую страховку выдают не сразу. Заявление рассматривается опытными людьми, и проходит день, а то и два, прежде чем тебе выдадут страховку. Это позволяет выявить психопата, маньяка, человека неуравновешенного и задуматься над тем, что он замышляет. И еще об одном следует помнить: человек ненормальный или неуравновешенный действует обычно под влиянием импульса. И здесь, в аэропорту, где страховку можно приобрести с помощью машины или у стойки — быстро, без расспросов, — этот импульс скорее может проявиться.

— Мне кажется, мы все усвоили ваши доводы, — резко перебил его председатель. — Вы начинаете повторяться, капитан.

Миссис Аккерман закивала:

— Я тоже так считаю. Мне лично хотелось бы услышать, что скажет мистер Бейкерсфелд.

Все уставились на Мела.

— Да, — подтвердил он, — у меня есть на этот счет некоторые соображения. Но я предпочел бы изложить их после того, как капитан Димирест закончит свое выступление.

— А он уже закончил, — заявила Милдред Аккерман. — Мы ведь только что решили, что он все сказал.

Один из уполномоченных рассмеялся, председатель постучал молотком.

— Да, пожалуй, верно... Так что прошу вас, мистер Бейкерсфелд.

Мел встал, а Вернон Димирест, злой как черт, вернулся на свое место.

— Думаю, начать надо с того, — сказал Мел, — что я смотрю иначе почти на все, о чем говорил здесь Вернон. Наверное, это можно назвать внутрисемейными разногласиями.

Уполномоченные, знавшие о родстве Мела и Вернона Димиреста, заулыбались, и Мел почувствовал, что атмосфера, которая еще несколько минут назад была напряженной, разрядилась. Он привык к такого рода заседаниям и знал, что лучше всего держаться неофициально. Вернон тоже мог бы об этом знать, если бы потрудился спросить.

— Тут есть несколько обстоятельств, о которых мы не можем не думать, — продолжал Мел. — Прежде всего давайте посмотрим фактам в лицо. Большинству людей присуще врожденное чувство страха перед полетом, и я убежден, что это чувство будет существовать всегда, независимо от того, как далеко мы шагнем по пути прогресса и насколько обеспечим безопасность. Единственное, в чем я согласен с Верноном, это в том, что у нас весьма высокий уровень безопасности.

— И вот из-за этого врожденного страха, — продолжал Мел, — многие пассажиры чувствуют себя уютнее, увереннее, когда у них в кармане лежит страховка на полет. Они хотят иметь ее. И хотят иметь возможность приобрести ее в аэропорту, что подтверждается огромным количеством страховок, которые пассажиры приобретают в машинах и у страховых стоек. Собственно, пассажиры должны иметь право — в этом и состоит свобода — да и возможность купить страховку, если они того хотят. Что же до приобретения страховок заблаговременно, то, как правило, большинство людей об этом просто не думают. А кроме того, — добавил Мел, — если страховки на полет будут продавать только заранее, аэропорты, в том числе аэропорт имени Линкольна, потеряют значительную часть своих доходов. — При упоминании о доходах Мел усмехнулся. Уполномоченные усмехнулись тоже.

Мел прекрасно понимал, что в этом главное. Слишком велик был доход от концессий страховым компаниям, и отказываться от него просто невозможно. Аэропорт имени Линкольна получал ежегодно полмиллиона долларов комиссионных с проданных страховок, хотя лишь немногие покупатели отдавали себе отчет в том, что аэропорт берет двадцать пять центов с каждого доллара, уплаченного за страховку. Однако страховки занимали лишь четвертое место в доходах аэропорта — после доходов от автостоянок, ресторанов и компаний, дающих машины напрокат. Другие большие аэропорты получали примерно такой же доход от страховок, а иногда и больший. Хорошо Вернону Димиресту, подумал Мел, говорить об «алчных аэропортовских властях», но такого рода суммы не сбросишь со счетов.

Мел решил не развивать своих мыслей насчет страховок. Достаточно уже того, что он сказал о доходах. Уполномоченные, знакомые с состоянием финансовых дел аэропорта, и так все поймут.

Он заглянул в свои записи. Тут были цифры, которые накануне сообщила ему одна из страховых компаний, имеющая концессию в аэропорту Линкольна. Мел не просил у них этих данных. Да и вообще никому не говорил, кроме своей секретарши, о том, что сегодня речь пойдет о страховках. Но чиновники страховой компании каким-то образом все узнали — просто удивительно, как они все узнают, — и быстро подготовили материал для защиты своих интересов.

Мел не воспользовался бы их данными, если бы они противоречили его собственному, беспристрастному мнению. По счастью, они совпадали.

— Теперь, — сказал Мел, — насчет саботажа — потенциального и иного. — Он увидел, что члены Совета насторожились. — Вернон тут уже много об этом говорил, но должен сказать — а я слушал его внимательно, — что большинство его соображений кажутся мне преувеличенными. Ведь таких случаев, когда в воздухе произошли катастрофы, подстроенные людьми, специально приобретшими для этого страховку, весьма немного.

Капитан Димирест вскочил со своего места.

— О Господи, да сколько же нужно катастроф, чтобы мы стали с этим считаться?!

Председатель резко застучал молотком.

— Капитан... Прошу вас!

Мел выждал, пока Димирест успокоится, и затем ровным голосом продолжал:

— Раз задан такой вопрос, я на него отвечу: «Нисколько». Но при этом напрашивается другой вопрос: а что, катастрофы прекратятся, если в аэропорту перестанут продавать страховки? — Мел выждал, чтобы до сознания присутствующих дошли его слова, затем продолжал: — Можно, конечно, утверждать, что катастрофы, о которых идет речь, никогда бы не произошли, прекрати мы продажу страховок в аэропортах. Иными словами, что все эти катастрофы — преступления, совершенные под влиянием импульса, возникшего благодаря той легкости, с какой можно приобрести страховки в аэропорту. Можно считать, что даже заранее задуманные преступления не были бы совершены, если бы страховки не приобретались так просто. Таковы, насколько я понимаю, аргументы Вернона и его Ассоциации. — Мел бросил взгляд на своего шурина, но тот по-прежнему сидел злой и насупленный. — Главная слабость его аргументации, — продолжал Мел, — состоит в том, что все это основано на предположениях. Мне лично кажется, что, если человек задумал совершить преступление, его не остановит то, что он не может купить страховку в аэропорту — ведь он может приобрести ее в любом другом месте; сам Вернон говорит, что это просто.

Иными словами, пояснил Мел, страховка при саботаже играет лишь второстепенную роль. Подлинные же побудительные мотивы гнездятся в стародавних человеческих слабостях — любовных неудачах, алчности, банкротстве, желании совершить самоубийство.

Мотивы эти, заявил Мел, существуют столько, сколько существует род людской, уничтожить их невозможно. Поэтому те, кто заинтересован в безопасности полетов и в предотвращении саботажа, должны стремиться не к тому, чтобы ликвидировать продажу страховок в аэропортах, а к тому, чтобы усилить меры предосторожности в воздухе и на земле. Одной из таких мер может быть ограничение продажи динамита — главного средства, используемого на сегодня большинством тех, кто устраивает катастрофы в воздухе. В качестве другой меры следует совершенствовать приборы, способные «учуять» взрывчатку в багаже. Один такой прибор, сообщил Мел внимательно слушавшим его уполномоченным, уже находится в стадии экспериментального опробования.

Третья мера — на которой, кстати, настаивают компании, страхующие пассажиров в полете, — должна состоять в осмотре багажа до полета, как это делают таможенники. Правда, добавил Мел, эта последняя мера связана с явными трудностями.

Мы должны, продолжал он, жестче соблюдать существующие законы, которые запрещают перевозить оружие на гражданских самолетах. Кроме того, учитывая возможность подстроенной аварии, надо пересмотреть конструкцию самолетов, чтобы они не разваливались при взрыве. В этой связи есть, например, такая идея — и она тоже принадлежит страховой компании: предлагается укрепить (и соответственно — утяжелить) стенки багажного отделения, хотя это и повлияет на общий вес самолета и снизит доходы авиакомпаний.

Федеральное управление авиации, подчеркнул Мел, специально изучало вопрос о продаже страховок в аэропортах и выступило против запрещения их продажи. Мел взглянул на Вернона Димиреста — лицо у него было по-прежнему злое. Оба знали, что это «изучение» вызывало протесты у пилотов, поскольку проводил его чиновник страховой компании, сам занимавшийся продажей страховок в аэропорту, и его беспристрастность была весьма сомнительна.

Страховая компания дала Мелу еще и другие данные, но он решил на этом поставить точку. К тому же эти неиспользованные им доводы были менее убедительны. Он сомневался даже в целесообразности укрепления багажного отсека, хотя всего минуту назад внес такое предложение. Кому пойдет на пользу увеличение веса самолета — пассажирам, авиакомпаниям или опять-таки страховым обществам? Зато все остальные доводы он считал достаточно весомыми.

— Итак, — в заключение сказал он, — нам предстоит решить, следует ли лишать публику — на основании в общем-то одних предположений — тех услуг, которые ей явно нужны.

Мел едва успел опуститься на свое место, как Милдред Аккерман решительно объявила:

— Я считаю, что не следует. — И бросила на Вернона Димиреста победоносный взгляд.

К ней присоединились остальные уполномоченные, после чего решено было устроить перерыв и отложить рассмотрение других дел на вторую половину дня.

В коридоре Вернон Димирест ждал Мела.

— Привет, Вернон! — произнес Мел и быстро добавил, не давая шурину вставить хоть слово: — Надеюсь, ты на меня не в претензии? Ведь даже у друзей и у родственников порой могут быть разные мнения.

Слово «друзья» было преувеличением. Мел Бейкерсфелд и Вернон Димирест никогда не любили друг друга, несмотря на то, что Димирест был женат на сестре Мела, Саре, причем оба знали об этой взаимной неприязни; в последнее же время эта неприязнь переросла в открытую вражду.

— Конечно, черт побери, я на тебя в претензии, — сказал Димирест. Злость уже не так кипела в нем, но глаза смотрели жестко.

Уполномоченные, выходившие из конференц-зала, с любопытством поглядывали на них. Они шли обедать. И через несколько минут Мел присоединится к ним.

— Людям твоего склада, привязанным, точно пингвины к земле, к своим столам, легко так рассуждать, — презрительно изрек Димирест. — Вот если бы вы так часто летали, как я, вы бы держались иной точки зрения.

— Я не всю жизнь летал за столом, — резко бросил Мел.

— О, Бога ради, не корми меня этой манной кашей про героя-ветерана. Сейчас ты на нулевой отметине, и то, как ты думаешь, подтверждает это. В противном случае ты бы смотрел на всю эту историю со страховками так, как смотрит любой уважающий себя пилот.

— Ты имеешь в виду именно «уважающий себя», а не самовлюбленный? — Если Вернону хочется поупражняться в колкостях, что ж, Мел готов поддержать разговор. В коридоре было пусто, и их не могли услышать. — Вся беда с вами, пилотами, в том, что вы привыкли считать себя полубогами, капитанами заоблачных высот и потому уверены, будто и мозги у вас особенные. Так вот, они у вас самые обыкновенные — только что напичканы специальными знаниями. Иной раз мне кажется, что они у вас вообще атрофировались — слишком долго вы сидите без дела в разреженном воздухе, пока машину ведет за вас автоматический пилот. Поэтому когда кто-то высказывает свое мнение и это мнение, как выясняется, не совпадает с вашим, вы ведете себя, точно балованные дети.

— Я пропускаю все это мимо ушей, — сказал Димирест, — хотя если кто и ребенок здесь, так это ты. К тому же отнюдь не беспристрастный.

— Ну вот что, Вернон...

— Ты же сам употребил это слово, — презрительно фыркнул Димирест. — Беспристрастное мнение — как же, держи карман шире! Да ты же пользовался сейчас данными страховой компании! Ты же читал по бумажке, подготовленной ими! Я видел это с того места, где сидел, и знаю, потому что у меня есть копия. — И он ткнул пальцем в кипу книг и бумаг, которые держал под мышкой. — Ты даже не потрудился пристойности ради сам подготовиться к выступлению.

Мел вспыхнул. Шурин действительно поймал его. Он должен был сам подготовиться или хотя бы критически отнестись к данным страховой компании и перепечатать те из них, которыми намеревался пользоваться. Да, конечно, дел у него последние дни было больше обычного, но это не оправдание.

— Когда-нибудь ты еще об этом пожалеешь, — сказал Вернон Димирест. — И если это произойдет и я буду при сем присутствовать, я напомню тебе о сегодняшнем дне и нашем разговоре. А до тех пор постараюсь встречаться с тобой лишь при крайней необходимости.

И прежде чем Мел успел что-либо сказать, шурин его повернулся и пошел прочь.

Вспомнив об этом сейчас, когда он стоял с Таней в центральном зале аэропорта, Мел — в который раз — подумал, правильно ли он тогда себя вел и не лучше ли было не обострять отношений с Верноном. В глубине души он чувствовал, что нельзя было так держаться. Он мог не соглашаться с зятем — Мел и сейчас не видел оснований менять свою точку зрения, — но можно было вести себя ровнее и не допускать бестактности: пусть этим занимается Вернон Димирест, а не он, Мел.

С того дня они ни разу не встречались — собственно, Мел увидел Димиреста в аэропортовском кафе сегодня вечером впервые после того заседания. Мел никогда не был особенно близок со своей старшей сестрой Сарой, и они редко навещали друг друга. Однако рано или поздно Мелу и Вернону Димиресту придется встретиться и либо уладить свои разногласия, либо по крайней мере прекратить распрю. И чем скорее это случится, тем лучше, подумал Мел, вспомнив о том, в каких резких выражениях была составлена докладная комиссии по борьбе с заносами, безусловно, инспирированная Верноном.

— Я бы не стала вспоминать об этой истории со страховками, — заметила Таня, — если бы знала, что это может увести вас так далеко от меня.

А ведь его мысли отвлеклись от Тани всего на секунду, но она сразу это уловила — как остро она чувствует все, что связано с ним. Никто еще не обладал такой способностью угадывать, о чем он думает. Как же они, значит, духовно близки друг другу.

Он чувствовал, что Таня наблюдает за ним — она смотрела на него мягко, понимающе, но под этой мягкостью таилась большая женская сила, таились чувства, которые, как подсказывал Мелу инстинкт, могли вспыхнуть ярким пламенем. И ему захотелось, чтобы их близость стала еще полнее.

— Нет, это не увело меня далеко от вас, — сказал Мел. — Наоборот, только приблизило. И мне очень хочется, чтобы вы были со мной. — Их взгляды встретились, и он добавил: — Всегда и везде.

И Таня с присущей ей прямотой ответила:

— Я тоже этого хочу. — И слегка улыбнулась. — Давно хочу.

Он еле удержался, чтобы не предложить ей сейчас же бросить все и уехать куда-нибудь, в спокойное, тихое место... скажем, к ней домой... и плевать на последствия! Но Мел знал, что не может себе этого позволить, — и смирился. Пока не может.

— Давайте встретимся позже, — сказал он ей. — Сегодня. Не знаю еще когда, но сегодня. Не уезжайте домой без меня. —

Ему хотелось схватить ее, сжать, притянуть к себе, почувствовать ее тепло, но вокруг них бурлила толпа.

Она протянула руку, и пальцы ее слегка коснулись его руки. Его словно пронзило электрическим током.

— Я буду ждать, — сказала Таня. — Я буду ждать столько, сколько вы захотите.

Через минуту она уже была далеко, и толпа пассажиров, теснившаяся у стоек «Транс-Америки», поглотила ее.

6

Хотя Синди Бейкерсфелд очень решительно разговаривала с Мелом полчаса назад, она еще совсем не была уверена, как поведет себя дальше. Вот если бы подле нее был кто-то, с кем можно было бы посоветоваться! Стоит ей все-таки ехать сегодня в аэропорт или не стоит?

Синди одиноко размышляла над этой непростой проблемой среди гула и гомона, царивших на коктейле, организованном фондом помощи детям Арчидоны. Как же ей все-таки быть? До сих пор она почти весь вечер переходила от группы к группе, оживленно болтая, здороваясь со знакомыми, знакомясь с теми, кто ее интересовал, — и все время ее не покидала мысль, что она здесь сегодня без спутника. А сейчас и вовсе она стояла в задумчивости одна.

Синди размышляла: идти на ужин без Мела или какого-нибудь другого мужчины ей не хотелось. Значит, надо либо ехать домой, либо разыскать Мела и устроить ему сцену.

По телефону она заявила Мелу, что приедет в аэропорт и все ему выложит. Но Синди понимала, что если она туда явится, объяснение будет нешуточным и может наступить разрыв, окончательный и необратимый. Здравый смысл подсказывал ей, что рано или поздно такой разговор между ними неминуем — так чем скорее он будет позади, тем лучше. К тому же тогда решатся и некоторые побочные проблемы. Однако пятнадцать лет брака не отбросишь так же легко, как выбрасывают отслуживший свое дождевик из пластика. Каковы бы ни были их недостатки и причины разногласий — а Синди могла бы насчитать таковых немало, — когда два человека столько лет прожили вместе, их связывают узы, которые трудно порвать.

Даже и сейчас Синди верила, что ее брак с Мелом можно спасти, если оба они как следует постараются. Вопрос в другом: хотят ли они этого? Синди была убеждена, что она этого хочет — при условии, конечно, что Мел пойдет на уступки, однако до сих пор он не соглашался на ее требования, и она сомневалась, чтобы он мог измениться, как ей бы того хотелось. Если же ни на какие уступки Мел не пойдет, дальнейшая совместная жизнь немыслима. Последнее время уже и интимные отношения, когда-то восполнявшие многое, отошли в прошлое. Что-то и тут разладилось, хотя Синди не понимала почему. Мел по-прежнему возбуждал ее — даже и сейчас, стоило подумать о нем, как в ней вспыхнуло желание. Но всякий раз, когда возникала возможность близости, духовная отчужденность брала верх. В итоге — во всяком случае, у Синди — это вызывало раздражение, злость, а потом плоть начала заявлять о себе так громко, что ей просто необходим стал мужчина. Какой угодно. Любой.

Она одиноко стояла среди плюша и бархата салона при ресторане отеля «Лейк-Мичиган», где проходил прием для представителей прессы. Вокруг нее говорили преимущественно о буране и о том, как трудно было всем сюда добраться. Но они-то приехали, подумала Синди, а вот Мел — нет. Время от времени где-то рядом раздавалось: «Арчидона», и Синди вспомнила, что она так и не выяснила, какой же Арчидоне она благодетельствует — эквадорской или испанской. («Черт бы тебя побрал, Мел Бейкерсфелд, подумаешь, какой выискался умник!..»)

Чья-то рука дотронулась до ее локтя, и незнакомый голос любезно осведомился:

— Вы ничего не пьете, миссис Бейкерсфелд? Могу я вам что-нибудь принести?

Синди обернулась. Перед ней стоял репортер по имени Дерик Иден, которого она немного знала. Как большинство людей этой профессии, он держался легко и уверенно, с чуть рассеянным видом. Синди и раньше обращала на него внимание — как и он на нее.

— Спасибо, — сказала Синди. — Американского виски с водой, только воды поменьше. И называйте меня, пожалуйста, по имени. По-моему, вы знаете, как меня зовут.

— Конечно, Синди.

Глаза репортера с откровенным, нескрываемым восхищением смотрели на нее. «Собственно, почему бы и нет?» — подумала Синди. Она знала, что сегодня хорошо выглядит, изящно одета и тщательно подмазана.

— Я мигом вернусь, — сказал ей Дерик Иден, — так что, пожалуйста, никуда не уходите, раз уж я вас нашел. — И он стремительно направился к бару.

Дожидаясь его возвращения, Синди оглядывала переполненный зал. И вдруг поймала на себе взгляд немолодой дамы в шляпе с цветами. Синди тотчас просияла и улыбнулась приветливейшей из улыбок — дама кивнула и отвела глаза. Это была журналистка светской хроники. Рядом с ней стоял фотограф, и они явно решали, кого снимать для разворота в завтрашних газетах. Вот дама в шляпе с цветами поманила к себе несколько благотворительниц, и они столпились вокруг нее, любезно улыбаясь, стараясь держаться как можно непринужденнее, тогда как сами были рады-радешеньки, что выбор пал именно на них. Синди понимала, почему ее обошли: одна она ничего собой не представляла; а вот будь здесь Мел, сразу приобрела бы вес. Мел все-таки кое-что значил в жизни города. Но самое возмутительное, что Мелу на успехи в свете было глубоко наплевать.

В другом конце комнаты засверкали вспышки фотоаппарата; дама в шляпе усиленно строчила имена и фамилии. Синди готова была расплакаться. Ведь она участвовала *почти во всех благотворительных начинаниях*... трудилась, не жалея сил, заседала в скучнейших комиссиях, выполняла всю неблагодарную работу, от которой отказывались дамы, занимавшие в обществе более высокое положение, а теперь — пожалуйста, о ней и думать забыли...

(«*Черт бы тебя побрал, Мел Бейкерсфелд! Черт бы побрал этот сволочной снег! Провались ты к чертовой матери, поганый, разбивающий браки аэропорт!*»)

Тем временем газетчик возвращался с двумя стаканами в руках — для Синди и для себя. Пробираясь сквозь толпу, он увидел, что Синди наблюдает за ним, и улыбнулся. Чувствовалось, что он уверен в себе. Насколько Синди знала мужчин, он, должно быть, сейчас прикидывал, есть ли у него шансы переспать с ней сегодня. Журналисты — народ дошлый и наверняка неплохо разбираются в психологии отринутых, одиноких жен.

Синди, глядя на Дерика Идена, тоже кое-что прикидывала в уме. Лет тридцать с небольшим, решила она: достаточно зрел, чтобы быть человеком опытным, и в то же время достаточно молод, чтобы женщина изощренная могла его кое-чему поучить.

Вроде бы неплохо сложен. Он будет внимателен, возможно, даже нежен и уж конечно — щедр. И при этом явно готов идти на сближение: он дал ей это понять еще до того, как отправился за напитками. Двум людям, если они не чурбаны и одинаково смотрят на вещи, нетрудно наладить контакт.

Всего несколько минут назад она раздумывала, куда ей ехать — домой или в аэропорт. Сейчас, казалось, намечался третий, более интересный вариант.

— Извольте.

И Дерик Иден протянул ей стакан. Она взглянула — ого, сколько виски! Наверно, он велел бармену налить побольше. Нет, право же, мужчины слишком прямолинейны.

— Спасибо. — Она отпила немного, глядя на него поверх края стакана.

Дерик Иден приподнял свой стакан и улыбнулся:

— Очень шумно здесь, правда?

Для человека пишущего, подумала Синди, он на редкость неоригинален. По его расчетам, она сейчас должна сказать: «Да», и тогда он предложит: «А почему бы нам не поехать куда-нибудь, где поспокойнее?» Текст, который последует за этим, тоже нетрудно предугадать. Синди решила потянуть время и еще глотнула виски. Она размышляла. Конечно, если бы Лайонел был в городе, она бы не стала возиться с этим газетчиком. Но Лайонел, к которому она всегда обращалась за утешением в периоды семейных бурь и которого держала при себе на случай, если с Мелом дело дойдет до развода — а Лайонел готов был хоть завтра жениться на ней, — сейчас находился в Цинциннати (а может быть, в Колумбусе?) и занимался тем, чем занимаются архитекторы, когда выезжают куда-нибудь по делам; вернется он только дней через десять, а то и позже.

Мел не знал о романе Синди с Лайонелом — во всяком случае, точно ничего не знал, хотя, наверное, подозревал, что у нее есть любовник. Но, как догадывалась Синди, ему, по всей вероятности, это было глубоко безразлично. Просто теперь он мог больше времени отдавать аэропорту и совсем не думать о ней; надо сказать, этот чертов аэропорт портил им жизнь хуже иной любовницы.

Но не всегда было так.

В начале их брака, когда Мел только что расстался с флотом, Синди очень гордилась им. Он стал быстро подниматься по ступенькам, ведущим к командным постам в авиации, и Синди радовалась этому продвижению, радовалась его новым постам. Служебное положение Мела укреплялось, вместе с ним укреплялось и положение Синди — естественно, общественное: в ту пору они почти каждый вечер бывали на людях. Синди от имени их обоих принимала приглашения на коктейли, ужины, премьеры, благотворительные вечера, а если на один вечер выпадало сразу два светских события, Синди решала, которое важнее, и отклоняла другое приглашение. Для молодого человека, делающего карьеру, ведь так важно быть на виду, общаться с имеющими вес людьми. Даже Мел это понимал. И он покорно всюду следовал за Синди.

Беда была в том, как поняла теперь Синди, что они с Мелом ставили перед собой разные цели. Мел видел в светской жизни лишь средство для удовлетворения своего профессионального честолюбия: главным для него была карьера, а светские обязанности — лишь временное орудие для достижения этой цели. Синди же видела в карьере Мела своего рода пропуск в более высокие и могущественные светские слои. Сейчас, оглядываясь назад, она порой думала, что если бы они тогда, вначале, лучше понимали друг друга, то могли бы прийти к какому-то компромиссу. К сожалению, этого не произошло.

Разлад между ними начался примерно в то время, когда Мела, уже занимавшего пост управляющего аэропортом имени Линкольна, избрали к тому же еще и президентом Совета руководителей аэропортов.

Синди была вне себя от счастья, узнав, что ее муж приобретает вес и влияние в Вашингтоне. А когда его стали вызывать в Белый дом и у него установились непосредственные отношения с президентом Кеннеди, Синди стала готовиться к появлению в высшем вашингтонском свете. В розовых мечтах она уже видела, как гуляет — и фотографируется — с Джекки, или Этель, или Джоан* на лужайке Белого дома.

Но ничего подобного не произошло. Ни Мел, ни Синди никакого участия в светской жизни Вашингтона не принимали, хотя и могли бы. Больше того, по настоянию Мела они отклоняли даже те приглашения, которые получали. Мел считал, что в своей области сумел сделать себе имя и ему нет нужды заботиться об укреплении своего положения в свете — кстати, это никогда его особенно не волновало.

Когда Синди это поняла, она взорвалась, и между ними произошла грандиозная ссора. Это было еще одной ошибкой с

---

* Имеются в виду члены семьи президента Джона Кеннеди.

ее стороны. Мел мог бы сдаться на уговоры, а гнев Синди обычно заставлял его лишь тверже стоять на своем. Разлад между ними продолжался целую неделю — с каждым днем Синди вела себя все стервознее и тем лишь ухудшала дело. Стервозность была одним из недостатков Синди, и она это знала. Большую часть времени она старалась сдерживаться, но порой, сталкиваясь с равнодушием Мела, не могла взять себя в руки, и ее бешеный темперамент одерживал верх — так произошло и сегодня, когда она говорила с мужем по телефону.

После этой недели бесконечных препирательств они стали ссориться чаще и уже не скрывали своих отношений от детей, да и едва ли сумели бы скрыть, даже если б захотели. Как-то раз, к стыду их обоих, Роберта вдруг объявила, что теперь после школы будет ходить к подруге, «потому что вы ссоритесь и мешаете мне готовить уроки». Однако постепенно в доме установилось некое подобие равновесия. Время от времени Мел сопровождал Синди на те или иные светские рауты, но только если заранее ей это обещал. А вообще он подолгу задерживался в аэропорту и редко появлялся дома. Предоставленная в значительной мере самой себе, Синди — как не без издевки говорил Мел — с головой ушла в «мелкую благотворительность» и занялась «штурмом светских вершин».

Что ж, возможно, Мелу это и в самом деле казалось глупым, думала Синди. Но, право, надо же чем-то себя занять, а кроме того, ей нравилась борьба за положение в свете — собственно, к этому и сводилась ее деятельность. Мужчинам легко критиковать — у них есть чему посвятить себя. Мел, например, занят своей карьерой, аэропортом, другими обязанностями. А что прикажете делать Синди? Сидеть целый день дома и вытирать пыль?

Синди не питала иллюзий по поводу своего ума. Она не обладала большим интеллектом и понимала, что во многих отношениях не может сравниться с Мелом. Но тут, собственно, ничего нового не было. В первые годы их брака Мел находил ее глупости забавными, теперь же — а в последнее время он только это и делал — лишь издевался над ней. Реалистичнее стала смотреть Синди и на свои актерские возможности: конечно же, из нее никогда не получилось бы звезды. В прошлом она, правда, любила намекать на то, что, если бы не замужество, она достигла бы в театре больших высот. Но это была лишь форма самообороны, стремление напомнить — в том числе и Мелу, — что она не просто жена управляющего аэропортом, но и личность. В глубине же души Синди знала: в своей актерской карьере она никогда бы не поднялась выше второстепенных ролей.

А участие в светской жизни — в мизансценах, разыгрываемых местным обществом, — было Синди по силам. Оно давало ей ощущение собственной значимости, делало ее личностью. И хотя Мел издевался над ней и отнюдь не считал, что Синди чего-то достигла, она все-таки сумела взобраться на несколько ступенек вверх по общественной лестнице и была принята в кругу достаточно известных в свете людей, которых иначе никогда бы не встретила, да и на такие приемы, как сегодня, уж конечно, не могла бы попасть... Вот только сейчас ей очень нужен был Мел в качестве спутника, а он, думая прежде всего о своем чертовом аэропорте, не появился.

Мел, сумевший завоевать престиж и прочное положение в обществе, никогда не понимал стремления Синди к самоутверждению. Да теперь уже и не поймет.

Однако Синди продолжала идти своим путем. У нее тоже были планы на будущее, которые — она знала — приведут в семье к страшной схватке, если они с Мелом останутся вместе. Дело в том, что Синди лелеяла честолюбивую мечту вывести в свет обеих своих дочерей — сначала Роберту, а потом Либби — на котильоне в Пассаване, блистательном событии сезона, открывающем светскую карьеру для родовитых иллинойсских девиц. Естественно, что как мать дебютанток Синди и сама привлечет к себе внимание.

Однажды она вскользь упомянула о своем намерении в разговоре с Мелом, и тот, как и следовало ожидать, вспылил. «Только через мой труп! В наш век устраивать балы для дебютанток с их глупыми квохчущими мамашами — это же смешно», — заявил он Синди. Слава Богу, этот снобистский обычай уже отмирает как анахронизм и кастовая традиция, с которой нация, к счастью, разделывается, хотя — судя по людям вроде Синди — недостаточно быстро. Он же, заявил Мел, хочет, чтобы его дети воспитывались в духе равенства с другими людьми, а не росли самовлюбленными эгоистами, уверенными, что они занимают привилегированное положение в обществе. И так далее.

Вопреки обыкновению, Мел, обычно кратко и четко формулировавший свои взгляды, тут говорил долго и пространно.

А вот Лайонел считал, что это правильная затея. Фамилия Лайонела — Эркарт. И в жизни Синди он занимал далеко не главное место — маячил где-то на обочине в виде вопросительного знака.

197

Любопытно, что свел Синди с Лайонелом сам Мел. Он представил их друг другу на одном официальном завтраке, куда Лайонела пригласили потому, что он как архитектор что-то делал для города, а Мела — из-за его причастности к аэропорту. Они были шапочно знакомы уже несколько лет.

После этого завтрака Лайонел стал звонить Синди, и они несколько раз вместе обедали и ужинали, потом стали встречаться чаще, а со временем у них завязались и более интимные отношения.

В противоположность многим мужчинам, легко смотрящим на роман с женщиной, Лайонел чрезвычайно серьезно воспринял свою связь с Синди. Он жил один — с женой он расстался несколько лет назад, но разведен не был. Теперь он хотел получить развод в надежде, что Синди разведется с мужем и они поженятся. К тому времени, когда у него созрело это решение, он уже знал, что брак Синди весьма непрочен.

У Лайонела никогда не было детей, и теперь, сказал он Синди, он очень об этом сожалеет. Правда, они с Синди еще вполне могут завести ребенка, если не станут тянуть и быстро поженятся. При этом он, конечно, будет более чем счастлив создать семейный очаг для Роберты и Либби и всемерно постарается заменить им отца.

Синди откладывала окончательное решение по разным причинам — главным образом потому, что надеялась наладить отношения с Мелом, в какой-то мере вернуть прошлое. Нельзя сказать, чтобы она все еще была влюблена в Мела: Синди успела обнаружить, что с возрастом начинаешь более скептически относиться к любви. Но она привыкла к Мелу. Привыкла видеть его рядом — так же, как Роберту и Либби; а кроме того, подобно многим женщинам Синди страшилась кардинальных перемен в своей жизни.

Когда-то она считала, что развод и новый брак могут повредить ее положению в обществе. Однако теперь она изменила на этот счет мнение. Множество людей разводятся и ни на минуту не исчезают со светского горизонта: сегодня мы встречаем даму с одним мужем, а уже через неделю — с другим. Синди даже стало казаться, что человек, ни разу не прошедший через развод, производит унылое впечатление.

К тому же брак с Лайонелом мог укрепить позиции Синди в обществе. Лайонел с большей охотой, нежели Мел, посещал всякие светские сборища и всчера. Да и происходил он из родовитой семьи, пользовавшейся уважением в городе. Мать Лайонела, словно вдовствующая императрица, все еще царила в ветхом особняке, где допотопный дворецкий громогласно возвещал о посетителях, а горничная с распухшими от артрита руками обносила гостей чаем на серебряном подносе. Лайонел как-то водил туда Синди. Он сообщил ей потом, что она произвела хорошее впечатление и он уверен: ему удастся убедить мать, когда настанет срок, поддержать кандидатуры Роберты и Либби для участия в котильоне.

Словом, так как разлад с Мелом не сглаживался, а углублялся, все говорило за то, что Синди следовало решиться и связать себя с Лайонелом, если бы... если бы не одно обстоятельство. Как мужчина Лайонел никуда не годился.

Он очень старался быть на высоте и, случалось, даже поражал ее силой своей страсти, но, как правило, больше походил на часы с незаведенной пружиной. Однажды вечером, после неудачной встречи у него в спальне, которая оставила у них обоих неприятный осадок, он мрачно заявил: «Если бы ты знала меня в восемнадцать лет!.. Мне удержу не было...» Но, к сожалению, Лайонелу минуло не восемнадцать, а сорок восемь.

Синди прекрасно понимала, что, если она выйдет замуж за Лайонела, страсть, которая сейчас бросала их в объятия друг друга, иссякнет, как только они поселятся вместе. Конечно, Лайонел постарается возместить отсутствие страсти чем-то другим — он человек добрый, широкий, внимательный, — но разве этого достаточно? Чувства Синди далеко еще не угасли — она и вообще-то была натурой пылкой, а в последнее время ее желания и аппетиты даже возросли. Но ведь и с Мелом у нее уже не было близости — так не все ли равно? В конечном счете Лайонел все-таки больше устраивал ее.

Значит, надо выходить замуж за Лайонела Эркарта и спать с кем-нибудь на стороне. Последнее, конечно, трудновато будет осуществлять, особенно сразу после замужества, но если осмотрительно себя вести, то все же можно. Она знала немало мужчин и женщин, даже довольно высокопоставленных, которые жили вот так же, сохраняя брак и находя удовлетворение вне стен домашнего очага. Ведь удавалось же ей обманывать Мела. Он мог, конечно, подозревать ее в неверности, но Синди была убеждена, что Мел не знает ничего определенного — ни о Лайонеле, ни о ком-либо еще.

Ну а как ей быть сегодня вечером? Ехать ли в аэропорт, чтобы объясниться с Мелом, как она намеревалась? Или провести вечер с этим репортером Дериком Иденом, который стоял сейчас подле нее и ждал?

Синди пришло в голову, что, пожалуй, можно осуществить и то, и другое.

Она улыбнулась Дерику Идену:

— Извините, пожалуйста, что вы сказали?

— Я сказал, что здесь очень шумно.

— О да.

— И я подумал, не сбежать ли нам с этого ужина и не поехать ли куда-нибудь, где потише.

Синди едва удержалась, чтобы не расхохотаться. Но вместо этого лишь сказала:

— Хорошо.

Она окинула взглядом салон, где толпились приглашенные и устроители коктейля. Фотографы перестали щелкать аппаратами — значит оставаться дольше не имело смысла. Можно тихонько, незаметно уйти.

Дерик Иден спросил:

— Вы на машине, Синди?

— Нет. А вы?

Из-за непогоды Синди приехала на такси.

— А я на машине.

— Прекрасно, — сказала она. — Давайте уйдем порознь. Ждите меня в своей машине, я выйду из главного подъезда через четверть часа.

— Давайте лучше через двадцать минут: мне еще надо сделать два-три звонка.

— Очень хорошо.

— У вас есть какие-нибудь пожелания? Насчет того, куда бы вы хотели поехать.

— Это уж решайте сами.

Секунду помедлив, он спросил:

— Вы предпочитаете сначала поужинать?

Ее позабавило это «сначала»: все должно быть ясно — он хотел, чтобы она понимала, на что идет.

— Нет, — сказала Синди. — У меня мало времени. Мне нужно быть еще в одном месте.

Она почувствовала, как взгляд Дерика Идена скользнул по ее фигуре и снова вернулся к ее лицу. Казалось, она даже услышала, как у него перехватило дыхание — еще бы, так повезло.

— Вы грандиозная женщина, — сказал он. — Но я до конца поверю своему счастью, только когда вы выйдете из подъезда.

Произнеся это, он повернулся и незаметно исчез из салона. Через четверть часа Синди последовала за ним.

Она взяла в гардеробе свое манто и, выходя из отеля, плотно закуталась в него. На улице по-прежнему сыпал снег и ледяной пронизывающий ветер гнал поземку по просторам набережной и шоссе. Погода напомнила Синди об аэропорте. Она твердо решила, что сегодня непременно поедет туда, но было еще рано — всего половина десятого — и времени впереди достаточно... хватит на все.

Из-под козырька подъезда вышел швейцар и притронулся к фуражке:

— Такси, мэм?

— Нет, пожалуй, не надо.

В эту минуту на стоянке вспыхнули фары одной из машин. Она тронулась с места, слегка пошла юзом на рыхлом снегу и подкатила к подъезду, где ждала Синди. Это был «шевроле» семилетней давности. За рулем сидел Дерик Иден.

Швейцар распахнул дверцу, и Синди села в машину. Когда дверца захлопнулась, Дерик Иден сказал:

— Извините, что здесь так холодно. Мне надо было сначала позвонить в газету, а затем позаботиться о том, чтобы нас приняли там, куда мы едем. Я сам только что залез в машину.

Синди вздрогнула и плотнее закуталась в манто.

— Остается только надеяться, что там, куда мы едем, будет тепло.

Дерик Иден, не глядя, сжал ее пальцы. А заодно сжал и колено, на котором лежала ее рука. Прикосновение было мгновенным — и обе его руки уже снова лежали на руле. Он тихо произнес:

— Вам будет тепло — это я обещаю.

7

До вылета самолета «Транс-Америки» рейсом два «Золотой Аргос» оставалось сорок пять минут: в машине шли последние приготовления к беспосадочному пятитысячемильному полету в Рим.

Вообще подготовка к этому полету длилась многие месяцы, недели и дни. Непосредственные же приготовления шли уже сутки.

Самолет, вылетающий из любого крупного аэропорта, подобен реке, когда она впадает в море. По пути к морю река вбирает в себя все притоки, а каждый приток, в свою очередь, вбирает в себя те, что поменьше. Таким образом, в устье река представляет собой конгломерат всего, что в нее влилось. Если перевести это на язык авиации, то река, когда она впадает в море, подобна воздушному лайнеру в момент взлета.

Для рейса два был избран «Боинг-707/320В» за номером 731-ТА. Несли его четыре реактивных двигателя фирмы «Пратт энд Уитни», позволяющие развить скорость 605 миль в час. При максимальной загрузке самолет мог пролететь шесть тысяч миль, или — по прямой — расстояние от Исландии до Гонконга. Он мог поднять в воздух 199 пассажиров и 25 тысяч американских галлонов горючего — иными словами: вместимость бассейна средней величины. Стоил самолет шесть с половиной миллионов долларов.

Два дня назад номер 731-ТА вылетел из Западной Германии, из Дюссельдорфа, и за два часа до посадки в международном аэропорту имени Линкольна у него перегрелся двигатель. Командир корабля на всякий случай велел его выключить. Никто из пассажиров и не догадывался, что они летели на трех двигателях вместо четырех; да, собственно, самолет в случае необходимости мог лететь и на одном. Сел он вовремя.

Однако аварийная бригада «Транс-Америки» была поставлена по радио в известность о случившемся. Поэтому группа механиков поджидала машину, и как только пассажиры вышли, а груз сняли, самолет покатили в ангар. Пока он ехал к ангару, специалисты-диагностики уже трудились вовсю, отыскивая причину неполадки, которую, кстати, удалось довольно быстро найти.

Пневматический воздуховод — стальная труба, проходящая вокруг поврежденного двигателя, — лопнул во время полета. Необходимо было снять двигатель и заменить его. И сделать это сравнительно просто. Куда сложнее ликвидировать последствия того, что произошло за те несколько минут, пока перегревшийся двигатель еще работал и чрезвычайно горячий воздух попал в гондолу двигателя. Этот горячий воздух мог повредить сто восемь пар контактов электрической системы самолета.

Тщательное обследование контактов показало, что, хотя некоторые из них и перегрелись, ни один серьезно не пострадал.

Случись такое в автомобиле, автобусе или грузовике, машину можно было бы пускать в эксплуатацию без промедления. Но авиакомпании не могут рисковать. Поэтому было решено заменить все сто восемь пар контактов.

Смена контактов требует высокой квалификации. Это работа дотошная, медленная, так как всего два человека могут одновременно находиться в тесной гондоле двигателя. А сначала надо ведь выявить парные провода и только уже потом подсоединить их к контактам. Работу приходилось вести без остановки, днем и ночью, — одни электрики сменяли других.

Все это обойдется «Транс-Америке» не в одну тысячу долларов: высококвалифицированный труд стоит дорого, да и самолет не приносит дохода, пока стоит на земле. Но компания безоговорочно шла на потери — все компании мирятся с подобными потерями во имя безопасности.

«Боинг-707» за номером 731-ТА, который должен был лететь на Западное побережье, затем вернуться и потом совершить полет в Рим, сняли с рейса. Об этом сообщили диспетчерам, и те произвели быструю перестановку в расписании, чтобы заполнить пустоту. Они отменили стыкующийся рейс, а пассажиров отправили самолетами конкурирующих компаний. Свободного самолета у «Транс-Америки» не было. Ведь речь шла о реактивных самолетах, стоящих несколько миллионов долларов, и компании запасных машин не имеют.

Диспетчеры, однако, требовали, чтобы механики подготовили «Боинг-707» для вылета в Рим рейсом два, а до этого оставалось тридцать шесть часов. Один из вице-президентов компании лично позвонил из Нью-Йорка главному механику «Транс-Америки» и услышал в ответ: «Если сумеем подготовить его для вашего спокойствия, то подготовим». А в самолете уже трудились механики и электрики под надзором квалифицированного мастера — все они знали, как важно быстрее закончить работу. Тем временем набирали вторую бригаду для ночной смены. Обе бригады будут работать сверхурочно, пока все не сделают.

Вопреки всеобщему убеждению механики всегда интересуются тем, как ведут себя в полете машины, которыми они занимались. Осуществив сложную или сверхурочную работу — как в данном случае, — они следят за полетом машины, проверяя себя. И если с самолетом все в порядке, как обычно бывает, это доставляет им большое удовлетворение. Пройдут месяцы, и как-нибудь, глядя на самолет, подруливающий к аэровокзалу, кто-нибудь из них заметит: «Вон прилетел восемьсот сорок второй. Помните, сколько мы с ним повозились тогда... Похоже, вроде вылечили».

И вот целых полтора дня на самолете номер 731-ТА устраняли неполадки — работа, по самому своему характеру исключающая спешку, шла в нем, однако, с максимальной быстротой.

За три часа до вылета последняя пара контактов была соединена. Еще час ушел на то, чтобы сменить капоты вышедшего из строя двигателя и опробовать все двигатели на земле. Потом самолет надлежало опробовать в воздухе и лишь тогда выпускать в рейс. К этому времени из диспетчерской уже то и дело раздавались звонки: будет номер 731-ТА готов к вылету в рейс два или нет? Если нет, то пусть техники так и скажут, чтобы билетная служба знала о возможности длительной задержки и могла предупредить пассажиров до того, как они выедут из дома.

Постучав по дереву, старший механик сказал, что, если в воздухе не произойдет осложнений при опробовании, самолет будет готов вовремя.

Он и был готов — но в самую последнюю минуту. Старший пилот «Транс-Америки», все это время находившийся на месте, поднял машину в воздух и сквозь снеговые тучи вывел ее в ясное небо. После возвращения он сказал: «Вы, ребята, в жизни не догадаетесь, что там, наверху, есть луна», и подписал документ о том, что самолет годен для полета. Пилоты, служащие в аэропорту, любят выполнять такого рода поручения, так как это позволяет им набрать нужное количество летных часов, не слишком удаляясь от письменного стола.

Когда испытательный полет был окончен, до вылета машины в рейс оставалось так мало времени, что старший пилот подрулил прямо к выходу сорок семь, где должен был загружаться рейс два «Золотой Аргос».

Словом, техники справились, а на их долю частенько выпадали испытания подобного рода, но еле-еле уложились во времени.

Как только самолет стал у ворот, его окружили рабочие и засуетились вокруг него, как муравьи.

Прежде всего предстояло загрузить еду. За час с четвертью до вылета диспетчер позвонил на кухню и заказал питание в соответствии с числом пассажиров. Сегодня в первом классе будет всего два свободных места, зато туристский класс будет заполнен лишь на три четверти. Первому классу, как всегда, выдается шесть лишних порций: туристскому же классу — по количеству пассажиров. Таким образом, пассажиры первого класса, если захотят, могут попросить вторую порцию ужина, а пассажиры туристского класса не могут.

Хотя количество пассажиров точно учитывалось, тем не менее если в последнюю минуту появлялся дополнительный пассажир, он не оставался без еды. Дополнительную порцию — в том числе и специальную еду для религиозных евреев — всегда можно взять из специальных шкафчиков, расположенных у выхода на поле. Если пассажир вошел в самолет, когда уже закрывались двери, его питание вносят на подносе следом за ним.

Погружают на борт и ящики со спиртным, которые сдают стюардессам под расписку. Пассажирам первого класса спиртное дают бесплатно; пассажиры туристского класса платят доллар за стакан (или соответствующую сумму в иностранной валюте), если им неизвестно одно обстоятельство. А обстоятельство это заключается в том, что стюардессы не получают мелочи для сдачи и, по инструкции, если у них нет сдачи, они должны дать пассажиру выпить бесплатно. Есть пассажиры, которые многие годы летают в туристском классе и пьют бесплатно — они просто протягивают пятидесяти- или двадцатидолларовую бумажку и утверждают, что меньше у них нет.

Пока на борт загружают еду и напитки, идет проверка и других припасов. А на самолете должно быть несколько сот разных предметов, начиная с детских пеленок, одеял, подушек, гигиенических пакетов и кончая Библией. Все это выдается без возврата. По окончании полета компания не производит инвентаризации; ни одного пассажира, выходящего из самолета со свертком в руке, не остановят: если для нового рейса чего-то будет не хватать, запасы просто пополнят — и все.

Самолету дают также комплекты газет и журналов. В полете всегда можно получить газету — за одним исключением. Служащие «Транс-Америки» обязаны следовать твердо установленному правилу: если на первой странице описана воздушная катастрофа, газета на борт не поступает и все номера ее выбрасываются. Этого правила придерживаются и многие другие авиакомпании. Однако сегодня на борту самолета, вылетавшего рейсом два, было полно газет. Главным событием дня был трехдневный буран, разразившийся над Средним Западом, и его последствия.

В аэропорту началась регистрация пассажиров, и на борт стал поступать багаж. Сданный пассажиром чемодан по системе транспортерных лент переправляется от регистрационной стойки в помещение, находящееся глубоко под выходными воротами, которые грузчики из багажного отделения называют между собой «львиной клеткой». Это название объясняется тем (во всяком случае, так утверждают люди, работающие в багажном отделении, после нескольких рюмок вина), что только храбрые или наивные способны сдать то, что им дорого, в багаж. Случается, что чемоданы — как это явствует из показаний их глубоко расстроенных обладателей, — раз попав в «львиную клетку», исчезают навсегда.

В «львиной клетке» за поступлением каждого чемодана наблюдает дежурный. Взглянув на прикрепленный к ручке ярлык с указанием места назначения, он нажимает на соответствующую кнопку, и автоматический рычаг хватает чемодан и ставит его на платформу рядом с другим багажом, отправляемым тем же рейсом. Затем команда, обслуживающая багажное отделение, переправляет весь багаж в самолет.

Система отлично продумана, и все идет хорошо — если она работает без сбоя. К сожалению, часто бывает наоборот.

С багажом — этого не отрицает ни одна авиакомпания — дело обстоит хуже всего. В эпоху, когда человеческий гений мог создать капсулу величиной с лодку и послать ее в межпланетное пространство, ни один из пассажиров, летящих из одного города в другой, не может быть уверен в том, что его багаж прибудет одновременно с ним, да и вообще благополучно доберется до Пайн-Блафа, штат Арканзас, или Миннеаполиса-Сент-Пола. Поразительное количество багажа — по крайней мере один чемодан из каждой сотни — улетает не по адресу, или задерживается в пути, или теряется вообще. Чиновники в аэропортах лишь горестно разводят руками — просто непостижимо, отчего такая путаница с багажом. Специалисты периодически изучают систему регистрации багажа, применяемую компаниями, и периодически улучшают ее. Однако никто еще не додумался до такой системы, которая была бы безупречна или хотя бы близка к безупречности. В результате во всех авиакомпаниях — в каждом крупном аэропорту — есть люди, которые занимаются только розысками пропавшего багажа. И надо сказать, что эти люди редко сидят без дела.

Многоопытный дошлый пассажир всегда старается проверить, правильно ли указано место назначения на бирке, которую прикрепил к его чемодану при регистрации агент компании или носильщик. Очень часто на бирках бывает указан не тот город. Бирки прикрепляются с поразительной быстротой, и если ошибка вовремя замечена, их надо тут же сменить. Но если даже с биркой все в порядке, у пассажира возникает ощущение лотереи, когда его чемодан исчезает из поля зрения, — в эту минуту он может лишь надеяться, что когда-нибудь где-нибудь снова увидит свой чемодан.

Как раз сегодня в международном аэропорту имени Линкольна — хотя никто еще этого не знал — с багажом рейса два уже не все обстояло благополучно. Два чемодана, которые должны были лететь в Рим, в этот самый момент грузили на борт самолета, улетавшего в Милуоки.

А в самолет, вылетавший рейсом два, непрерывным потоком шел груз — так же как и почта. Почты было девять тысяч фунтов: разноцветные нейлоновые мешки летели в итальянские города — Милан, Палермо, Ватикан, Пизу, Неаполь, Рим; другие — в места более отдаленные, названия которых словно сошли со страниц дневника Марко Поло, — Занзибар, Хартум, Момбаса, Иерусалим, Афины, Родос, Калькутта...

Чем больше почты, тем выгоднее это было для «Транс-Америки». По радио как раз объявили, что вылет самолета компании «Бритиш оверсиз эйруэйз», который должен был подняться в воздух сразу после самолета «Транс-Америки», задерживается на три часа. Инспектор, отвечавший за погрузку почты и непрерывно следивший за графиком вылета, тут же приказал перебросить почту с самолета британской авиакомпании на самолет «Транс-Америки». Это, естественно, не понравится британской компании, поскольку перевозка почты чрезвычайно выгодна и за нее идет большая драка. Все авиакомпании имеют своих представителей в почтовом отделении аэропорта, которые обязаны наблюдать за потоком почты и добиваться того, чтобы «справедливая доля ее» — а то и большая — попадала на самолеты данной компании. У почтовиков среди представителей компаний есть свои фавориты, и они следят за тем, чтобы дела у фаворитов шли хорошо. Но если вылет какого-нибудь самолета задерживается, тут уж дружба не в счет. В таких случаях в силу вступает непреложное правило: почту отправляют вне очереди ближайшим самолетом.

В аэровокзале, в нескольких сотнях футов от «Боинга-707», вылетавшего рейсом два, находилась диспетчерская «Транс-Америки». В помещении было шумно, между столами сновали люди, звонили телефоны, стрекотали телетайпы, светились экраны мониторов. Те, кто работал здесь, отвечали за подготовку к полету рейса два и всех других рейсов «Транс-Америки». Сегодня, когда все графики были сбиты из-за бурана, здесь стоял кромешный ад — так в голливудских фильмах изображают редакцию какой-нибудь газеты в старые времена.

В углу помещался стол диспетчера по загрузке, заваленный грудами бумаг. За ним сидел молодой мужчина с бородой и с немыслимой фамилией Фермпхут. В свободное от работы время Фермпхут занимался абстрактной живописью. Свои последние шедевры он создавал так: выливал краску из банок прямо на холст и потом катался по нему на детском велосипеде. Поговаривали, что по субботам и воскресеньям он балуется наркотиками, к тому же от него всегда дурно пахло. Последнее обстоятельство крайне досаждало его коллегам, работавшим в диспетчерской, где и сегодня было жарко и душно, несмотря на то что на улице свирепствовал буран, — Фреду то и дело напоминали, что человеку надо почаще мыться.

Зато у Фреда Фермпхута были совершенно поразительные способности к математике, и начальники его клялись, что он лучше всех справляется с загрузкой самолета. В данную минуту он руководил загрузкой рейса два.

«Самолет, — время от времени изрекал Фред Фермпхут своим коллегам по дежурству, которые уже осатанели от его высказываний, — он ведь как птица: и в ту сторону, дружище, может накрениться, и в другую. И если ему не помочь, он так накренится, что раз — и перевернуться может. Только я, детка, зорко за этим слежу».

Вся хитрость заключалась в том, чтобы правильно распределить груз в самолете и, таким образом, обеспечить его балансировку и устойчивость в воздухе. Фреду Фермпхуту надлежало определить, сколько груза может взять на борт рейс два (или любой другой самолет) и где этот груз должен быть размещен. Ни один мешок с почтой, ни один чемодан не устанавливался в самолете без его ведома. В то же время он должен был думать о том, чтобы как можно больше набить груза в самолет. «Из Иллинойса в Рим, дружище, — мог бы сказать Фред, — это длиннющее спагетти. И деньжат тут надо выколотить побольше, чем на мармелад».

В работе Фреду помогали диаграммы, сводки, выкладки, счетная машина, ежеминутно поступающие данные, радиотелефон, три обычных телефона — и безошибочный инстинкт.

Инспектор, наблюдавший за погрузкой, только что по радио запросил разрешения поместить еще триста фунтов почты в передний отсек.

— Валяй! — благословил его Фред Фермпхут.

Он разгреб бумаги на столе в поисках списка пассажиров, который за последние два часа значительно вырос. При загрузке самолета авиакомпания исходит из среднего веса пассажира примерно в сто семьдесят фунтов зимой и на десять фунтов меньше летом. И эта средняя цифра всегда оказывается правильной — за одним исключением: когда летит футбольная команда. Могучие игроки путают все расчеты, и диспетчерам по загрузке приходится выводить новую среднюю в зависимости от того, насколько хорошо знает диспетчер команду. Бейсболисты или хоккеисты в этом отношении не представляли проблемы: они тоньше или меньше и соответственно меньше весят. Сегодня же, судя по списку, рейсом два летели только обычные пассажиры.

— Можешь загружать почту, детка, — сказал Фред Фермпхут в микрофон. — А вот гроб передвинь в хвостовую часть: я вижу по накладной, что мертвец был не из худеньких. Потом, там есть еще ящик с генератором от Вестингауза. Помести его посредине, а остальной груз расположи вокруг.

Задача, стоявшая перед Фермпхутом, была в последний момент осложнена просьбой, поступившей от экипажа рейса два: дать им еще две тысячи фунтов топлива для маневров на земле и разбега. Сегодня на поле всем самолетам приходилось подолгу стоять с заведенными моторами, дожидаясь взлета. А мотор реактивного самолета, работающий на земле, пьет горючее, как тридцать страдающих от жажды слонов, и капитанам Димиресту и Хэррису не хотелось тратить на земле драгоценные галлоны горючего, которые могут им пригодиться в воздухе по дороге в Рим. Следовательно, Фреду Фермпхуту надо было учитывать, что, возможно, не все дополнительное топливо, которое сейчас заправляли в баки, расположенные в крыльях номера 731-ТА, будет израсходовано до взлета и максимально допустимый взлетный вес может быть превышен. Вопрос в том — насколько.

Существует ведь предел загрузки при взлете, однако каждая авиакомпания старается загрузить самолет как можно больше, чтобы получить максимальный доход. Грязные ногти Фреда Фермпхута плясали по клавишам счетной машины, быстро производя калькуляцию. Получив итоговую цифру, он задумался, теребя свою бороденку, и от усилий, видимо, вспотел, так как в комнате вдруг распространился неприятный запах.

Решение взять дополнительное топливо капитан Вернон Димирест принял за последние полчаса. Или, вернее, позволил принять капитану Энсону Хэррису, а потом — главная-то ответственность все-таки лежала на нем — одобрил его решение. Вернону Димиресту доставляло удовольствие играть сегодня пассивную роль, когда всю работу выполнял за него другой, а он лишь командовал. До сих пор Димирест не отменил ни одного из решений Энсона Хэрриса, что и неудивительно, поскольку Хэррис и по опыту, и по званию отнюдь не уступал Димиресту.

Хэррис был мрачен и раздражен, когда они во второй раз столкнулись с Димирестом в ангаре «Транс-Америки». Димирест усмехнулся про себя: Энсон Хэррис все-таки надел форменную рубашку, хотя требование Димиреста было сущей придиркой, и сейчас Хэррис то и дело раздраженно проводил пальцем за воротником. Дело в том, что капитан Хэррис поменялся рубашками с одним первым пилотом, который согласился выручить его, а потом с удовольствием рассказывал об этом капитану своей машины.

Но через несколько минут Хэррис уже не думал об этом. Будучи профессионалом до самых своих мохнатых седеющих бровей, он понимал, что нельзя лететь, если в летной кабине царит атмосфера вражды.

В комнате для команды оба капитана проверили свои почтовые ящики, в которых, как всегда, лежала груда почты, в том числе предписания компании, которые надо прочесть, прежде чем они взлетят. Остальное — памятки главного пилота, врача, отдела исследований, бюро картографов и т.д. — они просмотрят потом, дома.

Пока Энсон Хэррис вносил два-три исправления в свой бортовой журнал — а Димирест заявил, что будет проверять его, — Вернон изучал график работы команды.

График составляется ежемесячно. В нем указано, когда капитаны, а также первый и второй пилоты должны лететь и по каким маршрутам. Аналогичный график существует и для стюардесс и висит в отведенном для них служебном помещении в конце центрального зала.

Каждый пилот в начале месяца высказывает свои пожелания относительно маршрута, по которому он хотел бы лететь, при этом просьбы старших пилотов удовлетворяются в первую очередь. Димирест всегда получал то, о чем просил, так же как и Гвен Мейген, которая занимала среди стюардесс не менее высокое положение. Благодаря этой системе пилоты и стюардессы могли устраивать «эскапады» — вроде того как Димирест и Гвен заранее наметили лететь сегодня вместе.

Энсон Хэррис быстро внес исправления и захлопнул бортовой журнал.

Вернон Димирест ухмыльнулся:

— Я полагаю, что журнал у вас в порядке, Энсон. Я изменил решение: не буду его смотреть.

Капитан Хэррис и виду не подал, будто это задело его, только крепче сжал губы.

В комнату вошел второй пилот по имени Сай Джордан, молодой парень с двумя нашивками. Он был авиационный инженер, но также и квалифицированный пилот. Высокий, тощий, с ввалившимися щеками, придававшими его физиономии унылый вид, он производил впечатление человека, страдающего от недоедания. Стюардессы всегда наваливали ему гору еды, но это ничуть не помогало.

Первому пилоту, который обычно летал вместе с Димирестом, сегодня было велено остаться дома; тем не менее, поскольку у него контракт с компанией и он член профсоюза, он все равно получит свое, как если бы слетал туда и обратно. В отсутствие первого пилота Димирест будет выполнять часть его обязанностей, остальное ляжет на Джордана. Машину большую часть времени будет вести Энсон Хэррис.

— О'кей, — сказал Джордан двум другим летчикам, — давайте двигаться.

У двери ангара ждал служебный автобус, заиндевевший, с запотевшими стеклами. В нем сидели пять стюардесс, которые должны были лететь этим рейсом, и когда Димирест и Энсон Хэррис в сопровождении Джордана влезли в автобус, раздалось стройное: «Добрый вечер, капитан... Добрый вечер, капитан!..» Вместе с пилотами в машину ворвался порыв ветра со снегом. Шофер поспешно захлопнул дверь.

— Привет, девочки! — Вернон Димирест весело помахал рукой и подмигнул Гвен.

— Добрый вечер, — чинно приветствовал их Энсон Хэррис.

Ветер подгонял автобус, медленно тащившийся вдоль края поля по расчищенной дороге, по обе стороны которой высились горы снега. По аэропорту прошел слух о передряге, в которую попал пикап компании «Юнайтед», и потому все шоферы теперь проявляли осторожность. Пока автобус продвигался к месту назначения, огни аэровокзала, словно прожекторы, светили ему сквозь мглу. Далеко впереди на поле непрерывно садились и взлетали самолеты.

Автобус остановился, и команда высыпала из него, спеша юркнуть в ближайшую дверь. Это было крыло аэровокзала, где размещались службы компании «Транс-Америка», и дверь находилась на уровне земли. А выход на поле — в том числе и выход сорок семь, через который шла посадка на рейс два, — находился этажом выше.

Стюардессы отправились по своим делам, а три пилота — в международную контору «Транс-Америки».

Диспетчер по обыкновению уже подготовил для них всю информацию, какая может понадобиться команде в полете. Он развернул листы на стойке, и три пилота склонились над ними. По другую сторону стойки сидело с полдюжины клерков, которые собирали по всему миру информацию о воздушных трассах, обстановке в аэропортах и погоде, — эти сведения могут понадобиться вечером другим самолетам «Транс-Америки», вылетающим в международные рейсы. В противоположном конце центрального зала помещалась такая же диспетчерская для внутренних рейсов.

В этот-то момент Энсон Хэррис, постучав концом трубки по сводке с данными загрузки, потребовал, чтобы им дали дополнительно две тысячи фунтов топлива для маневров на земле. При этом он поглядел на второго пилота Джордана, который как раз проверял график потребления горючего, и на Димиреста. Оба кивнули в знак согласия, и диспетчер выписал наряд для передачи его в отдел, ведающий заправкой.

К команде присоединился метеоролог компании. Это был бледный молодой человек, которому очки без оправы придавали сугубо ученый вид, — при взгляде на него казалось, что он вообще никогда не выходит на улицу и понятия не имеет о том, какая стоит погода.

— Ну, что обещают сегодня ваши компьютеры, Джон? — спросил Димирест. — Надеюсь, там, наверху, погода лучше, чем у нас тут?

В последнее время для прогнозирования погоды и составления планов полетов все больше и больше применялись счетно-вычислительные машины. В «Транс-Америке», да и в других компаниях, этим занимались и люди, служа своего рода связующим звеном между машинами и экипажами, но дело шло к тому, что люди скоро перестанут заниматься прогнозом погоды и уступят место машинам.

Метеоролог разложил карты погоды и покачал головой.

— Боюсь, что ничего хорошего вас не ждет до середины Атлантики. У нас тут скоро будет немного полегче, но поскольку вы летите на восток, вы как раз попадете в ту полосу непогоды, которая уже прошла над нами. А циклон простирается от нас до Ньюфаундленда и дальше. — Он карандашом наметил протяженность циклона. — Кстати, на вашем пути два аэропорта — Детройт и Торонто; там условия ниже нормы, и потому оба закрыты.

Диспетчер пробежал глазами кусок телетайпной ленты, которую только что вручил ему один из служащих.

— Добавьте к этому Оттаву, — вставил он, — они там тоже закрываются.

— В южной половине Атлантики, — продолжал метеоролог, — все вроде бы в порядке. Как видите, есть небольшие разрозненные циклоны над Южной Европой, но они едва ли затронут вас на той высоте, на какой вы будете лететь. В Риме ясно и солнечно, и такая погода продержится там несколько дней.

Капитан Димирест склонился над картой Южной Европы.

— А как в Неаполе?

Метеоролог удивленно посмотрел на него:

— Но вы туда не летите.

— Нет, просто меня это интересует.

— Давление там такое же высокое, как и в Риме. Погода будет хорошая.

Димирест широко улыбнулся.

Молодой метеоролог произнес целую ученую речь — о сменах температуры, областях высокого и низкого давления, направлении ветра на разной высоте. Он рекомендовал при полете над Канадой держаться севернее обычного, чтобы избежать сильного лобового ветра, который дует на южных широтах. Пилоты внимательно слушали его. Выбор наилучшей высоты и курса, производится ли он с помощью компьютера или с помощью обычных вычислений, сделанных человеком, подобен игре в шахматы, в которой интеллект может восторжествовать над природой. Все пилоты достаточно натасканы в этой области, как и метеорологи компаний, которые куда тоньше понимают, что требуется для того или иного курса, чем их коллеги, заседающие в Бюро погоды Соединенных Штатов.

— Как только позволит вам груз горючего, — продолжал метеоролог «Транс-Америки», — я бы рекомендовал лететь на высоте тридцать три тысячи футов.

Второй пилот сверился с графиком: 731-ТА сможет забраться на такую высоту лишь после того, как они сожгут определенную часть своего большого запаса горючего.

Через несколько минут второй пилот доложил:

— Мы сможем достичь высоты в тридцать три тысячи футов где-то возле Детройта.

Энсон Хэррис кивнул. Его шариковая ручка с золотым наконечником стремительно летала по бумаге — он заполнял план полета, который через несколько минут передаст на КДП. После этого КДП сообщит, может ли самолет лететь на выбранной им высоте, и если нет, то предложит другую. Вернон Димирест, который обычно сам занимался своим планом полета, пробежал глазами заполненный Хэррисом бланк и подписал его.

Подготовка к отлету рейса два, казалось, шла хорошо. Похоже, что, несмотря на буран, пассажиры, вылетающие рейсом «Золотой Аргос», которым так гордится «Транс-Америка», вовремя отправятся в свой далекий путь.

Когда три пилота подошли к самолету, у входа их встретила Гвен Мейген.

— Вы слышали? — спросила она.

— О чем? — спросил Энсон Хэррис.

— Задержка на час. Об этом только что сообщили контролеру на выходе.

— А, черт! — вырвалось у Вернона Димиреста. — Вот проклятие.

— Судя по всему, — добавила Гвен, — многие пассажиры еще находятся в пути. Должно быть, из-за заносов. Кое-кто из них звонил сюда, и диспетчер по отправке решил дать им добраться.

— Значит, и посадку тоже решили задержать? — спросил Энсон Хэррис.

— Да, капитан. Рейс не объявлен. И не будет объявлен еще по крайней мере полчаса.

— Ну что ж, — передернул плечами Хэррис. — Будем отдыхать. — И он направился к пилотской кабине.

— Я могу вам принести кофе, если хотите, — предложила Гвен.

214

— Я лично выпью кофе на аэровокзале, — сказал Вернон Димирест. И, обращаясь к Гвен, добавил: — Не хотите пойти со мной?

Она помедлила:

— Что ж, пожалуй.

— Идите, идите, — сказал Хэррис. — Мне кофе может принести какая-нибудь из ваших девушек, а времени у вас — вагон.

Через минуту Гвен, стуча каблучками, уже шагала рядом с Верноном Димирестом по отсеку «Транс-Америки», направляясь в центральный зал.

А Димирест тем временем рассудил про себя, что, может, оно и к лучшему — эта отсрочка на час. До сих пор все его мысли были заняты предстоящим рейсом, и он вообще не думал о Гвен и ее беременности. Но сейчас за кофе и сигаретами они продолжат начатый разговор и, быть может, удастся поднять вопрос об аборте. К обсуждению он пока еще не приступал.

8

Д. О. Герреро прикурил сигарету от еще тлевшего окурка. Несмотря на все старания сдержаться, руки его дрожали. Он страшно волновался и был до крайности напряжен. Как и раньше, когда он собирал свою бомбу, он чувствовал, как пот струйками сбегает у него по лицу и под рубашкой.

Волновался он из-за того, что попадал в цейтнот: времени до отлета рейса два оставалось очень мало. Оно утекало, как песок в песочных часах, и уже много-много песка ушло из стеклянной колбы.

Герреро сидел в автобусе, направлявшемся в аэропорт. Полчаса назад автобус вышел на шоссе Кеннеди, откуда, если быстро ехать, можно добраться до международного аэропорта имени Линкольна за четверть часа. Но шоссе, как и все остальные дороги штата, замело снегом, задерживавшим движение машин. Если они и двигались, то медленно, а больше вообще стояли.

Еще до выезда из города десятку пассажиров, сидевших в автобусе — а все они спешили на рейс два, — было сообщено о том, что вылет задерживается на час. Но при той скорости, с какой они двигались, они могли протащиться до аэропорта еще целых два, а то и три часа.

Поэтому в автобусе волновался не один Герреро. Многие, как и он, зарегистрировались на городской станции у стойки «Транс-Америки». Тогда у них еще был большой запас времени, но сейчас, из-за бесконечных задержек, они начали волноваться и вслух рассуждать, будет самолет ждать их или улетит.

От шофера ничего толком нельзя было добиться. В ответ на вопросы он говорил, что обычно, если автобус, выехавший с городской станции, опаздывает, самолет задерживают до его прибытия. Но в такую погоду всякое, конечно, возможно. Компания ведь может решить, что автобус застрял надолго — а такое вполне может случиться, — и отправить самолет. К тому же, добавил шофер, поскольку народу в автобусе немного, похоже, что большинство пассажиров на этот рейс уже находится в аэропорту. Так часто бывает, когда люди летят за границу, пояснил он; пассажиров провожают родственники, которые и везут их на своих машинах.

Словом, в автобусе только и разговору было — успеют они или не успеют, однако Д. О. Герреро сидел нахохлившись и молчал. Большинство пассажиров были, видимо, туристы. Исключение составляло лишь итальянское семейство — муж, жена и трое детишек, оживленно болтавших на своем языке.

— Вот что, друзья, — заявил через некоторое время шофер, — по-моему, вы можете не волноваться. Впереди вроде намечается просвет, так что, пожалуй, приедем в самый раз.

Однако автобус по-прежнему продолжал ползти.

Д. О. Герреро сидел на банкетке двойного сиденья в третьем ряду позади шофера. Драгоценный чемоданчик спокойно лежал у него на коленях. Он пригнулся, как делал уже не раз за время пути, стараясь пронзить взглядом тьму, окружавшую автобус, но сквозь двойные диски, расчищенные большими, непрестанно постукивающими «дворниками», виднелась лишь нескончаемая цепочка хвостовых огней, скрывавшаяся вдали за пеленой снега. Хотя он весь вспотел, тонкие бледные губы его были сухи, и он то и дело проводил по ним языком.

Герреро ведь никак не устраивало приехать «в самый раз». Ему нужно было приехать хотя бы минут за десять или пятнадцать, чтобы успеть приобрести страховку. Он проклинал себя за то, что не выехал в аэропорт раньше — тогда он мог бы не спеша все сделать. Правда, когда он разрабатывал свой план, ему казалось, что правильнее всего купить страховку в последнюю минуту и, таким образом, свести до минимума возможность каких-либо расспросов или проверок. Но при этом он не учел непогоды, хотя должен был бы предусмотреть такую возможность — ведь на дворе стояла зима. Это-то неумение учитывать все существенные обстоятельства и их возможные изменения и губило Д. О. Герреро, то и дело приводя к крушению его грандиозных планов. Насколько он понимал, вся беда заключалась в том, что, составляя тот или иной план, он почему-то был твердо уверен в безошибочности своих расчетов. Поэтому он никогда не делал допуска на случайность. Больше того, с горечью подумал он сейчас: он так ничему и не научился на опыте прошлого.

Теперь, когда он приедет в аэропорт — если, конечно, самолет к тому времени не улетит, — он первым делом подойдет к стойке «Транс-Америки» и отметится там. Затем он потребует, чтобы ему дали время купить страховку. Но при этом произойдет самое нежелательное: он привлечет к себе внимание, а это один раз уже произошло из-за глупейшей оплошности, которую он допустил.

Он не взял с собой багажа — ничего, кроме маленького плоского чемоданчика, в котором лежала бомба.

При регистрации в городе агент спросил его:

— Это ваш багаж, сэр? — и указал на гору чемоданов, принадлежавших человеку, стоявшему за ним.

— Нет. — Д. О. Герреро помедлил и, приподняв над стойкой чемоданчик, показал его кассиру. — У меня... мм... вот только это.

Брови служащего авиакомпании взлетели вверх.

— Вы летите в Рим без багажа, сэр? Ничего не скажешь: путешествуете налегке. — Он указал на чемоданчик. — Это вы сдаете?

— Нет, нет, благодарю вас.

В эту минуту Д. О. Герреро хотел только одного: получить поскорее свой билет, отойти от стойки и проскользнуть в аэропортовский автобус. Но кассир еще раз с любопытством посмотрел на него, и Герреро понял, что теперь тот его запомнил. Он сам сделал так, чтобы его физиономия врезалась в память агента аваикомпании, а ведь ему ничего не стоило прихватить с собой чемодан. Конечно, он поступил так подсознательно. Никто этого не знал, но сам-то Д. О. Герреро знал, что самолету не суждено долететь, а следовательно, никакой багаж не потребуется. Но для виду он должен был взять багаж. Теперь, когда после гибели самолета начнется расследование, вспомнят, что один пассажир — а именно он — летел без багажа, об этом будут говорить, это будут пережевывать. И это лишь подкрепит те подозрения, которые к тому времени могут возникнуть у расследователей на его счет.

Но если никаких обломков не останется, напомнил он себе, *что же они смогут доказать?*

Ничего! И страховой компании придется платить.

О Господи, да неужели этот автобус никогда не доберется до аэропорта?

Маленькие итальянцы с шумом и криками носились по проходу. Их мать, сидевшая на несколько рядов позади Герреро, о чем-то непрерывно болтала с мужем на своем тарабарском языке. На коленях у нее сидел младенец и не переставая отчаянно орал. Ни муж, ни жена не обращали на него ни малейшего внимания.

Нервы у Герреро были натянуты как струна. Его так и подмывало схватить ребенка и придушить. Он еле сдерживался, чтобы не крикнуть: «Да заткнитесь же, заткнитесь!»

Неужели они ничего не предчувствуют?.. Неужели эти идиоты не понимают, что сейчас не время для глупой болтовни?.. Ведь все будущее Герреро — во всяком случае, будущее его семьи, успех его столь мучительно разработанного плана — все, все зависит от того, за сколько времени до вылета самолета автобус прибудет в аэропорт.

Один из детей — мальчик лет пяти или шести, с приятным умненьким личиком — поскользнулся в проходе и упал боком на пустое сиденье рядом с Д. О. Герреро. Пытаясь удержаться, чтобы не соскользнуть на пол, мальчик взмахнул рукой и задел чемоданчик, лежавший на коленях у Герреро. Чемоданчик поехал, и Герреро еле успел подхватить его. С перекошенным от ярости лицом он замахнулся на ребенка.

Мальчик, широко раскрыв глаза, посмотрел на него. И нежным голоском произнес:

— Scusi*.

Герреро усилием воли овладел собой. Ведь за ним могли наблюдать. Если он не будет осторожен, он снова привлечет к себе внимание. Откопав в памяти слова, которые он слышал у итальянцев, работавших на его стройках, он с трудом произнес:

— E troppo rumorosa**.

Ребенок покорно наклонил головку:

* Извините *(ит.)*.
** Слишком уж расшумелся *(ит.)*.

218

— Si*, — и продолжал стоять.

— Ну ладно, ладно, — сказал Герреро. — Потолковали, и хватит. Давай сыпь отсюда! Se ne vada**.

— Si, — повторил мальчик. Он смотрел прямо в глаза Герреро, и тому стало не по себе: он вдруг осознал, что ведь и этот мальчик, и другие дети будут на борту самолета. Ну и что же? Нечего поддаваться сентиментальности: ничто уже не в силах изменить его намерения. К тому же, когда это случится, когда он дернет за шнурок под ручкой своего чемоданчика и самолет разлетится на куски, никто — особенно дети — не успеет ничего осознать.

Мальчик повернулся и пошел назад, к матери.

Наконец-то! Автобус покатил быстрее... еще быстрее! Сквозь ветровое стекло Герреро видел, что машин впереди стало меньше, хвостовые огни их быстрее убегали вперед. Значит, они еще могут... вполне могут... вовремя прибыть в аэропорт, так что он успеет купить страховку, не привлекая к себе внимания. Но времени будет очень мало. Только бы у стойки страховой компании не оказалось много народу!

Он заметил, что маленькие итальянцы вернулись на свои места, и похвалил себя за то, что сумел сдержаться. Если бы он ударил ребенка — а ведь он чуть не ударил, — пассажиры подняли бы шум. Хоть этого он избежал. Жаль, конечно, что он обратил на себя внимание при регистрации, но, поразмыслив как следует, Герреро решил, что, пожалуй, непоправимого вреда себе не нанес.

А может, все-таки нанес?

Новые тревоги стали одолевать Герреро.

А что, если агент, регистрировавший его билет и удивившийся отсутствию багажа, вспомнил сейчас об этом? Герреро чувствовал, что ему не удалось тогда скрыть волнения. А что, если агент заметил это и заподозрил неладное? Он вполне мог поделиться с кем-нибудь своими сомнениями, скажем, со старшим инспектором, и тот, возможно, уже позвонил по телефону в аэропорт. Быть может, в эту минуту кто-то — полиция? — уже поджидает автобус; его, Герреро, начнут расспрашивать, заставят открыть чемоданчик и обнаружат страшную улику. Впервые Герреро задумался над тем, что будет, если его поймают

---

* Да (ит.).
** Убирайся (ит.).

с поличным. Наверняка арестуют, посадят в тюрьму. Потом он решил: прежде чем это произойдет... если к нему подойдут, если станет ясно, что его планы рушатся... он дернет за шнурок и взорвет себя вместе со всеми, кто окажется поблизости. Он вытянул пальцы, нащупал петлю под ручкой чемоданчика и сжал ее. И сразу почувствовал себя увереннее. А теперь хватит об этом — надо переключиться на другое.

Интересно, подумал он, нашла ли уже Инес его записку. Она ее нашла.

Инес Герреро, еле волоча от усталости ноги, вошла в жалкую квартиру на 51-й улице и первым делом сбросила натершие ноги ботинки, а потом намокшие от талого снега пальто и платок. Она чувствовала, что простудилась, и все тело у нее ныло от усталости. Работать сегодня было особенно тяжело, клиенты придирались больше обычного, а чаевых она получила меньше. И все это усугублялось тем, что она до сих пор еще не вполне освоилась со своими обязанностями.

Два года назад, когда семейство Герреро жило в симпатичном уютном домике в пригороде, Инес, вообще-то не отличавшаяся красотой, выглядела молодо и мило. С тех пор время и обстоятельства быстро наложили отпечаток на ее лицо, и теперь она казалась много старше своих лет. Сегодня вечером, живи Инес в собственном доме, она прибегла бы к помощи горячей ванны, которая неизменно помогала ей обрести душевное равновесие в тяжелые минуты жизни, а их за время замужества было у нее достаточно. Правда, дальше по коридору находилась ванная комната на три квартиры, но она не отапливалась, в ней гуляли сквозняки, краска со стен облезла, а газ то и дело затухал, если автомат не подкармливать четвертаками. Инес сразу отказалась от мысли идти туда. Она решила посидеть немного в жалкой гостиной, а потом лечь спать. Мужа дома не было, и она понятия не имела, где он.

Прошло какое-то время, прежде чем она заметила записку на столе в гостиной:

«Несколько дней меня не будет. Уезжаю. Надеюсь скоро удивить тебя доброй вестью. Д. О.»

Многое в муже перестало удивлять Инес: он и раньше не отличался последовательностью, а теперь вообще словно лишился ума. Естественно поэтому, что всякая добрая весть удивила бы Инес, да только она не могла поверить в такую возможность. Слишком много честолюбивых планов мужа пошатнулось и рухнуло у нее на глазах.

Особенно озадачила ее первая половина записки. Куда это Д. О. мог отправиться на несколько дней? Не менее таинственно выглядело и другое: где он взял на это деньги? Два дня назад они подсчитали все, что у них было в наличии. Оказалось — двадцать шесть долларов и несколько центов. Кроме денег, у них была всего одна вещь, которую взяли бы в заклад, — кольцо матери Инес. До сих пор она сумела его сохранить, но, возможно, скоро придется с ним расстаться.

Из этих двадцати шести долларов Инес взяла восемнадцать на еду и для уплаты части долга за квартиру. Она видела, какое отчаяние отразилось на лице Д. О., когда он сунул в карман оставшиеся восемь долларов и мелочь.

Хватит ломать себе голову, решила наконец Инес, пора ложиться. Она до того устала, что даже не вспомнила о детях, хотя уже больше недели не имела вестей из Кливленда от сестры, у которой они жили. Инес выключила свет в гостиной и вошла в тесную, жалкую спаленку.

Она никак не могла найти ночную рубашку. В шатком комодике все было вверх тормашками, точно кто-то там рылся. И свою рубашку Инес обнаружила лишь в том ящике, где лежали рубашки Д. О.; это были его последние три рубашки, значит, если он и уехал, то не прихватил с собой даже смены белья. Под одной из рубашек лежал сложенный листок желтой бумаги. Инес вытянула его и развернула.

Листок оказался бланком, заполненным на машинке, — в руках у Инес была копия. Пробежав ее глазами, она в изумлении опустилась на кровать. Потом внимательно прочла снова, желая удостовериться, что не ошиблась.

Это было соглашение о рассрочке, предоставляемой Д. О. Берреро — она заметила, что фамилия написана неправильно, — авиакомпанией «Транс-Америка». Согласно этому соглашению, «Берреро» получил билет туристского класса для поездки в Рим и обратно; он заплатил за него сорок семь долларов наличными, а остальную сумму — четыреста двадцать семь долларов плюс проценты — обязывался выплатить частями в течение двух лет.

Уму непостижимо!

Инес озадаченно смотрела на желтый листок. В ее мозгу один вопрос сменялся другим.

Прежде всего, зачем понадобился Д. О. билет на самолет? А если понадобился, то почему в Рим? И откуда он собирается брать деньги? Не сможет он расплатиться даже в рассрочку, хотя то, что он прибег к рассрочке, было по крайней мере понятно. Д. О. Герреро уже не раз брал на себя всякого рода обязательства, которые не в состоянии был выполнить: долги не тревожили его так, как Инес. Но долги долгами, а вот откуда он взял сорок семь долларов? В бумаге было сказано, что он их уплатил. Однако два дня назад Д. О. категорически заявил, что выложил ей все без остатка, а Инес знала, что каковы бы ни были его грехи, он никогда ей не лгал.

Тем не менее эти сорок семь долларов откуда-то все же взялись. Откуда же?

И тут она вспомнила про кольцо — оно было золотое, с бриллиантиком, оправленным в платину. До позапрошлой недели Инес всегда носила его, но последнее время руки у нее стали опухать, она сняла кольцо и спрятала в коробочку, а коробочку положила в один из ящиков комода. Во второй раз за этот вечер она стала шарить по всем ящикам. И коробочку нашла, но пустую. Значит, Д. О. добыл эти сорок семь долларов, заложив кольцо.

Сначала Инес стало жалко кольца. С ним многое было для нее связано: оно было последним хрупким звеном, соединявшим ее с прошлым, с ее разбросанной по свету семьей, с покойной матерью, чью память она так чтила. С практической же точки зрения это кольцо, хоть и не великая ценность, могло ей пригодиться на черный день. Имея его, она знала, что, как бы скверно ни сложилась жизнь, кольцо прокормит их какое-то время. Теперь его не стало, а вместе с ним исчезла и эта жалкая уверенность.

Итак, Инес знала, откуда взялись деньги, уплаченные за билет, но зачем вообще этот билет понадобился? Почему Д. О. вдруг решил лететь? И почему в Рим?

Сидя на кровати, Инес старалась рассуждать логически. И на какое-то время даже забыла об усталости.

Инес никогда не отличалась особым умом. Будь она женщиной умной, она, наверное, не могла бы прожить с Д. О. Герреро почти двадцать лет. Да и теперь не работала бы официанткой в кафе за ничтожную плату. Но, медленно и тщательно все взвесив, Инес могла инстинктивно прийти к правильному заключению. Особенно когда это касалось ее мужа.

И вот сейчас скорее инстинкт, чем разум, подсказывал ей, что Д. О. Герреро попал в какую-то беду — беду куда более серьезную, чем все, что случалось с ним до сих пор. Два обстоятельства убеждали ее в этом: неразумность его поступков в последнее время и длительность путешествия, которое он предпринял; при том положении, в каком находился сейчас Герреро, только отчаянная, сумасбродная затея могла подвигнуть его на поездку в Рим. Инес прошла в гостиную и, взяв записку, перечитала ее. За время их супружества она получила от него немало записок и сейчас чувствовала, что эта записка имеет какой-то скрытый смысл.

Дальше этого домыслы ее не шли. Но с каждой минутой в ней росло убеждение, что она должна, обязана что-то предпринять.

Инес и в голову не приходило плюнуть на все и предоставить Д. О. Герреро своей судьбе: заварил кашу — пусть сам расхлебывает. Она была женщина простодушная, прямолинейная. Восемнадцать лет назад она соединила свою судьбу с Д. О. Герреро «на счастье и на горе». И то, что эта совместная жизнь обернулась большей частью «горем», нисколько не умаляло, с точки зрения Инес, ее долга перед мужем.

Медленно, осторожно разматывала она нить, выстраивая последовательность событий. Прежде всего надо выяснить, улетел Д. О. или нет, и если еще не улетел, то попытаться остановить его. Инес понятия не имела, когда Д. О. покинул дом и сколько часов назад была написана его записка. Она снова взглянула на желтый бланк — там ничего не было сказано насчет того, когда улетает самолет; правда, можно позвонить в «Транс-Америку». И Инес стала поспешно натягивать на себя еще не высохшую одежду, которую сбросила всего несколько минут назад.

У нее снова заболели ноги, как только она надела ботинки, а в промокшем пальто было зябко, но она сделала над собой усилие и спустилась вниз по узкой лестнице. В заплеванном холле под дверь намело снега, и он тонким слоем лежал на полу. Инес увидела, что на улице сугробов стало еще больше, чем прежде, когда она возвращалась домой. Как только она вышла из помещения, холодный резкий ветер обрушился на нее, швырнул ей снегом в лицо.

В квартире у Герреро не было телефона, и, хотя Инес могла позвонить из автомата в закусочной на нижнем этаже, она решила не заходить туда, чтобы не встречаться с хозяином, который был также владельцем этого дома. Он грозился завтра выбросить их из квартиры, если они не уплатят всей задолженности. Об этом Инес тоже старалась сейчас не думать, хотя теперь ей придется утрясать все самой, если Д. О. Герреро не вернется к утру.

Магазин, где стоял автомат, находился в полутора кварталах. Шагая по сугробам, образовавшимся на нерасчищенных тротуарах, Инес направилась туда. Было без четверти десять.

В автомате болтали две девчонки, и Инес прождала минут десять, пока он освободился. Когда же она набрала номер «Транс-Америки», ей сообщили, что все линии заняты, и попросили подождать. Она ждала, а магнитофонная лента снова и снова повторяла, что надо подождать; наконец резкий женский голос спросил, что ей угодно.

— Извините, пожалуйста, — сказала Инес, — я хочу спросить насчет самолетов на Рим.

И, точно кто-то нажал кнопку, мгновенно раздался голос, отбарабанивший, что самолеты «Транс-Америки» совершают беспосадочные рейсы в Рим из международного аэропорта имени Линкольна по вторникам и пятницам; а через Нью-Йорк — с пересадкой — можно вылететь в любой день; дама желает забронировать себе место сейчас?

— Нет, — сказала Инес. — Нет, сама я лететь не собираюсь. Это насчет мужа. Вы сказали, если самолет в пятницу... значит, сегодня?

— Да, мадам. Рейс два «Золотой Аргос». Самолет вылетает в десять часов по местному времени, но сегодня вылет задерживается из-за метеорологических условий.

Из будки автомата Инес видны были часы в магазине. Они показывали пять минут одиннадцатого.

Она быстро спросила:

— Значит, самолет еще не вылетел?

— Нет, мадам, пока еще не вылетел.

— Извините... — И, как с ней часто бывало, Инес вдруг от растерянности забыла все слова. — Извините, мне очень важно знать, летит ли мой муж на этом самолете. Его зовут Д. О. Герреро. И...

— Простите, но нам не разрешено давать такую информацию. Голос был любезен, но тверд.

— Вы, наверное, меня не поняли, мисс. Я спрашиваю насчет мужа. Это говорит его жена.

— Я отлично вас поняла, миссис Герреро, мне очень жаль, но таковы правила компании.

Мисс Янг, как и другие сотрудники, прекрасно знала правила и понимала, почему они введены. Объяснялось это тем, что многие бизнесмены брали с собой секретарш или любовниц под видом жен, так как авиакомпании дают на семью скидку. Некоторым подозрительным женам пришло в голову навести справки, что повлекло за собой неприятности для клиентов. Попавшиеся таким образом мужчины жаловались потом на то, что компании ведут себя вероломно и подводят своих клиентов, в результате чего было установлено правило, запрещавшее разглашать фамилии пассажиров.

— Неужели нет никакого способа... — начала Инес.

— Никакого.

— О Господи!

— Насколько я понимаю, вы полагаете, что ваш супруг улетает нашим вторым рейсом, но не уверены в этом, так? — спросил голос.

— Да, да, совершенно верно.

— В таком случае единственое, что вам остается, миссис Герреро, это отправиться самой в аэропорт. По всей вероятности, посадка еще не началась, так что если ваш супруг там, вы его увидите. Если же посадка уже произведена, дежурный у выхода поможет вам. Но надо спешить.

— Хорошо, — сказала Инес. — Если ничего другого не остается, попытаюсь поехать туда. — Она даже не подумала о том, сумеет ли добраться до аэропорта, который находился в двадцати с лишним милях от ее дома, меньше чем за час, да еще в буран.

— Одну минуту. — Голос звучал нерешительно, как-то более человечно, словно отчаяние Инес по проводам дошло до той, которая говорила с ней. — Я не должна этого делать, миссис Герреро, но я вам кое-что подскажу.

— Пожалуйста.

— В аэропорту, когда вы подойдете к выходу на поле, не говорите, что вы думаете, будто ваш муж в самолете. Скажите, что вы знаете, что он там, и хотели бы сказать ему несколько слов. Если его там не окажется, вы сразу это выясните. Если же он там, вам легче узнать у дежурного то, что вас интересует.

— Спасибо, — сказала Инес. — Большое, большое спасибо.

— Пожалуйста, мадам. — Голос снова зазвучал так, словно исходил от машины. — Всего вам хорошего. И благодарю за то, что обратились к «Транс-Америке».

Опуская трубку на рычаг, Инес вспомнила, что, когда подходила к магазину, у входа остановилось такси, и сейчас она увидела шофера в желтой фуражке с высоким верхом. Он стоял у стойки и, беседуя с каким-то человеком, пил содовую воду.

Такси обойдется, конечно, недешево, но если она хочет попасть в аэропорт до одиннадцати, то это, пожалуй, единственная возможность.

Инес подошла к стойке и дотронулась до локтя шофера.

— Извините, пожалуйста.

Шофер обернулся.

— Да? Что надо? — У него было неприятное лицо с обвисшими небритыми щеками.

— Скажите, сколько может стоить такси до аэропорта?

Шофер, прищурившись, окинул ее оценивающим взглядом.

— Отсюда? Долларов девять-десять по счетчику.

Инес повернулась и направилась к двери. Слишком это было дорого — больше половины того, что у нее осталось, да к тому же она ведь вовсе не была уверена, что Д. О. летит именно этим самолетом.

— Эй, послушайте-ка!

Шофер быстро проглотил воду и ринулся вслед за Инес. Он нагнал ее уже у выхода.

— А сколько вам не жалко?

— Не в этом дело. — Инес опустила голову. — Просто... просто я не могу столько заплатить.

— Некоторые думают, что на такси можно задарма кататься, — фыркнул он. — Путь-то ведь неближний.

— Я знаю.

— А зачем вам туда надо? И почему бы вам не поехать на автобусе?

— Мне очень нужно... очень важно быть там... до одиннадцати.

— Ну ладно уж, — сказал шофер, — уступлю вам. За семь баксов свезу.

— Мм... — Инес колебалась. Семь долларов составляли больше половины того, что она намеревалась завтра дать домохозяину, чтобы хоть немного утихомирить его. А жалованье в кафе она получит не раньше конца будущей недели.

— Лучшего предложения не ждите, — нетерпеливо прервал ее размышления шофер. — Так поедете или нет?

— Да, — сказала Инес. — Да, поеду.

— Ну ладно. Тогда садитесь.

Пока Инес залезала в машину, шофер, усмехаясь, смел метелочкой снег с окон и ветрового стекла. Дело в том, что, когда Инес подошла к нему, он уже окончил работу и собирался ехать домой. А жил он у аэропорта. Теперь же он поедет не пустой. И кроме того, он солгал, сказав ей, сколько это будет стоить по счетчику: отсюда до аэропорта это стоило бы меньше семи долларов. Зато ему удалось представить дело так, будто он предлагает пассажирке выгодную сделку, и теперь он сможет ехать, не опуская флажок, а семь долларов положит себе в карман. Ехать с пассажиром, не опустив флажок, запрещалось, но ни один полицейский, рассудил про себя шофер, не заметит этого в такой кромешной тьме.

Словом, подумал ловкач-шофер, он за один присест надует и эту глупую старую ворону, и эту сволочь — своего хозяина.

— А вы уверены, что мы успеем доехать до одиннадцати? — в волнении спросила его Инес, когда машина тронулась с места.

Шофер, не оборачиваясь, буркнул:

— Раз я сказал, значит, так и будет. Не отвлекайте меня разговорами.

Однако сам он вовсе не был уверен в том, что они успеют доехать. Дорога была плохая, движение медленное. Они, конечно, могут и успеть, но в таком случае приедут в обрез.

Прошло тридцать пять минут, а такси, которым ехала Инес, все еще ползло по заснеженному запруженному машинами шоссе Кеннеди. Инес сидела сзади, напряженно выпрямившись, нервно сжимая и разжимая пальцы; она думала лишь о том, сколько еще они будут ехать.

А в это время аэропортовский автобус с пассажирами рейса два свернул к крылу отлетов аэропорта имени Линкольна. Автобус, выбравшись из потока медленно двигавшихся машин, успел нагнать время, и сейчас часы над аэровокзалом показывали без четверти одиннадцать.

Когда автобус остановился, первым из него выскочил Д. О. Герреро.

— Захватите с собой микрофон с усилителем, — скомандовал Эллиот Фримантл. — Он нам может очень пригодиться.

Жители Медоувуда, собравшиеся в воскресной школе баптистской церкви, были предельно возбуждены. Искусно подогреваемые Фримантлом, они собирались двинуться в международный аэропорт имени Линкольна.

— Не говорите мне всякой чепухи насчет того, что сейчас слишком поздно или что вы не хотите туда ехать, — заявил Эллиот Фримантл своей аудитории несколько минут назад. Он стоял перед ними уверенный, безукоризненно одетый — в элегантном костюме и блестящих ботинках из крокодиловой кожи. Его тщательно подстриженные волосы лежали волосок к волоску. Собравшиеся готовы были следовать за ним куда угодно, и чем резче он говорил, тем, казалось, больше им нравился.

Он продолжал:

— И чтобы никаких дурацких отказов. Я не желаю ничего слышать насчет детей, оставленных на попечение чужой женщины или старушки тещи, или что на плите стоит рагу: меня это абсолютно не интересует, да и вас сейчас не должно интересовать. Если ваша машина застряла в снегу, плюньте на нее и поезжайте в чужой. Помните: я еду сегодня в аэропорт ради вас и постараюсь причинить им там как можно больше неприятностей. — Он помолчал, выжидая, пока очередной самолет с грохотом пронесется над головой. — Честное слово, пора кому-нибудь это сделать.

Последние слова его вызвали взрыв аплодисментов и смех.

— Мне нужна ваша поддержка. Я хочу, чтобы вы были там — все были. И теперь я спрашиваю вас просто и напрямик: едете вы со мной или не едете?

Зал сотрясло громовое: «Да!» Все вскочили, громко выражая свое одобрение.

— Прекрасно, — сказал Фримантл, и в зале тотчас наступила тишина. — Давайте в таком случае предварительно кое-что уточним.

Он уже говорил им, напомнил он, что Медоувуд может добиться некоторого облегчения, если не полного избавления от шума, создаваемого аэропортом, лишь законным путем, передав дело в суд. Однако слушание дела должно проходить не при закрытых дверях и не в каком-нибудь захудалом полупустом зале, а с максимальным привлечением внимания и сочувствия публики.

— Как же мы добьемся такого внимания и сочувствия? — Фримантл помолчал и сам ответил на свой вопрос: — Мы добьемся этого, если изложим нашу точку зрения так, чтобы она стала достоянием гласности. Тогда, и только тогда, средства, используемые для привлечения внимания общественности — пресса, радио и телевидение, — дадут нашей позиции должное освещение, как мы того хотим. Журналисты славные люди, — продолжал он. — И мы вовсе не требуем, чтобы они разделяли нашу точку зрения, мы лишь просим честно изложить ее, а я по собственному опыту знаю, что они умеют это делать. Правда, если дело принимает драматический оборот, нашим друзьям-репортерам легче будет его осветить.

Три репортера, сидевшие за столом прессы, заулыбались, и Фримантл добавил:

— Что ж, мы постараемся создать сегодня такой драматический оборот.

Говоря все это, Эллиот Фримантл зорким глазом не переставал наблюдать за тем, как его бланки продвигаются по залу — домовладельцы должны были подписать их, чтобы он мог представлять интересы медоувудцев в суде. По его подсчетам, уже добрая сотня была подписана и возвращалась к нему. Он видел, как из карманов извлекались шариковые ручки, мужья и жены, склонившись над документом, подписывали его, тем самым обязуясь уплатить ему, Фримантлу, сто долларов. Фримантл ликовал: если прикинуть, то сотня заполненных бланков означала десять тысяч долларов ему в карман. Не такой плохой гонорар за один вечер, учитывая, что в итоге он получит гораздо больше.

Надо еще немного занять их разговором, пока они подписывают бланки, решил он.

Развитие событий в аэропорту, сказал Фримантл своим слушателям, он просит предоставить ему. Он надеется, что удастся встретиться с руководством аэропорта: во всяком случае, он намерен устроить в аэровокзале такой спектакль, который запомнят надолго.

— Вас же я прошу лишь об одном: держитесь вместе и возвысьте свой голос, когда я подам сигнал.

Он предупредил их, однако, чтобы не было беспорядков: ни у кого завтра не должно быть повода сказать, будто делегация медоувудцев нарушила хоть в чем-то закон.

— Конечно, — многозначительно улыбнулся Фримантл, — мы можем создать им некоторые затруднения — насколько я понимаю, в аэропорту сегодня и так уйма народу и много дел. Но тут уж ничего не попишешь.

Снова раздался смех. Фримантл чувствовал, что люди готовы идти за ним.

Еще один самолет пронесся у них над головой, и Фримантл умолк, выжидая, пока стихнет грохот.

— Прекрасно! Двинулись! — Фримантл простер руки, точно Моисей реактивного века, и продекламировал, переврав цитату: — «Мне обещаний много надо бы сдержать и много сделать, пока лягу на кровать».

Кто-то рассмеялся, кто-то крикнул: «Пошли!», все поднялись со своих мест и направились к дверям.

В эту минуту взгляд Фримантла упал на портативный микрофон с усилителем, взятый напрокат в медоувудской баптистской церкви, и он велел прихватить систему с собой. Флойд Занетта, председатель собрания, которого Фримантл полностью затмил, кинулся выполнять его указание.

Фримантл же тем временем поспешно засовывал в портфель подписанные бланки. Он уже успел произвести в уме подсчет и понял, что ранее ошибся: в портфеле у него лежало свыше ста шестидесяти бланков, значит, он получит более шестнадцати тысяч долларов. Да еще немало народу подходили пожать ему руку и заверяли, что вышлют ему бланки вместе с чеками утром по почте. Фримантл ликовал.

Он не обдумал заранее, как вести себя в аэропорту, точно так же как не планировал и хода этого митинга. Эллиот Фримантл не любил сковывать себя жесткими рамками планов. Он предпочитал импровизировать — развязать событие, а потом направить его по тому или иному пути в зависимости от собственной выгоды. Этот метод уже сработал сегодня, и он не видел оснований, почему бы ему не сработать еще раз.

Главное — держать медоувудцев в убеждении, что они получили динамичного лидера, который со временем добьется для них желаемого результата. Больше того: надо держать их в этом убеждении до тех пор, пока они не внесут деньги за все четыре квартала, как это предусмотрено в подписанных ими бланках. А когда Эллиот Фримантл положит денежки в банк, их мнение о нем будет ему уже не столь интересно.

Таким образом, придется подогревать атмосферу в течение десяти или одиннадцати месяцев. Ничего, энергии у него хватит. Надо будет провести еще несколько митингов и собраний вроде сегодняшнего, потому что это попадет в печать. А выступления в суде в печать часто не попадают. Хотя он сам всего несколько минут назад говорил, что решать проблему надо с помощью закона, судебные заседания обычно бывают неинтересны и порой не приносят пользы. Конечно, он постарается ввернуть несколько ссылок на историю, хотя лишь немногие судьи нынче способны понять тактику, которой пользуется Фримантл для привлечения внимания, и, как правило, резко обрывают адвокатов.

Но это все не суть важно; надо только помнить — а он всегда помнит, — что главное в подобного рода делах — забота о преуспеянии Эллиота Фримантла и о его хлебе насущном.

Он увидел, что один из репортеров — Томлинсон из «Трибюн» — звонит по автомату; рядом стоял другой репортер. Отлично! Значит, городские газеты уже оповещены о предстоящем событии и оставят место для рассказа о том, что произойдет в аэропорту. Больше того: если предварительная договоренность сработает, там будет и телевидение.

Толпа начала расходиться. Пора было двигаться в путь!

10

У залитого светом главного въезда в аэропорт красная «мигалка» полицейской машины погасла. Машина, расчищавшая Джо Патрони путь по шоссе, сбавила скорость, и полицейский, сидевший за рулем, свернул на обочину, жестом показывая главному механику «ТВА», чтобы он проезжал. Патрони нажал на акселератор. Проносясь мимо, он приветственно помахал сигарой и дважды просигналил.

Хотя последний отрезок пути Патрони проделал на большой скорости, у него ушло свыше трех часов на то, чтобы покрыть расстояние от своего дома до аэропорта, тогда как обычно на это требовалось сорок минут. И ему хотелось хоть немного наверстать упущенное время.

Невзирая на снег и гололедицу он стремительно вывернул из потока направлявшихся к аэровокзалу машин и помчался по боковой дороге к ангарам аэропорта. Возле надписи «Ремонтная служба «ТВА» он круто завернул свой «бьюик» вправо. В двух-стах — трехстах ярдах впереди темной громадой вздымался ре-монтный ангар «ТВА». Главные ворота были открыты, и Патрони въехал внутрь.

В ангаре стоял наготове пикап с шофером; он дожидался Патрони, чтобы отвезти его на поле к самолету «Аэрео Мехи-кан», все еще перегораживавшему полосу три-ноль. Выбравшись из своей машины, Патрони остановился лишь затем, чтобы рас-курить сигару невзирая на надпись «Не курить», и тут же втиснул свое грузное тело в пикап.

— А ну, сынок, крутани-ка стрелкой по циферблату, — ска-зал он шоферу.

Пикап стремительно вылетел из ангара; Патрони, не теряя времени, связался по радио с КДП. Как только освещенный ангар остался позади, шофер стал держаться ближе к сиг-нальным огням вдоль края полосы, единственному ориентиру в этой белой мгле, указывавшему на то, где кончалась асфаль-товая поверхность и где начиналась. По команде с КДП они ненадолго задержались у полосы, на которую, взметнув обла-ко снега, сел ДС-9 компании «Дельта» и покатил в грохоте останавливающегося реактивного двигателя. Наземный дис-петчер дал разрешение пересечь очередную взлетно-посадоч-ную полосу и спросил:

— Это Патрони?

— Точно.

Последовала пауза — диспетчер давал указания другим ма-шинам. Затем снова раздался его голос:

— Наземный диспетчер вызывает Патрони. Тут вам записка от управляющего. Готовы к приему?

— Валяйте.

— Передаю текст: «Джо, ставлю коробку сигар против двух билетов на танцы, что тебе не вытащить сегодня эту машину с ВПП три-ноль. Но хочу, чтобы ты выиграл». Подпись: «М. Бей-керсфелд». Конец текста.

Патрони, хмыкнув, нажал на кнопку микрофона.

— Патрони — наземному диспетчеру. Передайте ему, что пари принято. — И, положив на место радиомикрофон, он об-ратился к шоферу: — Да пошевеливайся же, сынок. У меня теперь есть стимул сдвинуть этот самолет.

У пересечения с полосой три-ноль старший техник «Аэрео Мехикан» Ингрем, с которым ранее разговаривал Мел Бейкерсфелд, подошел к пикапу. Он по-прежнему кутался в парку, стараясь защитить лицо от резкого ветра со снегом.

Патрони откусил кончик новой сигары, но на этот раз не стал ее раскуривать, а быстро вылез из пикапа. По дороге он снял в машине калоши и переобулся в тяжелые меховые сапоги. И хотя сапоги были достаточно высокие, снег, в который он сошел, был еще выше.

Патрони закутался в парку и кивнул Ингрему. Они были едва знакомы.

— Привет! — крикнул Патрони: ему приходилось напрягать голос, чтобы перекрыть вой ветра. — Давайте-ка мне факты.

Ингрем стал докладывать, а Патрони смотрел на крылья и фюзеляж застрявшего «боинга», который вздымался над ними, как гигантский сказочный альбатрос. Под огромным брюхом самолета все еще ритмично мигал красный свет. А возле него стояли грузовики и служебные машины, в том числе автобус для команды и ревущий передвижной генератор.

Старший техник кратко изложил, что было предпринято: он сообщил, что пассажиров сняли с самолета и летчики пытались вытащить его силой двигателей. Когда это не получилось, решили максимально разгрузить самолет — снять почту, багаж, слить большую часть топлива обратно в цистерны. Затем была предпринята вторая попытка вытащить самолет опять-таки с помощью собственных двигателей, но и она закончилась неудачей.

Жуя незажженную сигару — редкий случай, когда Патрони сделал уступку соображениям предосторожности, поскольку в воздухе сильно пахло авиационным бензином, — главный механик «ТВА» подошел к самолету. За ним следовал Ингрем, а вскоре к ним присоединились и несколько рабочих, которые до сих пор сидели в автобусе, скрываясь от непогоды. Патрони стоял, разглядывая самолет; тем временем один из рабочих включил переносные прожекторы, установленные полукругом перед носом самолета. При свете сразу обнаружилось, что мощные шасси лайнера глубоко ушли в видневшуюся под снегом черную грязь. Самолет застрял на участке, обычно покрытом травой, в нескольких ярдах от полосы три-ноль, близ пересечения с рулежной дорожкой — той самой, мимо которой проскочил самолет «Аэрео Мехикан» из-за темноты и бурана. Просто не повезло, подумал Патрони, что земля здесь такая сырая и даже трехдневный снегопад и холод не сковали ее. Поэтому обе попытки оторвать самолет от земли собственными силами привели лишь к тому, что он еще глубже увяз. Сейчас гондолы всех четырех двигателей под крыльями почти лежали на земле.

Не обращая внимания на снег, который крутило вокруг него словно в фильме «На юг со Скоттом», Патрони раздумывал, прикидывал различные варианты.

Он решил, что еще есть шанс вытащить самолет, запустив все двигатели. Это скорее всего могло бы дать результат. Если же ничего не получится, придется прибегнуть к помощи подъемных мешков — одиннадцати мешков из нейлона, которые размещаются под крыльями и фюзеляжем и надуваются воздухом, нагнетаемым под давлением. Вслед за мешками под колеса самолета подводятся тяжелые домкраты и затем под ними выкладывается твердый настил. Но процесс это длительный, трудоемкий и сложный. Патрони очень надеялся, что удастся этого избежать.

— Придется сделать перед машиной глубокие и широкие подкопы, — объявил он. — Мне нужны траншеи по шесть футов шириной перед каждым из колес. И чтобы эти траншеи шли под небольшим углом вверх. — Он резко повернулся к Ингрему: — Копать придется изрядно.

Старший техник кивнул:

— Это уж точно.

— Когда подкоп будет закончен, мы включим двигатели и рванем вперед на полную мощность всеми четырьмя. Это должно сдвинуть его с места. А когда он сдвинется и полезет вверх по траншее, мы завернем его вот сюда. — И носком тяжелого сапога он прочертил по мокрому снегу эллиптическую линию, ведущую к бетонированной дорожке. — И еще одно: надо положить перед колесами как можно больше толстых бревен. Найдутся у вас такие?

— Есть немного, — сказал Ингрем. — На одном из грузовиков.

— Сбросьте их и пошлите шофера — пусть поищет еще. Пусть опросит все компании и службы аэропорта.

Наземные рабочие, находившиеся рядом с Патрони и Ингремом, крикнули, чтобы и остальные вылезали из автобуса. Двое из них сняли покрытую снегом парусину с грузовика, который привез сюда инструменты и лопаты. Лопаты тотчас раздали теням, двигавшимся за полукругом ярких огней. Снег порой мел с такой силой, что людям трудно было разглядеть друг друга. Они ждали лишь приказания, чтобы приступить к делу.

У дверцы в передний отсек «боинга» все еще стоял трап. Патрони указал на него:

— Хозяева там?

— На борту, — буркнул Ингрем. — Сам идиот-командир и первый пилот.

Патрони в упор посмотрел на него:

— Они доставили вам много хлопот?

— Дело не в том, что они мне доставили или чего не доставили, — заметил Ингрем, — а в том, что они ни черта не хотят делать. Когда я прибыл на место, я сказал, чтобы они дали двигателям полную тягу, как вы сейчас говорили. Если бы они это сразу сделали, думаю, самолет бы уже выбрался отсюда. А они струсили и только еще глубже засадили его в грязь. Командир допустил большую промашку и сознает это. И теперь он до смерти боится, как бы не поставить машину на нос.

— Будь я на его месте, — усмехнулся Джо Патрони, — я бы тоже, наверное, этого боялся. — Он так обкусал свою сигару, что она вся размахрилась. Он бросил ее в снег и сунул руку в карман парки за другой. — Я позже поговорю с командиром. Внутренний телефон подключен?

— Да.

— Вызовите в таком случае кабину экипажа. Сообщите им, что я приступил к делу и скоро буду у них там, наверху.

— Есть. — И, подойдя к самолету, Ингрем скомандовал двадцати наземным рабочим, стоявшим у машины: — А ну, ребята, начинайте копать!

Патрони сам схватил лопату, и вот уже полетели в сторону снег, земля, грязь.

Пока он по внутреннему телефону переговаривался с пилотом, сидевшим в своей кабине высоко над ними, Ингрем вместе с одним из механиков уже укладывал застывшими, онемевшими руками первую доску в ледяную грязь у колес самолета.

На взлетном поле — когда ветер менял направление и менялись границы видимости — вдруг появлялись огни садящегося или взлетающего самолета, и пронзительный вой реактивных двигателей оглушал работающих. Но рядом с ними полоса триноль оставалась пустынной, на ней царила тишина.

Патрони прикинул: потребуется, наверное, около часа, прежде чем удастся сделать необходимый подкоп, включить двигатели «боинга» и попытаться выкатить большой лайнер. Значит, надо менять рабочих, рывших двойные траншеи, которые уже начали приобретать необходимую форму, — пусть по очереди греются в автобусе, все еще стоявшем неподалеку на рулежной дорожке.

235

Было уже половина одиннадцатого. Если повезет, подумал Патрони, то вскоре после полуночи он уже будет дома, в своей постели — с Мари.

И, стремясь приблизить желанную минуту, а также чтобы согреться, Патрони еще усерднее принялся кидать снег и грязь.

11

В «Кафе заоблачных пилотов» капитан Вернон Димирест заказал чашечку чаю для Гвен и черный кофе — для себя. Кофе — так уж положено думать — поддерживает тонус. Прежде чем они сядут в Риме, за этой чашкой черного кофе последует еще десять — двенадцать. И хотя пилотировать самолет должен был сегодня Энсон Хэррис, Димирест отнюдь не собирался устраивать себе отдых и распускаться. В воздухе он редко допускал такое. Как большинство опытных пилотов, он прекрасно сознавал, что только те из авиаторов достигли преклонного возраста и спокойно почили в своей постели, кто на протяжении всей службы держался начеку и был готов к любой неожиданности.

— Мы что-то очень уж молчаливы сегодня, — прозвучал в его ушах приятный, с мягким английским акцентом голос Гвен. — Мы, кажется, не произнесли ни единого слова с тех пор, как вошли в аэровокзал.

Когда стало известно, что вылет откладывается на час, они покинули взлетное поле. Им удалось захватить укромный столик за перегородкой в глубине кафе, и теперь Гвен, держа в руке раскрытую пудреницу, глядела в зеркало и поправляла волосы, выбившиеся пышной волной из-под элегантной шапочки стюардессы. Взгляд ее темных выразительных глаз скользнул по лицу Вернона.

— Я молчу, потому что думаю, только и всего, — сказал Димирест.

Гвен облизнула губы, но не тронула их губной помадой: служебные правила строго-настрого запрещают стюардессам пользоваться косметикой в общественных местах. К тому же Гвен вообще редко прибегала к ней: у нее был превосходный цвет лица с очень нежным румянцем — счастливый дар, которым природа награждает многих англичанок.

— Думаешь? О чем же? О тяжкой травме, которую нанесло тебе известие, что у нас с тобой будет ребеночек? — Гвен ехидно улыбнулась и отбарабанила скороговоркой: — Капитан Вернон Уолдо Димирест и мисс Гвендолин Элайн Мейген сообщают о том, что в непродолжительном времени они ожидают появления на свет их первого ребенка, ммм... кого именно? Нам это пока неизвестно, разумеется. И станет известно только через семь месяцев. Ну что ж, не так уж долго ждать.

Димирест не произнес ни слова, пока официантка подавала им кофе и чай, потом взмолился:

— Ради Бога, Гвен, постарайся же быть серьезной.

— А зачем нам это? Тем более раз это не нужно мне. Ведь если кому и следовало бы тревожиться, так, наверное, мне.

Димирест уже собирался возразить, но Гвен отыскала его руку под столом. Выражение ее лица смягчилось.

— Не сердись. Я понимаю, что это в самом деле несколько ошеломляющая новость... для каждого из нас.

Именно этого признания Димирест и ждал. Он сказал, осторожно выбирая слова:

— Ничего особенно ошеломляющего в этом нет. Более того, нам совершенно необязательно обзаводиться ребенком, если мы этого не хотим.

— Понятно, — бесстрастно произнесла Гвен. — Я все ждала, как и когда ты к этому подберешься. — Она щелкнула крышкой пудреницы и спрятала ее в карман. — Когда мы ехали в машине, это уже чуть-чуть не сорвалось у тебя с языка, верно? Но в последнюю минуту ты передумал.

— Что я передумал?

— Ну брось, Вернон! К чему это притворство? Мы же оба прекрасно понимаем, что ты имеешь в виду. Ты хочешь, чтобы я сделала аборт. С тех пор как ты узнал, что я беременна, ты ни о чем другом не думаешь. Разве не так?

Вернон неохотно кивнул:

— Верно.

Манера Гвен прямо и решительно ставить точки над i всегда неприятно его обескураживала.

— Так в чем же дело? Или, по-твоему, я первый раз в жизни слышу об абортах?

Димирест невольно оглянулся, но шум разговоров, звон посуды, как всегда, заглушал голоса.

— Я не был уверен в том, как ты к этому отнесешься.

— А я и сама еще не уверена. — На этот раз и Гвен заговорила серьезно. Опустив глаза, она рассеянно смотрела на свои руки, на свои сплетенные пальцы — тонкие, длинные, гибкие пальцы, которые всегда приводили Димиреста в восхищение. — Я ведь тоже думала об этом. И все же — не знаю.

Это его приободрило. Во всяком случае, она не отрезала ему сразу все пути, решительного отказа пока не последовало.

Он старался говорить спокойно, рассудительно:

— Право же, это единственный разумный выход. Ситуация, конечно, не особенно приятная, но по крайней мере все очень быстро останется позади, а если с медицинской точки зрения все будет сделано как надо, то это совершенно безопасно и не грозит никакими осложнениями.

— Я знаю, — сказала Гвен. — Все страшно просто. Сейчас у тебя это есть, а потом раз — и уже нет ничего. — Она поглядела ему в глаза. — Правильно?

— Правильно.

Димирест отхлебнул кофе. Возможно, все уладится гораздо проще, чем он предполагал.

— Вернон, — мягко проговорила Гвен, — а ты думал о том, что там, во мне, — живое человеческое существо? Живое, понимаешь, маленький человечек? Уже сейчас. Мы любили и зачали, и теперь — это мы, частица нас, тебя и меня. — Ее глаза были полны тревоги, они искали у него ответа, он никогда еще не видел у нее таких глаз.

Он сказал намеренно резко:

— Это неверно. Зародыш на этой стадии развития еще не человек. Он еще не оформился как человек. Позже — да, но пока еще нет. Он не дышит, не чувствует, не живет сам по себе. Сделать аборт — особенно в самом начале — вовсе не значит отнять у человека жизнь.

Гвен вспылила так же, как в машине, когда они ехали в аэропорт:

— Ты хочешь сказать, что позже это будет выглядеть уже не так безобидно? Если мы не поторопимся и ребенок начнет оформляться и у него уже будут пальчики на ручках и ножках, тогда аборт будет выглядеть несколько более безнравственно? Убить такое существо будет вроде бы менее этично? Так, Вернон?

Димирест покачал головой:

— Я этого не говорил.

— Но так выходит.

— Может быть, только я не это имел в виду. Ты выворачиваешь мои слова наизнанку.

Гвен вздохнула:

— Просто я рассуждаю как женщина.

— И никто не имеет на это больше права, чем ты. — Он улыбнулся и окинул ее взглядом. Через несколько часов они будут уже в Неаполе... Он и Гвен... Эта мысль волновала его.

— Я же люблю тебя, Вернон. Люблю, понимаешь?

Теперь он отыскал под столом ее руку.

— Я знаю. Именно потому это и трудно для нас обоих.

— Дело в том, — произнесла Гвен медленно, словно думая вслух, — что я еще никогда не была беременна, а пока это не случится, каждая женщина невольно сомневается, она не уверена в себе: а вдруг ей это не дано. И когда неожиданно открывается, как мне сейчас, что да, ты можешь стать матерью, — это как подарок, возникает такое чувство... Только женщина может его понять. Кажется, что произошло что-то непостижимое — огромное и замечательное. И вдруг у нас с тобой обстоятельства складываются так, что мы должны разом покончить с этим, отказаться от такого чудесного подарка. — Ее глаза затуманились слезами. — Ты понимаешь, Вернон? Понимаешь?

Он ответил ласково:

— Да, мне кажется, я понимаю.

— Разница между нами в том, что у тебя уже есть ребенок.

Он покачал головой.

— У меня нет детей. Сара и я...

— Я говорю не о твоей семье. Но у тебя был ребенок. Ты сам мне рассказывал. Девочка. Еще тогда пришлось прибегнуть к нашей программе «Три пункта о беременности». — Едва заметная усмешка тронула губы Гвен. — Ребенка усыновили, но все равно где-то есть живое существо, в котором продолжаешься ты.

Вернон молчал.

Гвен спросила:

— Ты когда-нибудь думаешь о ней? Хочется тебе узнать, где она, какая она?

Лгать не было смысла.

— Да, — сказала Вернон. — Бывает.

— А есть ли у тебя возможность что-нибудь о ней узнать?

Вернон снова покачал головой. Однажды он пытался навести справки, но ему сказали, что после того, как ребенок усыновлен, все прежние документы уничтожаются. Значит, он не сможет ничего узнать... никогда.

Гвен пила чай и поверх края чашки поглядывала по сторонам. Вернон почувствовал, что она уже вполне овладела собой, в глазах не было слез.

Она улыбнулась и сказала:

— Ах, друг мой, как много я причиняю тебе беспокойства.

Он ответил — на этот раз вполне искренне:

— Дело не только в моем беспокойстве. Главное — поступить так, как будет лучше для тебя.

— Ну что ж, вероятно, в конце концов я поступлю так, как подсказывает здравый смысл. Сделаю аборт. Но я должна сначала все это обдумать, обсудить.

— Если ты придешь к такому решению, я тебе помогу. Но нельзя раздумывать слишком долго.

— Вероятно, да.

— Послушай, Гвен, — сказал Вернон, стараясь укрепить ее в этой мысли, — это же делается быстро и в смысле здоровья ничем тебе не грозит, ручаюсь. — Он принялся рассказывать ей о шведской клинике, сказал, что возьмет на себя все расходы, а администрация авиакомпании пойдет навстречу и доставит ее туда.

— Когда мы будем лететь обратно, я уже приму решение, обещаю тебе, — мягко сказала Гвен.

Вернон взял со столика счет, и они встали. Гвен уже нужно было спешить, чтобы быть на месте и встречать пассажиров, отлетавших рейсом номер два.

Когда они выходили из кафе, Гвен сказала:

— Вероятно, мне еще очень повезло, что я имею дело с таким человеком, как ты. Многие мужчины просто бросили бы меня без лишних слов.

— Я никогда тебя не брошу.

Но он уже знал теперь наверняка, что бросит ее. Когда все — и Неаполь, и аборт — будет позади, он порвет с Гвен, положит конец их связи; он постарается сделать это как можно деликатнее, но разрыв должен быть окончательным и полным. Осуществить это будет не слишком трудно. Придется, конечно, пережить несколько неприятных минут, когда Гвен узнает о его намерении, но она не из тех, кто устраивает сцены, он уже убедился в этом теперь. Так или иначе, он с этим справится, да ему и не впервой — он уже не раз успешно выпутывался из любых интрижек.

Хотя, правду сказать, с Гвен дело обстояло несколько иначе, чем с другими. Ни одна женщина не занимала его так, как она. Ни с одной женщиной не было ему так хорошо. Расстаться с ней будет ему нелегко, и он знал, что впоследствии еще не раз у него возникнет соблазн изменить свое решение.

И все же он его не изменит. Придя к какому-либо решению, Вернон Димирест неуклонно его выполнял. Да, так было всегда. Он воспитал в себе самодисциплину, и она вошла у него в привычку.

К тому же здравый смысл подсказывал ему, что если он в ближайшее время не порвет с Гвен, потом у него не хватит на это сил. И тогда не спасет никакая самодисциплина: он просто не сможет отказаться от нее. А если так, значит, он будет связан по рукам и ногам. Тогда уже ему самому потребуется узаконить их отношения, и это повлечет за собой тяжелую ломку всей жизни: семья, работа, душевный покой — все полетит к черту. А ведь он твердо решил, что надо этого избежать. Лет десять — пятнадцать тому назад это, пожалуй, еще было возможно, но не теперь.

Он тронул Гвен за локоть:

— Ступай вперед. Я сейчас приду. В главном зале в поредевшей на мгновение толпе пассажиров он заметил фигуру Мела Бейкерсфелда. Вернона Димиреста не пугало, что его увидят вместе с Гвен, тем не менее было бы глупо афишировать их отношения перед родственниками.

Вернон видел, что его шурин погружен в разговор с лейтенантом Недом Ордвеем — молодым, славным и весьма энергичным негром, начальником полицейского отделения аэропорта. Вполне возможно, что Мел, поглощенный разговором, и не заметит его. Это вполне устраивало Димиреста, который совершенно не стремился к такой встрече, хотя и не собирался намеренно ее избегать.

Гвен скрылась — лишь на мгновение в толпе мелькнули ее стройные ноги с тонкими щиколотками... О соле мио... Скорее бы уж Неаполь!

Черт побери! Мел Бейкерсфелд все-таки увидел его.

— Я искал вас, — говорил лейтенант Ордвей Мелу. — Мне сейчас стало известно, что к нам должны пожаловать гости. Сотни две-три, а может, и больше.

Сегодня начальник полиции аэропорта был одет в форму. Высокий рост и осанка делали его внушительным, похожим на вождя какого-нибудь африканского племени, вот только голос у него звучал неожиданно мягко.

— У нас и так уже немало гостей, — сказал Мел, окидывая взглядом шумный, заполненный людьми зал и направляясь к своему кабинету. — Их даже не сотни, а тысячи.

— Я имею в виду не пассажиров, — сказал Ордвей. — Я говорю о тех, что могут причинить куда больше хлопот.

Он рассказал Мелу о митинге протеста, состоявшемся в Медоувуде. Теперь, после закрытия митинга, большинство его участников направляются в аэропорт. Об этом митинге в Медоувуде и о том, какие он преследует цели, лейтенанту Ордвею сообщили репортеры телевидения и попросили разрешения установить свои камеры в здании аэровокзала. Переговорив с ребятами с телевидения, Ордвей позвонил приятелю из газеты «Трибюн», и тот вкратце изложил ему суть репортажа, который только что передал в редакцию репортер, присутствовавший на митинге.

— А, черт! — проворчал Мел. — Надо же было им выбрать именно сегодняшний вечер! Нам и без них хватает забот.

— Мне кажется, они именно на это и рассчитывают: надеются, что при такой обстановке им удастся большего добиться. Вот я и подумал, что мне следует, пожалуй, предупредить вас, потому что они, наверное, захотят разговаривать с вами, а также, возможно, и с представителями Федерального управления авиации.

Мел сказал угрюмо:

— Федеральное управление уходит в подполье всякий раз, как только начинаются какие-нибудь осложнения вроде этих. И появляется на свет Божий лишь после того, как прозвучит отбой.

— Ну а вы как? — Полицейский усмехнулся. — Вы тоже намерены уклониться?

— Нет. Можете передать им, что я готов принять их представителей. Человек пять-шесть, не больше, хоть я и считаю, что в такой момент это пустая трата времени. Я же ничего не могу предпринять, решительно ничего.

— Вы понимаете, — сказал Ордвей, — если не возникнет беспорядков и не будет нанесено материального ущерба, я не имею законного права удалить их отсюда.

— Разумеется, я это понимаю, но разговаривать с этой толпой не намерен. Тем не менее надо любой ценой избежать возникновения беспорядков. Если они даже будут вести себя агрессивно, позаботьтесь, чтобы с нашей стороны никакой агрессивности не было — во всяком случае, без крайней нужды. Не забывайте, что здесь будут представители прессы, и я не хочу давать кому-либо повод изображать из себя жертву.

— Я уже предупредил своих ребят. Они постараются отделываться шутками, а джиу-джитсу приберегут про запас.

— Отлично.

Мел знал, что может положиться на Неда Ордвея. Полицейские функции в аэропорту Линкольна осуществлялись отделением городской полиции, работающим самостоятельно, а лейтенант Ордвей воплощал в себе лучшие черты молодого, идущего в гору полицейского. Он уже год возглавлял полицию аэропорта, и можно было ожидать, что в скором времени его переведут с повышением в управление городской полиции. Мел думал об этом с сожалением.

— Ну а помимо этой медоувудской истории как идут дела? — спросил Мел. Он знал, что имевшиеся в распоряжении Ордвея полицейские, числом около сотни, работают, как почти все в аэропорту, сверх положенного с тех пор, как начался буран.

— В основном как обычно. Пьяных несколько больше, чем всегда, да две-три драки. Но это из-за того, что вылеты задерживаются, а ваши бары торгуют вовсю.

Мел усмехнулся.

— Не нападайте на бары. Аэропорт получает отчисления с каждого выпитого стакана, а мы в этих доходах очень и очень нуждаемся.

— Так же, как и авиакомпании, насколько я понимаю. Во всяком случае, судя по количеству пассажиров, которых они стараются протрезвить, чтобы их можно было взять на борт самолета. И тут уж они обычно прибегают к моему снадобью.

— Кофе?

— Разумеется. Стоит только захмелевшему пассажиру появиться у регистрационной стойки, как ему тотчас приносят чашку кофе и вливают в глотку. Авиакомпании до сих пор никак не могут взять в толк одной простой вещи: накачивая пьяного кофе, они добиваются только того, что этот пьяный долго не угомонится. Чаще всего именно тогда им приходится прибегать к нашей помощи.

— Ничего, вы, я думаю, с этим справляетесь.

Мел знал, что полицейские Ордвея набили себе руку в обращении с пьяными, которых — если они не вели себя буйно — редко подвергали штрафу. Чаще всего это были бизнесмены или коммивояжеры, возвращавшиеся домой после заключения какой-либо изнурительной сделки, измочаленные борьбой с конкурентами и легко пьянеющие после двух-трех порций виски.

Если экипаж самолета отказывался принять пьяного на борт — а капитаны, за которыми в этих случаях оставалось последнее слово, обычно были непреклонны, — его отводили в камеру предварительного заключения и оставляли там, пока не протрезвеет, после чего отпускали на все четыре стороны — чаще всего порядком сконфуженного.

— Да, вот еще что, — сказал полицейский. — Ребята с автомобильной стоянки говорят, что там как будто обнаружено еще несколько брошенных машин. В такую погоду трудно сказать наверняка, но мы постараемся это проверить, как только будет возможность.

Мел поморщился. В последнее время на стоянках стало появляться все больше и больше брошенных за ненадобностью машин. Это приняло характер форменного бедствия во всех аэропортах при больших городах. Когда какая-нибудь старая колымага полностью выходит из строя, отделаться от нее на редкость трудно и с каждым годом становится все труднее и труднее. Сборщики железного лома и старья уже до отказа забили свои помещения и не желают больше ничего принимать — разве что за плату. Таким образом, перед владельцем автомашины возникала проблема: либо платить за то, чтобы от нее избавиться, либо арендовать какой-нибудь сарай, либо найти такое местечко, где можно бросить машину без риска, что тебя отыщут и возвратят ее по принадлежности. И стоянки в аэровокзалах оказались как раз таким удобным местом.

Старую машину пригоняли в аэропорт, а потом украдкой снимали с нее номер и уничтожали все, что могло навести на след владельца. Уничтожить номер, выбитый на моторе, при этом, разумеется, не удавалось, но искать владельца по номеру было слишком сложно и потому нерентабельно. В результате аэропорт вынужден был заниматься тем, чего не желал делать владелец машины: оплачивать расходы по вывозу машины на свалку, и притом в самом срочном порядке, так как она даром занимала платное место на стоянке. В последнее время в международном аэропорту Линкольна ежемесячные расходы по избавлению от брошенных машин выросли в довольно значительную сумму.

Разговаривая с Ордвеем, Мел в оживленной толпе пассажиров, заполнявшей зал, заметил капитана Вернона Димиреста.

— А в общем, я считаю, что мы в боевой готовности и можем с честью принять ваших гостей из Медоувуда, — весело сказал лейтенант Ордвей. — Я сообщу вам, когда они прибу-

244

дут. — И, дружелюбно кивнув, начальник полицейского отделения пошел по своим делам.

Вернон Димирест, в форме компании «Транс-Америка», как всегда уверенно и твердо шагая, направлялся в сторону Мела. Мел почувствовал, как в нем снова вспыхнуло раздражение: ему вспомнилась неблагоприятная докладная комиссии по борьбе с заносами, о которой он уже слышал, но ознакомиться с которой еще не успел.

Димирест, по-видимому, не намерен был задерживаться, но Мел сказал:

— Добрый вечер, Вернон.

— Привет. — Тон был холодный, безразличный.

— Я слышал, что ты у нас стал теперь большим специалистом по расчистке снега.

— Не надо быть большим специалистом, чтобы видеть, когда работают спустя рукава, — резко ответил Димирест.

Мел сделал над собой усилие и произнес спокойно:

— А ты имеешь хоть какое-нибудь представление о том, сколько тут было снега?

— Вероятно, такое же, как и ты. Ознакомление с метеосводками входит в мои обязанности.

— В таком случае ты должен знать, что за последние двадцать четыре часа в аэропорту выпало десять дюймов снежных осадков, не говоря уже о том снеге, который выпал раньше.

Димирест пожал плечами.

— Так уберите его.

— Мы это и делаем.

— Медленно, черт побери, и плохо.

— По официальным данным, еще не было случая, — не отступал Мел, — когда бы максимальное количество осадков, выпавших здесь за сутки, превысило двенадцать дюймов. И двенадцать было катастрофой. Жизнь аэропорта замирала. Мы сейчас включились в борьбу и отстояли аэропорт. Нет ни одного аэропорта, который лучше бы справился с этим снегопадом, чем мы. Все наши снегоуборочные машины до единой укомплектованы людьми и работают круглосуточно.

— Значит, у вас недостаточно машин.

— Честное слово, Вернон, у кого же может хватить машин, когда такая метель бушует три дня! Конечно, можно использовать сколько угодно машин, но никто не покупает снегоочистители в расчете на чрезвычайную ситуацию — никто, у кого

245

есть хоть крупица здравого смысла. Приобретается экономически рентабельное, оптимальное количество, а затем в особых, чрезвычайных случаях в ход пускают весь наличный инвентарь и выжимают из него все, что он может дать. Именно это и делают мои служащие, и делают, черт побери, превосходно!

— Ну что ж, — сказал Димирест, — у тебя свое мнение, у меня — свое. На мой взгляд, вы делаете недостаточно. Так я и написал в своей докладной.

— Я полагал, что это докладная не твоя, а комиссии. Или ты вытеснил всех остальных, чтобы иметь возможность свести счеты со мной?

— Как работает комиссия, это уж наше дело. Выводы комиссии — вот что должно тебя интересовать. Копию докладной ты получишь завтра.

— Весьма признателен. — Вернон даже и не пытается отрицать, отметил про себя Мел, что эта докладная направлена персонально против него. — Что бы вы там ни написали, это ничего не меняет, — продолжал Мел. — Докладная создает лишь ненужные осложнения и в этом смысле достигнет своей цели, если именно это тебе нужно. Завтра мне придется потратить какое-то время на то, чтобы доказать, сколь ты невежествен в некоторых областях.

Мел разгорячился, он уже не пытался скрыть раздражения, и это вызвало у Димиреста усмешку.

— Однако тебя это все-таки задело за живое, а? Не очень-то у тебя ловко получилось насчет твоего драгоценного времени и бессмысленных осложнений. Я с удовольствием вспомню об этом завтра, когда буду греться на итальянском солнышке. — И, продолжая усмехаться, Димирест зашагал прочь.

Впрочем, усмешка вскоре сбежала с его лица, брови сдвинулись.

Причиной этого был вид стоек страховой компании в центральном зале: здесь сегодня работа кипела вовсю, и именно это вызвало недовольство капитана Димиреста, напомнив ему, сколь эфемерна была его победа над Мелом Бейкерсфелдом — пустяк, в сущности, булавочный укол. Пройдет неделя, и неблагоприятное заключение комиссии будет предано забвению, а стойки страховой компании останутся на своих местах. И, следовательно, настоящую победу все же одержал его чопорный шурин, наголову разбивший все доводы Димиреста на заседании Совета уполномоченных и оставивший его с носом.

За страховыми стойками две молоденькие девушки — одна из них блондинка с очень пышным бюстом — торопливо заполняли страховые полисы; в очереди стояло человек пять-шесть, и почти все уже приготовили и держали в руках деньги. Вот они — живые доходы страховых компаний, угрюмо подумал Димирест. Он ни секунды не сомневался, что автоматы, расположенные в разных концах аэровокзала, тоже работают вовсю.

Интересно, есть ли среди этих страхующихся его пассажиры, подумал Димирест. Его так и подмывало спросить и, если ответ будет утвердительный, попытаться отговорить их, изложив свои доводы. Однако он тут же отказался от этой мысли. Однажды Вернон Димирест уже пробовал проделать подобную штуку — пытался уговорить отлетавших пассажиров не приобретать страховых полисов в аэропорту. Но это привело лишь к тому, что на него поступили жалобы и он получил хороший нагоняй от руководства компании. Хотя самим авиакомпаниям выдача страховых полисов в аэропорту была не больше по душе, чем пилотам, им приходилось занимать в этом вопросе нейтральную позицию вследствие оказываемого на них с разных сторон давления. С одной стороны, управления аэропортов утверждали, что они не могут лишиться отчислений, получаемых ими от страховых компаний. В этом случае, заявляли они, авиакомпаниям придется возмещать им эти потери за счет повышения стоимости пользования взлетно-посадочными полосами. С другой стороны, авиакомпании боялись восстановить против себя пассажиров, которые явно будут недовольны, если их лишат привычного для них способа приобретать страховые полисы. Таким образом, пилотам оставалось лишь вести борьбу в одиночку — и шишки сыпались только на их головы.

Размышляя над этим и наблюдая за работой агентов, капитан Димирест задержался на несколько секунд возле страховых стоек. Он заметил, что в очереди прибавился еще один пассажир — нервозного вида мужчина, долговязый, сутуловатый, с тоненькими рыжеватыми усиками. В руках у него был чемоданчик. Пассажир, как видно, очень спешил и волновался. Он то и дело поглядывал на часы и был явно расстроен тем, что впереди него столько людей к страховым агентам.

Димирест подумал с негодованием: «Этот тип прибежал сюда в последнюю минуту. Ну и плюнул бы на страховку и шел бы к самолету».

Однако ему самому пора уже быть в пилотской кабине, напомнил себе Димирест, и быстро зашагал к выходу на летное поле. В любую секунду могут объявить посадку. Ну вот, пожалуйста!

— Объявляется посадка в самолет, вылетающий в Рим рейсом два «Золотой Аргос».

Капитан Димирест задержался в аэровокзале дольше, чем предполагал. Он ускорил шаг. Объявление о посадке продолжало звучать, перекрывая шум зала.

12

— ...*посадка в самолет, вылетающий в Рим рейсом номер два «Золотой Аргос». Экипаж готов принять пассажиров на борт. Всех пассажиров, прошедших регистрацию, просят...*

Разные люди слушали объявление о посадке, и для кого-то оно означало одно, а для кого-то — совсем другое. Для одних оно звучало совершенно обыденно, было лишь прелюдией к еще одной скучной деловой поездке, от которой они, будь на то их воля, с удовольствием отказались бы. Для других в нем было что-то многообещающее, манившее к приключениям, а еще кому-то оно сулило скорое окончание пути, возвращение домой. Одним оно несло разлуку и печаль, другим, наоборот, обещало радость встречи. Были и такие, которые, слушая это объявление, думали не о себе: улетали их родственники или друзья, а для них самих названия городов звучали загадочно и маняще, рождая смутные образы каких-то отдаленных уголков земли, которых они никогда не увидят. Кое-кто слушал объявление о посадке со страхом; лишь немногие — с безразличием. Объявление было сигналом, означающим, что процесс отлета, в сущности, начался. Самолет приведен в готовность, пора подняться на борт, мешкать нельзя. Лишь в крайне редких случаях авиакомпании задерживали отлет из-за отсутствия какого-либо пассажира. Пройдет еще немного времени, и самолет окунется в непривычную для человека стихию, взмоет в небо, и именно потому, что в самом этом факте есть что-то противоестественное, объявление о посадке всегда несет в себе привкус приключений и романтики.

Однако в том, как рождаются эти объявления, нет ничего романтического. Их делает машина, слегка смахивающая на музыкальный автомат. Разница в том, что в нее не бросают монеты, а нажимают кнопки. Кнопки эти помещаются на пульте контрольно-информационного пункта, этакого миниатюрного КДП. Каждая авиакомпания имеет свой КДП, и все они расположены над главным залом ожидания. Служащая авиакомпании последовательно нажимает нужные кнопки, приводя в действие машину, и машина принимается за дело.

Почти все объявления — если не считать случаев, выходящих за рамки обычного, — даются с магнитофонных лент по заранее сделанным записям. Хотя на слух каждое объявление воспринимается как нечто единое, в действительности оно всегда состоит из трех отдельных записей. В первой объявляется номер рейса и маршрут; во второй говорится о посадке на самолет — предварительное оповещение, начало посадки или конец; в третьей указывается зал ожидания и номер выхода на летное поле. Поскольку все три записи следуют одна за другой без перерыва, они звучат как нечто единое целое — чего и стремятся достигнуть.

Люди, которым претит бездушная автоматизация и механизация всего на свете, радовались, когда порой эта машина ломалась. Случалось, механизм заедало, и тогда пассажиры, вылетавшие в трех-четырех различных направлениях, скапливались у одного и того же выхода. Сотни, а то и тысячи нетерпеливых, растерянных пассажиров создавали такую толчею и суматоху, что служащие аэровокзала вспоминали эти минуты как чудовищный кошмар.

Сегодня автомат, объявлявший посадку на рейс два, работал исправно:

— ...Пассажиров, прошедших регистрацию, просят проследовать в Синий вестибюль «Д» к выходу сорок семь.

Сейчас тысячи людей, находящихся в аэровокзале, слышали объявление о рейсе два. Некоторых оно не касалось вовсе, других — в большей или меньшей степени, но еще до истечения суток для кое-кого из тех, кого оно пока совсем не интересовало, это объявление приобретет далеко не маловажное значение.

Слышали это объявление и около двухсот пассажиров рейса два. Те, кто уже успел зарегистрироваться, поспешили к выходу сорок семь, а кое-кто из сильно запоздавших еще только отряхивался от снега.

Объявление о посадке еще продолжало звучать в галерее-гармошке, когда старшая стюардесса Гвен Мейген уже принимала на борт первую партию пассажиров — несколько семей с маленькими детьми. Она оповестила об этом по внутреннему телефону капитана Энсона Хэрриса и приготовилась к предстоящему через несколько минут наплыву пассажиров. А капитан Вернон Димирест, опережая пассажиров, быстро прошел вперед и захлопнул за собой дверь пилотской кабины.

Энсон Хэррис вместе со вторым пилотом Саем Джорданом уже начали подготовку к полету.

— Привет, — сказал Димирест. Он опустился на правое сиденье и взял контрольный лист проверки. Джордан вернулся на свое место позади.

Мел Бейкерсфелд все еще находился в главном зале, когда была объявлена посадка на рейс «Золотой Аргос». Он вдруг припомнил, что командир этого корабля — Вернон Димирест, и от души пожалел, что не сумел использовать еще одну возможность пойти на мировую со своим зятем или хотя бы смягчить существующую между ними неприязнь. Теперь их отношения даже ухудшились. Мел старался отдать себе отчет, в какой мере он в этом виноват. Он готов был признать, что отчасти, конечно, виноват. В столкновениях с Верноном всегда проявлялись наиболее дурные стороны характера Мела. Он и сам не понимал, отчего это происходило, но все же был искренне убежден в том, что большинство их стычек — дело рук не его, а Вернона. Отчасти это происходило потому, что Вернон был о себе преувеличенно высокого мнения и злился, когда кто-нибудь не желал признавать его превосходства. Очень многим из знакомых Мелу пилотов — особенно капитанам лайнеров — была присуща эта черта.

Мел все еще не мог успокоиться, вспоминая, как Вернон после совещания Совета уполномоченных разглагольствовал о том, что с Мелом-де нечего разговаривать: он и ему подобные — это «земляные черви, протиратели брюк, с мозгами и душой пингвина». Можно подумать, черт побери, что в пилотировании самолета есть нечто недоступное простым смертным!

Тем не менее сегодня вечером Мелу очень хотелось бы хоть на несколько часов снова стать пилотом и улететь, так же вот как Димирест, — в Рим. Ему припомнилась фраза, оброненная Верноном по поводу итальянского солнца, в лучах которого он будет завтра греться. Мелу бы это сейчас тоже не повредило — во всяком случае, было бы, пожалуй, приятнее, чем составление авиационных графиков здесь, в аэропорту. Сегодня крепкие цепи, приковавшие его к земле, казались ему более тяжелыми, чем обычно.

Расставшись с Мелом Бейкерсфелдом, лейтенант полиции Нед Ордвей вернулся в свой маленький кабинет, примыкавший к главному залу аэропорта. Он выслушивал по телефону доклад дежурного из полицейского отделения аэропорта, когда в распахнутую дверь до него донеслось сообщение о посадке на рейс два. Патрульная полицейская машина сообщала: на автомобильную стоянку прибыло такое количество частных машин, до отказа набитых людьми, что стоянка не в состоянии их вместить. Как удалось выяснить, большинство машин прибыло из Медоувуда — с участниками митинга протеста, о котором Ордвей был уже оповещен. Дежурный сержант сообщил, что, согласно распоряжению лейтенанта, в здание аэровокзала сейчас прибудет полицейское подкрепление.

Почти рядом с кабинетом лейтенанта Ордвея в зале ожидания миссис Ада Квонсетт, маленькая старушка из Сан-Диего, прервала на мгновение свою беседу с юным Питером Кокли и прислушалась к объявлению о посадке на самолет, отлетающий в Рим.

Миссис Ада Квонсетт и ее сопровождающий сидели на одной из обитых черной кожей скамеек, стоявших рядами. Миссис Ада Квонсетт пространно описывала достоинства своего покойного супруга примерно в таких выражениях, в каких королева Виктория могла бы говорить о принце Альберте:

— Это был такой прелестный человек, такой умный, такой красавец. Судьба соединила нас, когда он был уже в летах, но в молодости он, по-моему, должно быть, походил на вас.

Питер Кокли глуповато усмехнулся — последние полчаса он только это и делал. С тех пор как он покинул Таню Ливингстон, получив распоряжение стеречь эту старушенцию, пока она не сядет в самолет, который отвезет ее обратно в Лос-Анджелес, их разговоры состояли преимущественно из монологов миссис Квонсетт, причем Питер Кокли неоднократно в весьма лестных выражениях сравнивался с покойным Гербертом Квонсеттом. Эта тема уже порядком утомила Питера. Ему было невдомек, что именно этого и добивалась хитроумная Ада Квонсетт.

Питер Кокли украдкой зевнул. Определяясь на службу в авиакомпанию «Транс-Америка» на должность агента по обслуживанию пассажиров, он представлял себе свою работу совсем иначе. Сейчас он чувствовал себя круглым идиотом, сидя здесь в новой, с иголочки, форме и выполняя роль няньки, приставленной к безобидной болтливой старой даме, которая вполне могла бы быть его прабабушкой. Скорее бы уж кончилась эта пытка. И надо же, чтобы так не повезло: вылет самолета на Лос-Анджелес, как и многие другие рейсы, задерживался из-за снегопада, — не будь этого, старушка уже час назад находилась бы в пути. Питер томился и мечтал о том, чтобы поскорее объявили посадку на ее самолет. Между тем объявление о рейсе два продолжалось, внося приятное, хотя и краткое, разнообразие в их беседу.

Юный Питер Кокли уже успел забыть напутственное предостережение Тани Ливингстон: «Хорошенько запомните то, что я вам сказала... У нее неиссякаемый запас уловок».

— Подумать только! — воскликнула миссис Квонсетт, когда объявление о посадке было закончено. — Самолет в Рим! Ах, аэропорт — это необычайно увлекательно, не правда ли? Особенно для такого молодого, интеллигентного человека, как вы. Ах, Рим... Мой бесценный покойный супруг всегда мечтал, что мы когда-нибудь посетим вместе этот удивительный город. — Миссис Квонсетт вздохнула, понуро сложила ручки, зажав в ладонях крошечный кружевной платочек. — Увы, нам так и не удалось там побывать.

Миссис Квонсетт продолжала болтать, а мозг ее тем временем с точностью добротных швейцарских часов отстукивал мысли. Сейчас ей требовалось только одно: как-нибудь ускользнуть от этого младенца в форме. Он уже явно томился и скучал, но невзирая на скуку продолжал торчать здесь. Необходимо было придумать что-то такое, чтобы скука переросла в потерю бдительности. И с этим нельзя было мешкать.

Миссис Квонсетт отнюдь не отказалась от своего первоначального намерения — пробраться в самолет, отлетавший в Нью-Йорк. Она внимательно прислушивалась ко всем объявлениям по радио, но пока не видела ни малейшей возможности попасть ни на один из пяти объявленных рейсов, ибо для этого ей прежде всего надо было освободиться от своего юного стража. Будет ли еще один рейс на Нью-Йорк, прежде чем объявят посадку в самолет на Лос-Анджелес, она не знала, а ее должны были отправить обратно на этом самолете, что ей отнюдь не улыбалось.

Нет, раздумывала миссис Квонсетт, что угодно, лишь бы не возвращаться сегодня в Лос-Анджелес. Что угодно, хотя бы даже... Неожиданная мысль осенила ее... Хотя бы даже полететь в Рим!

Секунду она колебалась. А почему бы и нет? Она нагородила сегодня кучу небылиц про своего Герберта, но одно было верно: они действительно как-то раз рассматривали вместе открытки с видами Рима... И если даже ей не удастся проникнуть дальше римского аэропорта, все равно она там побывает и ей будет что рассказать Бланш, когда она в конце концов доберется до Нью-Йорка. К тому же будет так приятно провести эту рыжую сучку — старшего агента по обслуживанию пассажиров... Однако что же ей сейчас предпринять? Через какой, кстати, выход объявили посадку? Как будто бы через сорок седьмой из Синего вестибюля «Д»? Да, миссис Квонсетт была уверена, что не ошиблась.

Самолет, разумеется, может быть полон, может не оказаться ни единого свободного места, и тогда уже не проедешь «зайцем». Но на такой риск всегда приходится идти. Притом, чтобы сесть в самолет, отлетающий в Италию, вероятно, требуется паспорт, но все это надо еще проверить. А если тем временем объявят рейс на Нью-Йорк...

Главное, не сидеть тут сложа руки, а предпринять хоть *что-нибудь*.

Миссис Квонсетт внезапно прижала к груди свои хрупкие, морщинистые ручки.

— О Боже мой! — воскликнула она. — О Боже мой! — Ухватившись дрожащими пальцами за высокий ворот старомодной блузки, она пыталась его расстегнуть; из груди ее вырывались негромкие протяжные стоны.

Молодой агент поглядел на нее с тревогой:

— Что с вами, миссис Квонсетт? Что случилось?

Ада Квонсетт закрыла глаза, затем широко раскрыла их и с трудом перевела дыхание несколько раз подряд.

— Извините. Мне что-то нехорошо. Дурнота какая-то.

Питер Кокли спросил озабоченно:

— Могу я вам чем-нибудь помочь? Может быть, позвать доктора?

— Я не хочу вас затруднять...

— Ну, это пустяки...

— Нет. — Миссис Квонсетт с усилием покачала головой. — Лучше я просто отдохну немножко в дамской комнате. И все, мне кажется, пройдет.

Молодой агент поглядел на нее с сомнением. Ему вовсе не хотелось, чтобы эта старушенция скончалась у него на руках, а она, по-видимому, могла в любую минуту окочуриться. Повернувшись к ней, он спросил с беспокойством:

— Вы так думаете?

— Да, да, конечно. — Миссис Квонсетт решила, что она не должна привлекать к себе внимание здесь, в главном зале. Слишком много тут посторонних глаз... — Пожалуйста, помогите мне подняться... Большое спасибо... Теперь, если разрешите, я возьму вас под руку. Мне кажется, дамская комната где-то тут рядом. — Направляясь туда, она издала еще несколько негромких стонов, что заставило Питера Кокли испуганно на нее возвриться. Но она тут же постаралась успокоить его: — У меня уже бывали подобные приступы. Я знаю, что это скоро пройдет.

Возле дверей дамской комнаты она выпустила руку Питера Кокли.

— Вы такой милый, заботитесь о старушке... В наши дни молодежь... Ах, Боже мой! — Пересаливать не следует, сказала она себе, сейчас все в самую меру. — Вы подождете меня здесь? Не уйдете никуда?

— Нет, нет. Не уйду.

— Спасибо вам. — Она отворила дверь и скрылась за ней.

В дамской комнате находилось десятка два женщин. Сегодня здесь везде толчея, всюду переполнено, даже в туалетах, подумала миссис Квонсетт. Теперь ей требовалась чья-то помощь. Она внимательно оглядела поле действия и остановила свой выбор на моложавой женщине в бежевом костюме — по виду мелкой служащей, — эта женщина явно никуда не спешила. Миссис Квонсетт обратилась к ней:

— Простите меня, пожалуйста, но мне что-то нехорошо. Не могу ли я попросить вас об одолжении? — Миссис Квонсетт прижала дрожащие ручки к груди, потом закрыла и широко раскрыла глаза, словом, повторила все то, что проделывала для Питера Кокли.

Незнакомка мгновенно прониклась участием.

— Разумеется, охотно. Может быть, проводить вас...

— Нет... Ничего. — Миссис Квонсетт оперлась о раковину, она, видимо, с трудом держалась на ногах. — Единственное, о чем я вас попрошу, это передать кое-что. Тут за дверью стоит молодой человек в форме «Транс-Америки». Его зовут мистер Кокли. Пожалуйста, попросите его... да, пусть он все же позовет доктора.

— Хорошо, я скажу ему. Но мне придется вас на минуточку оставить, ничего?

Миссис Квонсетт кивнула:

— Ничего, благодарю вас. Вы ведь сейчас же вернетесь... и скажете мне, нашли ли его.

— Разумеется.

Через минуту посланная возвратилась.

— Он тут же пошел за доктором. А теперь, по-моему, вам бы следовало прилечь. Вам уже лучше?

Миссис Квонсетт перестала опираться о раковину.

— Вы говорите, он ушел?

— Да, он сразу же пошел за доктором.

Ну теперь остается только отделаться от этой особы, подумала миссис Квонсетт. Она снова судорожно открыла и закрыла глаза.

— Я понимаю, что слишком обременяю вас... вы были так добры... но моя дочка ждет меня у главного входа...

— Вы хотите, чтобы я позвала ее? Привести ее сюда?

Миссис Квонсетт прижала кружевной платочек к губам.

— Я была бы бесконечно вам признательна, но так злоупотреблять вашей любезностью...

— Я уверена, что вы сделали бы то же самое для меня. Как я узнаю вашу дочь?

— На ней длинное светло-сиреневое пальто и маленькая белая шляпка с желтыми цветочками. И собачка на поводке — французский пудель.

Женщина улыбнулась:

— По таким приметам найти ее будет нетрудно. Я скоро вернусь.

— Вы *удивительно* добры.

Когда женщина ушла, Ада Квонсетт выждала минуты две-три. «Будем надеяться, — с искренним сочувствием подумала она, — что эта бедняжка не потратит слишком много времени на розыски воображаемой дамы в светло-сиреневом пальто с французским пуделем на поводке».

Удовлетворенно улыбаясь, маленькая старушка из Сан-Диего вышла из дамской комнаты и проворно зашагала прочь. Никто не задержал ее, и она тут же растворилась в шумной беспокойной толпе пассажиров, заполнявшей аэровокзал.

Теперь нужно было найти Синий вестибюль «Д» и выход сорок семь.

Объявление о посадке в самолет, вылетающий рейсом два, прозвучало для Тани Ливингстон, как для игрока в гандбол — сообщение о смене ворот. Уже четыре самолета «Транс-Америки» готовились подняться в воздух, и ей надлежало следить за тем, чтобы при посадке на все рейсы соблюдался порядок. Мало того: у нее только что произошло довольно неприятное столкновение с одним пассажиром, прилетевшим из Канзас-Сити.

Весьма агрессивно настроенный пассажир возбужденно сыпал словами и утверждал, что кожаный чемодан его жены, который появился на круглом конвейере для ручного багажа с большой дырой на боку, был поврежден в результате небрежности обслуживающего персонала. Таня не верила ни единому его слову — дыра по всем признакам явно была старой, но она предложила удовлетворить претензии пассажира тут же на месте, уплатив ему наличными, как делали представители всех авиакомпаний, в том числе и «Транс-Америки». Трудности возникли из-за невозможности договориться о приемлемой для обеих сторон сумме. Таня считала возможным уплатить тридцать пять долларов, что, по ее мнению, превышало истинную стоимость чемодана; пассажир настаивал на выплате ему сорока пяти долларов. В конце концов сговорились на сорока, поскольку жалобщик не подозревал, что агентам по обслуживанию пассажиров дается право при особенной назойливости пассажиров удовлетворять их претензии в размерах шестидесяти долларов. Даже в тех случаях, когда можно было заподозрить мошенничество, авиакомпании считали, что быстрая расплата на месте обходится дешевле, чем отнимающие много времени пререкания. По правилам, агенты-контролеры должны были брать на заметку поврежденный багаж при регистрации, на деле же это выполнялось редко. В результате некоторые пассажиры, искушенные в этих вопросах, пользовались своей осведомленностью, чтобы заменить изношенный чемодан на новый.

Таня всегда с неохотой выплачивала деньги — пусть не свои, а авиакомпании, — в тех случаях, когда предполагала жульничество.

Разделавшись со скандалистом, надо было уже срочно заниматься пассажирами рейса два, которые все еще продолжали подъезжать к аэровокзалу. По счастью, пассажирский автобус успел прибыть из города за несколько минут до окончания посадки, и пассажиров направили в вестибюль «Д» к выходу сорок семь. Через две-три минуты Таня сама должна была пойти туда же на случай, если в последнюю минуту появится какой-нибудь запоздавший пассажир и возникнут затруднения с посадкой его в самолет.

Д. О. Герреро все еще продолжал стоять в очереди за страховым полисом, а по радио уже объявили посадку на рейс два.

Торопливый запоздавший пассажир, бросившийся в глаза капитану Вернону Димиресту, был не кто иной, как Герреро с маленьким, плоским, похожим на портфель чемоданчиком, в котором он нес бомбу.

Соскочив с автобуса, Герреро бросился прямо к стойке страховой компании и оказался в очереди пятым. Две девушки обслуживали пассажиров с такой медлительностью, что от этого можно было рехнуться. Одна девушка — пышногрудая блондинка в блузке с очень глубоким вырезом — уже Бог знает сколько времени вела переговоры со своей клиенткой, пожилой дамой. Девушка, как видно, уговаривала клиентку застраховаться на более крупную сумму; клиентка колебалась. Судя по всему, очередь Герреро подойдет минут через двадцать, не раньше, а к тому времени посадка на рейс два может уже закончиться. Но Герреро понимал одно: он *должен* застраховать свою жизнь и *должен* попасть в самолет.

В объявлении о посадке говорилось, что она будет производиться через выход сорок семь. Герреро уже сейчас следовало бы находиться там. Он почувствовал, что его начинает трясти озноб, а рука, сжимавшая чемоданчик, стала липкой от пота. В двадцатый раз он поглядел на часы в вестибюле. Прошло уже шесть минут с тех пор, как по радио объявили посадку на рейс два. Еще немного, и прозвучит последнее предупреждение... дверь самолета захлопнется... Необходимо было что-то предпринять — и срочно.

Герреро бесцеремонно протиснулся вперед. Он уже не думал о том, что его невежливое поведение может привлечь к себе внимание: ему было не до того. Один из стоявших в очереди запротестовал:

— Эй, дружище, мы ведь тоже спешим. Разве вы не видите — здесь очередь.

Но Герреро, пропустив эти слова мимо ушей, обратился к пышногрудой блондинке:

— Будьте добры... На мой самолет уже объявлена посадка. На тот, что отлетает в Рим. Мне нужна страховка. Я не могу ждать.

Протестовавший пассажир из очереди вмешался:

— Так лети не страхуясь. В следующий раз будешь приезжать загодя.

У Герреро чуть не сорвалось с языка: *«Следующего раза уже не будет!»* Но вместо этого он снова взмолился:

— Прошу вас!

Он ждал резкого отпора, но, к его удивлению, блондинка сочувственно улыбнулась:

— Вы летите в Рим?

— Да-да. Посадка уже объявлена.

— Я знаю. — Она снова улыбнулась. — Самолет «Транс-Америки» рейс два «Золотой Аргос».

Невзирая на владевшее Герреро беспокойство, от его внимания не укрылось, что девушка говорила с венгерским акцентом и в голосе ее звучали волнующие нотки.

Он постарался взять себя в руки и сказал спокойно:

— Да, именно на этот самолет.

Девушка обратилась к стоявшим в очереди — теперь ее улыбка уже предназначалась им:

— У этого пассажира в самом деле очень мало времени. Я думаю, вы не станете возражать, если я сначала обслужу его.

Все в этот вечер складывалось так неудачно, что Герреро едва поверил своим ушам: неужели на этот раз ему повезло? Один из стоявших в очереди негромко буркнул что-то, но протестовавший ранее пассажир промолчал.

Девушка достала чистый бланк и улыбнулась клиентке, с которой только что вела разговор:

— Это займет всего минуту.

Теперь Герреро увидел, что ее улыбка снова предназначена ему, и вдруг почувствовал магическую силу этой улыбки и понял, почему никто из стоявших в очереди не стал особенно протестовать. Когда девушка, улыбаясь, посмотрела ему в глаза, Герреро, вообще не слишком падкий до женщин, почувствовал, что обезоружен, что тает как воск. К тому же у нее был такой пышный бюст, какого он, кажется, отродясь не видел.

— Меня зовут Банни, — сказала девушка с иностранным акцентом. — А вас? — Она уже взяла шариковую ручку, приготовившись писать.

Банни зарекомендовала себя в аэропорту как чрезвычайно ловкий страховой агент.

Она обожала всевозможные конкурсы, особенно те, в которых победа приносила материально ощутимые результаты. Именно поэтому работа страхового агента нравилась ей, ведь страховая компания время от времени устраивала для своих сотрудников конкурсы с выдачей премий. Один из таких конкурсов был уже объявлен и заканчивался сегодня вечером.

Памятуя об этом конкурсе, Банни и отнеслась столь отзывчиво к Герреро, когда он объявил, что летит в Рим. Объяснялось это тем, что Банни не хватало сорока очков, чтобы получить на конкурсе вожделенную премию — электрическую зубную щетку. Она уже пришла было в отчаяние — казалось, до конца смены ей не удастся набрать недостающую сумму очков: все выписанные сегодня страховые полисы были на внутриконтинентальные рейсы, которые не приносили много очков и, следовательно, давали маленькие премии. Вот если бы ей удалось застраховать этого отлетавшего за границу пассажира на максимальную сумму, она сразу получила бы двадцать пять очков и тогда набрать остальные очки не составило бы труда. Теперь вопрос был в том, на какую сумму намерен застраховаться этот пассажир и удастся ли ей, Банни, уговорить его на максимальную.

Обычно ей это удавалось. В таких случаях Банни действовала без затей: она просто пускала в ход свою самую обольстительную улыбку, придвигалась поближе к клиенту, давая ему возможность вдоволь налюбоваться на ее пышный бюст, и разъясняла, какую выгоду извлечет он из этой страховки, если повысит ее на сравнительно небольшую сумму. В большинстве случаев эта тактика достигала желанной цели и завоевала Банни репутацию весьма удачливого страхового агента.

Как только Герреро продиктовал Банни по буквам свою фамилию, она спросила:

— Какого рода страхование имеете вы в виду, сэр?

Герреро судорожно глотнул слюну.

— Я хочу застраховать свою жизнь... на семьдесят пять тысяч долларов.

Едва он произнес эти слова, как во рту у него пересохло. Его внезапно охватил страх: ему показалось, что он привлек к себе внимание всех стоявших в очереди и все глаза теперь прикованы к нему. Он чувствовал, как его пробирает дрожь, и был уверен, что это не может остаться незамеченным. Чтобы скрыть свой испуг, он попытался закурить, но руки у него так тряслись, что и это удалось ему с трудом. К счастью, девушка-агент, уже державшая шариковую ручку над графой «сумма страховки», по-видимому, ничего не заметила.

Она сказала:

— Это будет стоить два доллара пятьдесят центов.

— Что?.. Ах да, понимаю. — Герреро справился наконец со спичками и сигаретой и полез в карман за последними оставшимися у него деньгами.

— Но это же слишком незначительная сумма. — Банни медлила проставить цифру. Она еще больше наклонилась вперед, бюст ее еще ближе придвинулся к клиенту. Она заметила, что он опустил глаза, и обалдело смотрит в одну точку. Все мужчины одинаковы. Некоторых — она это просто чувствовала — так и тянет пустить в ход руки. Этот клиент, однако, не такого сорта.

— Незначительная? — с сомнением переспросил Герреро. — Я полагал... Мне казалось, что это максимальная сумма.

Клиент явно нервничал — теперь даже Банни это бросилось в глаза. Должно быть, трусит перед полетом, рассудила она и одарила его своей ослепительной улыбкой.

— Что вы, сэр! Вы можете застраховаться на триста тысяч долларов. Большинство пассажиров так и страхуются, а стоить это будет десять долларов. Право же, это совсем небольшие деньги за такую страховку. — Ее улыбка продолжала сверкать: ответ клиента мог принести ей лишних двадцать очков; от его ответа зависело, станет она обладательницей электрической зубной щетки или нет.

— Как вы сказали?.. Десять долларов?..

— Да, всего только. За страховку в триста тысяч долларов.

«Этого я не знал», — пронеслось в голове у Герреро. Он все время считал, что семьдесят пять тысяч долларов — самая крупная сумма, на какую можно застраховать свою жизнь в аэропорту с билетом на заокеанский рейс. Он почерпнул эти сведения из страхового бланка, взятого им месяца два назад в другом аэропорту. Сейчас он припомнил, что тот бланк был из страхового автомата. А ему и в голову не пришло, что агенты страхуют на значительно более крупные суммы. Триста тысяч долларов!..

— Да, конечно, — взволнованно сказал он. — Да, пожалуйста...

Банни сияла.

— На максимальную сумму, мистер Герреро?

Он уже готов был кивком выразить согласие, как вдруг сообразил, что судьба вновь сыграла с ним злую шутку. А наберется ли у него десять долларов?

— Обождите минутку... мисс! — воскликнул он и принялся шарить по карманам, извлекая из них всю мелочь.

В очереди начали проявлять нетерпение. Уже выражавший прежде недовольство пассажир обратился к Банни:

— Вы же говорили, что это займет всего минуту!

Герреро удалось наскрести четыре доллара семьдесят центов.

Два дня назад, когда Герреро и Инес сложили вместе все оставшиеся у них деньги, Герреро взял себе восемь долларов и немного мелочи. После этого он заложил кольцо Инес и приобрел билет на самолет, в результате чего у него осталось еще несколько долларов, сколько именно — он не помнил, к тому же из этих денег ему пришлось платить потом и за еду, и в метро, и в автобусе, который вез его сюда... Он твердо знал одно: нужно будет заплатить за страховку два с половиной доллара, и эти деньги он тщательно берег, спрятав их в отдельный карман. О прочих деньгах ему не приходило в голову беспокоиться: он считал, что как только сядет в самолет, они станут ему не нужны.

— Если у вас не хватает наличных, — сказала Банни, — можете выписать чек.

— Я оставил свою чековую книжку дома. — Он лгал: чековая книжка лежала у него в кармане. Но он не мог выписать чек — банк опротестует его, и страховка погорела.

А Банни не отступалась:

— Вы можете заплатить в итальянской валюте, мистер Герреро. Я пересчитаю ваши лиры на доллары по паритетной таблице.

Герреро растерянно пробормотал:

— У меня нет итальянских денег... — И тут же проклял себя. *В городе, регистрируя билет, он заявил, что летит в Рим без багажа. Теперь, как круглый идиот, во всеуслышание признался, что у него вообще нет денег — ни американских, ни итальянских. Кто же отправляется в путешествие за океан без единого цента, без валюты и без всякого багажа? Конечно, только тот, кто знает заранее, что самолету не суждено долететь до места назначения.*

Но Герреро тут же приободрился, сообразив, что эти два обстоятельства — регистрация багажа и страховка — никак не связаны одно с другим, связь между ними существует только в его мозгу. Даже если когда-нибудь и свяжут их воедино, это уже не будет иметь значения, будет слишком поздно.

Он сказал себе — уже в который раз с тех пор, как покинул дом: никакие подозрения ничего не изменят. Все решает одно — бесследное исчезновение самолета, а стало быть, полное отсутствие каких-либо улик. И, как ни удивительно, невзирая на свой последний промах, он вдруг почувствовал себя увереннее.

Он прибавил еще несколько мелких монет к лежавшей перед ним кучке денег, и вдруг произошло чудо: в одном из внутренних карманов нашлась пятидолларовая бумажка.

Уже не пытаясь больше скрыть волнение, Герреро воскликнул:
— Вот, пожалуйста! Теперь должно хватить!

Оказалось даже, что остается еще почти на доллар мелочи сверх требуемой суммы.

Однако теперь и Банни начали одолевать сомнения. Клиент ждал, надо было проставить на страховом бланке сумму в триста тысяч долларов, а Банни колебалась.

Пока Герреро лихорадочно шарил по карманам, она внимательно наблюдала за ним и видела его лицо.

Странно, конечно, что человек улетает в Европу без гроша в кармане, но, в конце концов, это его личное дело — мало ли какие могут быть тому причины. Значительно больше насторожили Банни его глаза. Она уловила в них что-то, граничащее с отчаянием или безумием, а когда с человеком творится такое, Банни вполне могла это распознать. Она видела, как это бывает с людьми. Да и сама не раз находилась на грани отчаяния, хотя теперь ей и казалось, что годы бедствий отодвинулись куда-то в необозримую даль.

В компании, где работала Банни, существовали строгие правила, обязательные для всех сотрудников: если пассажир, страхующий свою жизнь перед полетом, казался неуравновешенным, был неестественно возбужден или пьян, страховой агент должен был сообщить об этом администрации соответствующей авиакомпании. Теперь перед Банни стоял вопрос: принадлежит данный случай к тем, о которых говорится в правилах, или нет?

Она не была в этом уверена.

Постоянно действующая инструкция страховых компаний не раз подвергалась обсуждению среди страховых агентов. Многих из них она возмущала, а иные просто игнорировали ее, считая, что их обязанность — страховать пассажиров, а заниматься психоанализом они не обучены и не нанимались. Некоторые пассажиры всегда нервничают перед полетом, как же можно, не имея специальной подготовки, распознать, где обычный страх, а где неуравновешенность, граничащая с ненормальностью? Сама Банни никогда не докладывала о пассажирах, находившихся во взвинченном состоянии; ей памятен был случай, когда одна служащая задержала в подобных обстоятельствах выдачу полиса клиенту, а тот оказался вице-президентом авиакомпании и был взволнован тем, что у его жены начались роды. И потом из-за этого возникла куча неприятностей.

И все же Банни продолжала колебаться. Чтобы скрыть свою нерешительность, она начала пересчитывать деньги, полученные от пассажира. Ей хотелось спросить Мардж, девушку, работавшую за соседней стойкой, не показалось ли ей, что с этим пассажиром что-то неладно. Но, по-видимому, Мардж ничего не заметила. Она энергично заполняла свой бланк — тоже спеша набрать побольше очков.

Наконец Банни приняла решение, подсказанное ей жизненным опытом. Да, жизненный опыт научил ее приспосабливаться к обстоятельствам, обуздывать праздное любопытство и не задавать ненужных вопросов. Задавая вопросы, невольно встреваешь в чужие дела, а именно этого и следует избегать, когда у человека своих проблем по горло.

И Банни не стала задавать лишних вопросов, тем самым разрешив одну из своих проблем — как выйти на первое место в конкурсе и получить электрическую щетку. Она застраховала жизнь Д. О. Герреро на время его полета в Рим на сумму в триста тысяч долларов.

Герреро отправил страховой полис по почте своей жене Инес и поспешил к выходу сорок семь, чтобы сесть в самолет, отлетавший в Рим.

13

Таможенный инспектор Гарри Стэндиш не слышал объявления о посадке в самолет, вылетающий рейсом два, но ему было известно, что такое объявление сделано. В таможенный зал эти объявления не транслировались, поскольку здесь находились лишь пассажиры, прибывшие из-за границы, а не наоборот, и поэтому Стэндиш получил свою информацию по телефону от «Транс-Америки». Он знал, что посадка на рейс два началась, что производится она через выход сорок семь и лайнер поднимется в воздух ровно в двадцать три ноль-ноль.

Стэндиш все время поглядывал на часы: он собирался подойти к выходу сорок семь, но не по служебной обязанности, а чтобы попрощаться с племянницей. Джуди, дочка его сестры, улетала на год в Европу для завершения образования, и Стэндиш обещал сестре, жившей в Денвере, проводить племянницу. Он уже посидел немного в главном зале ожидания с этой славной, уравновешенной восемнадцатилетней девушкой и сказал, что непременно найдет ее, чтобы попрощаться перед самым отлетом.

А пока что инспектор Стэндиш пытался довести до конца одно чрезвычайно нудное дело — на редкость беспокойный выдался у него сегодня денек.

— Вы совершенно уверены, мадам, что вам не следует внести кое-какие поправки в ваше заявление? — сдержанно спросил он костлявую даму весьма надменного вида, многочисленные чемоданы которой лежали раскрытыми на таможенном столе.

— Насколько я понимаю, вы предлагаете мне изобрести какие-то небылицы взамен чистой правды, которую я вам сказала, — раздраженно ответствовала дама. — Боже мой, вы все здесь так недоверчивы, так подозрительны. Право, можно подумать, что мы живем в полицейском государстве.

Гарри Стэндиш пропустил этот выпад мимо ушей, как полагалось видавшему виды таможенному чиновнику, и вежливо ответил:

— Я вам ничего не предлагаю, мадам. Я просто спросил, не желаете ли вы внести кое-какие поправки в заявление, сделанное вами по поводу этих вещей, платьев, свитеров и мехового жакета.

Дама — в паспорте она значилась как миссис Гарриет дю Барри-Моссмен, проживающая в Эванстоне и возвращавшаяся домой после месячного пребывания в Англии, Франции и Дании, — ответила ледяным тоном:

— Нет, и не подумаю. Более того, когда я расскажу адвокату моего мужа об учиненном мне допросе...

— Прекрасно, мадам, — сказал Гарри Стэндиш. — В таком случае не будете ли вы так любезны подписать этот бланк. Если желаете, я могу объяснить вам, для чего это необходимо.

Платья, свитеры и меховой жакет были разложены на открытых чемоданах. Меховой жакет — соболий — еще недавно красовался на плечах миссис Моссмен. Когда инспектор Стэндиш появился в таможенном зале у стола номер одиннадцать, он попросил миссис Моссмен снять жакет, чтобы можно было получше его рассмотреть. Несколько минут назад красная лампочка, вспыхнувшая на стенной панели возле входа в главный таможенный зал, послужила для Стэндиша сигналом. Каждому из таможенных столов соответствовала своя лампочка; когда она загоралась, это означало, что у того или иного дежурного таможни возникли затруднения и он нуждается в помощи старшего инспектора.

Сейчас молодой дежурный, первым имевший дело с миссис Моссмен, стоял рядом с инспектором Стэндишем. Большинство пассажиров, прибывших из Копенгагена на самолете ДС-8 Скандинавской авиакомпании, уже прошли таможенный досмотр и покинули зал, и только эта хорошо одетая американка всех задерживала, утверждая, что не приобрела в Европе ничего, кроме духов, кое-какой бижутерии и туфель. Всего на девяносто долларов, иными словами — на десять долларов меньше суммы, не облагаемой таможенным сбором. Однако молодой таможенник усомнился в ее правдивости, и он вызвал Стэндиша.

— С какой стати должна я что-то подписывать? — спросила миссис Гарриет дю Барри-Моссмен.

Стэндиш посмотрел на часы под потолком. Было без пятнадцати одиннадцать. Он еще мог успеть, покончив с делами этой дамы, попрощаться с племянницей, пока самолет не улетел. Он терпеливо разъяснил:

— Просто чтобы облегчить дело, мадам. Мы ведь просим вас только письменно подтвердить то, что вы уже сообщили нам на словах. Вы сказали, что эти платья были вами приобретены...

— Сколько же раз должна я повторять одно и то же? Я покупала их в Чикаго и в Нью-Йорке перед отъездом в Европу. Так же, как и свитеры. А этот жакет — подарок и куплен в Соединенных Штатах. Мне подарили его полгода назад.

«И зачем только люди так поступают?» — недоумевал Гарри Стэндиш. Он ни секунды не сомневался, что утверждения этой дамы сплошная ложь.

Начать с того, что со всех платьев — а их было шесть, и все дорогие — были спороты ярлыки. Никто не сделает такой вещи без особой нужды. Женщины обычно гордятся марками фешенебельных фирм. К тому же покрой платьев был, несомненно, французский, так же как и мехового жакета, хотя к его подкладке и была довольно неумело пришита марка магазина

«Сакс» с Пятой авеню. Однако пассажиры вроде миссис Моссмен не понимали, что квалифицированный таможенник и без фабричной марки может определить, где изготовлен тот или иной предмет. Покрой, швы, даже то, как вшита молния, — для наметанного глаза все равно что знакомый почерк и столь же явно выдают автора.

То же самое можно было сказать и о трех превосходных свитерах. На них тоже отсутствовали фабричные марки, и они были типично английской тускло-коричневой расцветки; такие свитеры не продаются в Соединенных Штатах. Можно было безошибочно утверждать, что они куплены в Шотландии. Когда крупные американские универсальные магазины заказывают за границей такого рода свитеры, шотландские фирмы поставляют им товар более яркой расцветки, пользующийся большим спросом на американском рынке. Каждому таможеннику все это хорошо известно не только в теории, но и на практике.

Миссис Моссмен спросила:

— Предположим, я подпишу этот бланк, что дальше?

— После этого вы будете свободны, мадам.

— И могу взять с собой мои вещи? Все?

— Да.

— А если я откажусь подписать?

— Тогда мы будем вынуждены задержать вас, пока не закончим расследование.

После некоторого колебания миссис Моссмен сказала:

— Хорошо, заполняйте бланк, я подпишу.

— Нет, мадам, вы должны заполнить сами. Вот здесь, пожалуйста, проставьте название предмета, а в этой графе — где он был, по-вашему, приобретен. Пожалуйста, укажите названия всех магазинов, а также фамилию лица, подарившего вам этот меховой жакет...

Гарри Стэндиш подумал: в его распоряжении остается не больше минуты — уже без десяти одиннадцать. Ему вовсе не хотелось прибежать к выходу на поле в тот момент, когда дверь самолета захлопнется. Но его нюх таможенника...

Он ждал. Миссис Моссмен заполнила бланк и подписала его.

Завтра один из служащих таможни займется проверкой сделанного миссис Моссмен заявления. Платья и свитеры будут временно реквизированы: их направят для опознания в магазины, где, по словам миссис Моссмен, они были приобретены; соболий жакет предъявят в магазин «Сакс» на Пятой авеню, и фирма, вне всякого сомнения, не признает его своим изделием... Миссис Моссмен еще не подозревала о том, какую беду навлекла она на свою голову: ей придется заплатить крупную пошлину и сверх того почти наверняка — большой штраф.

— Имеются у вас еще какие-либо предметы, мадам, о которых вы хотели бы упомянуть в декларации? — спросил инспектор Стэндиш.

Миссис Моссмен возмущенно отрезала:

— Разумеется, нет!

— Вы в этом уверены?

Таможенным инспекторам предписывается всячески способствовать добровольному признанию пассажиров. Намеренно заманивать их в ловушку не разрешается — если, конечно, они сами не лезут в нее.

Не удостоив Стэндиша ответом, миссис Моссмен только презрительно тряхнула головой.

— В таком случае, мадам, — сказал инспектор Стэндиш, — не будете ли вы любезны открыть сумочку?

Только тут эта самоуверенная особа впервые проявила некоторую растерянность:

— Но, насколько мне известно, дамские сумочки никогда не осматривают. Я прохожу через таможню не в первый раз.

— Как правило, нет. Но за нами сохраняется это право.

Только в особых, крайне редких случаях таможенники прибегают к досмотру дамских сумочек, так же как и карманов мужских костюмов или пальто. Предложить пассажирке показать содержимое сумочки — случай из ряда вон выходящий. Но когда какой-либо субъект проявляет чрезмерное упрямство, таможенники становятся упрямыми тоже.

Миссис Гарриет дю Барри-Моссмен с большой неохотой открыла сумочку.

Гарри Стэндиш обследовал губную помаду и золотую пудреницу. Вынув пластинку с прессованной пудрой, он извлек из-под нее кольцо с бриллиантом и рубином и сдул с него остатки пудры. В сумочке оказался начатый тюбик с кремом для рук. Разогнув нижнюю часть тюбика, Стэндиш увидел, что им пользовались не с того конца. Подавив тюбик в верхней части, возле колпачка, он нащупал внутри что-то твердое. Когда же эти горе-контрабандисты изобретут что-нибудь новенькое, с досадой подумал он. Все то же старье, надоевшие трюки. Сколько он их перевидал на своем веку!

Миссис Моссмен побелела. От ее высокомерия не осталось и следа.

— Мадам, — сказал инспектор Стэндиш, — я должен покинуть вас ненадолго, но я вернусь. К тому же теперь вся эта процедура займет еще некоторое время. — Он обратился к молодому таможеннику, стоявшему рядом: — Тщательно проверьте все. Вспорите подкладку в сумке, проверьте дно чемоданов и швы на всех предметах одежды. Составьте опись. Ну, в общем, вы сами знаете...

Он уже направлялся к двери, когда миссис Моссмен окликнула его:

— Инспектор!

Стэндиш остановился.

— Да, мадам?

— Насчет этого жакета и платьев... возможно, я что-то напутала. Я действительно купила их за границей и также еще несколько вещиц.

Стэндиш покачал головой. Как это люди не понимают, что нельзя заходить слишком далеко — ведь потом уже не может быть и речи о каком-либо соглашении. Он заметил, что молодой таможенник тем временем обнаружил еще что-то.

— Пожалуйста!.. Прошу вас... мой супруг...

Инспектор Гарри Стэндиш отвернулся, чтобы не видеть бледного, потерянного лица миссис Моссмен, и поспешно вышел из таможенного зала. Самым коротким путем — по служебному проходу под залом ожидания — он направился к вестибюлю «Д», к выходу сорок семь. По дороге он раздумывал над тупоумием миссис Гарриет дю Барри-Моссмен и ей подобных. Впиши она честно меховой жакет и платья в декларацию, пошлина была бы не столь уж велика, особенно для явно богатой женщины. Молодой таможенник не стал бы затевать дело из-за одних свитеров, даже если бы и заметил, что они куплены за границей, и уж, конечно, никто бы не подумал открывать ее сумочку. Таможенники знают, что многие пассажиры, возвращаясь на родину, стараются что-то провезти контрабандой, но смотрят на это сквозь пальцы. Более того: если к их помощи прибегают, они иной раз даже дают пассажирам советы, указывая, какие облагаемые наиболее высокой пошлиной предметы включить в декларацию так, чтобы получилась сумма, не подлежащая обложению, а пошлину заплатить лишь за те предметы, на которые она не так высока.

Попадались с поличным, штрафовались, а порой и привлекались к судебной ответственности преимущественно непомерно алчные люди вроде миссис Моссмен, которая во что бы то ни стало хотела провезти все даром. И Гарри Стэндиша угнетала мысль о том, что таких, как она, слишком много.

Он с облегчением обнаружил, что посадка на рейс два еще не закончилась и контролер у выхода продолжает проверять билеты последних пассажиров. Форма таможенника давала Стэндишу пропуск в любую часть аэропорта, и занятый проверкой билетов контролер едва взглянул на него, когда он подходил. Стэндиш заметил, что контролеру помогает рыжеволосая молодая женщина — старший агент по обслуживанию пассажиров, он даже припомнил ее фамилию: миссис Ливингстон.

Стэндиш прошел в салон туристского класса, улыбнулся стюардессе, стоявшей у входа в самолет:

— Я на минутку. Смотрите не увезите меня с собой.

Он разыскал свою племянницу Джуди — она сидела на третьем месте у окна. Два места по другую сторону прохода занимала молодая пара с ребенком, и Джуди развлекалась, забавляя малышку. Как во всех салонах туристского класса, здесь было тесно, душно, да и кресла расположены так близко одно к другому, что негде повернуться. Инспектор Стэндиш сам путешествовал по воздуху редко, а когда это случалось, тоже брал билет туристского класса и каждый раз страдал от клаустрофобии. Он отнюдь не завидовал всем этим людям, которым предстоял сейчас утомительно-однообразный десятичасовой перелет.

— Дядя Гарри! — воскликнула Джуди. — Я уж думала, вы не придете. — Она положила ребенка на колени матери.

— Я пришел пожелать счастливого пути, — сказал Стэндиш. — Надеюсь, удача будет сопутствовать тебе весь год, а когда будешь возвращаться домой, смотри не пытайся провезти контрабанду.

Джуди рассмеялась:

— Ни в коем случае, дядя Гарри. Прощайте.

Она подставила ему лицо для поцелуя, и он нежно чмокнул ее в щеку. Он был спокоен за Джуди. Вторая миссис Моссмен из нее не получится — он был в этом уверен.

Дружелюбно кивнув стюардессам, таможенный инспектор покинул самолет. Вернувшись в зал ожидания, он задержался у выхода, наблюдая за происходящим. Последние минуты перед отлетом, особенно когда самолет отправляется в дальний рейс, всегда действовали на инспектора Стэндиша тревожно и завораживающе, как, впрочем, и на многих людей. Внезапно из репродуктора донеслось сообщение:

— *Заканчивается посадка в самолет «Транс-Америки», вылетающий рейсом два «Золотой Аргос».*

Пассажиров у выхода теперь оставалось только двое. Рыжеволосая миссис Ливингстон проглядывала какие-то бумаги, контролер проверял билет предпоследнего пассажира — высокого блондина в верблюжьем пальто, без шляпы. Пройдя проверку, высокий блондин по галерее-гармошке направился к туристскому отсеку самолета. Миссис Ливингстон вернулась в главный зал.

Наблюдая все это, инспектор Стэндиш почти бессознательно обратил внимание на фигуру, неподвижно стоявшую у окна спиной к выходу на летное поле. Стэндиш увидел, что это старушка — маленькая, хрупкая, немного растерянная. На ней был черный, несколько старомодный костюм, в руках — сумочка из черных бусин. У этой старушки был до того трогательно-беззащитный вид, что Стэндиш невольно подумал: как могла такая пожилая женщина оказаться здесь в столь поздний час и совсем одна?

Старушка направилась к контролеру «Транс-Америки», производившему посадку на рейс два; двигалась она необыкновенно проворно и легко. До Стэндиша долетели обрывки ее разговора с контролером, прорывавшиеся сквозь шум уже запущенных двигателей:

— Прошу вас... Мой сын только что поднялся в самолет... Такой высокий блондин без шляпы, в пальто из верблюжьей шерсти... Он забыл бумажник... Здесь все его деньги.

Стэндиш заметил, что старушка держит в руке какой-то предмет, похожий на мужской бумажник.

У контролера был усталый вид, что нередко бывает в последние секунды посадки. Он нетерпеливо поглядел на старушку, протянул руку, чтобы взять бумажник, затем поглядел снова, внимательнее, передумал и что-то торопливо сказал, мотнув в сторону галереи-гармошки. До Стэндиша долетело только:

— ...попросите стюардессу.

Старушка улыбнулась, кивнула, направилась к галерее и вскоре скрылась из глаз.

Все эти наблюдения инспектора Стэндиша заняли не больше минуты. И тут он увидел еще одного пассажира — долговязого сутулого человека, который почти бегом пересекал вестибюль, направляясь к выходу сорок семь. Стэндиш успел рассмотреть худое костлявое лицо и тоненькие рыжеватые усики. В руках у пассажира был плоский чемоданчик.

Стэндиш уже собирался уходить, но приостановился: что-то в поведении этого пассажира привлекло его внимание. Быть может, то, как он держал чемоданчик, как судорожно прижимал его к боку. Слишком много людей прошло через таможню на глазах у Гарри Стэндиша. Некоторые из них вели себя точно так же, как этот долговязый, и почти всякий раз это означало, что они стараются что-то утаить. Если бы этот человек прилетел с одним из международных рейсов, Стэндиш попросил бы открыть чемоданчик и проверил бы его содержимое. Но этот пассажир не прилетел в Соединенные Штаты, а, наоборот, улетал.

В сущности, какое инспектору Стэндишу до него дело?

И все же... какой-то инстинкт, какое-то особое, шестое чувство, присущее почти всем таможенникам, а может быть, и особое отношение Стэндиша к этому рейсу, которым улетала Джуди, удержало инспектора на месте, приковало его взгляд к чемоданчику, столь бережно оберегаемому долговязым пассажиром.

Д. О. Герреро несколько воспрянул духом после того, как ему повезло со страховкой, и теперь чувствовал себя уже более уверенно. Подойдя к выходу на летное поле и увидев, что посадка в самолет еще не закончена, он сказал себе: ну теперь наконец все трудности остались позади, и с этой минуты все пойдет как по маслу. И действительно, словно в подтверждение этих слов при проверке документов у выхода никаких затруднений не возникло. Как Герреро и предполагал с самого начала, внимание контролера привлекло к себе небольшое расхождение между его паспортом и фамилией на билете, где вместо «Герреро» стояло «Берреро». Мельком взглянув на паспорт, контролер тут же внес поправку в свой список пассажиров, исправил фамилию на билете и принес извинение за оплошность:

— Прошу прощения, сэр, иногда при заказе билета получаются такие описки.

Ну вот, все в порядке, с удовлетворением подумал Герреро: фамилия его указана правильно, и, когда придет сообщение о том, что самолет, улетевший в рейс два, бесследно исчез, никакой путаницы с установлением его личности не возникнет.

— Приятного путешествия, сэр. — Контролер возвратил ему билет и указал на галерею-гармошку, ведущую в туристский отсек самолета.

Когда Герреро входил в самолет, все так же бережно прижимая к боку чемоданчик, оба двигателя правого борта были уже запущены.

Место в самолете было им зарезервировано на городской станции — кресло возле окна, третье от прохода, и стюардесса помогла ему отыскать его. Пассажир, сидевший у прохода, привстал, и Герреро протиснулся на свое место. Среднее кресло между ними было еще свободно.

Герреро застегнул ремень и бережно положил чемоданчик на колени. Его место оказалось примерно в середине туристского салона на левой стороне. Остальные пассажиры еще продолжали устраиваться, ставили ручной багаж, вешали пальто. Несколько пассажиров толпились в проходе. Одна из стюардесс, беззвучно шевеля губами, пересчитывала пассажиров, и на лице у нее было написано: «Хоть бы уж вы все угомонились наконец».

Почувствовав, что страшное напряжение, в котором он находился с той минуты, как покинул свою квартиру, стало ослабевать, Герреро откинулся на спинку кресла и закрыл глаза. Он по-прежнему крепко сжимал в руках чемоданчик, но дрожь в пальцах понемногу проходила. Не открывая глаз, он нащупал под ручкой чемоданчика роковую петлю из шнура и тотчас почувствовал себя еще увереннее. Вот так он и будет сидеть не шевелясь, подумалось ему, а часа через четыре потянет за этот шнур и взорвет основательный заряд динамита, скрытый в чемоданчике. Успеет ли он в это мгновение осознать происходящее? — спросил он себя. Будет ли какая-то доля секунды... какой-то миг... чтобы насладиться сознанием своего триумфа? А затем наступит милосердное небытие...

Теперь, когда он уже был на борту и чувствовал себя во всеоружии, ему не терпелось, чтобы самолет поднялся в воздух. Он открыл глаза: стюардесса еще продолжала вести подсчет.

В салоне туристского класса в эту минуту находились две стюардессы. Маленькая старушка из Сан-Диего миссис Ада Квонсетт, спрятавшись в дамском туалете, слегка приотворила дверь и не спускала глаз с них обеих.

Миссис Квонсетт было хорошо известно, что стюардессы перед полетом пересчитывают пассажиров и что именно эта минута наиболее опасна для безбилетников. Но если удается избежать разоблачения во время подсчета, тогда шансы на то, что все сойдет благополучно, сильно возрастают.

К счастью, подсчет производила другая стюардесса, не та, с которой миссис Квонсетт пришлось объясняться, когда она ступила на борт самолета.

Миссис Квонсетт еще до этого пережила несколько неприятных минут, обнаружив, что эта рыжеволосая стерва — старший агент по обслуживанию пассажиров — торчит возле выхода сорок семь. Благодарение небу, она убралась оттуда прежде, чем закончилась посадка, а одурачить контролера было совсем нетрудно.

После этого миссис Квонсетт, обратившись к стюардессе, встречавшей пассажиров у входа в самолет, повторила вымышленную историю с забытым бумажником. Стюардесса, которой приходилось отвечать на десятки вопросов хлынувших в самолет пассажиров, отказалась взять бумажник, услыхав, что в нем «куча денег», а именно на это и рассчитывала миссис Квонсетт. Ей было предложено (как она и ожидала) самой разыскать своего сына и отдать ему бумажник — и притом побыстрее.

Высокий блондин, игравший, сам того не подозревая, роль «сына» предприимчивой старой дамы, усаживался в это время на свое место в одном из передних рядов. Миссис Квонсетт сделала несколько шагов по направлению к нему, но не слишком спешила приблизиться. Она украдкой наблюдала за стюардессой, стоявшей в дверях, стараясь улучить минуту, когда ее внимание будет отвлечено, что в скором времени и произошло.

Миссис Квонсетт умела применяться к обстоятельствам. Она увидела неподалеку пустое место, которое можно было занять, однако тут среди пассажиров произошло движение, и проход к одному из туалетов оказался свободным. Через несколько минут, слегка приотворив дверь туалета, миссис Квонсетт обнаружила, что стюардесса, встречавшая пассажиров, куда-то скрылась, а подсчет начала вести другая.

Когда стюардесса, продолжая считать, дошла до конца прохода, миссис Квонсетт вышла из туалета и, пробормотав извинение, быстро проскользнула мимо нее. Она слышала, как стюардесса досадливо прищелкнула языком. «Значит, — сообразила миссис Квонсетт, — сосчитала и меня». Но пока этим дело и ограничилось.

Впереди, слева от прохода, миссис Квонсетт увидела незанятое среднее кресло в одном из трехместных рядов. Обладая немалым опытом по части полетов «зайцем», маленькая старушка из Сан-Диего давно успела заметить, что именно эти средние места чаще всего остаются свободными, если проданы не все билеты; объяснялось это тем, что большинство пассажиров предпочитает сидеть у прохода или возле окна.

Устроившись в кресле, миссис Квонсетт слегка наклонила голову и постаралась как можно меньше бросаться в глаза. Она не слишком обольщалась надеждой, что ей удастся до конца остаться незамеченной. В Риме начнутся различные формальности — с паспортом, с таможенным досмотром, и тут уж ей от них не ускользнуть: это ведь не то что прилететь без билета из Сан-Диего в Нью-Йорк. Однако, если повезет, она все же побывает в Италии, что само по себе достаточно увлекательно, после чего ей еще предстоит приятное путешествие обратно, а пока что в полете ее будут вкусно кормить, покажут какой-нибудь фильм... Потом, возможно, завяжется приятная беседа со спутниками...

Ада Квонсетт с любопытством поглядывала на своих соседей. Она успела заметить, что оба ее спутника — справа и слева — мужчины; впрочем, на соседа справа она пока что избегала смотреть, чтобы не поворачиваться лицом к стюардессам, которые сейчас медленно шли навстречу друг другу по проходу, заново — уже вдвоем — производя подсчет пассажиров. А вот на своего спутника слева миссис Квонсетт нет-нет да и бросала украдкой взгляд: делать это было тем более просто, что он отдыхал, откинувшись на спинку кресла, и глаза его были закрыты. Это был худой, костлявый мужчина; глядя на его землистое лицо с рыжеватыми усиками и тощую шею, миссис Квонсетт подумала, что хороший плотный обед ему бы не повредил.

Мужчина держал на коленях чемоданчик, и миссис Квонсетт заметила, что, хотя глаза у него были закрыты, пальцы крепко сжимали ручку чемоданчика.

Стюардессы закончили подсчет. Из салона первого класса появилась еще одна стюардесса, и все трое начали торопливо о чем-то совещаться.

Пассажир, сидевший слева от миссис Квонсетт, открыл глаза. Его пальцы все так же крепко сжимали чемоданчик. Старушка из Сан-Диего, всю жизнь отличавшаяся любопытством, невольно подумала: «Интересно, что это у него там?»

* * *

Возвращаясь к себе в таможню — на этот раз через пассажирский вестибюль аэровокзала, — инспектор Гарри Стэндиш никак не мог забыть о человеке с чемоданчиком. Стэндиш не имел права останавливать этого человека. За пределами таможенного зала служащие таможни могли задержать пассажира лишь в том случае, если последний как-то пытался избежать таможенного досмотра. Человек же, которого инспектор видел у выхода, под эту категорию никак не подпадал.

Инспектор Стэндиш мог, разумеется, сделать другое: сообщить по телеграфу в итальянскую таможню приметы пассажира и свои подозрения о том, что этот человек, возможно, везет контрабанду. Но Стэндиш не был уверен, что ему следует это делать. Таможни различных государств редко сотрудничают друг с другом — гораздо чаще между ними наблюдается профессиональное соперничество. Такое соперничество существует даже между американской и канадской таможнями, и не раз случалось, что таможенники Соединенных Штатов, получив секретную информацию о партии бриллиантов, переправляемых контрабандой в Канаду, по некоторым соображениям не ставили об этом в известность канадскую таможню. Вместо этого агенты сыскной полиции Соединенных Штатов выслеживали подозреваемых в контрабанде лиц по их прибытии в Канаду, держали их под наблюдением, но арестовывали лишь в том случае, если они вновь пересекали границу Соединенных Штатов. Объяснялось это следующим: вся контрабанда остается в той стране, где она захвачена, и ни одна из таможен не желала делиться своей добычей.

И Стэндиш решил, что он не станет посылать телеграмму в Италию, но сообщит о своих подозрениях представителям «Транс-Америки»; пусть сами принимают меры.

Стэндиш увидел миссис Ливингстон, старшего агента по работе с пассажирами, которая тоже только что присутствовала при посадке на рейс два. Она разговаривала с одним из пилотов и группой пассажиров. Гарри Стэндиш подождал, пока они не ушли.

— Привет, мистер Стэндиш, — сказала Таня. — Надеюсь, у вас в таможне поспокойнее, чем здесь.

— Ну, не особенно, — ответил Стэндиш, вспомнив миссис Гарриет дю Барри-Моссмен, которую, вероятно, все еще продолжали допрашивать в таможенном зале.

Таня заметила, что таможенник хочет ей что-то сказать. Однако Стэндиш колебался. Порой ему казалось, что он придает слишком большое значение своим инстинктивным подозрениям, превращается в сыщика-любителя. Однако ведь в большинстве случаев его подозрения подтверждались.

— Я случайно видел посадку на ваш рейс два, — сказал Стэндиш. — И кое-что показалось мне подозрительным. — Он бегло описал Тане внешность худого долговязого человека, который как-то странно прижимал к себе чемоданчик.

— Вы думаете, что он везет контрабанду?

Стэндиш улыбнулся:

— Если бы он не улетал, а прилетел к нам с одним из международных рейсов, я бы это в два счета выяснил. А тут я могу вам сказать только одно, миссис Ливингстон: этот человек не хочет, чтобы кто-нибудь знал, что у него там, в чемоданчике.

Таня задумалась на минуту, потом сказала:

— Не очень представляю себе, что я могу тут предпринять. — Если даже пассажир и вез контрабанду, расследование этого едва ли входило в круг ее обязанностей.

— Да, по всей вероятности, ничего, но поскольку вы работаете в контакте с нами, я решил сказать вам о своих подозрениях.

— Благодарю вас, мистер Стэндиш. Я сообщу о ваших наблюдениях управляющему перевозками, а он, быть может, сочтет нужным поставить об этом в известность командира.

Инспектор Стэндиш отошел. Таня поглядела вверх на часы — было без одной минуты одиннадцать. Она поспешно поднялась на административный этаж аэровокзала, где помещалась контора «Транс-Америки». Пытаться перехватить самолет, пока он выруливает, было уже поздно: через несколько секунд он поднимется в воздух. Вероятно, УП сейчас у себя. Он может связаться с капитаном Димирестом по радио, пока самолет еще на земле, — если, конечно, найдет ее сообщение заслуживающим внимания. Таня прибавила шагу.

УП на месте не оказалось, но, к своему удивлению, она увидела там Питера Кокли.

— Что вы тут делаете? — резко спросила Таня.

Молодой агент, которого так ловко провела за нос старушка из Сан-Диего, смущенно поведал о случившемся.

Одураченный Питер Кокли только что получил уже один нагоняй. Доктор, которого он понапрасну притащил в дамскую комнату, был разъярен и не постеснялся в выражениях. Бедняга

276

Кокли явно ждал такой же взбучки и от миссис Ливингстон. Предчувствие его не обмануло.

Таня вышла из себя.

— Ах ты, черт! Я же предупреждала вас, что у этой пройдохи куча всяких уловок, — обрушилась она на Питера.

— Правильно, миссис Ливингстон, вы предупреждали, да я, видите ли...

— Теперь поздно об этом говорить. Свяжитесь по телефону со всеми выходами. Предупредите их, чтобы они следили в оба за очень скромной с виду старушкой в черном... ну, вы знаете, как ее описать. Она хочет попасть в Нью-Йорк, но может попытаться сделать это каким-нибудь кружным путем. Если ее обнаружат, пусть контролер задержит ее и позвонит сюда. И что бы она там ни говорила, что бы ни придумывала, ни в коем случае не пропускать ее ни в один самолет. Ступайте займитесь этим, а я пока что оповещу по телефону другие авиакомпании.

— Слушаюсь, мэм.

В кабинете было несколько телефонов, Питер Кокли подошел к одному. Таня — к другому.

Таня знала на память номера телефонов «ТВА», «Америкэн эйрлайнз», «Юнайтед эйрлайнз» и «Ориент»: у всех четырех компаний были прямые беспосадочные рейсы до Нью-Йорка. Прежде всего Таня связалась с Дженни Хенлайн, занимавшей такую же должность в «ТВА». Она слышала, как Питер Кокли в это время говорил:

— Да, совсем старенькая... вся в черном... Да, с виду никак не скажешь...

Таня почувствовала, что она вступает в своеобразное единоборство с хитроумной и изобретательной миссис Адой Квонсетт. «Кто же кого, в конце концов, перехитрит?» — подумала Таня.

Она уже забыла и о разговоре с таможенным инспектором Стэндишем, и о своем намерении разыскать УП.

А на борту самолета, вылетавшего рейсом два, капитан Вернон Димирест кипел от возмущения.

— Какого черта они нас держат?

Оба правых двигателя — третий и четвертый — самолета номер 731-ТА уже работали. Они еще не были запущены на полную мощность, но их гул и вибрация отдавались в теле самолета.

Несколько минут назад пилоты получили по внутреннему радиотелефону от инспектора, наблюдающего за погрузкой, подтверждение на запуск третьего и четвертого двигателей; однако подтверждения на запуск первого и второго двигателей, расположенных с того борта самолета, где производилась посадка, еще не было получено; в соответствии с существующим порядком эти двигатели не запускаются до тех пор, пока все двери самолета не будут закрыты. Одна красная лампочка на панели приборов, мигнув, потухла две минуты назад — это означало, что задняя дверь надежно закрыта и задняя галерея-гармошка уже отведена от самолета. Но вторая красная лампочка еще продолжала гореть, указывая на то, что передняя дверь продолжает оставаться открытой, и, бросив взгляд в заднее окно кабины, можно было убедиться, что передняя галерея-гармошка еще не убрана.

Обернувшись, капитан Димирест сказал второму пилоту Джордану:

— Отворите дверь.

Сай Джордан сидел позади двух первых пилотов у панели приборов контроля работы двигателей. Высокий, худощавый, он слегка приподнялся, потянулся и распахнул дверь из кабины в салон первого класса. Они увидели стоявших в салоне стюардесс и среди них — Гвен Мейген.

— Гвен! — крикнул Димирест. Когда Гвен подошла ближе, он спросил: — Какого черта мы задерживаемся, что происходит?

Гвен казалась озабоченной.

— Число пассажиров в туристском классе не сходится ни с количеством проверенных билетов, ни с пассажирской ведомостью; мы пересчитали дважды.

— А инспектор, наблюдающий за погрузкой, еще здесь?

— Здесь, он проверяет наш подсчет.

— Пусть придет сюда, я хочу сказать ему два слова.

На этой стадии подготовки к полету постоянно возникала проблема разделения ответственности. Номинально командир корабля уже считался вступившим в свои права, однако он не мог ни запустить двигатели, ни тронуться с места без санкции инспектора, наблюдающего за погрузкой. Оба они — как командир, так и инспектор — были равно заинтересованы в одном и том же: чтобы самолет поднялся в воздух точно по расписанию. В то же время каждый выполнял свои обязанности, и это порой приводило к разногласиям.

Инспектор почти тут же появился в кабине; его чин можно было определить по одной серебряной нашивке на рукаве.

— Послушайте, приятель, — сказал Димирест. — Я знаю, что у вас есть свои трудности, но они есть и у нас. Сколько нам еще торчать здесь?

— Я только что распорядился вторично проверить у пассажиров билеты, капитан. В салоне туристского класса на одного человека больше, чем следует.

— Прекрасно, — сказал Димирест. — А теперь я сообщу вам кое-что. Каждую лишнюю секунду, что мы здесь торчим, мы понапрасну жжем топливо в третьем и четвертом двигателях, запустить которые дали разрешение вы... Драгоценное топливо, необходимое нам сегодня в ночном полете. Так что, если наш самолет сейчас же не поднимется в воздух, я глушу двигатели и посылаю за топливом, чтобы пополнить баки. И еще одно вам не мешает знать: с КДП только что сообщили, что у них появилось «окно»; если мы сейчас начнем выруливать, нам немедленно дадут разрешение на взлет. Через десять минут положение может измениться. Теперь решайте. Жду. Что вы скажете?

Инспектор колебался. Любое из решений было чревато неприятными последствиями. Он знал, что капитан прав, поднимая вопрос о топливе; глушить же сейчас двигатели и пополнять баки — значит по меньшей мере еще на полчаса задержать вылет, который и без того был отложен на час, а все это стоит денег. С другой стороны, на дальнем международном рейсе число принятых на борт пассажиров обязательно должно соответствовать числу предъявленных билетов. Если на борту самолета действительно будет обнаружен безбилетный пассажир, это послужит достаточным оправданием для задержки. Но если «зайца» не окажется и выяснится, что при проверке и подсчете просто произошла какая-то путаница — а это вполне возможно, — УП оторвет ему голову.

Инспектор принял решение, которое напрашивалось само собой. Обернувшись к открытой двери, он распорядился:

— Прекратите проверку билетов. Самолет выруливает на старт.

Когда дверь кабины захлопнулась, Энсон Хэррис, ухмыляясь, крикнул в трубку радиотелефона стоявшему внизу дежурному:

— Могу запускать второй двигатель?

В трубке задребезжало в ответ:

— Запускайте второй!

Передняя дверь самолета захлопнулась. Красная лампочка в кабине мигнула и погасла.

Второй двигатель загудел и перешел на мерное глухое урчание.

— Могу запускать первый двигатель?

— Запускайте первый.

Галерея-гармошка, словно отрезанная пуповина, отделилась от фюзеляжа и откатилась к зданию аэровокзала.

Вернон Димирест запросил по радио у наземного диспетчера разрешение выруливать на старт. Загудел и заработал первый двигатель.

Капитан Энсон Хэррис, пилотировавший самолет и занимавший левое сиденье, утвердил ноги на педалях руля поворотов и носками нажал на тормоз, приготовившись вырулить на взлетную полосу и поднять самолет в воздух.

За окнами продолжала бушевать метель.

— Самолет «Транс-Америка», рейс два, говорит наземный диспетчер. Разрешаю выруливать к взлетной полосе...

Гул двигателей возрос.

Вернон Димирест думал: «Рим... Потом Неаполь... Ну вот мы и летим туда!»

Было ровно двадцать три часа по среднеевропейскому времени, когда в вестибюле «Д» к выходу сорок семь опрометью бросилась какая-то женщина.

Она задыхалась и не могла произнести ни слова, впрочем, задавать вопросы было уже бесполезно.

Выход на поле был закрыт. Таблички, оповещавшие о рейсе два «Золотой Аргос», сняты. Самолет выруливал на взлетную полосу.

Беспомощно опустив руки, Инес Герреро растерянно смотрела на удалявшиеся красные огни.

ЧАСТЬ ТРЕТЬЯ

(23.00 — 1.30)

1

Как всегда в начале полета, старшая стюардесса Гвен Мейген испытала чувство облегчения, когда передняя дверь самолета захлопнулась; еще несколько секунд — и самолет тронется с места.

Лайнер в аэропорту подобен приехавшему погостить родственнику, находящемуся в рабской зависимости от настроений и капризов хозяев дома. Свободная, независимая жизнь не для него. Он уже не принадлежит самому себе; он уже, как лошадь, стреножен шлангами, подающими топливо; какие-то люди, которые никогда не поднимаются с ним в воздух, снуют вокруг.

Но как только двери герметически закрыты и воздушный лайнер тронулся с места, он снова в своей стихии. И перемену эту особенно остро ощущают члены экипажа: они возвращаются в привычную, хорошо знакомую обстановку, в которой могут действовать самостоятельно и умело выполнять то, чему их учили. Здесь никто не вертится у них под ногами, ничто не мешает их работе. Они точно знают свои возможности и пределы этих возможностей, ибо в их распоряжении приборы самого высокого класса, и действуют они безотказно. И к ним возвращается уверенность в себе. Они опять обретают чувство локтя, столь существенное для каждого из них.

Даже пассажиры — во всяком случае, наиболее чуткие — настраиваются на новый лад, а когда самолет поднимается в воздух, эта перемена становится еще более ощутимой. При взгляде сверху вниз, с большой высоты, повседневные дела и заботы представляются менее значительными. Некоторым, наиболее склонным к самоанализу, кажется даже, что они освобождаются от бренности земных уз.

Но у Гвен Мейген, занятой обычными предвзлетными приготовлениями, не было времени предаваться размышлениям подобного рода. Пока остальные четыре стюардессы занимались хозяйственными делами, Гвен по трансляции приветствовала пассажиров на борту самолета. Она старалась, как могла, чтобы приторно-фальшивый текст, записанный в руководстве для стюардесс (компания настаивала, чтобы он читался в начале каждого полета), звучал по возможности естественно:

— *Командир Димирест и экипаж самолета искренне желают, чтобы в полете вы отдыхали и не чувствовали неудобств... сейчас мы будем иметь удовольствие предложить вам... если в наших силах сделать ваш полет еще более приятным...*

Поймут ли когда-нибудь руководители авиакомпаний, что большинству пассажиров эти объявления в начале и в конце каждого полета кажутся скучными и назойливыми!

Гораздо важнее были объявления относительно кислородных масок, запасных выходов и поведения при вынужденной посадке. С помощью двух других стюардесс, проводивших демонстрацию, Гвен быстро справилась с этой задачей.

Самолет все еще бежал по земле. Гвен заметила, что сегодня он бежит медленнее, чем обычно. Понятно: снегопад и заторы. Она слышала, как вьюга бьет в окно и фюзеляж.

Оставалось сделать еще одно объявление — наиболее неприятное для экипажа. Такие сообщения делались перед каждым вылетом из нью-йоркского, бостонского, кливлендского, сан-францисского аэропортов, а также международного аэропорта имени Линкольна и всех остальных аэропортов, расположенных вблизи населенных пунктов:

— *Вскоре после взлета вы заметите уменьшение шума двигателей вследствие уменьшения числа их оборотов. Это вполне нормальное явление, и проистекает оно из нашей заботы о тех, кто живет вблизи аэропорта и его взлетных полос.*

Последнее утверждение было ложью: снижение мощности двигателей являлось не только ненормальным, но и нежелательным. В действительности это была уступка — по мнению некоторых, своего рода расшаркивание перед общественным мнением, — но чреватая опасностью для самолета и для пассажиров, и пилоты ожесточенно боролись против этой меры. Многие из них, рискуя своим служебным положением, отказывались подчиняться этому распоряжению.

Гвен слышала, как Вернон Димирест в узком кругу пародировал такого рода объявления:

«Леди и джентльмены! В наиболее трудный и ответственный момент взлета, когда нам необходима вся мощность двигателей и когда дел у нас в кабине по горло, нас заставляют резко сократить число оборотов и производить крутой взлет тяжело нагруженного самолета с минимальной скоростью. Это совершенно идиотская затея, за которую любой курсант с позором вылетел бы из авиаучилища. И тем не менее мы проделываем это по приказу наших хозяев и Федерального управления авиации, проделываем потому, что кучка людей, построивших свои дома вблизи аэропорта, когда он уже существовал, настаивает на том, чтобы мы поднимались в воздух, задержав дыхание. Им наплевать на требования безопасности, наплевать на то, что мы рискуем своей жизнью и вашей. Так что мужайтесь, ребята! Пожелаем же друг другу удачи и помолимся Богу!».

Гвен улыбнулась, вспомнив об этом. Многое в Верноне вызывало у нее восхищение. Его энергия, эмоциональность. Когда что-нибудь по-настоящему затрагивало Вернона, он становился неукротимым в своем стремлении к цели. Даже в своих недостатках он был прежде всего мужчиной. И ни его задиристость, ни самомнение ничего не меняли в отношении к нему Гвен. К тому же он умел быть нежным и на пылкую страсть отзывался не менее пылко — уж Гвен ли этого не знать. Она еще не встречала мужчины, от которого ей бы так хотелось иметь ребенка. И при мысли об этом у нее сладко защемило сердце.

Ставя микрофон на место в переднем салоне, она заметила, что движение самолета замедлилось — значит, они уже подрулили к взлетной полосе. Истекали последние минуты, когда еще можно подумать о чем-то своем — потом долгие часы она не будет принадлежать себе. Когда они поднимутся в воздух, не останется времени ни для чего, кроме работы. Помимо выполнения своих непосредственных обязанностей по обслуживанию пассажиров первого класса Гвен должна еще руководить остальными четырьмя стюардессами. На многих международных линиях ответственными за работу стюардесс назначают мужчин, но «Транс-Америка» поручала эти обязанности опытным стюардессам, таким как Гвен.

Самолет остановился. Гвен видны были в окно огни другого самолета впереди; еще несколько машин выстроились цепочкой сзади. Передний самолет выруливал на взлетную полосу. Рейс два следовал за ним. Гвен опустила откидное сиденье и пристегнулась ремнем. Остальные стюардессы тоже сели на свои места.

Снова промелькнула в голове все та же щемящая мысль: ребенок Вернона. И снова все тот же неотвязный вопрос: аборт или... Да или нет? Быть или не быть ребенку?.. *Самолет вырулил на взлетную полосу.* Оставить ребенка или сделать аборт?.. *Шум двигателей нарастал, переходя в рев. Машина устремилась вперед. Через несколько секунд они поднимутся в воздух...* Да или нет? Даровать жизнь или обречь на смерть? Как сделать выбор между любовью и повседневной реальностью, между чувством и здравым смыслом?

Обстоятельства сложились так, что Гвен Мейген могла бы не делать последнего объявления относительно уменьшения шума двигателей.

Пока они катили по рулежной дорожке, Энсон Хэррис сказал Вернону Димиресту:

— Я сегодня не намерен выполнять требования насчет шума.

Вернон Димирест, только что вписавший в журнал полученный по радио маршрут полета — обязанность, обычно выполняемая первым пилотом, — кивнул:

— Правильно, черт побери. Я бы тоже плюнул на них.

Большинство пилотов этим бы и ограничилось. Однако Димирест в соответствии со своим педантичным нравом пододвинул к себе бортовой журнал и в графе «Примечания» записал: «ПШМ (противошумовые меры) не соблюдены. Основание: погода, безопасность».

В дальнейшем эта запись могла привести к осложнениям, но Димирест только приветствовал такого рода осложнения и готов был встретить их с открытым забралом.

Огни в салоне были притушены. Предполетная проверка закончена.

Временный затор в движении оказался им на руку: они вырулили на взлетную полосу два-пять быстро, без задержек, с которыми пришлось столкнуться в этот вечер многим самолетам. Но позади них уже снова создавался затор, цепочка ожидавших своей очереди самолетов росла, на рулежные дорожки один за другим выкатывали все новые машины.

По радио с командно-диспетчерского пункта непрерывным потоком поступали указания наземного диспетчера рейсовым самолетам различных авиакомпаний: «Юнайтед эйрлайнз», «Истерн», «Американ», «Эр Франс», «Флаинг тайгер», «Люфтганза», «Браниф», «Континентл», «Лейк-Сентрал», «Дельта», «ТВА», «Озарк», «Эйр Канада», «Алиталия» и «Пан-Американ». Перечень пунктов назначения звучал так, словно диспетчер листал страницы индекса географического атласа мира.

Дополнительное топливо, затребованное Энсоном Хэррисом на случай, если в предвзлетный период они истратят больше обычного, в конце концов оказалось неизрасходованным. Но даже при таком количестве топлива их общая загрузка, по подсчетам, которые второй пилот Джордан только что произвел — и еще не раз произведет и сегодня, и завтра перед посадкой, — не превышала взлетной нормы.

Оба пилота — и Димирест, и Хэррис — настроились на волну наземного диспетчера.

На взлетной полосе два-пять прямо перед ними самолет «Бритиш оверсиз эйруэйз» получил разрешение подняться в воздух. Он двинулся вперед, сначала медленно набирая скорость, затем все быстрее и быстрее. Мелькнули голубая, золотая, белая полосы — цвета британской авиакомпании — и скрылись в вихре снежной пыли и черного выхлопного дыма. И тотчас вслед за этим раздался размеренный голос диспетчера:

— «Транс-Америка», рейс два, выруливайте на взлетную полосу два-пять и ждите. На полосу один-семь, левую, садится самолет.

Полоса один-семь, левая, пересекала полосу два-пять. Одновременное пользование обеими полосами, несомненно, таило в себе опасность, но опытные диспетчеры умели так разводить взлетающие и идущие на посадку самолеты, что в точке пересечения никогда не могло оказаться двух самолетов сразу и вместе с тем не терялось зря ни секунды драгоценного времени. Пилоты, слыша по радио, что обе полосы находятся в работе и учитывая опасность столкновения, со скрупулезной точностью выполняли все указания диспетчеров.

Вглядевшись в снежную вьюгу, Димирест различил огни снижающегося самолета.

Энсон Хэррис быстро и умело вывел машину на полосу два-пять и нажал кнопку своего микрофона.

— Говорит «Транс-Америка», рейс два. Вас понял. Вырулился и жду. Вижу идущий на посадку самолет.

Садившийся самолет еще не успел пронестись над их взлетной полосой, как снова раздался голос диспетчера:

— «Транс-Америка», рейс два, взлет разрешаю. Давай, давай, друг.

Последние слова не входили в диспетчерскую формулу, но для пилотов и диспетчеров они означали одно и то же: *Ну же, взлетайте, черт побери! Еще один самолет идет на посадку*. Уже мелькнули в опасной близости от земли чьи-то чужие огни, стремительно приближавшиеся к полосе один-семь.

Энсон Хэррис не стал медлить. Он нажал на педали тормозов, затем сдал все четыре сектора газа вперед почти до упора, давая двигателям полную тягу.

— Уравняйте тягу, — распорядился он; Димирест между тем подобрал положение секторов, при котором все четыре двигателя получали топливо поровну; ровное гудение их постепенно переходило в грозный рев. Хэррис отпустил тормоза, и 731-ТА рванулся с места.

Вернон Димирест передал на КДП:

— «Транс-Америка», рейс два, пошел на взлет, — и тут же отдал от себя штурвал, в то время как Хэррис, левой рукой управляя весовым колесом, правой взялся за секторы газа.

Самолет набирал скорость. Димирест крикнул:

— Восемьдесят узлов*!

Хэррис кивнул. Бросив носовое колесо, взялся за штурвал. В снежном вихре промелькнули огни взлетной полосы. На скорости сто тридцать узлов Димирест — в соответствии с произведенным заранее расчетом — сообщил Энсону Хэррису, что критическая скорость, при которой еще можно отменить взлет и остановить лайнер в пределах взлетной полосы, достигнута. Превысив эту скорость, самолет мог идти только на взлет... Но вот он уже перешел за эту грань и продолжал набирать скорость. Пересечение взлетных полос осталось позади, справа сверкнули огни идущего на посадку самолета — еще мгновение, и он пересечет полосу в том месте, где только что был их лайнер. Риск плюс точный расчет снова оправдали себя; только пессимисты могут думать, что когда-нибудь такой риск... На скорости сто пятьдесят четыре узла Хэррис взял на себя штурвал. Носовое колесо приподнялось, самолет находился в поло-

---

* Узел равен одной морской миле в час (1,852 км/ч).

жении отрыва от земли. Еще мгновение, и, набирая скорость, он поднялся в воздух.

— Убрать шасси, — приказал Хэррис.

Димирест протянул руку и толкнул вверх рычаг на центральной панели управления. Звук убираемого шасси прокатился дрожью по фюзеляжу, и створки люков, куда ушли колеса, со стуком захлопнулись.

Самолет быстро набирал высоту — он уже поднялся на четыреста футов над землей. Еще несколько секунд, и он уйдет в ночь, в облака.

— Закрылки на двадцать градусов.

Выполняя команду пилотирующего, Димирест перевел селектор с отметки тридцать на двадцать. Когда закрылки, облегчая набор скорости, слегка приподнялись, самолет на какой-то миг «просел», и возникло ощущение падения как бы в воздушную яму.

— Закрылки убрать.

Теперь закрылки были полностью убраны.

Димирест мысленно отметил для своего последующего рапорта, что ни разу за время взлета он ни в чем не мог упрекнуть Энсона Хэрриса, безупречно поднявшего лайнер в воздух. Да ничего другого он от него и не ждал. Несмотря на все свои недавние придирки, Вернон Димирест знал, что Хэррис — пилот экстра-класса, столь же пунктуальный в работе, как он сам. Именно поэтому Димирест предвкушал, что сегодняшний ночной перелет в Рим будет легким и приятным.

Прошло всего несколько секунд с тех пор, как они оторвались от земли. Продолжая забираться все выше, самолет пролетел над краем взлетного поля; огни аэродрома уже едва приметно мерцали сквозь снежную пелену. Энсон Хэррис перестал глядеть в окно и сосредоточил все свое внимание на приборах.

Второй пилот Сай Джордан, наклонившись вперед со своего кресла бортмеханика, взялся за секторы газа, чтобы уравнять тягу всех четырех двигателей.

В облаках сильно болтало — начало полета не могло доставить пассажирам особого удовольствия. Димирест выключил световое табло «Не курить», оставив табло «Пристегните ремни» гореть до тех пор, пока лайнер не достигнет высоты, на которой прекратится болтанка. Тогда либо сам Димирест, либо Хэррис сделают обращение к пассажирам. Пока им было не до этого, сейчас пилотирование самолета приковывало к себе все внимание.

Димирест доложил по радио на КДП:

— Делаем левобортовой вираж, курс один-восемь-ноль; высота — тысяча пятьсот футов.

Он заметил усмешку, пробежавшую по губам Энсона Хэрриса при словах «левобортовой вираж» вместо обычного «левый вираж». Димирест выразился правильно, но не по уставу. Это была его собственная, димирестовская, манера выражаться. Такого рода словечки были в ходу у многих пилотов-ветеранов — в них проявлялось их бунтарство против бюрократического языка командно-диспетчерских пунктов, который в современной авиации стал считаться как бы обязательным для всего летного состава. Диспетчеры нередко узнавали того или иного пилота по таким вот словечкам.

Несколько секунд спустя рейс два получил по радио разрешение подняться на двадцать пять тысяч футов. Димирест подтвердил прием: Энсон Хэррис продолжал набирать высоту. Еще несколько минут, и они вырвутся на простор, высоко над снежным бураном, туда, где тишина и звезды.

Слова «левобортовой вираж» не прошли незамеченными на земле — их услышал Кейз Бейкерсфелд.

Кейз возвратился в радарную часа полтора назад. До этого он некоторое время провел в гардеробной, совершенно один, перебирая в уме прошлое и укрепляясь в принятом решении, а рука его то и дело машинально нащупывала в кармане ключ от номера в гостинице «О'Хейген». Помимо этого, все его внимание было сосредоточено на экране радара. Сейчас он осуществлял контроль за передвижением самолетов, прибывших с востока, и работа его требовала максимального внимания.

Рейс два не попадал непосредственно в сферу его наблюдений. Однако другой диспетчер находился от него всего в нескольких футах, и в промежутке между двумя своими приемами Кейз уловил знакомое выражение «левобортовой вираж» и узнал голос Вернона. До этой минуты Кейз понятия не имел о том, что Вернон Димирест летит сегодня куда-то, да и не мог этого знать. Кейз никогда не был особенно близок с Верноном, хотя таких трений, как у них с Мелом, между Кейзом и Димирестом не было.

Вскоре после того, как самолет, вылетавший рейсом «Золотой Аргос», поднялся в воздух, Уэйн Тевис, главный диспетчер радарной, подъехал на своем кресле к Кейзу.

— Пять минут передышки, старик, — сказал он. — Я тебя подменю. К тебе твой брат пожаловал.

Сняв наушники, Кейз обернулся и различил в углу в полумраке фигуру Мела. А он так надеялся, что Мел сегодня не придет. Кейз боялся, что ему трудно будет выдержать напряжение этой встречи. Но внезапно он почувствовал, что рад приходу Мела. Они с братом всегда были друзьями, и, конечно, они должны проститься, хотя Мел и не будет знать, что это прощание... Вернее, поймет это только завтра.

— Привет! — сказал Мел. — Шел мимо, решил — загляну. Как дела?

Кейз пожал плечами:

— Да вроде все в порядке.

— Выпьешь кофе? — Мел по дороге прихватил с собой из ресторана две порции кофе в бумажных стаканчиках. Он протянул один стаканчик Кейзу, другой поднес к губам.

— Спасибо. — Кейз был благодарен брату и за кофе, и за передышку. Теперь, оторвавшись хотя бы ненадолго от экрана, он ощутил мгновенное облегчение — напряжение, нараставшее в нем за последний час, стало спадать. Он заметил — словно смотрел со стороны, — что его рука, державшая стаканчик с кофе, дрожит.

Мел окинул взглядом радарную. На Кейза он старался не смотреть: слишком взволновало его напряженное выражение осунувшегося лица и эти круги под глазами. Кейз сильно изменился за последние месяцы, а сегодня, подумалось Мелу, выглядел особенно плохо.

Все еще продолжая думать о брате, Мел мотнул головой, указывая на сложное оборудование радарной.

— Интересно, что сказал бы старик, если бы попал сюда.

«Старик» — это был их отец, Уолл Бейкерсфелд по прозвищу Бешеный, авиатор старой школы, летавший на открытых бипланах, неутомимый опрыскиватель посевов, ночной почтальон и даже парашютист. Последнее — когда приходилось особенно туго с деньгами. Бешеный был современником Линдберга*, дружком Орвилла Райта** и летал до конца своей жизни, обо-

---

* Чарлз Линдберг (род. в 1902 г.) — американский летчик, совершивший в 1927 г. беспосадочный перелет через Атлантику (Нью-Йорк — Париж).
** Орвилл Райт (1871—1948) — американский изобретатель, авиаконструктор и летчик. Вместе со своим братом Уилбером сконструировал аэроплан с двигателем внутреннего сгорания и в 1903 г. совершил на нем первый в мире успешный полет продолжительностью 59 секунд.

рвавшейся внезапно во время съемок трюкового полета в голливудском боевике: трюк закончился катастрофой, которая должна была произойти лишь на экране, а произошла в жизни. Случилось это, когда Мел и Кейз были еще подростками, но «бешеный» папаша успел внушить им, что для них не может быть жизни вне авиации, и, став взрослыми, они продолжали придерживаться этого взгляда. Отец не очень-то удружил своему младшему сыну, не раз думал потом Мел.

Кейз, не отвечая Мелу, только покачал головой, что, впрочем, не имело особого значения, так как вопрос был чисто риторический. Мел просто тянул время, обдумывая, как бы половчее подойти к тому, что больше всего занимало сейчас его мысли. В конце концов он решил действовать напрямик.

Понизив голос, он сказал:

— Кейз, ты нездоров, выглядишь скверно. Да ты и сам это знаешь, так к чему притворяться? Если позволишь, я с радостью тебе помогу. Что у тебя стряслось? Может, обсудим вместе? Мы ведь всегда были откровенны друг с другом.

— Да, — сказал Кейз, — так было всегда.

Он пил кофе, стараясь не глядеть на Мела.

Упоминание об отце, хотя и оброненное вскользь, странно взволновало Кейза. Он хорошо помнил Бешеного: добывать деньги отец никогда не умел, и семья Бейкерсфелдов постоянно сидела на мели, но детей своих он любил и охотно с ними болтал, особенно об авиации, что очень нравилось обоим его сыновьям. После смерти Бешеного Мел заменил Кейзу отца. На Мела во всем можно было положиться. Он обладал превосходным здравым смыслом, чего не хватало их отцу. Он всю жизнь заботился о Кейзе, но никогда не делал этого нарочито, никогда не перегибал палку, как это часто случается со старшими братьями, которые тем самым подавляют чувство собственного достоинства у подростков.

Мел всем делился с Кейзом и даже в пустяках был к нему внимателен и чуток. Так оно оставалось и по сей день. Вот и сейчас — принес кофе, подумал Кейз, но тут же остановил себя: нечего распускать слюни из-за стаканчика кофе только потому, что это последнее свидание. Мелу не спасти его от одиночества и мучительного чувства вины. Даже Мел не в состоянии вернуть к жизни маленькую Валери Редферн и ее родителей.

Мел кивком показал на дверь, и они вышли в коридор.

— Послушай, старина, — сказал Мел, — тебе необходимо отключиться от всего этого... И, пожалуй, даже надолго. Может быть, не только отключиться, может быть, уйти отсюда совсем.

Кейз улыбнулся — первый раз за все время их разговора.

— Это тебе Натали напела.

— Натали способна мыслить очень здраво.

Какие бы затруднения ни испытывал сейчас Кейз, подумал Мел, ему явно повезло, что у него такая жена. Мысль о золовке привела Мелу на память его собственную жену, которая в это время находилась, по-видимому, где-то на пути в аэропорт. Нет, это нечестно — сравнивать свою супружескую жизнь с чужой, чтобы представить ее себе в невыгодном свете, подумал Мел. Однако порой от этого трудно удержаться. Отдает ли Кейз себе отчет в том, как удачно сложилась в этом отношении его жизнь, подумал Мел.

— И вот еще что, — сказал он. — Я никогда раньше не спрашивал тебя об этом, но, пожалуй, сейчас пришло время. Мне кажется, ты не рассказал мне всего, что произошло тогда в Лисберге... во время катастрофы. И, должно быть, ты не рассказывал этого никому, а я прочел все протоколы. Было там что-нибудь еще, о чем ты не упомянул?

— Было, — сказал Кейз после секундного колебания.

— Да, я это почувствовал. — Мел говорил осторожно, боясь произнести лишнее слово. Этот разговор мог иметь решающее значение для них обоих, и Мел это сознавал. — Но я рассуждал так: если бы ты хотел, чтобы я узнал больше, то сам бы мне рассказал, а раз ты молчишь, значит, не мое это дело. И тем не менее бывает так, что, когда тебе кто-то очень дорог... как, например, брат... нельзя успокаиваться на том, что тебя это не касается: нельзя — даже если твоего вмешательства не хотят. И я пришел к выводу, что не стану больше оставаться в стороне. — Помолчав, он спросил мягко: — Ты меня слушаешь?

— Да, — сказал Кейз, — я тебя слушаю. — А сам думал: можно ведь положить конец этому разговору — он же бесцелен. И, вероятно, надо сделать это сразу, сейчас. Извиниться, сказать, что ему необходимо вернуться в радарную. Мел решит, что можно будет продолжить разговор позже, он ведь не знает, что никакого «позже» не будет.

— В тот день в Лисберге, — настойчиво повторил Мел. — То, о чем ты никогда не говорил, — это имеет отношение к тому, как ты себя теперь чувствуешь, к тому, что с тобой происходит? Имеет, да?

Кейз покачал головой:

— Оставим это, Мел. Прошу тебя!

— Значит, я прав. Значит, одно к другому имеет отношение, так ведь?

Какой смысл возражать против очевидности, подумал Кейз.

— Да.

— Ты не хочешь рассказать мне? Но тебе же придется рано или поздно поделиться с кем-то. — Голос Мела звучал просительно и вместе с тем настойчиво. — Ты не можешь вечно жить с этим — что бы оно ни было, — вечно носить это в себе. С кем же тебе лучше поделиться, как не со мной? Я пойму.

Ты не можешь носить это в себе... С кем же тебе лучше поделиться, как не со мной?

Кейзу казалось, что голос брата доносится к нему из какой-то дальней дали, словно с другой стороны глубокого, гулкого ущелья, и даже лицо брата словно бы отодвинулось куда-то далеко-далеко. И там, на той стороне ущелья, были еще другие люди — Натали, Брайан, Тео, Перри Юнт, старые друзья Кейза, с которыми он уже давно потерял связь. Но только Мел, единственный из всех, тянулся к нему оттуда, из этой дали, пытался перекинуть мост через разделявшую их пропасть. Однако пропасть была очень уж широкая. Кейз долго, слишком долго, был одинок.

И все же...

Кейз спросил, и собственный голос показался ему чужим.

— Ты хочешь, чтобы я рассказал тебе об этом здесь? Сейчас?

— А почему бы нет? — решительно сказал Мел.

И правда: почему бы нет? Что-то пробуждалось в душе Кейза — желание излить свою боль, даже если это ни к чему не приведет, ничего, ничего не изменит... Но так ли это? Ведь для чего-то придуманы же исповедь, катарсис, покаяние, отпущение грехов. Только в том-то и суть, что исповедь приносит избавление, искупление, а для Кейза искупления нет и не может быть — никогда. По крайней мере так он чувствует... Но теперь ему уже хотелось узнать, что же скажет Мел.

Что-то поднималось со дна души Кейза, что-то глубоко запрятанное там.

— Никакой особой причины скрывать это у меня нет, — с расстановкой произнес он. — Почему бы действительно не рассказать тебе? Это не займет много времени.

Мел промолчал. Инстинкт подсказывал ему, что одно неверное слово может изменить настроение Кейза, спугнуть признание, которого Мел так долго ждал, которое он так стремился услышать. Мел думал: если только ему удастся узнать, что мучит Кейза, может быть, они вдвоем сумеют сладить с этим. И, судя по виду брата, нужно, чтобы это произошло как можно скорее.

— Ты читал протоколы, — сказал Кейз. Голос его звучал тускло. — Ты только что сам это сказал. Тебе известно почти все, что случилось в тот день.

Мел молча кивнул.

— Только одного ты не знаешь, и никто не знает, кроме меня; об этом не говорилось на расследовании, а я думаю об этом день и ночь... — Кейз умолк.

Казалось, он больше ничего не скажет.

— Бога ради! Ради самого себя, ради Натали, ради меня — дальше!

— Да-да, сейчас, — сказал Кейз.

Он начал описывать то утро в Лисберге, полтора года назад, — обстановку в воздухе, когда он ушел в туалет. Старшим по их группе был тогда Перри Юнт, а непосредственно на месте Кейза остался стажер. «Сейчас, — подумал Кейз, — я признаюсь ему, как замешкался в туалете, как вернулся на место с опозданием и своей небрежностью и отсутствием чувства ответственности погубил людей, скажу, что вся трагедия Редфернов произошла исключительно по моей вине, а винили в ней других». Теперь, когда Кейз получил наконец возможность облегчить душу признанием, сделать то, к чему так давно стремился, он почувствовал вдруг, что ему становится легче.

Мел слушал.

Внезапно в конце коридора распахнулась дверь. Раздался голос руководителя полетов:

— Мистер Бейкерсфелд!

Руководитель полетов направлялся к ним, шаги его гулко звучали в коридоре.

— Мистер Бейкерсфелд, вас разыскивает лейтенант Ордвей. И пульт управления снежной командой. Просят вас связаться с ними. Привет, Кейз! — добавил он.

Мелу захотелось крикнуть, приказать ему замолчать, попросить, чтобы они все повременили, оставили его вдвоем с Кейзом еще хоть немного. Но он знал, что теперь это уже ничего не даст. При первых же звуках голоса руководителя полетов Кейз умолк на середине слова — мгновенно, словно кто-то нажал кнопку и выключил звук.

Кейз так и не успел повиниться перед братом в том, что считал своим преступлением. Машинально отвечая на приветствие руководителя полетов, он думал с удивлением: зачем вообще он пошел на этот разговор? Чего он надеялся достигнуть? Ведь ничего нельзя исправить и ничего нельзя забыть. Никакое признание — независимо от того, кому он его сделает, — не может убить память. Призрачная надежда искупить вину на миг забрезжила было перед ним, и он сделал попытку за нее ухватиться. Но все это пустой самообман. Быть может, даже лучше, что их разговору помешали.

И снова Кейз почувствовал свое одиночество — он был закован в него, как в невидимую броню. Снова он был один на один с неотвязными мыслями, а у них была своя тайная камера пыток, куда никто, даже его брат, не имел доступа. Оттуда, из этой камеры пыток — вечных, нескончаемых пыток, — путь к спасению был только один. И он уже избрал для себя этот путь и пойдет по нему до конца.

— По-моему, ваше присутствие не помешало бы им там, Кейз, — сказал руководитель полетов.

Это был упрек в самой мягкой форме. Кейз сегодня уже позволил себе одну передышку, а каждая его отлучка из радарной неизбежно повышала нагрузку, ложившуюся на остальных. Вместе с тем это служило напоминанием Мелу — быть может, даже бессознательным, — что ему как управляющему аэропортом надлежит находиться не здесь.

Кейз сдержанно поклонился и что-то пробормотал. Мел беспомощно смотрел вслед удалявшемуся брату. Он услышал от него достаточно, чтобы понять: необходимо во что бы то ни стало узнать больше. Когда и как можно будет теперь это сделать? — думал он. Минуту назад ему удалось прорвать замкнутость Кейза, его скрытность. Может ли повториться такое? Чувство безнадежности охватило Мела.

Сегодня уж, во всяком случае, он ничего больше от Кейза не добьется.

— Очень сожалею, мистер Бейкерсфелд. — Словно прочитав мысли Мела, руководитель полетов развел руками. — Стараешься для общего блага. Это не всегда просто.

— Я понимаю. — Мел с трудом подавил вздох. Что поделаешь, остается только надеяться, что такой случай еще представится, а пока что — за дело.

— Пожалуйста, повторите, кто меня искал? — попросил Мел. Руководитель полетов повторил.

Мел не стал звонить по телефону, а спустился этажом ниже и зашел к Дэнни Фэрроу. Тот по-прежнему сидел за пультом управления снежной командой.

Мелу пришлось решить вопрос о том, чью стоянку самолетов — какой из конкурирующих авиакомпаний — следует расчистить в первую очередь; затем он осведомился, как обстоит дело с блокированной полосой три-ноль. Там пока все было без перемен, если не считать того, что прибыл Патрони и взял на себя руководство по освобождению взлетно-посадочной полосы три-ноль, все еще заблокированной «Боингом-707» компании «Аэрео Мехикан». Патрони только что доложил по радио, что предпринимает новую попытку убрать самолет и надеется осуществить это в течение часа. Патрони пользовался репутацией первоклассного аварийного механика, и Мел решил, что задавать ему лишние вопросы ни к чему.

Занимаясь этими делами, Мел вспомнил, что его просили связаться с лейтенантом Ордвеем. Видимо, лейтенант находился где-то в здании аэровокзала, и Мел велел разыскать его и соединить их по радио. Через несколько секунд он услышал голос Ордвея. Мел думал, что лейтенант хочет сообщить ему что-то по поводу медоувудской делегации, но его предположение не оправдалось.

— Народ из Медоувуда все продолжает прибывать, — сообщил Нед Ордвей в ответ на вопрос Мела. — Но они ведут себя смирно и пока что не спрашивали про вас. Я вам сообщу, если они потребуют свидания с вами.

Выяснилось, что лейтенант звонил по поводу какой-то женщины, которую задержал один из его полицейских. Женщина бесцельно бродила по центральному залу и плакала.

— Мы не могли добиться от нее толку, но она не совершила ничего недозволенного, и мне не хотелось препровождать ее в отделение. У нее и без того очень расстроенный вид.

— Что вы сделали?

— Здесь сейчас не так-то легко отыскать спокойный уголок... — Голос Ордвея звучал несколько смущенно. — Так что я усадил ее в вашей приемной. А потом стал разыскивать вас, чтобы предупредить.

— Хорошо. Вы оставили ее одну?

— С ней был один из наших людей, но, возможно, уже ушел. Она же совершенно безобидна, за это я ручаюсь. Мы скоро к ней наведаемся.

— Я сейчас вернусь к себе, — сказал Мел. — Посмотрим, будет ли от меня какой-нибудь толк.

«Смогу ли я больше преуспеть в разговоре с посторонней женщиной, чем с родным братом? — подумал он. — Как бы не получилось еще хуже». Мысль о том, что Кейз был так близок к признанию, все еще не давала Мелу покоя.

— А вы узнали, как зовут эту женщину? — спросил он, помолчав.

— Да, это мы узнали. Что-то испанское, минуточку, я записал. — Наступила пауза, потом снова раздался голос лейтенанта Ордвея: — Герреро. Ее зовут миссис Инес Герреро.

— Вы хотите сказать, что миссис Квонсетт находится на борту рейса два? — удивленно и недоверчиво спросила Таня Ливингстон.

— Боюсь, что именно так, миссис Ливингстон. Старушка небольшого роста, по внешности точь-в-точь как вы ее описываете, — сказал контролер, производивший посадку на рейс два. Он, Таня Ливингстон и Питер Кокли, все еще не оправившийся от поражения, нанесенного ему его подопечной — миссис Адой Квонсетт, находились в кабинете управляющего пассажирскими перевозками.

Контролер явился сюда минуту назад, после того как Кокли передал по телефону на все выходы к самолетам «Транс-Америки» сообщение по поводу неуловимой миссис Квонсетт, так его одурачившей.

— Мне просто и в голову не пришло, что тут какой-то обман, — сказал контролер. — Мы и других провожающих пускали сегодня к самолетам, и все вернулись. Ведь нагрузка-то была ужас какая, — добавил он в свое оправдание. — Мне пришлось работать за двоих, вот только вы и помогли немного. Людей не хватает. Да вы и сами знаете.

— Знаю, — сказала Таня. Она вовсе не собиралась перекладывать на кого-то свою вину. Если уж кто и был виноват в том, что произошло, так только она.

— Не успели вы уйти, миссис Ливингстон, как появилась эта старушка и залепетала что-то насчет своего сына... Он, видите ли, бумажник забыл. Даже показала мне этот бумажник.

Но так как, по ее словам, в нем были деньги, я сказал, чтобы она передала его сама.

— Она на это и рассчитывала. Она систематически проделывает такие штуки.

— Я ведь этого не знал, потому и пропустил ее к самолету. Больше я о ней и не вспомнил, пока не позвонили по телефону.

— Она вас одурачила, — сказал Питер Кокли и покосился на Таню. — И меня тоже.

— Нипочем бы не поверил. Даже и сейчас как-то не верится. — Агент с сомнением покачал головой. — Но только она на борту, это уж как пить дать. — Он рассказал, что число пассажиров разошлось с количеством проданных билетов. Но инспектор, наблюдавший за погрузкой, решил не задерживать из-за этого вылет.

— Значит, они, видимо, уже взлетели, — быстро сказала Таня.

— Да, они уже в воздухе. Я проверил, когда шел сюда. А даже если еще и не взлетели, все равно вряд ли повернули бы обратно, особенно в такую ночь.

— Да, они бы не повернули. — И трудно представить себе, подумала Таня, чтобы самолет изменил курс и возвратился в аэропорт из-за миссис Ады Квонсетт. Куда дешевле и проще свозить миссис Квонсетт в Рим и обратно: ведь если бы они решили вернуться и высадить «зайца», это удовольствие обошлось бы им, кроме потери времени, еще в несколько тысяч долларов. — У них будет посадка для заправки?

Таня знала, что иногда самолеты трансатлантических рейсов совершают непредусмотренные заправочные посадки в Монреале или Ньюфаундленде. Тогда можно было бы снять миссис Квонсетт с самолета и лишить ее удовольствия прокатиться в Италию.

— Я запрашивал контору компании, — сказал контролер. — Нет, они летят прямо. Без посадки.

— Черт бы побрал эту старуху! — воскликнула Таня.

Итак, Ада Квонсетт слетает в Италию и обратно; там наверняка получит ночлег и питание — и все за счет компании. Да, она недооценила решимость старушки любой ценой помешать им отправить ее обратно на Западное побережье, сердито думала Таня. И кроме того, она ошиблась, предположив, что миссис Квонсетт будет стремиться попасть только в Нью-Йорк.

Таня вынуждена была признаться себе, что из этого состязания на сообразительность миссис Квонсетт вышла победительницей. С необычным для нее ожесточением Таня пожелала, чтобы авиакомпания в виде исключения привлекла миссис Квонсетт к ответственности. Но она знала, что этого не произойдет.

Питер Кокли начал было что-то говорить, но Таня оборвала его:

— А, замолчите!

Кокли и контролер ушли, и через несколько минут управляющий перевозками вернулся к себе в кабинет. УП Берт Уэзерби — напористый, неутомимый человек, которому уже давно перевалило за сорок, — прошел нелегкий путь, начав с приемщика багажа. Обычно довольно обходительный, с живым чувством юмора, сегодня он был раздражителен и придирчив — трехдневное напряжение давало себя знать. Он нетерпеливо выслушал сообщение Тани, которая постаралась всю ответственность взять на себя, лишь вскользь упомянув об оплошности Питера Кокли.

Взлохматив рукой редкие седеющие волосы, Уэзерби сказал:

— Приятно отметить, что вы не отправили с этим самолетом всех желающих прокатиться в Европу. Вот такие недосмотры и ставят нам палки в колеса. — Помолчав, он добавил резко: — Вы прошляпили, вы и расхлебывайте. Свяжитесь с КДП, попросите их поставить командира рейса два в известность о случившемся. Что он предпримет, меня не касается. Я бы лично вышвырнул эту старую каргу за борт на высоте тридцать тысяч футов. Впрочем, это его дело. Кстати, кто там командир?

— Капитан Димирест.

Управляющий перевозками застонал:

— Только этого не хватало. Вот уж кто будет доволен, что мы так опростоволосились. Тем не менее предложите ему препроводить старуху под охраной в полицейское отделение. Если итальянская полиция захочет посадить ее за решетку, тем лучше. После этого свяжитесь с представителем нашей компании в Риме. Ему придется заняться этой дамочкой, когда она туда прилетит, и будем надеяться, что его помощники окажутся более толковыми, чем мои.

— Будет исполнено, сэр, — сказала Таня.

И принялась было рассказывать о том, что таможенный инспектор Стэндиш заметил какого-то подозрительного субъекта с чемоданчиком, улетевшего тем же рейсом два. Но Уэзерби прервал ее на середине фразы:

— Бросьте вы! Чего хотят таможенники — чтобы мы выполняли за них работу? Плевать мне на то, что он там провозит: это не наша забота. Если таможенников интересует, что у него в чемоданчике, пускай попросят итальянскую таможню проверить, а нас это не касается. Не стану я, черт возьми, задавать неуместные и, быть может, оскорбительные вопросы пассажиру, честно заплатившему за свой билет.

Таня медлила. Мысль об этом пассажире с чемоданчиком почему-то не давала ей покоя, хотя сама она не видела его в глаза. Ей приходилось слышать о таких случаях, когда... Такое предположение нелепо, разумеется...

— Я все думаю, — проговорила она, — а что, если у него там вовсе не контрабанда...

Но управляющий перевозками резко оборвал ее:

— Я уже сказал: нас это не касается.

Таня вышла.

Вернувшись к себе, она села за стол и начала составлять радиограмму командиру рейса два капитану Димиресту о безбилетной пассажирке миссис Аде Квонсетт.

2

Синди Бейкерсфелд откинулась на спинку сиденья и закрыла глаза. Она ехала на такси в аэропорт и даже не замечала — впрочем, ей это было безразлично, — что метель все еще метет и такси ползет еле-еле из-за постоянных заторов. Синди не спешила. Чувство физического довольства, даже блаженства («Кажется, это называется эйфория», — промелькнуло у нее в голове) разливалось по ее телу.

Синди вспоминала Дерика Идена.

Дерика Идена, с которым она встретилась на благотворительном коктейле; Дерика Идена, который принес ей тройную порцию американского виски (она к нему почти не притронулась) и тут же (а у него было с ней лишь шапочное знакомство) сделал вполне недвусмысленное предложение без малейшего намека на романтику; Дерика Идена — второразрядного репортера; Дерика Идена — с его небрежными манерами, потрепанной физиономией, чудовищным помятым костюмом (а его видавший виды, грязный и внутри, и снаружи «шевроле»!); Дерика Идена, подцепившего Синди на крючок в такую минуту, когда ей было на все наплевать, когда ей нужен был мужчина, любой мужчина, пусть даже самый никудышный; Дерика Идена, неожиданно оказавшегося самым восхитительным, самым утонченным любовником, с которым не шел в сравнение ни один из тех, с кем Синди прежде была близка.

О нет, так у нее еще не было ни с кем, никогда. О Боже, Боже, думала Синди. Если достижимо на земле совершенное чувственное блаженство, то она его испытала сегодня вечером. И теперь, узнав, что такое Дерик Иден — дорогой Дерик! — она уже мечтала о новой встрече с ним, о частых встречах... И какое это счастье — сознавать, что и он (Синди в этом ни минуты не сомневалась) мечтает сейчас о встрече с ней.

Откинувшись на спинку сиденья, Синди перебирала в памяти все, что произошло с ней за последние два часа.

В этом своем чудовищном старом «шевроле» Дерик привез ее из ресторана отеля «Лейк-Мичиган» в небольшую гостиницу неподалеку от Мерчендайз-Март. Швейцар окинул автомобиль презрительным взглядом, но Дерик Иден, кажется, даже и не заметил этого, а в вестибюле их встретил ночной администратор. Синди поняла, что один из телефонных звонков Дерика был сюда, к нему. Никаких формальностей, никакой регистрации: ночной администратор прямо провел их в комнату на одиннадцатом этаже. Оставил им ключ, коротко пожелал «доброй ночи» и ушел.

Комната была не слишком уютная, но чистая; мебель старомодная, довольно строгая, со следами от потушенных сигарет. Двуспальная кровать. На столике возле кровати — неоткупоренная бутылка шотландского виски, содовая вода, лед. На подносе карточка с надписью: «С лучшими пожеланиями от администрации». Дерик Иден поглядел на карточку и сунул ее в карман.

Когда потом Синди спросила его про эту карточку, он сказал:

— Случается, гостиница оказывает представителям прессы услуги. Причем мы не берем на себя никаких обязательств: газета на это не пойдет. Но иногда репортер или какой-нибудь сотрудник газеты может в своем репортаже упомянуть для рекламы данную гостиницу или наоборот: в случае какого-нибудь неприятного происшествия, скажем, со смертельным исходом — а они боятся этого как чумы, — обойти название гостиницы молчанием. Повторяю, никаких обязательств с нашей стороны. Просто мы делаем что можем.

Они выпили, немножко поболтали, снова выпили, и Дерик стал ее целовать. Очень скоро она вдруг почувствовала, какие у него необыкновенно ласковые руки: сначала он долго, нежно перебирал ее волосы, отчего у нее вдруг заколотилось сердце и мурашки побежали по всему телу; потом медленно, о, как медленно... руки скользнули ниже, и тут у Синди внезапно возникло предчувствие чего-то необычайного...

Он начал раздевать ее — с деликатностью, казалось, совсем ему несвойственной, — и она услышала его шепот: «Не надо спешить, Синди, нам будет хорошо...» Но когда они уже лежали в постели, Синди, охваченная блаженной, теплой истомой («Вам будет тепло», — пообещал он ей в автомобиле), вдруг утратила выдержку и воскликнула: «Ну же, ну, прошу тебя, прошу, я больше не могу!» Но он был упрям, настойчив, хотя и нежен. «Нет, можешь, можешь. Ты должна, Синди». И она подчинилась, самозабвенно отдав себя ему во власть, и он повел ее — словно ребенка за руку — медленно, шаг за шагом к блаженному краю пропасти, порой замедляя шаг, порой отступая, и тогда ей казалось, что они, растворившись друг в друге, плавают высоко над землей. И снова на шаг ближе к краю, но нет, еще нет, и весь путь повторяется снова, сладкая мука почти непереносима, и наконец оба мгновенно достигают края, и симфония страсти в едином слитном аккорде идет крещендо, подобная гимну. И Синди кажется: если бы можно было по желанию избирать себе конец жизни, она сейчас приказала бы сердцу не биться. Ведь такое мгновение не повторится никогда.

Впоследствии Синди оценила в Дерике еще одно качество — полное отсутствие какого бы то ни было притворства. Минут через десять, когда сердце Синди перестало колотиться так бешено и дыхание сделалось ровнее, Дерик приподнялся на локте, закурил сигарету, дал закурить ей и сказал:

«А мы с тобой можем показать класс, Синди. — Он усмехнулся. — Нужно поскорее сыграть ответный матч и потом повторять их почаще».

Синди расценила это как двоякое признание: то, что произошло, лежит в области чистой физиологии, их соединило чувственное влечение, не больше, и не следует притворяться друг перед другом, будто это не так; и вместе с тем, достигнув редкого, абсолютного слияния в страсти, они открыли, что в сексуальном отношении созданы друг для друга. Отсюда вывод: они должны оберегать тайно обретенный ими райский сад и посещать его по первому зову.

Такое положение вещей вполне устраивало Синди. Она не была уверена, что у нее с Дериком найдется много общего за пределами спальни, и, уж конечно, такой победой не похвастаешься в обществе. Особенно над этим не раздумывая, Синди инстинктивно чувствовала, что она больше потеряет, чем приобретет, если будет открыто появляться в сопровождении Дерика. К тому же он успел ей намекнуть, что его брак вполне прочен, хотя, как догадывалась Синди, в сексуальном отношении Дерик мог бы пожелать себе лучшего партнера. А тут Синди готова была искренне ему посочувствовать, так как сама находилась в таком же точно положении.

Словом, Дерик Иден был драгоценной находкой — только, имея с ним дело, не следовало вторгаться в область чувств. Что ж, Синди будет им дорожить. Она решила не предъявлять слишком больших требований и не позволять себе слишком часто предаваться любовным утехам с Дериком. Встреча, подобная сегодняшней, оставляет такой след, что она долго будет жить одними воспоминаниями. Нужно делать вид, будто добиться свидания с ней не так-то просто, сказала она себе. Чтобы он томился без нее так же сильно, как она без него. Тогда эта связь может длиться годы.

И еще Синди с удивлением обнаружила, что встреча с Дериком как-то внутренне расковала ее.

Теперь, когда ее сексуальный аппетит мог быть сверх всякого ожидания удовлетворен на стороне, она могла легче, без предвзятости, сделать выбор между Мелом и Лайонелом Эркартом.

Ее брак с Мелом уже явно зашел в тупик. Они стали чужими друг другу и душой, и телом. Ссоры вспыхивали между ними по любому поводу. Мела, по-видимому, уже ничто не интересовало, кроме его чертова аэропорта. И от этого их взаимное отчуждение росло с каждым днем.

Лайонел, который был во всем, за исключением постели, именно тем, что нужно, хотел жениться на ней и требовал развода.

К светским успехам Синди Мел относился с презрительным раздражением. Тут он не только ничем не хотел ей помочь — он мешал. Лайонел же занимал высокое положение в светских кругах Иллинойса, не видел ничего смешного в стараниях Синди вскарабкаться повыше и вполне готов был (и мог) прийти ей на помощь.

Однако до этой минуты Синди еще колебалась: пятнадцать лет брака с Мелом, воспоминания о том, как им было хорошо друг с другом когда-то, были тому причиной. Она подсознательно продолжала надеяться, что прошлое — и прошлую страсть — еще можно вернуть. Теперь она поняла, что надежда эта призрачна.

Правда, в сексуальном отношении Лайонел отнюдь не был находкой. Но и на Меле надо было теперь поставить крест. Если же пренебречь этой стороной вопроса (появление Дерика Идена, хорошего племенного жеребца из неизвестной конюшни, надежно укрытого от посторонних глаз, давало ей такую возможность), Лайонел сразу укладывал Мела на обе лопатки.

Синди выпрямилась и открыла глаза. Она не будет принимать окончательного решения, пока не переговорит с Мелом. Синди вообще не любила принимать решения и неизменно оттягивала это до последней минуты. А тут еще неосознанно мешало многое: дети, воспоминания о прожитых с Мелом годах — далеко не все ведь было плохо и невозможно полностью вычеркнуть из сердца человека, которого ты когда-то пылко любила.

Такси уже давно выехало из предместья, но Синди только теперь придвинулась к окну, вглядываясь в темноту, стараясь определить, где они находятся. Ей это не удалось. В запотевшее окно виден был только снег и множество медленно двигавшихся автомобилей. Ей показалось, что они где-то на шоссе Кеннеди, но где?

Она заметила, что шофер такси наблюдает за ней в зеркальце. Такси она взяла в стороне от гостиницы, из которой они с Дериком вышли порознь, придя к заключению, что с этого момента и впредь им следует проявлять осторожность. Впрочем, о чем бы она ни подумала сейчас, мысли ее возвращались к Дерику и перед ней возникало его лицо.

— Это парк Портейдж, — сказал шофер. — Мы уже подъезжаем к аэропорту, теперь скоро.

— Очень хорошо.

— А машин туда катит тьма-тьмущая. Им там, в аэропорту, тоже небось не сладко приходится в такую метель.

«А, черт с ними! — подумала Синди. — Все точно помешались на этом аэропорте, ни о чем другом говорить не могут». Но она промолчала.

У центрального входа в аэровокзал Синди расплатилась с шофером и поспешила скрыться за дверью, спасаясь от порывистого ветра, хлеставшего в лицо мокрым снегом. Она пробиралась сквозь толпу, стараясь обойти довольно большую группу людей, которые, должно быть, готовились к какому-то публичному выступлению, судя по тому, что один из них устанавливал микрофон. Негр-полицейский — Синди не раз видела его с Мелом — разговаривал с несколькими людьми из этой группы, по-видимому, официальными ее представителями. Полицейский очень решительно тряс головой, с чем-то не соглашаясь. Синди не слишком все это интересовало — ничто здесь вообще не могло всерьез заинтересовать ее, — и она пошла дальше, к административным помещениям.

Там во всех комнатах горел свет, хотя многие из них были пусты: не слышно было ни треска пишущих машинок, ни обычного гомона, как днем в рабочие часы. «Хоть у кого-то хватило здравого смысла уйти на ночь домой», — подумала Синди.

В приемной перед кабинетом Мела сидела какая-то женщина средних лет в темной поношенной одежде. Она примостилась на узеньком диванчике и невидящим взглядом смотрела прямо перед собой: казалось, она даже не заметила появления Синди. Глаза у нее были красные и опухшие от слез. Должно быть, она блуждала где-то в самую метель и одежда и туфли у нее промокли насквозь.

Синди скользнула по женщине равнодушным взглядом и прошла в кабинет. В кабинете никого не было.

Синди села на стул и стала ждать. Прошло несколько минут; Синди закрыла глаза и снова предалась приятным воспоминаниям о Дерике Идене.

Минут десять спустя Мел стремительно вошел в кабинет — Синди заметила, что он прихрамывает сильнее, чем обычно.

— О! — Мел, казалось, был удивлен, увидев Синди, и, обернувшись, прикрыл за собой дверь. — Вот уж никак не думал, что ты в самом деле приедешь.

— Ты, конечно, предпочел бы, чтобы я не приезжала.

Мел покачал головой.

— Просто я по-прежнему считаю, что этим мы ничего не достигнем — во всяком случае, не достигнем того, что у тебя, по-видимому, засело в голове. — Он пытливо поглядел на жену, стараясь разгадать истинную цель ее приезда. Он уже давно привык к тому, что уразуметь побуждения Синди — дело довольно сложное, поскольку обычно они весьма далеки от того, чем могли показаться с первого взгляда. Вместе с тем он невольно отметил про себя, что сегодня она необыкновенно хороша, просто ослепительна, глаза так и сияют. Как жаль, что все это теперь уже не может его взволновать.

— В таком случае не скажешь ли ты, что засело у меня в голове?

Он пожал плечами:

— Мне казалось, что тебе хочется затеять ссору. А на мой взгляд, у нас их достаточно бывает дома, чтобы устраивать еще и здесь.

— Вероятно, нам все-таки *придется* устроить и здесь, поскольку ты почти не бываешь дома.

— Я бывал бы дома чаще, если бы атмосфера там была более спокойной.

Вот мы разговариваем всего несколько секунд, а уже начали цапаться, подумала Синди. По-видимому, мы просто не в состоянии разговаривать даже минуту, не переходя на личности.

Тем не менее она не удержалась и спросила:

— В самом деле? Обычно ты выставляешь другие причины. Ты вечно утверждаешь, что тебе абсолютно необходимо находиться в аэропорту — иной раз даже все двадцать четыре часа суток. Ведь тут же, судя по твоим словам, ежесекундно происходит что-то немыслимо важное.

— Сегодня это действительно так, — сухо сказал Мел.

— Но не всегда же?

— Ты хочешь знать, остаюсь ли я здесь иной раз потому, что предпочитаю не возвращаться домой? Да.

— Наконец-то ты хоть честно в этом признался.

— А когда я все-таки прихожу домой, ты непременно начинаешь тащить меня на какое-нибудь идиотское сборище, как, например, сегодня вечером.

Синди вспыхнула.

— Так, значит, ты с самого начала не собирался появляться там сегодня?

— Нет, собирался. Я же тебе сказал. Но...

— Вот именно «но». — Синди уже еле сдерживалась. — Но рассчитывал на то, что опять, как всегда, вовремя подвернется что-нибудь и ты сможешь увильнуть. И в то же время будешь иметь алиби, которое хотя бы для тебя будет выглядеть убедительным, поскольку меня ты уже ни в чем не убедишь. Я-то знаю, что ты притворщик и лгун.

— Потише, Синди!

— И не подумаю!

Они разъяренно глядели друг на друга.

«Что же такое случилось с нами, — думал Мел, — как мы до этого дошли? Вздорим, пререкаемся, как дурно воспитанные подростки». Мелочные укоры, злобные подковырки, и сам он ведет себя ничуть не лучше Синди. Ссоры ведь принижают их обоих! Неужели так всегда бывает в совместной жизни, когда чувства начинают остывать? Помнится, кто-то сказал, что распадающийся брак выявляет все самое дурное в обоих супругах. У них с Синди так и получилось.

Он постарался взять себя в руки.

— Я не считаю себя ни лжецом, ни притворщиком. Но, возможно, ты отчасти права, что я рад любому поводу избавиться от светских развлечений, которых, как тебе известно, терпеть не могу. Но я это делаю бессознательно.

Синди молчала, и он заговорил снова:

— Можешь верить или не верить, но я действительно намеревался встретиться с тобой сегодня вечером — во всяком случае, предполагал. Возможно, на самом деле я вовсе этого и не хотел, как ты говоришь. Не знаю. Знаю только, что не я устроил этот снегопад, а когда он начался, тут уж стало твориться такое, что я — и это истинная правда — обязан был оставаться здесь. — Он кивком указал на дверь приемной. — Взять хотя бы, к примеру, эту женщину, которая дожидается там. Я должен принять ее и уже сказал об этом лейтенанту Ордвею. С ней, по-видимому, случилась какая-то беда.

— Беда случилась у твоей жены, — сказала Синди. — Эта женщина может и подождать.

Мел кивнул:

— Хорошо.

— Слишком далеко все зашло, — сказала Синди. — У нас с тобой. Не так ли?

Он ответил не сразу, боясь слишком поспешных решений и вместе с тем понимая, что, раз уж вопрос поставлен ребром, было бы глупо отрицать истину.

— Да, — сказал он наконец. — Боюсь, что так.

Синди тотчас ухватилась за это.

— Если бы ты мог перемениться! Встать на мою точку зрения. Но нет: всегда, всю жизнь на первом плане ты — чего ты хочешь или не хочешь. Если бы ты мог считаться с тем, чего хочется *мне*...

— И шесть вечеров в неделю высиживать в черном галстуке, а седьмой вечер — в белом?

— Хотя бы и так, а почему бы и нет?

Щеки Синди пылали, она смотрела на Мела, властно вскинув голову. Мел любил ее такую — горячую, непокорную; даже если ее гнев бывал направлен против него, он невольно восхищался ею. Даже сейчас...

— Мне кажется, я могу сказать слово в слово то же самое, — ответил он. — Если бы ты могла перемениться, ну и все такое прочее. К несчастью, люди не меняются — во всяком случае, не меняются в главном. Они только приспосабливаются. В этом, по-видимому, и заключается сущность брака — два человека приспосабливаются друг к другу.

— Этот процесс не должен быть односторонним.

— А у нас так и не было, что бы ты ни говорила, — сказал Мел. — Я старался приспособиться, и, как мне кажется, ты тоже. Не знаю, кто делал в этом направлении больше усилий. На мой взгляд — я, а на твой взгляд — должно быть, ты. Важно другое: мы старались долго, но безуспешно.

Синди проговорила задумчиво:

— Вероятно, ты прав. То, что ты сейчас сказал... Я сама так же считаю. — Она помолчала и добавила: — Думаю, нам лучше разойтись.

— Ты в этом уверена? Это шаг серьезный. — Даже сейчас, подумал Мел, она виляет, не хочет взять решение целиком на себя, ждет, чтобы он облегчил ей это. Он едва не усмехнулся. Хотя, по правде говоря, ему было не до смеха.

— Уверена, — сказала Синди. И повторила твердо: — Да, уверена.

Мел сказал спокойно:

— Что ж, тогда, вероятно, это правильное решение.

На секунду Синди заколебалась:

— Ты в этом уверен тоже?

— Да, — сказал он. — Уверен.

Казалось, Синди обескуражена тем, что все произошло так быстро, что не возникло спора. Она сказала:

— Значит, решено?

— Да.

Они все так же с вызовом смотрели друг на друга, но раздражение прошло.

— А, черт побери! — Мел качнулся, словно хотел сделать шаг к жене. — Мне жаль, что все так получилось, Синди.

— Мне тоже. — Однако Синди не двинулась с места. Теперь ее голос звучал более уверенно. — Но это наиболее разумный выход, не так ли?

Мел кивнул:

— Да, по-видимому, так.

Значит, все кончено. Оба понимали это. Оставалось обсудить условия развода.

Синди уже начала строить планы:

— Роберта и Либби останутся со мной, но ты, разумеется, всегда сможешь навещать их. Я не буду этому препятствовать.

— Я в этом не сомневался.

Да, конечно, думал Мел, это естественно: девочки должны остаться с матерью. Ему будет очень не хватать их, особенно Либби. Никакие свидания, пусть даже самые частые, не могут заменить жизни под одной крышей изо дня в день. Ему вспомнился сегодняшний разговор по телефону с младшей дочуркой. Что это Либби попросила у него? Карту февраля. Ну что ж, она у него уже есть: февральская погода готовит им несколько сюрпризов.

— Мне придется нанять адвоката, — сказала Синди. — Я тебе сообщу, когда решу, кого взять.

Мел кивнул. Все ли браки, думал он, заканчиваются таким буднично-деловым разговором, если супруги решают разойтись? Вероятно, так уж положено в цивилизованном мире. Во всяком случае, Синди, казалось, с поразительной быстротой снова обрела уверенность в себе. Опустившись на тот же стул, на котором она сидела вначале, она раскрыла пудреницу и, глядя в зеркальце, стала приводить в порядок лицо. В уголках ее рта заиграла улыбка. Мелу даже показалось, что ее мысли уже где-то далеко. Мел всегда думал, что в такого рода ситуациях женщины проявляют большую эмоциональность, чем мужчины, однако по Синди этого никак нельзя было сказать, тогда как сам Мел едва удерживался от слез.

Он услышал голоса и шаги в приемной. Раздался стук в дверь.

— Войдите! — крикнул Мел.

Вошел лейтенант Ордвей. Увидев Синди, он сказал:

— Ох, извините, миссис Бейкерсфелд!

Синди подняла на него глаза и отвернулась, не произнеся ни слова. Ордвей, почувствовав, что явился некстати, нерешительно переминался с ноги на ногу.

— Я, пожалуй, зайду попозже.

Мел спросил:

— А что вы хотели, Нед?

— Там вся эта компания из Медоувуда — протестуют против шума. В центральном зале их собралось человек двести и подходят еще. Все хотят разговаривать с вами, но я сделал, как вы просили: предложил им направить к вам делегацию. Они выбрали шесть человек, и с ними увязались три репортера. Я разрешил репортерам прийти тоже. — Полицейский кинул взгляд в сторону приемной. — Они все ждут вас там.

Мел понимал, что делегацию надо принять. Но как же ему не хотелось сейчас ни с кем разговаривать!

— Синди, — с мольбой произнес он, — это не займет много времени. Ты подождешь? — Она ничего не ответила, и он добавил: — Прошу тебя!

Она продолжала молчать, полностью игнорируя их обоих.

— Если это очень не вовремя, — сказал Ордвей, — я скажу им, чтобы они пришли в другой раз.

Мел покачал головой. Он уже связал себя обещанием принять делегацию.

— Нет уж, давайте их сюда. — Полицейский шагнул к двери, и Мел вдруг спохватился: — Ох, я же не поговорил с этой женщиной... Забыл, как ее зовут.

— Герреро, — сказал Ордвей. — И вам не придется с ней разговаривать. Когда я шел сюда, мне показалось, что она собирается уходить.

Делегаты от Медоувуда — четверо мужчин и две женщины — гуськом вошли в кабинет. За ними следом — трое репортеров. Один был из «Трибюн» — подвижный моложавый мужчина по фамилии Томлинсон, который обычно вел все репортажи из аэропорта для своей газеты на любые связанные с авиацией темы. Мел хорошо его знал и уважал за точность и непредвзятость сообщений. С остальными двумя репортерами Мела связывало лишь шапочное знакомство. Тут была пожилая дама из местного еженедельника и совсем еще молодой человек из городской газеты.

В отворенную дверь Мелу был виден лейтенант Ордвей: он разговаривал с женщиной, с этой миссис Герреро, — она стояла и застегивала пальто.

Синди продолжала сидеть все в той же позе.

— Добрый вечер. — Мел отрекомендовался и сказал, указывая на диваны и стулья: — Прошу садиться.

— А мы и присядем, — сказал один из вошедших, аккуратно причесанный мужчина в дорогом костюме — по-видимому, руководитель делегации. — Но должен вас предупредить: мы пришли сюда не для того, чтобы поболтать в уютной обстановке. Нам есть что вам сказать в лоб, напрямик, и мы ждем от вас такого же прямого ответа, без уверток.

— Постараюсь удовлетворить ваше желание. С кем имею честь говорить?

— Меня зовут Эллиот Фримантл. Я адвокат. Представитель этих людей и всех, кто собрался там, внизу.

— Ну что ж, мистер Фримантл, — сказал Мел. — Почему бы вам не приступить прямо к делу?

Дверь в приемную все еще была раскрыта. Мел заметил, что дожидавшаяся его женщина ушла. Нед Ордвей вошел в кабинет и притворил за собой дверь.

3

Самолет, вылетевший рейсом два «Золотой Аргос» из международного аэропорта имени Линкольна, уже двадцать минут находился в воздухе и продолжал набирать высоту. Через одиннадцать минут, когда самолет будет над Детройтом, он достигнет тридцати трех тысяч футов и подъем закончится. Машина уже вышла на трассу, которая длинным кружным путем приведет ее в Рим. Последние несколько минут самолет летел в спокойных слоях атмосферы, снежная буря осталась далеко внизу. Впереди и еще выше в небе висел ущербный месяц, словно покачнувшийся фонарь, и все пространство было в звездах — ярких, мерцающих.

В пилотской кабине напряжение первых минут полета разрядилось. Капитан Хэррис уже сделал пассажирам сообщение по трансляции. Все трое пилотов были заняты обычными делами, связанными с большим перелетом.

За спиной у Хэрриса и Димиреста под столиком второго пилота громко зазвучали позывные. В тот же миг на радиопанели, расположенной над рычагами дросселей, замигала желтая лампочка. Это означало вызов по спецсвязи — особой радиосистеме, дававшей возможность связываться почти с каждым из лайнеров словно по личному телефону. Все лайнеры «Транс-Америки», так же как и других крупных авиакомпаний, имеют собственные позывные, передаваемые и принимаемые автоматически. Сигналы, только что полученные самолетом номер 731-ТА, не могли быть приняты или услышаны никаким другим бортом.

Энсон Хэррис переключился с волны воздушной диспетчерской на соответствующую волну и подтвердил:

— Рейс два «Транс-Америки» слушает.

— Рейс два, говорит диспетчер «Транс-Америки» из Кливленда. Передаю командиру вашего экипажа сообщение от УП международного аэропорта Линкольна. Сообщите готовность принять передачу.

Хэррис видел, что Вернон Димирест тоже переключился на нужную волну и придвинул к себе блокнот. Хэррис передал:

— Мы готовы, Кливленд. Продолжайте.

Сообщение было составлено Таней Ливингстон и касалось миссис Ады Квонсетт — пассажирки, пробравшейся без билета на рейс два. Оба пилота с улыбкой выслушали описание маленькой старушки из Сан-Диего. Сообщение заканчивалось просьбой подтвердить ее присутствие на борту самолета.

— Проверим и сообщим, — передал Хэррис и снова переключился на волну воздушного диспетчера.

Вернон Димирест и второй пилот Сай Джордан, слушавший сообщение через динамик, установленный над его сиденьем, рассмеялись.

— Чушь, не верю, — сказал Сай Джордан.

— А я верю! — Димирест усмехнулся. — Все они там — ослы, и эта старая курица обвела их вокруг пальца! — Он нажал кнопку вызова по внутреннему телефону салона первого класса. — Передайте Гвен, — сказал он стюардессе, которая взяла трубку, — чтобы она пришла сюда.

На его губах все еще играла усмешка, когда дверь кабины отворилась и вошла Гвен Мейген.

Димирест прочел ей вслух описание миссис Ады Квонсетт, переданное по радио.

— Видели вы среди пассажиров такую особу?

Гвен покачала головой:

— Я еще почти не заглядывала в туристский салон.

— Пойдите и проверьте, там ли эта старушка. Ее нетрудно будет узнать.

— А если она там, то что я должна сделать?

— Ничего. Придите и доложите.

Гвен отсутствовала всего несколько минут. Когда она вернулась, на лице ее тоже играла улыбка.

— Ну что?

Гвен кивнула:

— Она там. В кресле четырнадцать. В точности такая, как ее описали, только еще более карикатурная.

— Сколько ей лет с виду? — спросил Сай Джордан.

— Лет семьдесят пять, не меньше, а может, и все восемьдесят. Прямо какой-то диккенсовский персонаж.

Энсон Хэррис сказал, не оборачиваясь:

— Скорее уж персонаж из «Мышьяка и старых кружев».

— Она действительно летит «зайцем», капитан?

Хэррис пожал плечами:

— Так передали из аэропорта. Поэтому у вас и были расхождения в количестве пассажиров и проданных билетов.

— Это же очень легко проверить, — сказала Гвен. — Я могу пойти и попросить ее предъявить билет.

— Нет, — сказал Вернон Димирест. — Этого не нужно делать.

Все посмотрели на него с любопытством, однако в кабине было слишком темно, чтобы разглядеть выражение его лица. Хэррис повернулся к своим приборам, второй пилот возвратился к наблюдению за расходом топлива.

— Минутку, Гвен, — сказал Димирест. Гвен стояла, ожидая, пока он записывал полученное по радио сообщение. — От нас требовалось только одно: проверить, находится ли старуха на борту нашего самолета. Прекрасно, она здесь, и я сообщу об этом воздушному диспетчеру. Думаю, они приготовят ей соответствующую встречу в Риме, и тут уж мы ничего поделать не сможем, если б даже и захотели. А пока — раз старушенция залетела так далеко и мы не намерены возвращаться из-за нее обратно — зачем превращать для нее в пытку оставшиеся восемь часов полета? Пусть летит без нервотрепки. Может быть, перед посадкой в Риме мы откроем ей, что ее хитрость обнаружена. Тогда это не будет для нее таким потрясением. А пока что пусть получает удовольствие от полета. Пусть бабушка пообедает и спокойно посмотрит фильм.

— Знаете, — сказала Гвен, задумчиво глядя на Вернона, — бывают минуты, когда вы мне положительно нравитесь.

Гвен вышла. Димирест, все еще посмеиваясь, переключился на другую волну и передал сообщение диспетчеру Кливленда.

Энсон Хэррис раскурил трубку, включил автопилот и сказал сухо:

— Вот уж никогда не думал, что старые дамы по вашей части. — Он сделал ударение на слове «старые».

Димирест усмехнулся:

— Конечно, я предпочитаю молодых.

— Так мне приходилось слышать.

Сообщение о безбилетной пассажирке и разговор с Хэррисом привели Димиреста в отличное расположение духа. Он сказал беззаботно:

— Всему свой черед. Скоро и нас с вами запишут в разряд пожилых.

— Меня уже записали. — Хэррис исчез в клубах дыма. — С некоторых пор.

Оба пилота сдвинули в сторону один наушник, чтобы иметь возможность нормально разговаривать и вместе с тем не пропустить позывных. Шум двигателей, стойкий, но не оглушительный, как бы отгораживал их от остального мира.

— А вы, кажется, не ходок, верно? — заметил Димирест. — Я хочу сказать — не любитель бегать на сторону. Я видел, как вы на отдыхе сидите, уткнувшись в книгу.

Теперь уже усмехнулся Хэррис:

— Иногда я еще, кроме того, хожу в кино.

— И с чего вы такой праведник?

— Моя жена была стюардессой на ДС-4. Там мы познакомились. Она видела, что творится вокруг: беспорядочные связи, беременности, аборты — всю эту грязь. А потом ее назначили старшей, и ей не раз приходилось помогать эту мерзость расхлебывать. Словом, когда мы поженились, я дал ей слово... Понятно какое. И я его держу.

— Ну зато и нарожали ребятишек.

— Верно.

Хэррис снова включил автопилот. Разговаривая, оба пилота — в соответствии с инструкцией и по привычке — не сводили глаз с приборов, которые мгновенно зарегистрировали бы малейшую неполадку в самолете и дали бы о ней знать. Никаких отклонений от нормы не было.

Димирест спросил:

— Сколько же их у вас? Шестеро?

— Семеро. — Хэррис улыбнулся. — Четверо было запланировано, а трое сверх плана. Но и это неплохо.

— А вот те, что не были запланированы... Вы ни разу не думали о том, чтобы от них избавиться, пока они еще не появились на свет?

Вопрос вырвался у Вернона Димиреста непроизвольно. Он сам удивился, зачем он это спросил. Видимо, два предшествующих разговора с Гвен навели его на мысль о детях. Все же это было очень непохоже на него — много раздумывать над тем, что так очевидно и просто, как хотя бы этот аборт, который должна сделать Гвен.

— Вы имеете в виду аборт? — спросил Хэррис и сразу отвел глаза.

— Да, — сказал Димирест. — Я именно это имел в виду.

— Так я вам отвечу: нет! — резко сказал Хэррис. И добавил уже более спокойным тоном: — У меня на этот счет вполне определенная точка зрения.

— Потому что это запрещено религией?

Хэррис покачал головой:

— Я атеист.

— Какими же вы тогда руководствуетесь соображениями?

— А вам очень хочется знать?

— Почему бы и нет? У нас еще целая ночь впереди, — сказал Димирест.

Они прислушивались к происходившим по радио переговорам между КДП на земле и самолетом «ТВА», поднявшимся в воздух почти тотчас следом за ними и направлявшимся в Париж. Лайнер летел в десяти милях позади них и на несколько тысяч футов ниже. Они набирали высоту — то же делал и лайнер.

Большинство опытных пилотов, слушая переговоры по радио с другими самолетами, всегда мысленно держат перед глазами картину движения самолетов в зоне их полета. Димирест и Хэррис оба добавили последние зафиксированные ими сведения к имевшимся ранее. Когда радиоразговор воздуха с землей закончился, Димирест напомнил Хэррису:

— Я слушаю.

Хэррис проверил курс и высоту и принялся набивать трубку.

— Я довольно много занимался историей общественных отношений. Заинтересовался ею еще в колледже, и с тех пор так и пошло. Быть может, вы тоже?

— Нет, — сказал Димирест. — Ровно настолько, насколько это было необходимо.

— Так вот. Если вы проследите историю человечества, вам сразу бросится в глаза: весь прогресс на земле совершается ради одной-единственной цели — сделать каждого индивидуума более гуманным. Всякий раз, когда цивилизация поднимается на новую ступень, человечество становится немного лучше, немного просвещеннее, потому что люди начинают больше заботиться друг о друге, больше уважать личность другого. В те эпохи, когда этого не происходит, человечество откатывается назад. Каждый отрезок истории, если вы вглядитесь в него, доказывает эту истину.

— Приходится верить вам на слово.

— Вовсе нет. Есть множество тому примеров. Рабство было уничтожено, потому что люди научились уважать человеческую личность. По той же причине перестали казнить детей и был установлен Хабеас Корпус*, и теперь люди хотят достичь справедливости для всех или по возможности приблизиться к этому. И в наше время большинство тех, кто выступает против смертной казни, хотят того же, не столько в интересах казнимого, сколько в интересах общества, которое, отнимая у человека — у любого человека — жизнь, тем самым наносит непоправимый вред себе, то есть каждому из нас.

Хэррис умолк. Наклонившись вперед так, что натянулись ремни, он всматривался из полумрака кабины в окружавшую их ночь. В ярком свете луны четко выступали громады облаков далеко внизу. При такой сплошной облачности — вплоть до середины Атлантического океана, согласно сводке, — земли не будет видно на всем пути их следования. Где-то на несколько тысяч футов ниже промелькнули огни самолета, летевшего в противоположном направлении, и скрылись.

Второй пилот Сай Джордан, подавшись к дросселям, увеличил подачу топлива двигателям, так как самолет набирал высоту.

Димирест подождал, пока Джордан закончит, и снова обратился к Хэррису:

— Но аборт — это не смертная казнь.

— Не скажите, — возразил Хэррис. — Если вдуматься, то можно прийти к иному выводу. И в том, и в другом случае речь идет об уважении к человеческой жизни, жизни отдельного индивидуума, о том, каким путем развивалась и будет развиваться цивилизация. Не странно ли, что мы ратуем за отмену смертной казни и одновременно за разрешение абортов. И никто не замечает, насколько это нелепо: требовать уважения к человеческой жизни и в то же время распоряжаться ею как вещью, лишенной ценности.

Димиресту вспомнились слова, сказанные им этим вечером Гвен, и он повторил их снова:

— Нерожденное дитя еще не наделено жизнью. Это не индивидуум, это эмбрион.

— А позвольте узнать, видели вы когда-нибудь абортированного ребенка? — спросил Хэррис. — То, что вынуто из чрева?

— Нет, не видел.

— А мне довелось однажды. Он лежал в стеклянной банке с формальдегидом в шкафу у моего приятеля-доктора. Не знаю,

---

* Английский закон 1679 г. о неприкосновенности личности.

откуда он у него взялся, только приятель сказал мне, что если бы жизнь этого эмбриона не оборвали, если бы его не абортировали, получился бы нормальный ребенок, мальчик. Да, это был эмбрион, как вы изволили выразиться, и вместе с тем это был уже маленький, вполне сформированный человечек: забавное личико, ручки, ножки, пальчики, даже крошечный пенис. Знаете, что я почувствовал, глядя на него? Мне стало стыдно. Я подумал: а где же, черт подери, был я, где были все порядочные, еще не утратившие человеческих чувств люди, когда совершалось убийство этого беззащитного существа? Потому что совершилось именно убийство, хотя мы обычно избегаем употреблять это слово.

— Я же не предлагаю, черт побери, вынимать из утробы матери ребенка, когда он уже сформировался!

— А вам известно, — спросил Хэррис, — что через восемь недель после зачатия у зародыша уже намечено все, чему положено быть у новорожденного ребенка? А на третьем месяце зародыш даже выглядит как ребенок. Так где тут можно провести границу?

— Вам бы следовало стать адвокатом, а не пилотом, — проворчал Димирест. Однако этот разговор невольно заставил его задуматься: на каком месяце может быть сейчас Гвен? Он прикинул: если это случилось в Сан-Франциско, как она утверждает, тогда, значит, восемь-девять недель назад, и, если верить Хэррису, у нее в чреве — почти полностью сформировавшийся ребенок.

Подошло время для очередного рапорта на КДП. Вернон Димирест выполнил это сам. Они поднялись уже на тридцать две тысячи футов над землей, подъем был почти закончен, еще несколько секунд — и они пересекут границу Канады и пролетят над югом провинции Онтарио. Детройт и Виндзор, два города-близнеца по обе стороны границы, обычно издалека встречали их яркими всполохами огней. Но сегодня кругом был непроглядный мрак, и только где-то внизу — затянутые облаками города. Димирест вспомнил, что детройтский аэропорт закрыли перед самым их взлетом. В обоих городах сейчас бушевала вьюга, передвигавшаяся на восток.

Димирест знал, что там, у него за спиной, в пассажирских салонах Гвен Мейген и другие стюардессы разносят напитки по второму разу, а в салоне первого класса — еще и горячие закуски на дорогих фарфоровых тарелочках.

— Этот вопрос глубоко меня волнует, — сказал Энсон Хэррис. — Не обязательно быть религиозным человеком, чтобы верить в нравственность.

— Или вынашивать идиотские идеи, — проворчал Димирест. — Ну что ни говорите, а те, кто разделяет вашу точку зрения, неминуемо потерпят фиаско. Все сейчас идет к тому, чтобы облегчить возможность делать аборты. Вероятно даже, их будут производить свободно, узаконенным порядком.

— Если это произойдет, — сказал Хэррис, — мы сделаем шаг назад, к печам Освенцима.

— Чушь! — Димирест оторвался от бортового журнала, куда он занес только что полученные данные о местонахождении самолета. Он уже не скрывал раздражения, которое вообще легко прорывалось у него наружу. — Существует много доводов в пользу абортов: случайное зачатие, например, которое обрекает ребенка на нищету, на прозябание без надежды выбиться в люди, ну и другие случаи — изнасилование, кровосмешение, слабое здоровье матери...

— Особые обстоятельства не могут приниматься в расчет. Это все равно что сказать: «Ладно, мы с некоторыми оговорками узаконим убийство, если вы приведете убедительные доводы в пользу его необходимости». — Хэррис возмущенно покачал головой. — И к чему говорить о нежеланных детях? Эта проблема может быть решена противозачаточными мерами. Теперь это доступно каждому независимо от его имущественного положения. Но если произошла оплошность и новая жизнь уже зародилась, значит, возникло еще одно человеческое существо, и вы не имеете права выносить ему смертный приговор. А что касается участи, которая его ждет, то никто из нас не знает своей судьбы; но когда нам дарована жизнь — счастливая или несчастная, — мы стремимся ее сохранить, и мало кто хочет от нее избавиться, сколь бы ни был он несчастен. С нищетой надо бороться, не убивая нерожденных младенцев, а улучшая условия жизни.

Хэррис помолчал, потом заговорил снова:

— А опираясь на экономический фактор, можно зайти очень далеко. Следуя такой логике, кто-то захочет убивать психически неполноценных или монголоидных младенцев, едва они появятся на свет, умерщвлять стариков, безнадежно больных и общественно бесполезных лиц, как это делают в Африке, оставляя их в джунглях на съедение гиенам... Мы же не делаем этого, потому что ценим жизнь человека и уважаем его достоинство. И должны ценить и уважать их все больше и больше, если верим в развитие и прогресс.

На альтиметрах перед каждым из пилотов стрелка дошла до тридцати трех тысяч футов. Самолет набрал заданную высоту. Энсон Хэррис перевел машину в горизонтальный полет, а Сай Джордан снова отрегулировал подачу топлива двигателям...

Димирест досадовал на себя — ни к чему было затевать этот ненужный спор.

— У вас мозги набекрень — вот в чем ваша беда, — сказал он Хэррису и, чтобы положить спору конец, нажал кнопку вызова стюардессы. — Пусть нам подадут закуски, пока пассажиры первого класса не сожрали все.

— Неплохая идея, — поддержал его Хэррис.

Несколько минут спустя Гвен Мейген, получив распоряжение по телефону, принесла три тарелочки с аппетитной горячей закуской и кофе. На всех лайнерах «Транс-Америки», как и на большинстве самолетов других американских авиакомпаний, пилотов обслуживают молниеносно.

— Спасибо, Гвен, — сказал Вернон Димирест, и, когда Гвен наклонилась, подавая кофе Энсону Хэррису, он скользнул взглядом по ее талии и еще раз убедился в том, что она не претерпела ни малейших изменений: что бы ни происходило там, внутри, талия была такая же тонкая, как прежде. К черту Хэрриса с его стариковскими рассуждениями! Разумеется, Гвен должна сделать аборт, как только они вернутся.

В шестидесяти футах от кабины экипажа, в салоне туристского класса, миссис Ада Квонсетт была погружена в оживленную беседу с пассажиром, сидевшим справа от нее, — симпатичным мужчиной средних лет, гобоистом из Чикагского симфонического оркестра, как ей удалось выяснить.

— До чего это замечательно — быть музыкантом! Такая творческая профессия! Мой покойный муж был без ума от классической музыки. Он сам немножко поигрывал на скрипке — по-любительски, конечно.

Миссис Квонсетт чувствовала, как приятная теплота разливается по ее телу после рюмочки хереса, за которую заплатил гобоист, а он уже осведомлялся, не хочет ли она повторить.

Миссис Квонсетт согласилась, сияя улыбкой:

— Вы необыкновенно любезны; мне бы, вероятно, следовало отказаться, но я не откажусь.

через десять минут эта неосознанная антипатия переросла
вство отвращения.

Казалось, адвокат сознательно старался держаться как
жно более вызывающе и оскорбительно. Беседа еще не на-
лась, а он уже, как бы вскользь, проронил, что не потерпит
аких уверток — разговор должен идти начистоту, на что Мел
разил очень мягко, хотя и был возмущен в душе. И в даль-
йшем каждое слово Мела наталкивалось на недоверие, иро-
о или прямую грубость. Мел видел, что этот человек нарочно
тается его разозлить, вывести из себя и спровоцировать на
кое-нибудь неосмотрительное высказывание в присутствии ре-
ртеров. Раскусив его стратегию, Мел вовсе не хотел попадать-
на удочку. Он сделал над собой усилие и продолжал говорить
ссудительно и вежливо, как всегда.

Фримантл выступил с протестом против того, что он оха-
ктеризовал как «бессердечное равнодушие управления аэро-
рта к состоянию здоровья и благополучию моих клиентов —
обрых семейных граждан, жителей Медоувуда».

Мел возразил, что ни служащие аэропорта, ни авиакомпа-
ии, эксплуатирующие этот аэропорт, не заслуживают обвине-
ия в бессердечии и равнодушии.

— Напротив, — сказал он, — мы признаем, что проблема
шума существует, и прилагаем все усилия, чтобы с ней справиться.

— В таком случае, сэр, ваши усилия крайне ничтожны! Что
же вы практически сделали? — вопросил Фримантл. — Насколько
и мои клиенты можем видеть — и слышать, — все ваши усилия
водятся к пустым заверениям, которые не стоят ни гроша. Совершенно очевидно, что все вы здесь плевать хотели на наши
жалобы, почему мы и намерены возбудить против вас дело.

— Это обвинение неосновательно, — заявил Мел. — Была
азработана схема, дающая возможность исключать из пользова-
ия взлетно-посадочную полосу два-пять, непосредственно наце-
енную на Медоувуд, во всех случаях, когда вместо нее может
ыть использована другая полоса. Поэтому полоса два-пять исполь-
уется теперь преимущественно для посадки, что не создает боль-
ого шума для Медоувуда, но зато чрезвычайно затрудняет бес-
еребойную работу аэропорта. Помимо этого, пилотам всех авиа-
иний дана инструкция применять меры для снижения шума при
злете в направлении Медоувуда с любой, даже самой отдаленной,
взлетной полосы немедленно после отрыва от земли. Командно-
диспетчерский пункт следит за выполнением инструкции.

Пассажир, сидевший от нее слева — мужчина с тоненькими
рыжеватыми усиками и тощей шеей, — был менее общителен.
По правде говоря, он просто обескураживал миссис Квонсетт.
В ответ на все ее попытки завязать разговор она слышала только
какое-то односложное невнятное бормотание; он все так же
апатично сидел, не меняя позы и держа чемоданчик на коленях.

Когда всем подали напитки, миссис Квонсетт подумала, что,
возможно, теперь ее сосед слева разговорится. Не тут-то было. Он
взял у стюардессы порцию шотландского виски, уплатил за него,
вытащив из кармана кучу мелочи и отсчитав, сколько требовалось,
и одним глотком проглотил содержимое стакана. Благодушно настроенная после рюмки хереса, миссис Квонсетт сказала себе:
«Бедняжка, верно, у него неприятности, надо оставить его в покое».

Она заметила, однако, что человек с тощей шеей внезапно
оживился, как только один из пилотов начал, вскоре после взлета,
делать сообщение относительно маршрута, скорости и продолжительности полета и вдаваться еще в различные подробности, к
которым миссис Квонсетт почти никогда не прислушивалась. Пассажир же слева тотчас сделал какие-то пометки на обороте конверта, а затем достал одну из карт «Установите ваше местонахождение», какими снабжает пассажиров авиакомпания, и расстелил
ее на своем чемоданчике. Он углубился в изучение карты, делая
на ней пометки карандашом и время от времени поглядывая на
часы. Миссис Квонсетт все это казалось каким-то глупым ребячеством — на то и штурман где-то впереди, чтобы беспокоиться,
туда ли летит самолет, куда ему положено лететь.

Миссис Квонсетт снова переключила свое внимание на гобоиста, который принялся рассказывать, что лишь совсем недавно,
слушая симфонию Брукнера не из оркестра, а из концертного
зала, он сделал для себя открытие: в тот момент, когда в партии
духовых идет «пом-тидди-пом-пом», скрипки играют «аа-дидли-аа-
даа». И он для наглядности промурлыкал обе мелодии.

— Как замечательно! Никогда бы не подумала! Просто невероятно! — воскликнула миссис Квонсетт. — Моему покойному мужу было бы очень интересно познакомиться с вами, хотя
вы, разумеется, много его моложе.

Она уже приканчивала вторую рюмку хереса и чувствовала
себя наверху блаженства. «Я выбрала чудесный рейс, — думала
миссис Квонсетт. — Такой замечательный аэроплан и такое
хорошее обслуживание. Стюардессы вежливые, заботливые, и
пассажиры все такие милые, если не считать этого, что сидит

слева, ну да Бог с ним». Скоро, по расчетам миссис Квонсетт, должны были подать обед, а потом показать фильм — кто-то сказал, что с Майклом Кейном, ее любимым актером, в главной роли. Ну чего еще желать от жизни?

Миссис Квонсетт заблуждалась, полагая, что где-то там впереди сидит штурман. Никакого штурмана не было. «Транс-Америка», как и большинство крупных авиакомпаний, больше не пользовалась услугами штурманов даже при трансатлантических перелетах — его заменяли многочисленные радары и система радиоуправления, установленная на всех современных лайнерах. Пилоты вели самолет, пользуясь указаниями, поступающими с земли, с контрольно-диспетчерских пунктов.

Впрочем, если бы на борту самолета находился, как в прежние времена, штурман, вычисленное им местонахождение самолета почти совпало бы с результатами Герреро, хотя последний достиг их путем весьма приблизительного расчета. Герреро ориентировочно высчитал, когда они будут пролетать над Детройтом, и·его предположения оказались правильными; он убедился в этом, слушая очередное сообщение командира экипажа о том, что скоро они пролетят над Монреалем, затем над Фредериксоном в Нью-Брансуике, затем над Кейп-Реем и несколько позже над Ньюфаундлендом. Командир был настолько любезен, что сообщил даже скорость полета, что облегчало дальнейшие подсчеты Герреро.

Восточный берег Ньюфаундленда, по расчетам Герреро, должен остаться позади через два с половиной часа. Но до этого командир корабля, вероятно, сделает еще одно сообщение о местонахождении лайнера, так что правильность подсчета можно будет на всякий случай проверить, после чего Герреро, так было у него задумано, подождет еще час, давая самолету залететь подальше над Атлантическим океаном, и, дернув за шнурок, взорвет динамит. При этой мысли пальцы его, лежавшие на чемоданчике, невольно напряглись.

Теперь, когда кульминационный момент был уже близок, ему захотелось ускорить его наступление. Может быть, в конце концов, не обязательно, подумал он, выжидать так долго. Как только они пролетят Ньюфаундленд, можно действовать.

От хорошей порции виски он несколько успокоился. Правда, сев в самолет, он уже почувствовал себя увереннее, однако, как только они оторвались от земли, нервное напряжение в нем

стало снова нарастать, и особенно когда э[…] кошка начала приставать к нему с разго[…] желал вступать ни с кем в контакт — ни[…] хватит, все связи с окружающим миром для[…] Ему хотелось одного: сидеть и мечтать о то[…] его ребятишек получат в самом непродолж[…] надо полагать, такую крупную сумму, какой о[…] не держал в руках, — триста тысяч доллар[…]

А пока что он бы с удовольствием выпи[…] него не было денег. После того как ему приш[…] страховку больше, чем он предполагал, мелоч[…] одну порцию виски. Значит, придется обойти[…]

Герреро снова закрыл глаза. Теперь он стар[…] себе, какое впечатление произведет на Инес[…] общение о деньгах. Они будут ему благодарн[…] застраховался в их пользу, хотя и не узнают в[…] узнают, что он пожертвовал ради этого жизнью[…] может зародиться подозрение. Ему хотелось ве[…] случае они правильно расценят его поступок; […] может быть; он знал, что люди иногда крайне[…] странно реагируют на благодеяния.

Удивительное дело: когда он думал об Инес[…] никак не удавалось представить себе их лица. С[…] о ком-то, кого знал лишь понаслышке.

Он вознаградил себя, рисуя в воображении з[…] ского доллара, цифру три, повторенную нескол[…] конечное множество нулей. Должно быть, тут он[…] тому, что, открыв глаза и быстро взглянув на час[…] прошло уже двадцать минут, и услышал голос с[…] красивой брюнетки, говорившей с английским акц[…] нившись к нему, стюардесса спрашивала:

— Вам можно подавать обед, сэр? В таком […] шите убрать ваш чемоданчик.

4

При первом же взгляде на адвоката Эллиота[…] явившегося во главе депутации от жителей Ме[…] Бейкерсфелд почувствовал к нему инстинктивную […]

Пассажир, сидевший от нее слева — мужчина с тоненькими рыжеватыми усиками и тощей шеей, — был менее общителен. По правде говоря, он просто обескураживал миссис Квонсетт. В ответ на все ее попытки завязать разговор она слышала только какое-то односложное невнятное бормотание; он все так же апатично сидел, не меняя позы и держа чемоданчик на коленях.

Когда всем подали напитки, миссис Квонсетт подумала, что, возможно, теперь ее сосед слева разговорится. Не тут-то было. Он взял у стюардессы порцию шотландского виски, уплатил за него, вытащив из кармана кучу мелочи и отсчитав, сколько требовалось, и одним глотком проглотил содержимое стакана. Благодушно настроенная после рюмки хереса, миссис Квонсетт сказала себе: «Бедняжка, верно, у него неприятности, надо оставить его в покое».

Она заметила, однако, что человек с тощей шеей внезапно оживился, как только один из пилотов начал, вскоре после взлета, делать сообщение относительно маршрута, скорости и продолжительности полета и вдаваться еще в различные подробности, к которым миссис Квонсетт почти никогда не прислушивалась. Пассажир же слева тотчас сделал какие-то пометки на обороте конверта, а затем достал одну из карт «Установите ваше местонахождение», какими снабжает пассажиров авиакомпания, и расстелил ее на своем чемоданчике. Он углубился в изучение карты, делая на ней пометки карандашом и время от времени поглядывая на часы. Миссис Квонсетт все это казалось каким-то глупым ребячеством — на то и штурман где-то впереди, чтобы беспокоиться, туда ли летит самолет, куда ему положено лететь.

Миссис Квонсетт снова переключила свое внимание на гобоиста, который принялся рассказывать, что лишь совсем недавно, слушая симфонию Брукнера не из оркестра, а из концертного зала, он сделал для себя открытие: в тот момент, когда в партии духовых идет «пом-тидди-пом-пом», скрипки играют «аа-дидли-аа-даа». И он для наглядности промурлыкал обе мелодии.

— Как замечательно! Никогда бы не подумала! Просто невероятно! — воскликнула миссис Квонсетт. — Моему покойному мужу было бы очень интересно познакомиться с вами, хотя вы, разумеется, много его моложе.

Она уже приканчивала вторую рюмку хереса и чувствовала себя наверху блаженства. «Я выбрала чудесный рейс, — думала миссис Квонсетт. — Такой замечательный аэроплан и такое хорошее обслуживание. Стюардессы вежливые, заботливые, и пассажиры все такие милые, если не считать этого, что сидит слева, ну да Бог с ним». Скоро, по расчетам миссис Квонсетт, должны были подать обед, а потом показать фильм — кто-то сказал, что с Майклом Кейном, ее любимым актером, в главной роли. Ну чего еще желать от жизни?

Миссис Квонсетт заблуждалась, полагая, что где-то там впереди сидит штурман. Никакого штурмана не было. «Транс-Америка», как и большинство крупных авиакомпаний, больше не пользовалась услугами штурманов даже при трансатлантических перелетах — его заменяли многочисленные радары и система радиоуправления, установленная на всех современных лайнерах. Пилоты вели самолет, пользуясь указаниями, поступающими с земли, с контрольно-диспетчерских пунктов.

Впрочем, если бы на борту самолета находился, как в прежние времена, штурман, вычисленное им местонахождение самолета почти совпало бы с результатами Герреро, хотя последний достиг их путем весьма приблизительного расчета. Герреро ориентировочно высчитал, когда они будут пролетать над Детройтом, и·его предположения оказались правильными; он убедился в этом, слушая очередное сообщение командира экипажа о том, что скоро они пролетят над Монреалем, затем над Фредериксоном в Нью-Брансуике, затем над Кейп-Реем и несколько позже над Ньюфаундлендом. Командир был настолько любезен, что сообщил даже скорость полета, что облегчало дальнейшие подсчеты Герреро.

Восточный берег Ньюфаундленда, по расчетам Герреро, должен остаться позади через два с половиной часа. Но до этого командир корабля, вероятно, сделает еще одно сообщение о местонахождении лайнера, так что правильность подсчета можно будет на всякий случай проверить, после чего Герреро, так было у него задумано, подождет еще час, давая самолету залететь подальше над Атлантическим океаном, и, дернув за шнурок, взорвет динамит. При этой мысли пальцы его, лежавшие на чемоданчике, невольно напряглись.

Теперь, когда кульминационный момент был уже близок, ему захотелось ускорить его наступление. Может быть, в конце концов, не обязательно, подумал он, выжидать так долго. Как только они пролетят Ньюфаундленд, можно действовать.

От хорошей порции виски он несколько успокоился. Правда, сев в самолет, он уже почувствовал себя увереннее, однако, как только они оторвались от земли, нервное напряжение в нем стало снова нарастать, и особенно когда эта въедливая старая кошка начала приставать к нему с разговорами. Герреро не желал вступать ни с кем в контакт — ни сейчас, ни потом: хватит, все связи с окружающим миром для него уже порваны. Ему хотелось одного: сидеть и мечтать о том, как Инес и двое его ребятишек получат в самом непродолжительном времени, надо полагать, такую крупную сумму, какой он никогда в жизни не держал в руках, — триста тысяч долларов.

А пока что он бы с удовольствием выпил еще виски, но у него не было денег. После того как ему пришлось заплатить за страховку больше, чем он предполагал, мелочи едва хватило на одну порцию виски. Значит, придется обойтись без выпивки.

Герреро снова закрыл глаза. Теперь он старался представить себе, какое впечатление произведет на Инес и ребятишек сообщение о деньгах. Они будут ему благодарны за то, что он застраховался в их пользу, хотя и не узнают всей правды — не узнают, что он пожертвовал ради этого жизнью. Впрочем, у них может зародиться подозрение. Ему хотелось верить, что в этом случае они правильно расценят его поступок; впрочем, всякое может быть; он знал, что люди иногда крайне неожиданно и странно реагируют на благодеяния.

Удивительное дело: когда он думал об Инес и о детях, ему никак не удавалось представить себе их лица. Словно он думал о ком-то, кого знал лишь понаслышке.

Он вознаградил себя, рисуя в воображении знак американского доллара, цифру три, повторенную несколько раз, и бесконечное множество нулей. Должно быть, тут он задремал, потому что, открыв глаза и быстро взглянув на часы, увидел, что прошло уже двадцать минут, и услышал голос стюардессы — красивой брюнетки, говорившей с английским акцентом. Наклонившись к нему, стюардесса спрашивала:

— Вам можно подавать обед, сэр? В таком случае разрешите убрать ваш чемоданчик.

4

При первом же взгляде на адвоката Эллиота Фримантла, явившегося во главе депутации от жителей Медоувуда, Мел Бейкерсфелд почувствовал к нему инстинктивную неприязнь. А еще через десять минут эта неосознанная антипатия переросла в чувство отвращения.

Казалось, адвокат сознательно старался держаться как можно более вызывающе и оскорбительно. Беседа еще не началась, а он уже, как бы вскользь, проронил, что не потерпит никаких уверток — разговор должен идти начистоту, на что Мел возразил очень мягко, хотя и был возмущен в душе. И в дальнейшем каждое слово Мела наталкивалось на недоверие, иронию или прямую грубость. Мел видел, что этот человек нарочно пытается его разозлить, вывести из себя и спровоцировать на какое-нибудь неосмотрительное высказывание в присутствии репортеров. Раскусив его стратегию, Мел вовсе не хотел попадаться на удочку. Он сделал над собой усилие и продолжал говорить рассудительно и вежливо, как всегда.

Фримантл выступил с протестом против того, что он охарактеризовал как «бессердечное равнодушие управления аэропорта к состоянию здоровья и благополучию моих клиентов — добрых семейных граждан, жителей Медоувуда».

Мел возразил, что ни служащие аэропорта, ни авиакомпании, эксплуатирующие этот аэропорт, не заслуживают обвинения в бессердечии и равнодушии.

— Напротив, — сказал он, — мы признаем, что проблема шума существует, и прилагаем все усилия, чтобы с ней справиться.

— В таком случае, сэр, ваши усилия крайне ничтожны! Что же вы практически сделали? — вопросил Фримантл. — Насколько я и мои клиенты можем видеть — и слышать, — все ваши усилия сводятся к пустым заверениям, которые не стоят ни гроша. Совершенно очевидно, что все вы здесь плевать хотели на наши жалобы, почему мы и намерены возбудить против вас дело.

— Это обвинение неосновательно, — заявил Мел. — Была разработана схема, дающая возможность исключать из пользования взлетно-посадочную полосу два-пять, непосредственно нацеленную на Медоувуд, во всех случаях, когда вместо нее может быть использована другая полоса. Поэтому полоса два-пять используется теперь преимущественно для посадки, что не создает большого шума для Медоувуда, но зато чрезвычайно затрудняет бесперебойную работу аэропорта. Помимо этого, пилотам всех авиалиний дана инструкция применять меры для снижения шума при взлете в направлении Медоувуда с любой, даже самой отдаленной, взлетной полосы немедленно после отрыва от земли. Командно-диспетчерский пункт следит за выполнением инструкции.

Затем Мел добавил:

— И вот что вам необходимо уяснить себе, мистер Фримантл: это ведь отнюдь не первая наша встреча с местными жителями. Мы уже не раз обсуждали наши взаимные проблемы.

— Надо полагать, что в предыдущих встречах откровенного разговора не состоялось, — огрызнулся Фримантл.

— Даже если и так, то вы теперь вполне восполнили этот пробел.

— Мы намерены восполнить не только этот пробел, но и потерю времени и сил и обманутое доверие — ведь все это произошло отнюдь не по вине моих клиентов.

Мел решил не спорить. Такого рода пререканием ни та, ни другая сторона ничего не достигнет — разве что прибавит популярности Эллиоту Фримантлу. Мел заметил, что карандаши репортеров бойко строчат по бумаге. Что-что, а как делать себе рекламу и давать ходкий материал для прессы — это адвокат, по-видимому, неплохо знал.

Про себя Мел решил, что постарается как можно быстрее, не выходя, разумеется, из рамок учтивости, положить конец этим переговорам. Он все время остро ощущал присутствие Синди; она продолжала сидеть, как сидела в момент появления депутации, только теперь всем своим видом показывала, что ее одолевает скука: все, что имело хоть какое-то отношение к служебным делам Мела, неизменно нагоняло на нее тоску. Впрочем, на этот раз Мел готов был ей посочувствовать. Появление медоуудцев он и сам воспринимал сейчас как непрошеное вторжение в его личную жизнь, и притом в самый сложный для него момент.

В то же время Мела не оставляла тревога за Кейза. Как там у него на КДП идут сейчас дела? Может быть, ему следовало настоять, чтобы Кейз прервал работу, и продолжить свою беседу с ним, которая, кажется, могла дать результаты, если бы не помешал руководитель полетов. Пожалуй, и сейчас еще не поздно... Но разговор с Синди не был закончен, и ей, конечно, он должен отдать предпочтение перед Кейзом. А тут еще этот зловредный адвокат продолжает упражняться в красноречии...

— Поскольку вы изволили упомянуть эти, с позволения сказать, меры, которые вы применяете для приглушения звука, разрешите поинтересоваться, что с ними стряслось сегодня вечером? — язвительно осведомился Эллиот Фримантл.

Мел вздохнул.

— Третьи сутки свирепствует снежный буран. — Он окинул взглядом остальных членов депутации. — Мне кажется, каждому из вас это очевидно. Буран создает сложности. — Он рассказал, что взлетно-посадочная полоса три-ноль заблокирована, отчего возникла необходимость временно пользоваться для взлета полосой два-пять, а это неизбежно не могло не отразиться на Медоувуде.

— Все это распрекрасно. Мы знаем, что бушует пурга, мистер Бейкерсфелд, — сказал один из медоувудцев — лысеющий мужчина с квадратной челюстью, с которым Мел уже встречался раз на другом обсуждении проблемы аэропортовских шумов. — Но когда вы летаете у меня над головой, мне, ей-богу, не легче от того, что я знаю причину этого безобразия — будь то пурга или еще что. Кстати, меня зовут Флойд Занетта, и я был председателем на том собрании...

— Если вы позволите, мне бы хотелось обратить здесь внимание на одно обстоятельство, прежде чем мы пойдем дальше, — как бы невзначай вмешался Эллиот Фримантл. Адвокат явно никак не намерен был ни на секунду уступить кому-либо руководящую роль на этом обсуждении. Он обратился к Мелу, одновременно бросив взгляд в сторону репортеров: — Дело не только в шуме, который сотрясает дома и барабанные перепонки жителей Медоувуда, хотя и он достаточно губителен для здоровья — расшатывает нервы, лишает детей нормального сна... Ваш аэропорт физически вторгается...

На этот раз Мел позволил себе прервать адвоката:

— Вы в самом деле считаете, что единственный выход из возникшей сегодня ситуации — это закрыть аэропорт?

— Я не только так считаю и предлагаю вам этот выход, но мы можем даже заставить вас закрыть аэропорт. Я только что заявил, что аэропорт физически вторгается в жизнь граждан. Я докажу это в суде от имени моих клиентов, и мы выиграем процесс!

Остальные члены делегации, в том числе и Флойд Занетта, одобрительно закивали.

Эллиот Фримантл сделал паузу, чтобы дать своим словам поглубже проникнуть в сознание слушателей, а сам тем временем обдумывал, размышлял. Пожалуй, он зашел достаточно далеко. Досадно было лишь то, что, несмотря на все его усилия, управляющий аэропортом не потерял самообладания. Он уже не раз, и часто не без успеха, пользовался этим методом. Метод оправдывал себя, потому что, если его оппоненты теряли самообладание, они неизбежно падали в глазах репортеров, а именно этого он преимущественно и добивался. Но Бейкерсфелд, несмотря на то что адвокат явно сумел ему сильно досадить, был слишком опытен и умен, чтобы попасться на эту удочку. «Ну ничего, — думал Фримантл, — кое-чего я все же достиг». Он тоже заметил, что репортеры прилежно записывают его слова, которые (утратив свой язвительно-нравоучительный тон) будут выглядеть совсем неплохо в печати — лучше даже, казалось ему, чем его предыдущая речь на собрании в Медоувуде.

Фримантл сам, конечно, понимал, что все это — лишь пустое жонглирование словами, которое, по существу, ничего не дает. Даже если бы ему удалось склонить на свою сторону Бейкерсфелда — что было весьма маловероятно, — все равно Бейкерсфелд был бы бессилен что-либо сделать. Аэропорт существовал и будет существовать в том же виде и там, где он есть. Смысл же этого ночного визита заключался отчасти в том, чтобы привлечь к себе внимание публики, а главным образом (с точки зрения самого Фримантла) в том, чтобы показать жителям Медоувуда, какого стойкого поборника своих интересов они имеют в его лице, что должно было обеспечить непрерывный приток новых соглашений и чеков в контору Фримантла и Сая.

Обидно, конечно, что оставшиеся внизу жители Медоувуда не могут слушать, как он, отстаивая их интересы, дает жару этому Бейкерсфелду. Ну ничего, они прочтут это в завтрашних газетах. К тому же Эллиот Фримантл вовсе не считал, что здесь и завершится ночная схватка Медоувуда с аэропортом. По окончании этих переговоров он выступит по телевидению — он обещал это ребятам из телекомпании, которые не могли тащить сюда свое оборудование и тоже ждут внизу. По его расчетам (и по его же предложению), телевизионные камеры сейчас уже должны быть установлены в центральном зале, и хотя этот негр, лейтенант полиции, заявил, что не допустит никаких демонстраций, он, Фримантл, не сомневался, что, если ловко повести дело, его выступление может вызвать и демонстрацию.

Минуту назад он заявил, что намерен возбудить дело в суде, а несколько ранее в тот же вечер заверил жителей Медоувуда, что на это в первую очередь и направлена вся его деятельность. «Прежде всего я уповаю на суд и закон, — сказал он им. — Только на закон, и ни на что больше». Разумеется, это была неправда. Но вся политика Эллиота Фримантла строилась на том, чтобы уметь, когда нужно, сблефовать.

— Какие меры вы в рамках закона примете, это, разумеется, ваше дело, — сказал Мел Бейкерсфелд. — Тем не менее я должен напомнить вам, что закон оставил за аэропортами — поскольку они выполняют общественно полезную и необходимую функцию — право на существование вблизи населенных пунктов.

Фримантл поднял брови:

— А я и не знал, что вы тоже адвокат.

— Я не адвокат и к тому же совершенно уверен, что вы это знаете.

— Ну я было на минуту усомнился, — ехидно ухмыльнулся Эллиот Фримантл. — Потому что я-то, видите ли, адвокат и имею некоторый опыт в этих вопросах. Более того, могу заверить вас, что есть прецеденты, когда дело было решено в пользу моих клиентов. — И, так же как на предыдущем собрании, он отчеканил весьма внушительно звучащий перечень судебных процессов: «США против Каузби», «Григтс против графства Аллегени», «Сорнберг против портлендского аэропорта», «Мартин против аэропорта Сиэтла».

Мела это позабавило, хотя он и не подал виду. Он прекрасно помнил все эти процессы. Помнил он и другие, где суд принял прямо противоположное решение, но об этих процессах Фримантл либо не был осведомлен, либо по каким-то причинам решил их не упоминать. Мел подозревал последнее, но вовсе не намерен был вступать в юридические дебаты. Для этого, если потребуется, место в суде.

Однако Мел отнюдь не намерен был оставлять последнее слово за адвокатом, к которому он с каждой минутой проникался все большей антипатией. Обращаясь ко всей делегации в целом, он объяснил, почему не желает касаться сейчас юридической стороны вопроса, но добавил:

— Однако, коль скоро мы здесь собрались, я хотел бы сказать несколько слов о работе любого аэропорта и о шуме вообще.

Тут Синди зевнула, и он это заметил.

Фримантл тотчас перебил его:

— Сомневаюсь, чтобы в этом была какая-то необходимость. Мы намерены теперь...

— Позвольте! — Это уже прозвучало весьма внушительно. Мел отбросил наконец свой учтиво-мягкий тон. — Следует ли понимать это так, что после того, как я терпеливо вас выслушал, вы и остальные члены вашей делегации не расположены оказать такую же любезность мне?

Медоувудцы переглянулись. Один из них — все тот же Флойд Занетта — сказал:

— Я так полагаю, что мы должны...

Мел произнес резко:

— Я жду ответа от мистера Фримантла.

— Право, я не вижу причин повышать голос и вести себя неучтиво, — уклончиво сказал адвокат.

— В таком случае почему же вы только этим и занимаетесь с той минуты, как переступили порог моего кабинета?

— Я этого не нахожу...

— А вот я нахожу.

— Вам не кажется, что вы слишком горячитесь, мистер Бейкерсфелд?

— Нет, не кажется. — Мел усмехнулся. — Мне жаль вас огорчать, но я вполне владею собою. — Он почувствовал, что преимущество сейчас на его стороне: его неожиданный отпор застал адвоката врасплох, и тот растерялся. Спеша воспользоваться достигнутым, Мел продолжал: — Вы очень много говорили здесь, господин Фримантл, и не всегда достаточно вежливо. Но и я, со своей стороны, тоже хочу кое-что сказать. И я уверен, что представителям прессы интересно выслушать обе стороны, даже если больше никого из присутствующих моя точка зрения не интересует.

— Почему же, очень даже интересует, только мы уже сыты по горло всякими пустыми отговорками. — Эллиот Фримантл и на этот раз, как всегда, быстро оправился. Однако он должен был себе признаться, что мягкая поначалу манера Мела Бейкерсфелда усыпила его бдительность, а последующая внезапная атака застала врасплох. Управляющий аэропортом оказался далеко не таким простаком, как могло показаться на первый взгляд.

— Я не позволял себе никаких отговорок, — заметил Мел. — Я только предложил рассмотреть вопрос о шуме с более широкой точки зрения.

Фримантл пожал плечами. Рассматривать вопрос с любой другой позиции — тем более если она может заинтересовать представителей печати — никак не входило в его планы, поскольку грозило отвлечь внимание от него самого. Но как этого избежать, он не смог придумать с ходу.

— Леди и джентльмены! — начал Мел. — В самом начале нашей сегодняшней встречи говорилось о том, что разговор с обеих сторон должен идти начистоту. Мистеру Фримантлу была предоставлена эта возможность, и он воспользовался ею. Теперь настала моя очередь, и я так же буду с вами вполне откровенен.

Мел заметил, что медоувудцы — две женщины и четверо мужчин — слушают его так же внимательно, как и репортеры. Даже Синди исподтишка наблюдала за ним. И очень спокойно он продолжал:

— Все вы знаете — во всяком случае, должны бы знать, — какие меры принимались в международном аэропорту Линкольна, чтобы по возможности уменьшить шум и облегчить жизнь тем, кто проживает в непосредственной близости от аэропорта. Некоторые из этих мер вам известны, но, помимо них, существуют и другие: испытание двигателей, например, производится в наиболее удаленных частях аэропорта и в строго установленные часы.

Эллиот Фримантл, который уже начал ерзать на стуле, прервал его:

— Но вы же сами признали, что все эти ваши так называемые «меры» на деле не применяются.

— Ничего подобного я не говорил, — резко возразил Мел. — В большинстве случаев они неизменно применяются. Я признал, что сегодня они действительно не применялись ввиду совершенно исключительных обстоятельств, и, откровенно говоря, приведись мне самому пилотировать сейчас самолет и поднимать его в воздух при такой погоде, я бы воздержался от дросселирования двигателей для снижения шума тотчас после отрыва от земли. И скажу больше — такие условия неизбежно будут время от времени повторяться.

— Не время от времени, а постоянно!

— Нет, сэр! И позвольте мне закончить! — Не давая Фримантлу возможности вставить еще хоть слово, Мел продолжал: — Не секрет, что аэропорты — как здесь, так и повсюду, — дошли до предела своих возможностей по части снижения шума. Вам не понравится то, что я сейчас скажу, и не все в нашем деле это признают, но тем не менее это так: в настоящее время в этом направлении мало что можно еще сделать. Вы не можете заставить двигаться бесшумно, как на цыпочках, тяжелую машину с мощными двигателями и весом в триста тысяч фунтов. И естественно, что, когда вы сажаете или поднимаете в воздух большой лайнер, он сотрясает все вокруг и вытряхивает душу из всех находящихся поблизости. — Кое у кого по лицу промелькнула улыбка, но Эллиот Фримантл нахмурился. — Так что если мы хотим, чтобы аэропорты продолжали существовать — а, по-видимому, мы все же этого хотим, — кому-то придется примириться с шумом или переменить место жительства.

Теперь Мел, в свою очередь, заметил, что карандаши репортеров едва поспевают за ним.

— Не подлежит сомнению, — продолжал Мел, — что авиаконструкторы работают над проблемой уменьшения шума, но, честно говоря, мало кто в авиационной промышленности относится к этому вопросу серьезно, и, конечно, больших успехов в этой области — таких, как в развитии самолетостроения вообще, — мы не видим. В лучшем случае кое-какие паллиативы. Мои слова, быть может, прозвучат для вас убедительнее, если я позволю себе провести одну параллель: хоть грузовики вошли в нашу жизнь много раньше самолетов, по-настоящему эффективного глушителя для них еще не сконструировано.

Следует также иметь в виду, что к тому времени, когда удастся усовершенствовать какой-либо тип самолетного двигателя, уменьшив его шум — если, конечно, это вообще удастся, — будут уже сконструированы новые, более мощные двигатели, которые даже с применением вышеупомянутого усовершенствования не могут не создавать больший шум, нежели предшествующие им. Как видите, я говорю с вами предельно откровенно, как и обещал.

Одна из представительниц Медоувуда мрачно пробормотала:

— Да уж куда откровеннее.

— А это заставляет меня, — сказал Мел, — заглянуть в будущее. Так вот: в недалеком будущем появится новое, если можно так выразиться, племя самолетов из семейства лайнеров «Боинг-747», включая таких бегемотов, как «Локхид-500», которые скоро будут введены в эксплуатацию. А следом за ними не заставят себя долго ждать и сверхзвуковые пассажирские самолеты, такие, как, к примеру, «конкорд». Скорость самолетов типа «Локхид-500» будет все же меньше скорости звука, и шум от них не намного превысит тот, с каким мы имеем дело теперь. У сверхзвуковых же самолетов к обычному шуму, создаваемому мощными двигателями, прибавится еще возникающий при полете со сверхзвуковой скоростью удар, похожий на выстрел, и это поставит нас перед куда более сложной проблемой шума, чем та, с которой мы сталкивались до сих пор.

Возможно, вам, как и мне, приходилось слышать или читать весьма оптимистические высказывания по поводу того, что этот удар будет возникать лишь на очень большой высоте, далеко от населенных пунктов и аэропортов и на земле почти не будет ощущаться. Не верьте этому! Все мы на пороге крупных, трудноразрешимых проблем: и вы в своих домах, и мы, руководство аэропортов, и авиакомпании, вложившие миллиарды долларов в оборудование, которое должно бесперебойно эксплуатироваться, чтобы их деньги не вылетели в трубу. Поверьте мне, приближается время, когда всем нам захочется вернуться вспять к нынешним нашим проблемам шума — такими они покажутся нам тогда несущественными.

— Так что, собственно, советуете вы моим клиентам? — саркастически вопросил Эллиот Фримантл. — Чтобы они, не теряя времени даром, сами укрылись в психиатрических клиниках, пока ваши бегемоты не загнали их туда?

— Нет, — твердо отвечал Мел. — Этого я не говорю. Я просто откровенно — как вы меня и просили — признаюсь, что не могу разрешить их проблемы и не собираюсь давать обещания, которые аэропорт не в состоянии выполнить. А также выражаю свое личное мнение, что шум в дальнейшем будет не уменьшаться, а возрастать. И тут мне хотелось бы напомнить вам, что это отнюдь не новая, внезапно возникшая проблема. Она существует с тех пор, как появился паровоз, а за ним — и легковые автомобили, автобусы, грузовики. Эта же проблема возникала, когда через заселенные местности прокладывались автострады или когда строились аэропорты, постепенно расширяющие свои владения. Все это призвано служить людям — во всяком случае, мы так считаем, — однако все это создает шум и, несмотря на все наши усилия, продолжает его создавать. Ничего тут не поделаешь: поезда, автомобили, автострады, самолеты и все прочее существует. Это одна из сторон нашего образа жизни, и, если мы не намерены его менять, нам придется как-то приспосабливаться к шуму.

— Иными словами, мои клиенты должны до конца своей жизни отбросить всякую надежду на покой, тишину, безмятежный сон и возможность уединения?

— Нет, — сказал Мел. — Я думаю, что в конце концов им придется переселиться. Я, разумеется, не делаю сейчас никаких официальных заявлений, но убежден, что рано или поздно и наш аэропорт, и все прочие будут вынуждены пойти на многомиллионные расходы и откупить прилегающие к ним населенные районы. Многие из этих районов могут быть превращены в индустриальные центры, для которых шум не имеет значения. Ну и, само собой разумеется, тем, кто окажется вынужденным покинуть свои владения, будет выплачена соответствующая компенсация.

Эллиот Фримантл встал и знаком предложил остальным последовать его примеру.

— Вот единственная здравая мысль, которую я услышал за все то время, что мы провели здесь, — заявил Фримантл, обращаясь к Мелу. — Однако выплата компенсации может произойти раньше, чем вы предполагаете, и сумма может оказаться значительно более крупной. Мы с вами еще встретимся. В суде.

Фримантл сухо кивнул и вышел. Остальные последовали за ним.

Мел услышал, как в дверях одна из женщин воскликнула:

— Вы были бесподобны, мистер Фримантл! Я так всем и скажу.

— Ну что ж, спасибо, спасибо...

Голоса замерли.

Мел пошел притворить за ними дверь.

— Мне очень жаль, что так получилось, — сказал он, оборачиваясь к Синди. Теперь, оставшись с ней вдвоем, он уже не знал, что могут они сказать друг другу.

Синди холодно заявила:

— Этого и следовало ожидать. Тебе надо было жениться на аэропорте.

Подойдя к двери, Мел заметил, что один из репортеров — Томлинсон из «Трибюн» — вернулся в приемную.

— Мистер Бейкерсфелд, могу я задержать вас на секунду?

— Да, в чем дело? — устало спросил Мел.

— У меня создалось впечатление, что мистер Фримантл не слишком вас очаровал.

— Это не для печати?

— Нет, сэр.

— В таком случае вы не ошиблись.

— И я подумал, что вот это может вас заинтересовать. — Он протянул Мелу одно из отпечатанных на машинке соглашений, которые Фримантл распространял на собрании медоувудских жителей, вербуя себе клиентов.

Прочитав соглашение, Мел спросил:

— Где вы это раздобыли?

Репортер объяснил.

— И много там было народу?

— По моим подсчетам — человек шестьсот.

— А сколько таких соглашений было подписано?

— Ну, этого я не могу с уверенностью сказать, мистер Бейкерсфелд. Думается, штук полтораста. А некоторые обещали подписать и прислать по почте.

«Вот почему он так актерствовал», — угрюмо подумал Мел. Теперь стало понятно, на кого и с какой целью старался Фримантл произвести впечатление.

— Мне кажется, вы сейчас прикидываете в уме то же, что пытался прикинуть я, — сказал Томлинсон.

Мел кивнул:

— Да, все это вместе складывается в довольно кругленькую сумму.

— Вот именно. Я бы не прочь заработать половину.

— Может быть, мы с вами оба ошиблись в выборе профессии? А вы давали отчет об этом собрании в Медоувуде?

— Да.

— И неужели никто из присутствовавших там не пробовал указать на то, что общая сумма гонорара этого адвоката достигает пятнадцати тысяч долларов по самым скромным подсчетам?

Томлинсон покачал головой:

— Либо никто об этом не подумал, либо им наплевать. Кроме того, Фримантл — это личность. Он, я бы сказал, гипнотически действует на аудиторию. Они смотрят ему в рот как зачарованные.

Мел вернул репортеру соглашение.

— Вы будете об этом писать?

— Я-то напишу, но не слишком удивляйтесь, если заведующий городской хроникой вычеркнет это. Они всегда боятся задевать этих крючкотворов. К тому же с чисто юридической точки зрения здесь, вероятно, нет ничего противозаконного.

— Конечно, — сказал Мел. — Другое дело, что это неэтично и коллегии адвокатов может не очень-то понравиться. Но ничего противозаконного тут нет. А жителям Медоувуда следовало бы, конечно, сговориться и просто сообща нанять юриста. Но если люди легковерны и хотят помочь адвокату разбогатеть — это их личное дело.

Томлинсон усмехнулся:

— Могу я это процитировать?

— Вы только что сказали мне, что ваша газета такого материала не напечатает. К тому же мы ведь договорились, что наша беседа не для печати, вы не забыли?

— Пусть так.

Если бы от этого мог быть какой-нибудь толк, думал Мел, он бы разрешил репортеру сослаться на его слова: а вдруг, чем черт не шутит, напечатают. Но он знал, что толку не будет. И он знал также, что множество крючкотворов вроде Фримантла рыщут по стране, вынюхивают, где что неладно, подстрекают людей, осаждают аэропорты, дирекции авиакомпаний, а иногда и пилотов.

Мела, однако, возмущала не сама по себе их активность — частная инициатива в сочетании с легальными средствами является привилегией любого, — его возмущал метод, к которому они во многих случаях прибегали, возбуждая в своих клиентах несбыточные надежды, вводя их в заблуждение, ссылаясь на убедительные с виду, но предвзято подобранные примеры из судебной практики — подобно тому, как делал это сегодня Эллиот Фримантл, и наводняя суды бесчисленными, заранее обреченными на неудачу исками, в результате чего в барыше оставались только сами адвокаты, а клиенты лишь зря теряли время и деньги.

Мел пожалел, что Томлинсон не сделал ему своего сообщения раньше. Это дало бы ему возможность предостеречь медоувудцев против Эллиота Фримантла, показать им, в какую ловушку их заманили, и придало бы его словам вес. Теперь было уже поздно.

— Мистер Бейкерсфелд, — сказал представитель «Трибюн», — мне бы хотелось задать вам еще несколько вопросов о работе аэропорта вообще. Если вы можете уделить мне минут пять — десять...

— В любое другое время я был бы только рад. — Мел беспомощно развел руками. — Но как раз сейчас у нас здесь происходит слишком много событий одновременно.

Репортер кивнул:

— Я понимаю. Но так или иначе, я некоторое время побуду тут. Я слышал, что Фримантл и его шайка что-то еще затевают там, внизу, в центральном зале. Словом, если у вас появится возможность позже...

— Я постараюсь, — сказал Мел, не предполагая, впрочем, что этой ночью у него может еще найтись время для репортеров. Стремление Томлинсона поглубже вникнуть в события, о которых он собирался давать материал, вызывало у Мела уважение к нему, но тем не менее сегодня он был уже сыт по горло всеми этими делегациями... ну и репортерами тоже.

Если даже там что-то и затевается, решил он, то лейтенант Ордвей со своими полицейскими справится с этим и без него.

Попрощавшись с репортером «Трибюн» и притворив за ним дверь, Мел обернулся. Синди стояла и натягивала перчатки.

— Ну конечно, как ты и говорил, наваливается сотня всяких непредвиденных дел, — язвительно заметила она. — Не знаю, что представляют собой остальные девяносто девять, но не сомневаюсь, что все они важнее для тебя, чем я.

— Ты прекрасно понимаешь, — сказал Мел, — что я выражался фигурально. И я ведь уже принес тебе извинения. Откуда я мог знать, что это произойдет, во всяком случае, что все будет так — одно к одному?

— Но ты же это любишь, разве нет? Тебе все это нравится. Для тебя все это куда дороже, чем я, дети, наш дом, общество приличных, благовоспитанных людей.

— Вот-вот, — сказал Мел. — Я все ждал, когда ты сядешь на своего конька... А, черт, мы, кажется, опять начинаем ссориться. Мы все решили, так ведь? К чему же снова пререкаться?

— Да, конечно, — сказала Синди. Неожиданно она вдруг присмирела. — Да, вероятно, ты прав.

Наступило тягостное молчание. Мел нарушил его первым:

— Подумай, развод — это очень серьезное дело и для тебя, и для меня, и для девочек. Если ты не вполне уверена... если у тебя есть какие-нибудь сомнения...

— Мы ведь как будто уже все обсудили...

— Конечно, но если ты найдешь нужным, мы обсудим это заново еще пятьдесят раз.

— Я не нахожу это нужным. — Синди решительно тряхнула головой. — У меня нет никаких сомнений. Да ведь и у тебя, в сущности, тоже, разве не так?

— Да, — сказал Мел. — Боюсь, что так.

Синди хотела что-то сказать, но передумала. Она чуть было не сообщила Мелу о Лайонеле Эркарте, однако в последнюю минуту удержалась. Успеется — Мел сам узнает. Что же касается Дерика Идена, который занимал ее мысли почти все время, пока тут в кабинете находилась делегация от Медоувуда, то о его существовании она не собиралась ставить в известность ни Мела, ни... Лайонела.

В дверь постучали — негромко, но решительно.

— О Боже! — пробормотала Синди. — Неужели все время кто-нибудь будет сюда врываться?

— Кто там? — раздраженно крикнул Мел.

Дверь отворилась.

— Это я, — сказала Таня Ливингстон. — Мел, мне нужен ваш совет... — Заметив Синди, она приросла к месту. — Простите. Я думала, что вы один.

— Вы почти не ошиблись, — сказала Синди. — Через несколько секунд меня здесь не будет.

— Нет, прошу вас!.. — Таня вспыхнула. — Я могу прийти позднее, миссис Бейкерсфелд. Я не хотела вам мешать.

Синди внимательным взглядом окинула Таню, ее форменный костюм.

— Вероятно, вы помешали нам как раз вовремя, — сказала Синди. — Во всяком случае, прошло уже добрых три минуты с тех пор, как отсюда ушли последние посетители, а мы редко бываем вместе продолжительный срок. — Она повернулась к Мелу. — Не так ли?

Мел молчал.

— Между прочим, — Синди снова обратилась к Тане, — мне бы хотелось знать, как это вы сразу сообразили, кто я такая?

На секунду Таня растерялась, что было ей совсем не свойственно. Оправившись, она слабо улыбнулась:

— Я почему-то догадалась.

Синди подняла брови.

— Может быть, и я должна проявить такую же догадливость? — Она взглянула на Мела.

— Вовсе нет, — сказал Мел и представил их друг другу.

Мел видел, что Синди мысленно оценивает Таню Ливингстон. У него не было ни малейших сомнений в том, что его жена уже строит умозаключения относительно его отношений с Таней. Синди, как он давно заметил, была наделена каким-то безошибочным чутьем по части всего, что касалось отношений между мужчинами и женщинами. К тому же Мел чувствовал, что, представляя Таню жене, он чем-то выдал себя. Этого не могло не случиться: супруги слишком хорошо знают малейшие оттенки голоса друг друга. Мел даже не очень удивился бы, если бы Синди догадалась о том, что у них с Таней назначено свидание, хотя по зрелом размышлении должен был признать, что воображение заводит его слишком далеко.

Во всяком случае, о чем бы Синди ни догадывалась, это теперь не имеет значения, сказал он себе. Ведь она же первая заговорила о разводе, так что ей, собственно, за дело до его отношений с другими женщинами? Какую бы роль ни играла в его жизни Таня (а для него самого эта роль была еще совсем не ясна), Синди, рассуждая логически, это не должно касаться. Но женщины, напомнил себе Мел — в том числе и Синди, а возможно, и Таня, — редко умеют рассуждать логически. И тут он был прав.

— Как тебе повезло, милый, — притворно нежно проворковала Синди, — что на этот раз сюда не пожаловала еще одна делегация нудных стариков со своими проблемами! — Она впилась взглядом в Таню. — Вы, кажется, сказали, что у вас какие-то затруднения?

Таня невозмутимо выдержала ее испытующий взгляд:

— Я сказала, что мне нужно посоветоваться.

— Ах вот как! О чем же вам нужно посоветоваться? По служебным делам или по личным? Или вы уже запамятовали?

— Синди, перестань, — резко сказал Мел. — Какое ты имеешь право...

— Как это — какое я имею право? И почему я должна перестать? — В голосе Синди звучала нескрываемая насмешка. Мелу показалось даже, что она получает от этого разговора какое-то извращенное удовольствие. — Не ты ли сам вечно упрекал меня, что я проявляю слишком мало интереса к твоим проблемам? Так вот, проблема твоей приятельницы пробудила во мне живейший интерес... если, конечно, такая проблема существует.

Таня сказала сухо:

— Я по поводу рейса два. — И пояснила: — Это беспосадочный перелет до Рима, миссис Бейкерсфелд. Самолет поднялся в воздух полчаса тому назад.

— А что там у них? — спросил Мел.

— Да, сказать по правде, — Таня замялась, — я сама не очень понимаю.

— Давайте, давайте, — сказала Синди. — Придумайте что-нибудь.

— Да замолчи же! — взорвался Мел. — В чем все-таки дело? — спросил он Таню.

Таня поглядела на Синди и начала пересказывать свой разговор с таможенным инспектором Стэндишем. Описала мужчину, который как-то подозрительно оберегал свой чемоданчик, сказала, что у Стэндиша возникли подозрения, не везет ли этот пассажир контрабанду.

— Он на борту рейса два? — переспросил Мел. — В таком случае, если даже и везет контрабанду, то в Италию, и это не должно беспокоить американских таможенников. Европейские страны сами сумеют постоять за себя.

— Я понимаю. УП сказал мне то же, слово в слово. — Таня передала свой разговор с ним и его последние слова, произнесенные с раздражением, но твердо: «Нас это не касается!»

Мел озадаченно посмотрел на нее:

— В таком случае я не понимаю, почему...

— Я же сказала вам, что, может быть, все это пустяки, я сама не знаю, но отделаться от этих мыслей никак не могу. И вот я стала проверять...

— Что проверять?

Они оба уже забыли про Синди.

— Инспектор Стэндиш сказал мне, что этот человек с чемоданчиком вошел в самолет одним из последних. Вероятно, это было так, потому что я сама стояла у выхода и все-таки проглядела старушку... — Таня не договорила. — Впрочем, это не имеет отношения к делу. Короче говоря, я вместе с дежурным контролером, пропускавшим на рейс два, проверила список пассажиров и ведомость их регистрации. Контролер не мог припомнить человека с чемоданчиком, но указал примерно пять фамилий пассажиров, которые проходили последними.

— И что дальше?

— Тогда я просто по наитию опросила все регистрационные стойки относительно этих пяти пассажиров — не бросилось ли им что-нибудь в глаза. В аэропорту никто ничего сообщить не мог. А вот один из агентов в городском представительстве действительно запомнил этого пассажира — того, что с чемоданчиком. Таким образом, я узнала его имя... и по описанию все сходится.

— Я все же не понимаю, что вы тут усмотрели. Он ведь должен был зарегистрировать где-то свой билет и предпочел сделать это на городской станции.

— Видите ли, агент запомнил его потому, что у него не было с собой багажа — ничего, кроме чемоданчика. И еще агенту бросилось в глаза, что этот пассажир очень нервничал.

— Тысячи людей нервничают... — Внезапно Мел умолк и нахмурился. — Никакого багажа? И он летел в Рим?

— Вот именно. Ничего, кроме чемоданчика, который привлек внимание инспектора Стэндиша. Агент даже назвал этот чемоданчик портфелем.

— Но кто же отправляется в такое путешествие совсем без вещей? Это как-то нелепо.

— Так подумалось и мне. Нелепо, если только... — Таня запнулась, не решаясь продолжить свою мысль.

— Если только?..

— Если только не знать наперед, что самолет не достигнет места назначения. А вот если вам это заранее известно, то и багаж никакой не нужен.

— Таня, — медленно и тихо произнес Мел, — что вы имеете в виду?

Она ответила упавшим голосом:

— Я совсем в этом не уверена, потому и пришла к вам. Когда я начинаю раздумывать, мне самой такая мысль кажется смешной, фантастической, и все же...

— Договаривайте.

— Хорошо. А что, если этот человек не везет с собой никакой контрабанды... во всяком случае, в обычном смысле слова... Что, если у него потому и не было с собой багажа и потому он так нервничал и так странно держал чемоданчик — даже привлек к себе внимание инспектора... Что, если все это потому, что у него там не контрабанда... а бомба?

Таня и Мел уставились друг на друга. Мел быстро перебирал в уме все обстоятельства, прикидывал... Мысль Тани в первую минуту и ему показалась фантастической, нелепой. А все же... Ведь такие случаи хоть редко, но бывали. И тотчас возник вопрос: как можно быть уверенным, что это именно такой случай? Чем больше он размышлял, тем очевиднее ему становилось, что поведение этого пассажира с чемоданчиком может иметь совершенно невинное объяснение, и скорее всего так оно и есть. А в этом случае, подняв шум, только останешься в дураках, и вполне понятно, что никому попасть в такое положение не хочется. Но если на карту поставлена судьба пассажиров и самолета, можно ли при этом беспокоиться о том, чтобы не остаться в дураках? Ясно, нет. Но с другой стороны, чтобы забить тревогу, нужны более веские основания, чем чьи-то домыслы и предчувствия. Есть ли какая-то возможность предостеречь, принять меры, не сея паники? — думал Мел.

Пока что он такой возможности не видел.

Но проверить кое-что он все-таки мог. Это было тоже лишь предположение... впрочем, для такой проверки достаточно телефонного звонка. Вероятно, его навела на эту мысль сегодняшняя встреча с Верноном Димирестом, напомнившая ему их стычку на заседании Совета уполномоченных.

Во второй раз за нынешний вечер Мел заглянул в свой карманный телефонный справочник. Затем подошел к столу и набрал номер страховой компании, продававшей страховки в центральном зале. Ему ответил хорошо знакомый голос одной из девушек, давно работающей страховым агентом в аэропорту.

— Мардж, — сказал он, — говорит Бейкерсфелд. Много ли вы сегодня продали страховых полисов пассажирам рейса два?

— Немного больше, чем обычно, мистер Бейкерсфелд. Да и на другие два рейса я продала, кажется, двенадцать, и Банни — она работает рядом со мной — тоже выписывала.

— Вот что я попрошу вас сделать, — сказал Мел. — Прочтите мне фамилии всех взявших полисы и суммы, на которые они застраховались. — Почувствовав, что девушка колеблется, Мел добавил: — Если нужно, я могу позвонить вашему управляющему и получить разрешение. Но вы знаете, что он не станет возражать, а для меня — можете поверить мне на слово — это очень важно, и я не хочу терять время.

— Хорошо, мистер Бейкерсфелд, как прикажете. Но мне нужно собрать все полисы.

— Я подожду.

Мел услышал, как Мардж положила трубку на стол и извинилась перед клиентом. Потом зашелестели бумаги, и раздался голос другой девушки: «Что-нибудь не в порядке?»

Прикрыв микрофон трубки рукой, Мел обернулся к Тане:

— Как его фамилия — этого пассажира с чемоданчиком?

Таня заглянула в свой список.

— Герреро или Берреро — один раз было записано так, а другой раз — иначе. — Она заметила, что Мел вздрогнул. — Инициалы — Д. О.

Мозг Мела напряженно работал. Фамилия женщины, которую час назад приводили к нему в приемную, была Герреро. Так сказал лейтенант Ордвей. Мел отчетливо это помнил. Полиция обратила на нее внимание, потому что она растерянно бродила по аэровокзалу. По словам Неда Ордвея, женщина была чем-то очень расстроена и плакала, но никто из полицейских не мог добиться от нее толку. Мел собирался сам поговорить с ней, но не успел. Когда явилась делегация из Медоувуда, женщина уже уходила. Конечно, может быть, одно к другому и не имеет отношения...

В телефоне слышны были голоса страховых агентов и пассажиров на фоне шума центрального зала.

— Таня! — Мел старался говорить спокойно. — Примерно двадцать минут назад у меня в приемной была женщина — средних лет, в поношенной и, как мне показалось, порядком промокшей одежде. По-моему, эта женщина ушла, когда сюда набился народ, но, возможно, она еще где-нибудь здесь, в пределах аэропорта. Приведите ее сюда и, во всяком случае, как только она попадется вам на глаза, не выпускайте ее из виду. — Заметив Танин озадаченный взгляд, Мел добавил: — Ее зовут миссис Герреро.

Таня поспешно вышла, и в эту минуту в телефоне раздался голос Мардж:

— Я собрала все полисы, мистер Бейкерсфелд. Можно вам прочесть.

— Да, Мардж, читайте.

Мел внимательно слушал. Список подходил к концу, когда он услышал уже ставшую знакомой фамилию и невольно весь напрягся. Голос его зазвучал настороженно:

— Скажите, кто оформлял этот полис — вы?

— Нет, Банни. Сейчас я передам ей трубку.

Мел выслушал рассказ Банни и задал несколько вопросов. Разговор их был краток. Мел положил трубку и тут же стал набирать другой номер. Вошла Таня.

В глазах ее стоял вопрос, но Мел предпочел пока что сделать вид, будто он этого не замечает, и она тотчас начала докладывать:

— На административном этаже никого посторонних нет. А внизу по-прежнему миллион народу; нечего и думать найти кого-нибудь в этой толпе. Может быть, объявим по трансляции?

— Что ж, попытаемся, хотя особенной надежды на успех у меня нет.

Судя по тому, что он слышал об этой Герреро, толку от нее добиться будет нелегко и едва ли объявление по трансляции что-либо даст. К тому же ее, вероятно, давно нет здесь — она уже наверняка где-нибудь на полпути к городу. Мел упрекал себя за то, что не поговорил с нею, он ведь собирался это сделать, но его отвлекли другие дела. Делегация медоувудцев, тревога за Кейза... Тут он вспомнил, что хотел вернуться на КДП. Теперь и это придется отложить... Да, еще Синди... Он только сейчас заметил, что Синди ушла, и почувствовал себя неловко.

Он взял со стола микрофон и протянул его Тане. В эту минуту ответил набранный им номер полицейского отделения аэропорта.

— Мне нужен лейтенант Ордвей, — сказал Мел. — Он еще в аэропорту?

— Да, сэр. — Дежурный узнал голос Мела.

— Разыщите его как можно скорее. Я подожду. И, кстати, как имя женщины по фамилии Герреро, на которую кто-то из ваших людей обратил сегодня внимание? Мне говорили, но я хочу проверить.

— Одну минуту, сэр. — Небольшая пауза. — Ее зовут Инес, сэр, Инес Герреро. Мы уже вызвали лейтенанта Ордвея по его рации.

Нед Ордвей, как и многие другие служащие аэропорта, имел при себе карманный радиоприемник, дававший спецсигнал, как только поступал срочный вызов для лейтенанта. Значит, в эту минуту Ордвей где-то уже спешит к телефону.

Мел быстро дал Тане необходимые указания и нажал кнопку своего личного микрофона, которая одновременно отключила все другие микрофоны трансляционной сети аэропорта. Дверь в приемную была открыта, и он услышал, как оборвалось на полуслове очередное сообщение о посадке на самолет. За все восемь лет, в течение которых Мел находился на посту управляющего аэропортом, только дважды прибегал он к такой мере. В первом случае — как он врезался Мелу в память! — он сделал это, чтобы объявить о смерти президента Кеннеди. Во втором — это было год назад — к нему в кабинет забрел, рыдая, отставший от родителей малыш. Мел не стал канителиться: отвергнув обычную в таких случаях процедуру, он использовал свой микрофон, чтобы поскорее оповестить родителей, которые, конечно, уже сходили с ума от тревоги.

И сейчас он кивнул Тане, чтобы она начинала свое объявление, а мозг его тем временем сверлила мысль, что, в сущности, он до сих пор не знает, зачем нужна ему эта женщина, Инес Герреро, ведь у него нет даже уверенности в том, что все это не пустые фантазии. Но подсознательно он чувствовал, что это не так, что произошло — а быть может, еще и продолжает происходить — что-то серьезное. В таких случаях нужно, не теряя времени, проверить каждую мелочь в надежде, что каким-то образом, с помощью других людей удастся все разъяснить.

— Прошу внимания! — начала Таня; голос ее звучал, как всегда, ясно и спокойно, и сейчас он был слышен во всех самых отдаленных уголках аэровокзала. — Миссис Инес Герреро, или Берреро, просят немедленно явиться в кабинет управляющего аэропортом на административном этаже центрального здания аэровокзала. Любой служащий аэропорта или какой угодно авиакомпании покажет вам дорогу. Повторяю...

В телефонной трубке затрещало: лейтенант Ордвей был на проводе.

— Нам нужна эта женщина, — сказал ему Мел. — Та, что была здесь у меня в приемной. Герреро. Мы сейчас передаем...

— Да-да, — сказал Ордвей. — Я слышу.

— Она нужна нам срочно. Объясню все потом. А сейчас можете мне поверить...

— Понятно. Когда вы видели ее в последний раз?

— Когда она была вместе с вами в моей приемной.

— Понятно. Что-нибудь еще?

— Да, это может оказаться очень серьезным. Я просил бы вас все бросить, поставить на ноги всех ваших людей. И в любом случае — найдете вы ее или нет — поскорее загляните ко мне сюда...

— Есть. — В телефоне звякнуло: Ордвей повесил трубку.

Таня закончила свое объявление, и не успела она нажать кнопку и выключить микрофон, как в отворенную дверь донеслось новое сообщение по трансляционной сети: «Внимание! Мистер Лестер Мейнуэринг! Просим мистера Мейнуэринга и сопровождающих его лиц немедленно подойти к центральному входу аэровокзала».

«Лестер Мейнуэринг» на условном языке аэропорта означало «полицейский». Сообщение расшифровывалось так: полицейский, находящийся ближе всего к указанному месту, должен немедленно явиться туда. Под «сопровождающими лицами» подразумевались все полицейские вокзала. Большинство аэропортов пользовались таким же кодом, чтобы вызывать полицию, не привлекая внимания пассажиров.

Ордвей времени не терял. Как только полицейские соберутся у центрального входа, он проинструктирует их относительно Инес Герреро.

— Позвоните Уэзерби, — сказал Мел Тане. — Попросите его как можно быстрее прийти сюда. Скажите, что это важно. — И добавил как бы про себя: — Для начала соберем всех здесь.

Позвонив, Таня сообщила:

— Он сейчас будет. — В голосе ее слышалась тревога.

Мел подошел к двери в приемную и притворил ее.

— Вы ведь так ничего и не объяснили мне, — сказала Таня. — Что такое вы обнаружили?

Мел сказал с расстановкой, осторожно выбирая слова:

— Этот человек, Герреро, тот, что улетел в Рим без багажа с одним ручным чемоданчиком — вы еще заподозрили, что у него там бомба, — перед вылетом застраховал свою жизнь на триста тысяч долларов в пользу некой Инес Герреро. И, оплачивая страховку, выгребал у себя из карманов последнюю мелочь.

— О Господи! — Таня побелела и прошептала еле слышно: — Нет, нет... не может быть!

6

Бывали дни — и сегодня выдался один из таких дней, — когда Патрони радовался, что он работает в техническом секторе авиации, а не в коммерческом.

Эта мысль снова посетила его, когда он наблюдал, как хлопочут рабочие, подкапываясь под занесенный снегом лайнер «Аэрео Мехикан», который все еще блокировал полосу три-ноль.

Коммерческий сектор, к которому Патрони причислял без разбору весь административный состав, был, на его взгляд, скопищем чванливых бездельников, вздорящих друг с другом, как капризные подростки. И только в инженерном и ремонтно-техническом секторах сидели взрослые люди и занимались своим делом. Механики (неуклонно отстаивал свою точку зрения Патрони), даже состоя на службе в конкурирующих авиакомпаниях, работают дружно, слаженно, делятся опытом, информацией, а иной раз и профессиональными секретами во имя общего блага.

В подтверждение своих слов Патрони не раз признавался своим друзьям в том, что существует тайный обмен информацией, регулярно получаемой механиками на закрытых конференциях той или иной авиакомпании.

Руководство авиакомпании, в которой работал Патрони, как и большинство крупных рейсовых авиакомпаний, проводило ежедневные телефонные конференции, именуемые «инструктажем», в которых обязаны были принимать участие все авиабазы, аппараты управления и ремонтно-технические службы, имеющие между собой прямую закрытую междугородную связь. Проводившиеся под председательством вице-президента авиакомпании инструктажи представляли собой, в сущности, информацию о всей деятельности авиакомпании за истекшие сутки и обсуждение этой деятельности. Происходил откровенный обмен мнениями между ведущими работниками всех секторов. Коммерческий сектор и сектор обслуживания ежедневно проводили свой инструктаж, так же как и ремонтно-технический, только значение последнего, по мнению Патрони, было несравненно выше.

Во время технических инструктажей, в которых Патрони принимал участие пять раз в неделю, все ремонтно-технические службы отчитывались одна за другой. Если за истекшие сутки где-либо происходили задержки или другие неполадки по вине технического сектора, руководство сектора должно было нести за них ответственность. Никакие отговорки во внимание не принимались. Патрони говорил: «Прошляпил — отвечай!» Сообщалось о любых, даже самых ничтожных неполадках в материальной части с целью информации и предотвращения возможности их повторения. На следующем инструктаже в понедельник Патрони предстояло доложить о случае с «Боингом-707» авиакомпании «Аэрео Мехикан» и о своем успехе или неудаче, в зависимости от того, как дальше пойдет у него дело. Ежедневные доклады на инструктажах являлись делом отнюдь не шуточным — особенно потому, что механики были народ тертый и не пытались обвести друг друга вокруг пальца.

А после этих официальных конференций начинались — как правило, без ведома высшего руководства авиакомпаний — приватные совещания. Патрони и другие механики обменивались телефонными звонками со своими дружками из конкурирующих авиакомпаний, делились впечатлениями и информацией, если находили ее существенной. И нужные сведения очень редко не получали распространения.

А в особо серьезных случаях — во всем, что касалось вопроса безопасности, — информация передавалась от одной авиакомпании к другой не на следующие сутки, а тут же. Если, к примеру, воздушный корабль ДС-9 авиакомпании «Дельта» терпел аварию из-за поломки лопасти винта, ремонтно-технические службы «ТВА», «Истерн», «Континентл» и других авиакомпаний, имеющих в эксплуатации самолеты ДС-9, ставились об этом в известность в течение часа. Полученная информация могла предупредить повторение такой же аварии с другим самолетом. Потом за этим сообщением последует снимок поврежденной машины и технический рапорт. И при желании техники и механики других авиакомпаний будут иметь возможность расширить свои познания, ознакомившись на месте с поломкой и прочими повреждениями.

Все, кто подобно Патрони работал в тесном контакте друг с другом, любили отмечать, что представители административного и коммерческого секторов конкурирующих авиакомпаний в тех случаях, когда им требовалось встретиться для консультации, редко делали это в служебной обстановке, предпочитая кафе или ресторан. Представители же ремонтно-технического сектора, в противоположность им, постоянно наведывались к своим конкурентам, зная, что им открыт туда свободный доступ как членам единого сообщества. И если ремонтно-технический сектор одной авиакомпании попадал в беду, другие помогали ему чем могли. Такого рода помощь была оказана сегодня Патрони. На протяжении полутора часов, пока велись подготовительные работы для новой попытки вывести увязший самолет, количество людей, принимавших участие в этих работах, почти удвоилось. Поначалу в распоряжении Патрони была только небольшая бригада авиакомпании «Аэрео Мехикан» да кое-кто из его собственных ребят из «ТВА». Теперь бок о бок с ними усердно трудились рабочие-землекопы из авиакомпаний «Браниф», «Пан-Американ», «Американ» и «Истерн».

По мере того как люди все прибывали и прибывали на самых разнокалиберных машинах авиационной службы, становилось ясно, что весть о трудной задаче, стоявшей перед Патрони, уже успела — способом условной тайной сигнализации — распространиться по всему аэропорту, и аварийно-ремонтные бригады различных авиакомпаний, не дожидаясь, когда их попросят, энергично взялись за дело. Это пробудило доброе чувство признательности в душе Патрони.

Все же, несмотря на прибывшую подмогу, Патрони не удалось закончить подготовительные работы за час, как он рассчитывал. Две прорытые в снегу перед колесами самолета траншеи удлинялись неуклонно, но медленно из-за того, что все работавшие время от времени бегали греться в два служебных автобуса, где было сравнительно тепло. Забравшись туда, люди тотчас принимались хлопать в ладоши и растирать щеки, онемевшие от колючего ледяного ветра, который все еще бушевал над заметенным снегом аэропортом. На ближайшей рулежной дорожке по-прежнему теснились автобусы, грузовики, снегоочистители и прочие служебные машины, в том числе заправочная цистерна и ревущий передвижной генератор — большинство с «мигалками» на крыше. Лучи прожекторов вырывали этот кусок поля из окружающего мрака, превращая его в ослепительно белый оазис мерцающего снега.

Две траншеи, каждая в шесть футов шириной, шли под небольшим уклоном вверх от огромных колес лайнера к более твердому грунту, куда, по расчетам Патрони, лайнер должен был выбраться своими силами. В глубине траншеи под снегом была мокрая глина, в которой первоначально и застрял съехавший с полосы лайнер. Мокрый снег смешался с мокрой глиной, но по мере подъема траншей вверх количество слякоти становилось все менее угрожающим. Третья траншея — не такая глубокая и более узкая — прокладывалась для носового колеса. Как только удастся вывести самолет на твердый грунт, освободится полоса три-ноль, перекрытая сейчас крылом лайнера. Сам же лайнер нетрудно будет перегнать на соседнюю рулежную дорожку.

Теперь, когда подготовительные работы подходили к концу, дальнейший успех мероприятия зависел от искусства пилотов «Боинга-707», которые дожидались своего часа в кабине экипажа и взирали сверху на копошившихся внизу людей. Пилотам предстояло решить основную задачу: какую мощность должны развить двигатели, чтобы самолет сдвинулся с места и не зарылся носом в снег.

Сам Патрони, с тех пор как прибыл на этот участок, почти не выпускал лопаты из рук и вместе с другими рыл траншею. Бездействие всегда угнетало его. К тому же порой он рад был случаю проверить свою выносливость. Прошло уже двадцать лет с тех пор, как Патрони покинул любительский бокс, однако и сейчас он был физически крепче своих сверстников и даже многих более молодых. Рабочие наземной службы «Транс-Америки» с удовольствием поглядывали на сильную, коренастую фигуру Патрони, работавшего бок о бок с ними. Он увлекал их за собой и подхлестывал: «А ну пошевеливайся, сынок, мы же не могильщики, а ты не покойник... Что вас все носит в этот автобус, ребята, может, у вас там любовные свидания?.. Если ты еще постоишь в обнимку со своей лопатой, Джек, мороз превратит тебя в жену Лота... Ребята, нам же нужно сдвинуть это корыто с места, пока его конструкция не устарела».

Патрони еще не разговаривал с командиром экипажа и первым пилотом, предоставив это Ингрему, старшему технику «Аэрео Мехикан», который возился здесь до него. Ингрем сносился с командой по внутреннему радиотелефону и держал пилотов в курсе того, что происходило внизу.

Теперь Патрони распрямил спину и, воткнув лопату в снег, сказал Ингрему:

— Через пять минут мы закончим. Когда у вас все будет готово, велите людям убраться и убрать технику. Лишь только эта махина сдвинется с места, — он мотнул головой в сторону лайнера, — она поведет себя, как пробка от шампанского.

Ингрем, закутанный до ушей в свою парку и весь съежившийся от холода, молча кивнул.

— Вы пока тут кончайте, — сказал Патрони, — а я перекинусь словечком с пилотами.

Старомодный трап, который несколько часов назад подогнали к самолету, чтобы спустить на землю пассажиров, все еще стоял у передней двери. Патрони взобрался по заснеженным ступенькам, прошел через пассажирский салон и направился в кабину экипажа, с удовольствием раскуривая по дороге свою неизменную сигару.

После мороза и снежной вьюги кабина казалась особенно уютной. Один из радиоприемников был настроен на городскую волну, играла музыка. Когда вошел Патрони, первый пилот, сидевший без пиджака, в одной рубашке, выключил радио, и музыка смолкла.

— Зачем вы? Это не мешает. — Главный механик отряхнулся, словно бультерьер, обрушив на пол лавину снега. — Я за то, чтобы никогда не вешать носа. Мы же не просим вас сойти вниз и поработать лопатой.

В кабине не было никого, кроме командира экипажа и первого пилота. Патрони вспомнил, что и бортмеханик, и стюардессы отправились вместе с пассажирами в аэровокзал.

Командир, смуглый, кряжистый, чем-то напоминавший Антони Куина*, повернулся к Патрони на своем вращающемся кресле и сказал сухо:

— Каждый занимается, чем ему положено, — вы своим делом, мы своим. — Он говорил по-английски безукоризненно.

_____

* Антони Куин — известный американский киноактер.

347

— Это правильно, — согласился Патрони. — Беда только в том, что наше дело нам часто портят и подваливают работы. Со стороны.

— Если вы имеете в виду то, что здесь произошло, — сказал командир, — madre de Dios*, не думаете же вы, что я нарочно зарыл свой самолет в снег?

— Нет, этого я не думаю. — Патрони выбросил сигару, которая уже никуда не годилась, так он ее изжевал, сунул в рот другую и закурил. — Но раз уж он тут увяз, я хочу быть уверен, что мы его вытащим сразу, с первой же попытки. А если нет, то он увязнет еще глубже, по самые уши. Как и все мы, включая вас. — Он поглядел на командирское кресло. — Что вы скажете, если я сяду сюда и попытаюсь его выволочь?

Командир вспыхнул. У него было четыре нашивки, и он не привык к такому тону — впрочем, никто и не разговаривал так с людьми его ранга, кроме Патрони.

— Нет, благодарю вас! — холодно сказал командир. Он ответил бы еще резче, если бы не чувствовал себя крайне неловко из-за положения, в которое попал. Он знал, что завтра в Мехико-Сити его ждет весьма неприятный разговор со старшим пилотом компании. И все же внутренне он весь кипел: «Jesucristo y por la amor de Dios!»**

— Там, внизу, целая орава полузамерзших ребят, которые работали не за страх, а за совесть, — не сдавался Патрони. — Вытащить отсюда самолет — штука тяжелая. Мне уже приходилось, есть опыт. Так что, может, все-таки дадите мне попробовать еще раз?

Командир с трудом сдержал себя.

— Я знаю, кто вы такой, мистер Патрони, и мне сказали, что вы лучше любого сумеете помочь нам выбраться из этого болота. Следовательно, я нисколько не сомневаюсь, что вам разрешено маневрировать на самолете по земле. Но позвольте вам напомнить, что мне и первому пилоту разрешено еще и летать на нем. И нам за это платят. Так что управлять самолетом мы будем сами.

— Как вам угодно. — Патрони пожал плечами и сказал, ткнув своей сигарой в сторону рычагов подачи топлива: — Только запомните одно: когда я дам знак, двиньте секторы газа

---

* Матерь Божья (исп.).
** «О Господи, ради всего святого!» (исп.)

348

вперед до упора. На полную катушку, понятно? Струсите — все пропало.

И он вышел из кабины, не обращая внимания на сердитые взгляды разъяренных пилотов.

Внизу работы были закончены. Кое-кто побежал в автобус греться. Все машины отогнали подальше от самолета.

Патрони закрыл за собой дверь кабины и спустился по трапу. Старший техник, закутавшийся уже чуть ли не с головой в свою парку, доложил:

— Все готово.

Патрони сделал еще две-три затяжки и швырнул сигару в снег, где она, зашипев, потухла. Затем он указал на безмолвствовавшие двигатели лайнера:

— О'кей, запускайте все четыре.

Несколько человек уже шли обратно от автобусов. Четверо рабочих подставили плечи под трап и откатили его от самолета. Двое других, стараясь перекрыть шум ветра, крикнули:

— Есть запускать двигатели! — после чего один из них стал перед самолетом, возле передвижного генератора. На голове у него были наушники, подключенные к радиотелефону в самолете. Другой, со светящимися сигнальными жезлами в руках, прошел дальше и стал так, чтобы его было видно пилотам из кабины.

Патрони, одолжив у кого-то защитный шлем, стал рядом с человеком в наушниках. Все остальные высыпали из автобусов — поглядеть.

В кабине пилоты закончили проверку перед стартом. На земле человек с наушниками начал обычный ритуал подготовки к старту.

— Запускайте двигатели.

Пауза. Голос командира:

— Готовы запускать и форсировать.

Стартер третьего двигателя заработал от аэродромного пускового устройства, со свистом закрутился компрессор, замелькали его лопатки. Когда скорость достигла пятнадцати процентов нормальной, первый пилот включил подачу топлива. Когда топливо воспламенилось, двигатель отрыгнул облако дыма и, глухо взревев, заработал.

— Запускайте четвертый двигатель.

Следом за третьим заработал четвертый двигатель, и генераторы обоих начали подавать ток.

Раздался голос командира:

— Перехожу на свои генераторы. Отключайте ваш.

— Отключено. Запускайте второй двигатель.

Заработал второй двигатель. Оглушающий рев трех двигателей. Вихрь снега.

Загудел и заработал первый двигатель.

Лучи прожекторов, освещавшие пространство перед самолетом, сместились в одну сторону.

Патрони поменялся наушниками со служащим, стоявшим перед самолетом. Теперь у него была прямая связь с пилотами.

— Говорит Патрони. Когда у вас там все будет готово, начинайте действовать.

Стоявший впереди служащий поднял вверх светящиеся сигнальные жезлы, готовясь указывать путь самолету по эллиптической дорожке за траншеями, тоже расчищенной от снега по распоряжению Патрони. Если «боинг» выедет на дорожку быстрее, чем предусмотрено, служащему придется удирать бегом.

Патрони присел на корточки перед носовым колесом. Положение тоже небезопасное в случае, если самолет рванет с места. Недаром Патрони сжимал телефонный провод в месте соединения, чтобы сразу же выдернуть вилку из штепселя. Он внимательно следил за стойкой шасси — вот сейчас она начнет перемещаться.

Голос командира:

— Даю газ.

Гул двигателей стал громче. Самолет содрогался от этого гула, напоминавшего укрощенную грозу, земля под ним дрожала, но колеса оставались неподвижны.

Спасаясь от ветра, Патрони прикрыл микрофон ладонями и крикнул:

— Больше газу! Секторы вперед до упора!

Рев двигателей усилился, но лишь слегка. Колеса дрогнули, но не сдвинулись с места.

— До упора, черт подери! До упора!

Несколько секунд двигатели продолжали работать на прежней мощности, потом внезапно мощность упала. В наушниках у Патрони задребезжал голос командира:

— Патрони, por favor*, если я дам двигателям полную тягу, самолет станет на нос, и мы с вами вместо завязшего «боинга» будем иметь обломки «боинга».

---

* ну пожалуйста (исп.).

Патрони внимательно приглядывался к колесам самолета, откатившимся на прежнее место, и к грунту вокруг них.

— Говорю вам, он вылезет! Наберитесь духу и дайте газ на всю катушку.

— Сами набирайтесь духу! — взбесился командир. — Я выключаю двигатели.

Патрони не своим голосом заорал в микрофон:

— Не выключайте, пусть работают вхолостую! Я сейчас поднимусь! — Выскочив из-под носа самолета, он махнул рукой, чтобы подкатили трап. Но не успели его установить, как все четыре двигателя заглохли.

Когда Патрони поднялся в кабину, оба пилота уже отстегивали ремни.

Патрони сказал с осуждением:

— Струсили!

Ответ командира прозвучал неожиданно кротко:

— Es posible*. И возможно также, что это единственный разумный поступок, который я совершил за весь сегодняшний вечер. Ваша бригада готова принять самолет на себя? — официальным тоном осведомился он.

— О'кей, — сказал Патрони. — Примем.

Первый пилот взглянул на часы и сделал пометку в бортовом журнале.

— Когда вы так или иначе вытащите самолет из снега, — сказал капитан, — ваша компания свяжется с нашей. А пока что — buenas noches**.

Лишь только оба пилота, застегнув на все пуговицы свои куртки, покинули кабину, Патрони быстрым привычным взглядом скользнул по приборам и рычагам управления. Через две-три минуты он следом за пилотом спустился по трапу.

Внизу его ждал Ингрем. Он кивком указал на пилотов, спешивших к одному из служебных автобусов.

— Так же сдрейфили они и раньше: не решились дать двигателям полную нагрузку. — Он угрюмо покосился на стойки шасси. — Потому он с самого начала и зарылся так глубоко. А теперь увяз еще глубже.

Именно этого и боялся Патрони.

---

* Возможно (исп.).
** доброй ночи (исп.).

351

Он снова нырнул под фюзеляж — поглядеть на положение шасси; Ингрем посветил ему электрическим фонариком. Колеса ушли в мокрый снег и жидкую глину почти на фут глубже прежнего. Патрони взял фонарик, посветил под крыльями: оси всех четырех колес были в опасной близости к грунту.

— Крюком с неба разве что его теперь вытащишь, — сказал Ингрем.

Главный механик «ТВА» задумался и покачал головой:

— Надо попытаться еще раз. Снова подкопать — поглубже, подвести траншеи под самые колеса и запустить двигатели. Только на этот раз вытаскивать его я буду сам.

Вокруг все еще продолжала завывать вьюга.

Ингрем поежился, сказал с сомнением:

— Как знаете, доктор. Но, конечно, лучше вы, чем я.

Патрони усмехнулся:

— Если мне не удастся его вытащить, тогда, наверное, удастся разнести на куски.

Ингрем направился к одиноко стоявшему автобусу — снова собирать людей. Второй автобус уже уехал — повез пилотов «Аэрео Мехикан» в аэровокзал.

Патрони прикинул: теперь меньше чем за час никак не управиться. Значит, все это время посадочная полоса три-ноль функционировать не будет.

Он направился к своему пикапу, оборудованному рацией, чтобы доложить об этом на КДП.

7

Инес Герреро не была знакома с теорией, суть которой сводится к тому, что перенапряженный, истощенный мозг может в целях самосохранения отключаться, и тогда человек впадает в состояние пассивного полузабытья. Однако ее поведение служило наглядным подтверждением этой теории. Инес Герреро действовала бессознательно, как сомнамбула.

Вот уже несколько недель ее томили беспокойство, тревога, близкая к отчаянию, а события этой ночи нанесли ей последний, сокрушительный удар. И мозг ее отключился — так срабатывает предохранитель при коротком замыкании. Пока Инес Герреро

352

пребывала в этом состоянии — временном, конечно, — она не отдавала себе отчета ни где она находится, ни почему.

Грубоватый, разбитной шофер такси оказал ей не слишком хорошую услугу. Они сторговались, что он отвезет ее в аэропорт за семь долларов. Выйдя из такси, Инес дала шоферу десятидолларовую бумажку — кроме этой бумажки, у нее почти ничего не было, — ожидая получить сдачу. Шофер пробормотал, что сдачи у него нет, но он сейчас разменяет, и укатил. Инес напрасно прождала десять минут, стоя как на иголках и не сводя глаз с часов аэровокзала, стрелки которых неумолимо приближались к одиннадцати, когда должен был подняться в воздух самолет, отлетавший в Рим, и наконец поняла, что шофер такси и не подумает возвращаться. Инес не запомнила ни номера машины, ни фамилии шофера — на что последний и рассчитывал. А если бы даже и запомнила, то писать жалобы не в ее привычках, и, как видно, шофер раскусил и эту черту ее характера.

Несмотря на все препятствия, возникшие по дороге, Инес еще успела бы попасть к посадке в самолет, не задержись она в ожидании сдачи. А теперь, когда она отыскала выход на поле, самолет уже бежал по рулежной дорожке.

Все же у Инес хватило ума воспользоваться советом, полученным по телефону от мисс Юнг, девушки из справочного бюро «Транс-Америки», и она прибегла к маленькой хитрости, чтобы выяснить, действительно ли ее муж находится на борту самолета, отлетающего в Рим. Контролер как раз собирался покинуть свой пост у выхода сорок семь, когда к нему обратилась Инес.

По совету мисс Юнг она не стала задавать вопросов, а просто заявила:

— Мой муж находится на борту самолета, на который только что закончилась посадка. — И она объяснила, что опоздала проводить мужа, но хочет убедиться, что он успел благополучно сесть в самолет. Она достала желтенькую квитанцию, обнаруженную среди вещей мужа, и показала ее контролеру. Мельком взглянув на квитанцию, контролер стал просматривать список пассажиров.

На какую-то секунду в душе Инес затеплилась надежда: а вдруг она ошиблась, вдруг муж ее и не думал никуда улетать — мысль о том, что он мог отправиться в Рим, все еще казалась ей слишком невероятной. Но тут контролер сказал — да, Д. О. Герреро находится на борту самолета, вылетающего рейсом два, и обидно, конечно, что миссис Герреро не успела проводить мужа, но сегодня из-за этого снегопада все пошло кувырком, а теперь он просит его извинить, но ему необходимо...

Контролер ушел, и тут Инес расплакалась: она вдруг почувствовала себя такой одинокой среди всей этой толпы.

Сначала из глаз ее выкатилось несколько слезинок, затем сразу припомнились все несчастья и беды, и слезы хлынули ручьем. Инес скорбела о настоящем и оплакивала прошлое: был у нее дом — теперь его не стало, детей она не может содержать; был у нее муж, хоть и никудышный, но она привыкла к нему, а теперь и он улетел куда-то... Она вспомнила, какой была в молодости, и плакала о том, какой стала теперь; она плакала о том, что у нее нет денег и ей некуда идти — разве что снова в опостылевшую, кишащую тараканами квартиру, да и оттуда ее завтра вышвырнут — ведь от ничтожной суммы, с помощью которой она надеялась умилостивить на время своего квартирного хозяина, ничего не осталось после того, как шофер такси присвоил себе сдачу... Она даже не была уверена, хватит ли у нее мелочи, чтобы добраться до дому. Она плакала, потому что ботинки натерли ей ноги, и потому что она была так неприглядно одета, да еще промокла насквозь, и потому что устала, измучилась, и потому что закоченела и ее лихорадило. Она плакала о себе и обо всех разуверившихся и отчаявшихся, как она.

Наконец, заметив, что на нее стали с любопытством поглядывать, она, все так же плача, принялась бесцельно бродить по аэровокзалу. Именно тогда защитные силы мозга пришли ей на выручку, сознание ее затуманилось, и в спасительном отупении она хотя и продолжала горевать, но уже не понимала — почему.

Вскоре после этого она попалась на глаза одному из дежурных полицейских аэровокзала, и он, проявив отзывчивость, которой далеко не всегда отличаются блюстители порядка, усадил ее в укромном уголке и тут же связался по телефону со своим начальством. Лейтенант Ордвей находился неподалеку и сказал, что разберется в этом сам. Он пришел к выводу, что Инес, несмотря на ее подавленное состояние и бессвязную речь, совершенно безопасна, и велел проводить ее в кабинет управляющего аэропортом, считая, что это единственное спокойное и вместе с тем не столь устрашающее, как полицейский участок, место.

Инес покорно поднялась в лифте, прошла по коридору; она как будто даже не сознавала, что ее куда-то ведут, во всяком случае, была к этому равнодушна. Потом она покорно опустилась в указанное ей кресло, радуясь, что может отдохнуть. Какие-то люди входили и выходили, говорили что-то, но все это происходило как во сне, а очнуться у нее не хватало сил.

Однако некоторое время спустя инстинкт самосохранения, заложенный в каждом человеке, сколь бы ни был он беспомощен и забит, заставил ее очнуться и осознать, хотя и смутно, что нужно действовать, двигаться, делать что-то, так как жизнь не стоит на месте и — какие бы удары она ни наносила и как бы ни была беспросветна и пуста — неумолимо движется вперед.

Инес Герреро встала; она еще не отдавала себе отчета, где находится и как сюда попала, но уже приняла решение уйти. В этот момент медоувудская делегация в сопровождении лейтенанта Ордвея вошла в приемную Мела Бейкерсфелда, где находилась Инес. Делегация проследовала в кабинет, а Нед Ордвей вернулся, и, пока затворялась дверь, Мел успел заметить, что лейтенант разговаривает с посетительницей.

Хотя Инес и не очень хорошо соображала, однако она поняла, что этот здоровенный негр-полицейский хочет ей помочь, и вместе с тем возникло неясное ощущение, что она уже видела его где-то, совсем недавно, и тогда он был тоже добр к ней, как и сейчас, куда-то отвел ее и ничего не пытался выспросить; вот и теперь он вроде понимал — хотя она ничего не говорила, — что ей надо вернуться в город, но она не уверена, хватит ли у нее на это денег. Инес принялась шарить в кошельке, хотела подсчитать, сколько у нее там осталось, но он остановил ее и, повернувшись спиной к двери в кабинет, сунул ей в руку три доллара. Потом вывел ее в коридор, показал, как пройти вниз к остановке автобуса, и добавил, что этих денег ей хватит на обратную дорогу и останется еще немного, чтобы в городе добраться, куда ей нужно.

После этого полицейский ушел, а Инес сделала, как он сказал: спустилась вниз по лестнице; потом почти у самой двери, ведущей наружу к остановке автобуса, ей бросилось в глаза нечто привычно-знакомое — киоск, в котором продавали сосиски, — и чувство голода, жажды и смертельной усталости сразу вернуло ее к действительности. Она порылась в кошельке, нашла тридцать пять центов, купила сосиску и кофе в бумажном стаканчике, и вид этих обыденных предметов подействовал на нее ободряюще. В уголке, рядом с киоском, она увидела стул и примостилась на нем. Она не отдавала себе отчета в том, сколько времени просидела там: сосиска была съедена, кофе выпит, и пробудившееся было восприятие реальности происходящего снова стало ускользать от нее, заменяясь чувством успокоения и довольства. Сновавшие перед глазами люди, гул голосов, какие-то объявления по радио — все это убаюкивало ее. Дважды Инес показалось, будто она услышала по радио и свое имя, но она решила, что это ей почудилось, что этого не может быть, так как никому на свете нет до нее дела и никто даже не знает, где она.

Она смутно сознавала, что рано или поздно ей придется отсюда уйти, и чувствовала, как это будет для нее трудно. Ну а пока она тихонечко посидит здесь.

8

Все сотрудники, срочно вызванные в кабинет управляющего аэропортом, явились незамедлительно — за исключением одного. Некоторых Бейкерсфелд вызывал сам, других — через Таню Ливингстон, но во всех случаях подчеркивалась настоятельная необходимость прибыть немедленно, отложив все дела.

Первым явился шеф Тани Ливингстон — управляющий пассажирскими перевозками «Транс-Америки» Берт Уэзерби.

Почти тут же следом за ним пришел лейтенант Ордвей, уже отдавший своим полицейским приказ разыскать Инес Герреро, но еще не имевший ни малейшего представления о том, зачем это нужно. На это время он предоставил медоувудцам беспорядочно толпиться в главном вестибюле аэровокзала и слушать, как адвокат Фримантл усердствует перед телекамерой, защищая их права.

Берт Уэзерби спросил прямо с порога:

— Что у вас стряслось, Мэл?

— Мы еще не знаем наверняка, Берт, и ухватиться пока не за что, но не исключена возможность, что на борту вашего самолета, выполняющего рейс два, находится бомба.

Уэзерби кинул мельком вопросительный взгляд на Таню — почему она тоже здесь? — но не стал терять время на расспросы и снова обратился к Мэлу:

— Так что именно вам известно?

Мэл вкратце рассказал Уэзерби и Ордвею обо всем, что удалось установить, и о сообщении инспектора Стэндиша относительно пассажира, который как-то подозрительно, на взгляд инспектора — человека остронаблюдательного, — держал под мышкой маленький плоский чемоданчик, прижимая его к боку; о том, что человека этого, как установлено Таней Ливингстон, зовут Д. О. Герреро или, возможно, Берреро; о том, что, по словам городского агента, пассажир при регистрации не имел при себе никакого багажа, за исключением уже упомянутого чемоданчика; о том, что Д. О. Герреро выписал в аэропорту страховой полис на сумму в триста тысяч долларов, причем у него едва хватило денег, чтобы уплатить за страховку, из чего явствует, что он, по всей видимости, отправился в пятитысячемильный перелет не только без смены белья, но и практически без денег; и наконец, о том, что миссис Инес Герреро, в чью пользу застраховал ее супруг свою жизнь на время перелета, в чрезвычайно расстроенных чувствах только что бродила по зданию аэровокзала.

Пока он говорил, вошел таможенный инспектор Гарри Стэндиш, не успевший даже снять форму, а за ним — Банни. Девушка вошла неуверенно, с опаской поглядывая по сторонам на незнакомых людей и незнакомую обстановку. Когда смысл сообщения Мела дошел до нее, она побледнела и глаза ее округлились от испуга.

Из всех приглашенных не явился только контролер, дежуривший у выхода сорок семь и пропускавший пассажиров на рейс два. Когда Таня позвонила его начальнику, тот сказал, что контролер уже сменился и уехал домой. «Передайте, — попросила Таня, — чтобы он по прибытии домой немедленно позвонил сюда». Таня решила, что вызывать его обратно нет смысла: едва ли он запомнил, сел ли Герреро в самолет. Если же у кого-то возникнут вопросы, тогда их можно будет задать и по телефону.

— Я пригласил сюда всех, кто имеет к этому делу хоть малейшее отношение, на случай если вы или кто-то еще пожелает что-нибудь выяснить, — сказал Мел, обращаясь к Уэзерби. — Я считаю, что нам с вами — и главным образом вам — предстоит решить, должны ли мы на основании имеющихся данных предупредить командира рейса два. — В эту минуту Мелу снова вспомнилось то, что он на время выбросил из головы: ведь командиром рейса два был его зять Вернон Димирест. Потом, сказал себе Мел, он еще успеет хорошенько подумать о некоторых вытекающих отсюда последствиях. А сейчас не время.

— Вот что. — Вид у Берта Уэзерби был довольно мрачный. Он обернулся к Тане. — Какое бы решение мы ни приняли, я считаю, что следует поставить обо всем в известность главного пилота. Разыщите Ройса Кеттеринга. Если он еще на базе, давайте его сюда.

Капитан Кеттеринг, главный пилот «Транс-Америки», испытывал самолет номер 731-ТА перед его отправкой в рейс два.

— Есть, сэр.

Таня направилась к телефону; в это время зазвонил другой аппарат. Мел взял трубку.

Говорил руководитель полетов — в ответ на запрос Мела, поступивший несколько минут назад на КДП:

— Сообщаю запрошенные вами сведения о самолете «Транс-Америки», выполняющем рейс два.

— Давайте.

— Взлетел в двадцать три тринадцать по местному времени.

Мел бросил взгляд на стенные часы. Было десять минут пополуночи: самолет летел уже без малого час.

Руководитель полетов продолжал:

— КДП Чикаго передал самолет Кливлендскому центру в двадцать четыре двадцать семь; Кливленд, в свою очередь, передал самолет Торонто в час ноль три, то есть семь минут назад. По сообщению Торонтского центра, самолет находится в настоящий момент близ Лондона, провинция Онтарио. Если вас интересует, могу сообщить дополнительные данные: высоту, скорость, курс...

— Пока достаточно, — сказал Мел. — Благодарю.

— Тут вот еще что, мистер Бейкерсфелд. — И руководитель полетов пересказал сообщение Патрони: полосой три-ноль нельзя будет пользоваться еще по меньшей мере час.

Мел нетерпеливо слушал. Сейчас па первом плане были другие, более важные дела.

Повесив трубку, Мел передал Уэзерби данные о местонахождении самолета.

Таня тоже положила трубку и сообщила:

— Капитана Кеттеринга нашли. Он сейчас придет.

— А эта женщина — жена подозрительного пассажира... Как, кстати, ее зовут? — спросил Уэзерби.

— Инес Герреро, — сказал Ордвей.

— Где она?

— Пока неизвестно. — Ордвей добавил, что полицейские прочесывают аэропорт, хотя, возможно, этой женщины давно уже здесь нет. Управление городской полиции тоже поставлено в известность, и полицейские проверяют каждый автобус, прибывающий в город из аэропорта.

— Она была здесь, — сказал Мел, — но тогда мы еще ничего не знали...

— Не очень-то мы были поворотливы, — проворчал Уэзерби и поглядел на Таню, а потом на инспектора Стэндиша, который пока не произнес ни слова. Таня поняла, что Уэзерби с досадой вспомнил сейчас, как он от нее отмахнулся: «Бросьте вы!» — Придется нам все-таки информировать командира экипажа, — сказал он. — Пусть у нас пока одни только предположения, он имеет право знать о них.

— Может быть, сообщить приметы Герреро, чтобы капитан Димирест мог последить за ним, не привлекая его внимания? — сказала Таня.

— Если вы найдете это нужным, — сказал Мел, — тут мы можем вам помочь. Есть люди, которые его видели.

— Хорошо, — сказал Уэзерби, — сейчас мы этим займемся. А пока что, Таня, свяжитесь с нашим диспетчером. Скажите, что через несколько минут нам надо будет передать важное сообщение рейсу два — пусть подключат спецсвязь. Я хочу, чтобы это прошло по закрытому каналу, а не в открытый эфир. Пока еще не время оповещать всех.

Таня снова взяла трубку.

Мел обратился к Банни:

— Как вас зовут?

Она назвала себя, явно нервничая. Взоры всех были обращены на нее. Мужчинам невольно бросился в глаза ее пышный бюст. Уэзерби чуть не присвистнул, но вовремя сдержался.

— Вы поняли, о каком пассажире идет речь? — продолжал Мел.

— Я?.. Нет, не совсем...

— Его зовут Д. О. Герреро. Вы, кажется, час назад выписывали ему страховой полис, так?

— Да.

— Вы при этом хорошо к нему присмотрелись?

Банни покачала головой.

— Нет, особенно не присматривалась. — Ответ прозвучал тихо. Банни облизнула губы.

Мел с удивлением на нее поглядел.

— Когда я говорил с вами по телефону, мне показалось...

— Страховалась уйма народу... — попыталась оправдаться Банни.

— Но вы же сказали, что вам запомнился этот пассажир!

— Нет, это был какой-то другой.

— Значит, вы не помните пассажира по фамилии Герреро?

— Нет.

Мел был озадачен.

— Разрешите мне, мистер Бейкерсфелд. — Нед Ордвей шагнул вперед и пригнулся почти к самому лицу Банни. — Не хотите впутываться в это дело, так, что ли? — Голос Ордвея звучал резко — это был типичный голос полицейского; мягкого тона, каким Ордвей разговаривал с Инес Герреро, не было и в помине.

Банни вздрогнула и отшатнулась, но промолчала.

— Так или нет? Отвечайте! — настаивал Ордвей.

— Я ничего не знаю.

— Неправда! Знаете. Вы не хотите помочь, потому что боитесь, как бы для вас чего худого не вышло. Мне таких, как вы, видеть приходилось. — Ордвей говорил презрительно, швыряя слова ей в лицо. Он был груб, беспощаден — Мелу впервые открывалась эта сторона его натуры. — Ну так вот что я вам скажу, красотка. Если вы боитесь неприятностей, то на них-то вы как раз и нарываетесь. Если же хотите избежать их — пока не поздно, — надо отвечать на вопросы. И отвечать быстро! Нам каждая секунда дорога.

Банни молчала — ее била дрожь.

— Послушайте, девушка, — сказал Мел. — На этом самолете около двухсот человек. Не исключено, что их жизнь в опасности. Я спрашиваю вас еще раз: вы помните человека по фамилии Герреро?

Банни медленно опустила голову.

— Да.

— Опишите его, пожалуйста.

Сначала запинаясь, потом все увереннее Банни принялась описывать внешность Д. О. Герреро.

Все напряженно слушали, и портрет Герреро возникал перед их мысленным взором: худой, костлявый человек, бледное лицо с ввалившимися щеками, острый подбородок, тонкие губы, рыжеватые усики, длинная тощая шея, трясущиеся руки, все время нервно перебирает пальцами. Оказалось, что у Банни весьма острый, наблюдательный глаз.

Уэзерби, сидя за столом Мела, записывал этот словесный портрет для радиограммы Вернону Димиресту, которую он уже начал составлять.

Когда Банни рассказала, что у Герреро едва набралось десять долларов, чтобы заплатить за страховку, а итальянских денег не было и в помине и что он ужасно нервничал, пересчитывая мелочь, а потом невероятно обрадовался, обнаружив пятидолларовую бумажку во внутреннем кармане пиджака, Уэзерби перестал писать и с испугом и возмущением уставился на Банни:

— Боже милостивый! И вы, невзирая на это, выписали ему полис? Да вы что — рехнулись?

— Я думала... — растерянно начала Банни.

— Ах вы думали! И все-таки ничего не предприняли, не так ли?

Бледная, перепуганная Банни молчала.

Мел напомнил:

— Мы теряем время, Берт.

— Я знаю, знаю... — Пальцы Уэзерби судорожно сжали карандаш. — Дело не только в ней, — пробормотал он, — и даже не в тех, кто оплачивает ее услуги. Дело в нас самих — себя винить надо. Мы же согласны в душе с пилотами, которые восстают против страхования жизни в аэропорту, но у нас не хватает мужества это признать. И мы позволяем страховым компаниям делать свое грязное дело...

Мел повернулся к инспектору Стэндишу:

— А вы, Гарри, можете добавить что-нибудь по поводу этого Герреро?

— Нет, — сказал Стэндиш. — Я не был так близко от него, как эта молодая особа, и она заметила то, чего не заметил я. Но как он держал чемоданчик — это я заметил. Могу добавить только одно: если там действительно находится то, что вы думаете, пусть никто и не пытается отнять у него чемоданчик.

— Так что же вы предлагаете?

— Я ведь не специалист в таких делах, — сказал таможенник, — что я могу предложить? Но, по-моему, здесь можно действовать только хитростью. Ведь если это бомба, значит, у нее должен быть взрыватель и, вероятно, с таким устройством, чтобы его можно было быстро привести в действие. Сейчас бомба у него в руках. Если кто-нибудь попытается ее отнять, он сообразит, что его планы раскрыты и, значит, ему нечего терять. — Стэндиш помолчал и добавил угрюмо: — А при таком напряжении палец, лежащий на взрывателе, может дрогнуть...

— Нам, конечно, по сути дела, еще ничего не известно, — сказал Мел. — Быть может, это просто какой-то чудак и в чемоданчике у него нет ничего, кроме пижамы.

— Если хотите знать мое мнение, — сказал таможенный инспектор, — то я думаю, что это не так. К великому моему сожалению. Тем более что этим рейсом улетела моя племянница.

Стэндиш был очень расстроен: если случится самое худшее, как сообщит он такую весть своей сестре в Денвер? Ему вспомнилось прощание с Джуди: какая она прелестная, юная и как беззаботно играла с сидевшим рядом ребенком. «До свидания, Дядя Гарри, прощайте», — сказала она, и он чмокнул ее в щеку. В бессильном отчаянии он упрекал теперь себя за то, что не действовал более решительно, не принял никаких мер в отношении человека с чемоданчиком.

«Ладно, — подумал он. — Если даже теперь уже поздно, все равно надо пытаться что-то предпринять».

— Я хочу добавить еще кое-что... — Все посмотрели на Стэндиша. — Сейчас не до ложной скромности, и потому я скажу напрямик: у меня есть чутье на людей, особенно первое впечатление никогда меня не обманывает, и дурного человека я обычно чувствую сразу, только не спрашивайте меня — как и почему. Это инстинкт, ну и еще, может быть, профессиональный навык. Я сразу обратил внимание на этого человека. «Подозрительный субъект», — сказал я себе, но по профессиональной привычке подумал о контрабанде. Теперь, после того, что нам стало известно — пусть это еще очень немного, — я скажу больше: этот человек, Герреро, — опасная личность. — Стэндиш взглянул на управляющего перевозками. — Мистер Уэзерби, я бы хотел, чтобы вы в своей радиограмме именно так охарактеризовали этого человека.

— Как раз это я и намеревался сделать, инспектор. — Уэзерби оторвался от своих записей. Почти все, что говорил Стэндиш, он уже успел включить в радиограмму командиру рейса два.

Таня все еще разговаривала по телефону с нью-йоркским диспетчером «Транс-Америки».

— Да, сообщение будет длинное. Пожалуйста, распорядитесь, чтобы была снята копия.

Раздался резкий стук в дверь: вошел высокий мужчина с обветренным, изборожденным морщинами лицом и пронзительным взглядом светло-голубых глаз. На нем был синий шерстяной, смахивавший на форменную одежду костюм и теплое пальто. Он кивнул Мелу, а Берт Уэзерби сказал:

— Спасибо, Ройс, что явились так быстро. У нас тут вроде не все благополучно. — Он протянул листок блокнота с радиограммой, которую только что набросал.

Капитан Кеттеринг, главный пилот «Транс-Америки», внимательно прочел радиограмму. Он ничем не выдал своего волнения, пока глаза его скользили по строчкам, — только чуть тверже стала линия губ. Главный пилот, как и многие другие, в том числе и управляющий перевозками, обычно не задерживался в аэропорту до такого позднего часа. Но пурга, бушевавшая трое суток и требовавшая срочных решений с учетом обстановки, не позволила ему уйти домой.

Зазвонил второй телефон, нарушив воцарившуюся на секунду тишину. Мел взял трубку и передал ее Ордвею.

Капитан Кеттеринг дочитал радиограмму. Уэзерби спросил:

— Как вы считаете, стоит ее посылать? Мы уже запросили у диспетчера канал спецсвязи.

— Правильно, — сказал капитан Кеттеринг. — Только я попросил бы добавить: «Предлагаем вернуться или совершить посадку по усмотрению командира». И пусть диспетчер радирует им последнюю метеосводку.

— Да, разумеется, — Уэзерби приписал еще несколько слов, протянул блокнот Тане, и она тут же начала передавать радиограмму.

Капитан Кеттеринг обвел взглядом присутствующих.

— Это все, что нам известно?

— Да, — сказал Мел. — Пока что все.

— Возможно, скоро прибавится еще что-нибудь, — сказал лейтенант Ордвей, кладя телефонную трубку. — Мои ребята только что разыскали жену Герреро.

Радиограмма управляющего пассажирскими перевозками международного аэропорта Линкольна командиру рейса два начиналась так:

СОГЛАСНО НЕПРОВЕРЕННЫМ ДАННЫМ,
ПАССАЖИР ТУРИСТСКОГО КЛАССА
НА БОРТУ ВАШЕГО САМОЛЕТА Д. О. ГЕРРЕРО
ИМЕЕТ ПРИ СЕБЕ ВЗРЫВНОЙ МЕХАНИЗМ.
ПАССАЖИР ЛЕТИТ БЕЗ БАГАЖА
И, ПО-ВИДИМОМУ, БЕЗ ДЕНЕГ.
ПЕРЕД ВЫЛЕТОМ ЗАСТРАХОВАЛ
СВОЮ ЖИЗНЬ НА КРУПНУЮ СУММУ.
ПОДОЗРИТЕЛЬНО ОБЕРЕГАЕТ ЧЕМОДАНЧИК,
НАХОДЯЩИЙСЯ ПРИ НЕМ В КАЧЕСТВЕ
РУЧНОЙ КЛАДИ.
ДАЕМ ОПИСАНИЕ ПАССАЖИРА...

Для установления связи с рейсом два по радиоканалам авиакомпании потребовалось несколько минут.

Со времени первой радиограммы по спецсвязи командиру рейса два о том, что у него на борту находится «заяц» — миссис Ада Квонсетт, диспетчерская служба Кливленда уже успела передать самолет диспетчерам Нью-Йорка. Теперь все радиограммы, посылаемые авиакомпанией рейсу два, должны были идти через КДП Нью-Йорка. Таня диктовала радиограмму, телефонистка в Нью-Йорке записывала ее. Диспетчер авиакомпании «Транс-Америка» в Нью-Йорке, прочтя одновременно с телефонисткой первые несколько строк, тут же по прямому проводу связался с оператором спецсвязи АРК — аэронавигационной радиокомпании, обслуживающей все крупные авиалинии.

Оператор АРК, находящийся в особом помещении в другой части Нью-Йорка, зафиксировав вторичный вызов диспетчера «Транс-Америки», тут же закодировал радиограмму специальным четырехбуквенным кодом, присвоенным самолету номер 731-ТА, и снова — подобно телефонному звонку, который передается по общему телефонному проводу, а поступает только к одному-единственному абоненту, — спецвызов должен был прозвучать только на самолете, выполняющем рейс два.

Наконец нью-йоркский диспетчер услышал голос капитана Вернона Димиреста, пролетавшего в этот момент над Канадой, в районе Онтарио:

— Говорит рейс два «Транс-Америки», спецвызов принят.

— Рейс два «Транс-Америки», говорит диспетчерская служба Нью-Йорка. Для вас получено важное сообщение. Примите радиограмму.

Короткая пауза — и снова голос Димиреста:

— О'кей, Нью-Йорк. Давайте ваше сообщение.

— Командиру рейса два, — начал диспетчер. — «Согласно непроверенным данным, пассажир туристского класса...»

Инес Герреро все еще тихонько сидела в углу у киоска, когда кто-то потряс ее за плечо.

— Инес Герреро! Вы миссис Инес Герреро?

Инес подняла глаза. Она не сразу собралась с мыслями — они были где-то далеко и так сумбурны, — но все же до ее сознания постепенно дошло, что перед ней стоит полицейский.

Он снова потряс ее за плечо и повторил свой вопрос.

Инес неуверенно кивнула. Она поняла, что это не тот полицейский, который разговаривал с ней раньше. Этот был белый и говорил совсем по-другому — жестко, без всякого сочувствия.

— Ну-ка, леди, подымайтесь! — Полицейский больно ухватил ее за плечо и грубо заставил встать. — Слышите? Пошли! Все уже надорвали глотку, вас вызывая. Подняли на ноги всю полицию.

Когда Инес через десять минут появилась в кабинете Мела, все уставились на нее. По просьбе Мела здесь остались присутствовавшие ранее: Таня, инспектор Стэндиш, Банни, Уэзерби и капитан Кеттеринг. Полицейский подвел ее к стулу, стоявшему посреди комнаты, усадил и ушел. К ней подошел лейтенант Ордвей.

— Миссис Герреро, — начал Нед Ордвей. — Почему ваш муж полетел в Рим?

Инес тупо смотрела на Ордвея и молчала. Полицейский заговорил более жестко, но не грубо.

— Миссис Герреро, пожалуйста, слушайте меня внимательно. Я должен задать вам несколько очень важных вопросов. Они касаются вашего мужа, и вы можете мне помочь. Вы меня понимаете?

— Нет... А почему...

— Вам не нужно понимать, почему я задаю эти вопросы. Об этом мы поговорим потом. Сейчас я хочу только, чтобы вы на них отвечали и этим помогли мне. Вы согласны отвечать? Я вас об этом прошу.

Уэзерби не вытерпел:

— Лейтенант, мы не можем возиться всю ночь. Самолет удаляется от нас со скоростью шестьсот миль в час. Раз иначе не выходит, беритесь за нее покрепче.

— Предоставьте это дело мне, мистер Уэзерби, — резко сказал Ордвей. — Если мы все начнем кричать, толку будет вдвое меньше, а времени уйдет вдвое больше.

Уэзерби промолчал, всем своим видом, однако, выражая нетерпение.

— Инес... — снова начал Ордвей. — Можно, я буду называть вас Инес?

Инес молча кивнула.

— Инес, вы будете отвечать на мои вопросы?

— Буду... если смогу.

— Почему ваш муж улетел в Рим?

Она прошептала еле слышно:

— Я не знаю.

— У вас есть там друзья? Родственники?

— Нет... В Милане есть дальний родственник, но мы его совсем не знаем.

— Ваш муж состоит в переписке с этим родственником?

— Нет.

— Мог ваш муж почему-либо вдруг пожелать навестить этого родственника?

— Нет.

— Послушайте, лейтенант, — вмешалась Таня, — никто же не летит в Милан рейсом два. Для этого существует «Алиталия» — прямой рейс до Милана, да он и дешевле. И сегодня вечером самолет «Алиталия» улетел тоже.

— Да, видимо, мы можем забыть об этом родственнике, — согласился Ордвей. — Есть у вашего мужа какие-нибудь дела в Риме? — спросил он Инес.

Она отрицательно покачала головой.

— А чем вообще занимается ваш муж?

— Он берет... брал подряды.

— Какого рода подряды?

Мало-помалу Инес начинала приходить в себя.

— На постройку зданий, жилых домов...

— Вы сказали «брал». Он больше этим не занимается? Почему?

— Дела пошли плохо...

— Вы имеете в виду денежную сторону?

— Да... А почему вы спрашиваете?

— Пожалуйста, поверьте мне, Инес, у меня есть на то серьезные основания. Речь идет о жизни вашего мужа... и еще многих других. Поверьте мне на слово.

Инес подняла глаза на Ордвея. Их взгляды встретились.

— Хорошо.

— У вашего мужа и сейчас денежные затруднения?

Инес помедлила лишь секунду:

— Да.

— Серьезные?

Инес молча наклонила голову.

— Он разорился? У него долги?

Совсем шепотом:

— Да.

— А где он раздобыл денег на полет в Рим?

— Мне кажется... — Инес хотела была сказать, что муж заложил ее кольцо, но внезапно вспомнила про квитанцию

366

«Транс-Америки» о выдаче ему билета в кредит. Она вынула измятую желтую бумажку из сумочки и протянула ее Ордвею. Уэзерби тоже подошел взглянуть.

— Она выписана на «Берреро», — заметил Уэзерби. — А подпись неразборчива — можно понять и так и этак.

— Он и в списке пассажиров значился как Берреро, — напомнила Таня.

— Сейчас это не имеет значения, — сказал Ордвей, — но в общем-то это старый трюк, к которому прибегают, когда человек неплатежеспособен. Подменяют первую букву другой, чтобы платежеспособность нельзя было проверить — во всяком случае, сразу. А потом, когда ошибка обнаруживается, сваливают всю вину на того, кто выписывал квитанцию. — Держа желтую бумажку в руке, Ордвей повернулся к Инес и спросил сурово: — Почему вы на это согласились? Вы же знали, что это мошенничество.

— Я совсем ничего про это не знала, — возмутилась Инес.

— Откуда же у вас эта бумажка?

Инес довольно сбивчиво принялась рассказывать, как она обнаружила квитанцию и поспешила в аэропорт, надеясь перехватить мужа, пока он не сел в самолет.

— Значит, до сегодняшнего вечера вы понятия не имели о том, что ваш муж собирается куда-то лететь?

— Нет, сэр.

— Ни малейшего?

— Нет.

— И даже сейчас вы не понимаете, зачем ему это понадобилось?

Инес поглядела на Ордвея с тревогой:

— Нет.

— Ваш муж совершал когда-нибудь нелогичные поступки?

Инес колебалась.

— Ну так как же, — допытывался Ордвей, — случалось с ним такое?

— Случалось, иногда... в последнее время.

— Он был неуравновешен?

Шепотом:

— Да.

— Впадал в ярость?

Помолчав, Инес утвердительно кивнула, хотя и с явной неохотой.

— У вашего мужа был сегодня с собой чемоданчик, — спокойно, не меняя тона, проговорил Ордвей. — Маленький плоский чемоданчик вроде портфеля. И, по-видимому, он представлял особую ценность для вашего мужа. Вы не знаете, что у него могло там быть?

— Не знаю, сэр.

— Вы сказали, Инес, что ваш муж брал подряды — строительные подряды. Приходилось ли ему в процессе работы пользоваться взрывчаткой?

Вопрос был задан как бы вскользь и так неожиданно, что не сразу привлек к себе внимание. Но когда он дошел до сознания каждого, в комнате внезапно воцарилась напряженная тишина.

— О да, — сказала Инес. — Очень часто.

Ордвей помедлил и спросил:

— Ваш муж хорошо разбирается во взрывчатых веществах?

— Мне кажется, да. Ему нравилось с ними работать... Но он... — внезапно Инес умолкла.

— Что — он, Инес?

— Он обращается с ними очень осторожно... — Апатия Инес прошла, она теперь явно нервничала. Взгляд ее перебегал с одного лица на другое. — А почему вы об этом спрашиваете?

— А вы совсем не догадываетесь, почему, Инес? — вкрадчиво спросил Ордвей.

Она молчала, и тогда Ордвей снова спросил, как бы между прочим:

— Где вы проживаете?

Инес сообщила адрес, и он его записал.

— Ваш муж был дома сегодня днем или вечером перед тем, как отправиться на аэродром?

Инес подняла испуганные глаза на полицейского.

— Был.

Ордвей повернулся к Тане и сказал вполголоса:

— Соедините меня, пожалуйста, с полицейским отделением этого района. — Он набросал на бумажке несколько цифр. — Пусть не кладут трубку...

Таня поспешила к телефону.

Ордвей снова обратился к Инес:

— Ваш муж держал дома взрывчатку? — Инес явно колебалась и медлила с ответом. Голос Ордвея внезапно стал резок: — Вы до сих пор говорили мне правду. Не лгите же теперь! Была у него взрывчатка?

— Была.

— Какая именно?

— Динамит... и капсюли... Они у него остались...

— С тех пор, когда он работал подрядчиком?

— Да.

— Говорил он вам про них что-нибудь? Объяснял, зачем он их держит?

Инес отрицательно покачала головой:

— Нет. Он говорил только, что это не опасно, если... если знать, как с ними обращаться...

— А где он их хранил?

— Просто в ящике стола.

— Какого стола, где?

— В спальне. — Внезапно Инес покачнулась, лицо ее побелело. Это не укрылось от Ордвея.

— Вы что-то вспомнили! Что именно?

— Ничего! — Но голос и глаза Инес выдавали охвативший ее ужас.

— Да, вспомнили, не запирайтесь! — Ордвей наклонился к Инес, лицо его стало жестким, суровым. Снова от былой обходительности не осталось и следа: перед Инес стоял полицейский, грубый, беспощадный; ему нужен был ответ, и он знал, что получит его. — Не вздумайте запираться или лгать! — выкрикнул Ордвей. — Не поможет. Говорите, о чем вы подумали. — Инес всхлипнула. — Бросьте это! Говорите!

— Сегодня вечером... я как-то не обратила на это внимания сначала... эти штуки...

— Динамит и капсюли?

— Да.

— Ну что вы тянете? Говорите, в чем дело?

Инес прошептала едва слышно:

— Их не было на месте!

Послышался ровный голос Тани:

— Я вас соединила, лейтенант. Дежурный на проводе.

В комнате царила мертвая тишина.

Ордвей махнул рукой Тане, не отрывая взгляда от Инес.

— Известно ли вам, что сегодня вечером, перед тем как сесть в самолет, ваш муж застраховал свою жизнь на крупную, очень крупную сумму в вашу пользу?

— Нет, сэр, клянусь, я ничего не знаю...

— Я вам верю, — сказал Ордвей. Он умолк, что-то соображая. Когда он снова заговорил, голос его звучал еще резче: —

Инес Герреро, слушайте меня внимательно. У нас есть основания полагать, что ваш муж сегодня вечером имел при себе эти взрывчатые вещества, о которых вы нам сообщили, и, улетая в Рим, взял их с собой. Поэтому — так как иного объяснения его поступку нет — мы считаем, что он сделал это с намерением взорвать самолет и убить себя и всех находящихся на борту. Теперь я хочу задать вам еще один вопрос, но прежде чем вы на него ответите, подумайте хорошенько, подумайте о тех, кто находится там, в самолете, обо всех этих ни в чем не повинных людях, среди которых есть дети. Вы знаете вашего мужа, Инес, вы должны знать его лучше, чем кто-либо другой. Способен ли он... ради страховки, ради вас... способен ли он сделать то, о чем я только что сказал?

По лицу Инес Герреро струились слезы. Казалось, она вот-вот лишится чувств. Еле слышно, запинаясь, она пролепетала:

— Да... да, мне кажется, он способен.

Нед Ордвей отвернулся от нее. Он взял у Тани телефонную трубку и заговорил быстро, понизив голос. Он сделал краткое сообщение, попутно отдавая распоряжения. Потом снова обернулся к Инес Герреро:

— Мы должны обыскать вашу квартиру и можем, разумеется, получить ордер на обыск. Но вы облегчите нам дело, если сами дадите на это согласие. Ну как?

Инес тупо кивнула.

— Отлично. — В телефонную трубку Ордвей сказал: — Она согласна. — И, опустив трубку на рычаг, повернулся к Уэзерби и Мелу. — Поищем улики у него на квартире. Это все, что мы можем пока предпринять.

Уэзерби проговорил мрачно:

— Да и мы тоже мало что можем сделать — остается только молиться. — Лицо у него сразу осунулось, потемнело; он начал составлять новую радиограмму командиру рейса два.

9

Пилотам рейса два подали горячую закуску, заказанную капитаном Димирестом. Тарталетки, принесенные стюардессой из салона первого класса, быстро исчезали с подносов. Димирест, надкусив тарталетку с омаром и грибами, сдобренными пармезанским сыром, одобрительно хмыкнул.

Стюардессы по обыкновению продолжали усиленно заботиться о тощем Сае Джордане. Украдкой, за спиной двух других летчиков, они сунули ему еще несколько тарталеток на отдельном подносе, а когда Джордан повернулся к приборам, следя за системой перекачки топлива, за щекой у него был изрядный кусок бекона, нафаршированного куриной печенкой.

Вскоре всем трем пилотам, отдыхавшим по очереди в мягком полумраке кабины, будет подано еще одно изысканное блюдо и десерт, какими авиакомпания потчует своих пассажиров первого класса. И только столовое вино и шампанское оставались привилегией пассажиров и не подавались команде.

«Транс-Америка», как и большинство авиакомпаний, старалась вовсю обслуживать свои рейсы в полете первоклассной кухней. Это встречало возражения: кое-кто считал, что авиакомпании — даже международные — должны заниматься исключительно проблемами транспорта, свести обслуживание пассажиров к определенному среднему стандарту и покончить со всякими излишествами, включая сюда и еду более высокого качества, чем обычный стандартный обед. По мнению же других, слишком многое в современном транспорте свелось к такому среднему стандарту, и они одобряли хорошую кухню на самолетах, считая, что это придает полету известный шик. Жалобы на недостаточно хорошую еду поступали к авиакомпаниям чрезвычайно редко. Для большинства пассажиров — как первого, так и туристского класса — еда в полете представлялась своего рода развлечением, и они поглощали ее с аппетитом.

Вернон Димирест, посасывая последние сочные кусочки омара, думал по этому поводу примерно то же, и в этот момент в кабине прозвучал громкий сигнал вызова по каналу спецсвязи, и на панели вспыхнула желтая лампочка.

Брови Энсона Хэрриса поползли вверх. Радиограмма по спецканалу — явление необычное, а два спецвызова меньше чем за час — нечто вообще из ряда вон выходящее.

— Нет, определенно нам нужно засекретиться, — прозвучал сзади голос Сая Джордана.

Димирест протянул руку к регулятору радио.

— Я приму.

После обмена позывными между рейсом два и нью-йоркским диспетчером Вернон Димирест принялся записывать радиограмму в блокнот, пришпиленный под затененной козырьком лампочкой. Радиограмма была от управляющего пассажирскими перевозками международного аэропорта имени Линкольна и начиналась словами:

СОГЛАСНО НЕПРОВЕРЕННЫМ ДАННЫМ...

По мере того как Димирест писал, лицо его, на которое падали отблески света, становилось все более угрюмым, сосредоточенным. Он подтвердил прием и отключился, не прибавив ни слова. Все так же молча он протянул блокнот Энсону Хэррису. Наклонившись к свету, тот прочел радиограмму, негромко свистнул и передал блокнот через плечо Саю Джордану.

Текст заканчивался словами:

ПРЕДЛАГАЕМ ВЕРНУТЬСЯ ИЛИ СОВЕРШИТЬ
ПОСАДКУ ПО УСМОТРЕНИЮ КОМАНДИРА.

Оба старших пилота понимали, что возникает вопрос о том, кто будет принимать решение. Хотя самолет в этом рейсе пилотировал Энсон Хэррис, а Вернон Димирест выполнял обязанности пилота-контролера, все же решающее слово оставалось за ним как за командиром экипажа.

В ответ на вопросительный взгляд Хэрриса Димирест буркнул:

— Кто в левом кресле — вы или я? Чего же мы ждем?

Хэррис размышлял недолго. Он сказал:

— Повернем обратно, но очень пологим разворотом — так, чтобы не заметили пассажиры. И пошлем Гвен Мейген опознать этого типа, из-за которого там подняли переполох: никто из нас, само собой разумеется, не может появиться в салоне — это его вспугнет. Ну а потом, — он пожал плечами, — я полагаю, придется действовать сообразно с обстоятельствами.

— Согласен, — сказал Димирест. — Вы разворачивайте машину, а я возьму на себя салон. — Он трижды нажал кнопку, вызывая Гвен.

Тем временем Энсон Хэррис связался по радио с воздушным диспетчером и кратко сообщил:

— Говорит «Транс-Америка» рейс два! У нас возникли трудности. Прошу разрешения на возвращение в аэропорт Линкольна и на ведение радаром отсюда до аэропорта.

Хэррис уже прикинул в уме возможности посадки в каком-либо другом аэропорту. Оттава, Торонто и Детройт, как им сообщили при взлете, были закрыты из-за снегопада. К тому же, чтобы обезвредить опасного пассажира, команде требовалось время, что также говорило в пользу возвращения на базу.

Хэррис не сомневался, что Димирест пришел бы к такому же решению.

Откуда-то снизу, преодолев расстояние в шесть миль, до них долетел голос диспетчера Торонтского центра:

— «Транс-Америка», рейс два, вас понял. — И после короткой паузы: — Можете начинать разворот влево, курс два-ноль. Готовьтесь к перемене эшелона.

— Вас понял, Торонто. Начинаем пологий разворот.

— «Транс-Америка», рейс два, пологий разворот одобрен.

Как обычно в таких случаях, переговоры велись тихо. Как в воздухе, так и на земле понимали, что спокойствием можно достичь большего, чем излишним волнением и нервозностью. По характеру полученного сообщения диспетчер на земле сразу понял, что самолет терпит или может потерпеть бедствие. Лайнеры, совершающие рейсовый полет, не прерывают его внезапно и не поворачивают обратно без серьезной причины. Вместе с тем диспетчер знал, что командир корабля в случае необходимости сразу подаст сигнал бедствия и незамедлительно сообщит причину. А пока этого не произошло, диспетчер не должен отвлекать команду и задавать ненужные вопросы.

Любая помощь, какая потребуется, будет оказана с максимальной быстротой и без лишних расспросов.

Но уже и сейчас машина наземных служб заработала вовсю. В Торонтском центре, расположенном в красивом современном здании милях в четырнадцати от города, диспетчер, получив сообщение рейса два, подозвал старшего группы. Старший немедленно установил контакт с другими секторами и стал расчищать воздушное пространство как впереди попавшего в беду самолета, так и непосредственно под ним — последнее из предосторожности, на всякий случай. Тотчас оповестили Кливлендский центр о том, что рейс два, недавно переданный им Торонтскому центру, возвращается обратно и надо следить за его полетом. Оповестили и Чикагский центр, которому предстояло принять рейс от Кливлендского.

В кабину самолета тем временем поступило указание от диспетчера:

— Начинайте спуск до эшелона два-восемь-ноль. Доложите освобождение эшелона три-три-ноль.

Энсон Хэррис подтвердил прием:

— Торонтский центр, говорит рейс два «Транс-Америки». Начинаем снижаться.

Сай Джордан по распоряжению Хэрриса уже сообщил диспетчеру авиакомпании по ее радиоканалу о решении возвратиться в аэропорт.

Дверь кабины отворилась. Вошла Гвен Мейген.

— Если меня вызвали потому, что вам нужны еще тарталетки, — сказала она, — то прошу прощения, но вы их не получите. К вашему сведению, у нас на борту, кроме вас, есть еще и пассажиры.

— Вашим нарушением субординации я займусь позднее, — сказал Димирест, шутливо подражая ее безупречному произношению. — А сейчас... У нас тут небольшая неприятность.

На первый взгляд в кабине пилотов ничего не изменилось с тех пор, как была получена радиограмма управляющего перевозками, однако чувствовалось, что от прежнего спокойно-безмятежного настроения не осталось и следа. Несмотря на внешнее спокойствие, все трое пилотов были собранны, каждый находился в состоянии полной готовности и ощущал эту готовность в других. Для достижения этого умения быстро и квалифицированно принимать ответственные решения в трудной обстановке пилоты на своем пути к креслу командира корабля проводили долгие годы в упорных тренировках и накапливали опыт. Само по себе умение пилотировать воздушный корабль приобреталось без особого труда, и не просто за это пилоты пассажирских рейсов получали свое хорошее жалованье, а за высокое искусство пилотирования, требующее находчивости, самообладания и особой авиационной мудрости. И сейчас Вернон Димирест, Энсон Хэррис и — хотя и в меньшей степени — Сай Джордан проявляли эти свои качества на деле. Положение на борту самолета еще не стало критическим, и при удаче все вообще могло обойтись. Но если катастрофа неизбежна, команда была готова к ней.

— Мне нужно, чтобы вы опознали одного пассажира, — сказал Димирест, повернувшись к Гвен. — Но он не должен знать, что вы ищете его. Мы получили его словесный портрет. Ознакомьтесь с ним. — Он протянул ей блокнот с записью спецсообщения.

Гвен придвинулась ближе — так, чтобы свет из-под козырька падал на листок.

Самолет слегка качнуло: рука Гвен коснулась плеча Вернона Димиреста, он вдохнул тонкий аромат духов и остро ощутил ее близость. Скосив глаза, он увидел в полумраке ее профиль. Она читала радиограмму; лицо ее стало серьезным, но не растерянным. Димиресту вспомнилось, как несколько часов назад она восхитила его силой духа, что отнюдь не уменьшало ее женственности. И мгновенно промелькнула мысль о том, что дважды за этот вечер он слышал из уст Гвен признание в любви. Это признание заставило его тогда задуматься: а сам он был ли когда-нибудь по-настоящему влюблен?

Человеку, который привык всегда держать свои чувства в узде, трудно ответить на этот вопрос. Однако сейчас он вдруг понял, что его чувства к Гвен больше похожи на любовь, чем все, что он испытывал когда-либо прежде.

Гвен уже вторично, более медленно, перечитывала радиограмму.

На миг Димирестом овладела слепая ярость: из-за этой дурацкой истории, которая разрушала его планы, теперь ему уже не удастся отдохнуть и развлечься с Гвен в Неаполе. Но он тут же взял себя в руки. Сейчас не время для личных эмоций. К тому же вся эта история может привести всего лишь к задержке — возможно, даже на сутки после их возвращения в аэропорт, — но в конечном счете рейс все равно состоится. Ему и в голову не пришло, что им, быть может, не удастся сразу разделаться с этой бомбой или что эта история может окончиться не так благополучно, как в большинстве подобных случаев.

Сидевший рядом с Димирестом Энсон Хэррис заканчивал пологий разворот с самым малым креном. Это был превосходный, мастерски выполненный разворот, как показывал прибор «пионер» — своего рода дедушка авиационных приборов, — указатель крена и скольжений, подобный тому, какой был установлен еще на самолете Линдберга «Спирит ов Сент-Луис» и на предшествовавших ему самолетах и по-прежнему применялся на современных лайнерах. Стрелка указателя стояла вертикально, шарик — неподвижно в центре. И только гирокомпас позволял догадываться, что самолет отклонился от курса, сделав разворот на сто восемьдесят градусов. Хэррис заявил, что пассажиры не заметят изменения курса (и он был прав), разве только кто-нибудь, знакомый с картой звездного неба и расположения светил по отношению к востоку и западу, не глянет случайно в окно. Тогда он, несомненно, заметит, что самолет изменил курс, но на этот риск приходилось идти — другого выхода не было. По счастью, земля была скрыта облаками, и огни городов не могли служить ориентиром. Теперь Хэррис начал понемногу снижаться, нос самолета слегка пошел вниз, секторы были лишь прикрыты, так что гул двигателей почти не изменил тембра. Хэррис осторожно, сосредоточенно, словно по учебнику, вел самолет, со скрупулезной точностью выполняя все правила, не глядя в сторону Гвен и Димиреста.

Гвен вернула блокнот.

— Идите в салон и отыщите этого субъекта, — инструктировал ее Димирест. — Посмотрите, при нем ли чемоданчик и нет ли способа его отобрать. Вы понимаете, что ни один из нас не должен появляться там — пока, во всяком случае, — чтобы не спугнуть его.

— Конечно, — сказала Гвен. — Я понимаю. Но и мне туда идти незачем.

— Как так?

— Я уже знаю, где он сидит, — спокойно сказала Гвен. — Место четырнадцать А.

Вернон Димирест испытующе на нее поглядел:

— Вероятно, мне не нужно предупреждать вас, как важно, чтобы тут не произошло ошибки. Если есть хоть малейшее сомнение, ступайте и проверьте.

— У меня нет сомнений.

Примерно полчаса назад, пояснила Гвен, после того как пассажиры первого класса отобедали, она прошла в туристский салон, чтобы помочь стюардессам. Один из пассажиров — у окна слева — задремал. Когда Гвен заговорила с ним, он мгновенно проснулся. На коленях у него лежал чемоданчик. Гвен предложила взять его и положить куда-нибудь на время ужина, но пассажир отказался. Он продолжал крепко держать чемоданчик словно какую-то драгоценность. А потом, вместо того чтобы достать складной столик, пассажир использовал чемоданчик, поставив на него поднос с едой. Гвен, привыкшая к чудачествам пассажиров, не придала этому значения, однако человека этого она, конечно, запомнила. Все приметы, перечисленные в радиограмме, совпадали с его внешностью.

— Я хорошо его запомнила еще и потому, что он сидит как раз рядом со старушенцией — безбилетной пассажиркой.

— Вы сказали, что он сидит у окна, верно?

— Да.

— Это несколько осложняет дело — не так-то легко будет дотянуться и вырвать у него чемоданчик...

Но тут Димиресту вспомнилась та часть радиограммы от УП, которая гласила:

ЕСЛИ ПРЕДПОЛОЖЕНИЕ ПРАВИЛЬНО,
СПУСКОВОЕ УСТРОЙСТВО СКОРЕЕ ВСЕГО
НАХОДИТСЯ СНАРУЖИ И МОЖЕТ БЫТЬ
ЛЕГКО ПРИВЕДЕНО В ДЕЙСТВИЕ.
ПРОЯВЛЯЙТЕ ОСОБУЮ ОСТОРОЖНОСТЬ,
ЕСЛИ РЕШИТЕ СИЛОЙ ЗАВЛАДЕТЬ
ЧЕМОДАНЧИКОМ.

Димирест почувствовал, что Гвен сейчас тоже вспомнила это предостережение.

И впервые не то чтобы страх, но какая-то неуверенность нарушила четкий ход его мыслей. Страх мог прийти потом, пока его еще не было. Возможно ли, что эта угроза взрыва может оказаться не просто угрозой? Вернону Димиресту не раз приходилось обсуждать такого рода ситуации, но у него как-то не укладывалось в голове, что он сам может попасть в такое положение.

Энсон Хэррис теперь — все так же плавно — выводил самолет из разворота. Они уже летели в противоположном направлении.

Сигнал вызова по каналу спецсвязи прозвучал снова. Димирест сделал знак Саю Джордану, тот переключился на спецсвязь, дал сигнал приема и начал записывать радиограмму.

Энсон Хэррис тем временем снова вызвал Торонтский центр.

— Я вот о чем думаю, Гвен, — сказал Вернон Димирест, — нельзя ли под каким-нибудь предлогом убрать оттуда двух соседей Герреро? Когда он останется один, может быть, кому-нибудь из нас удастся подойти сзади, наклониться над пустыми сиденьями и выхватить чемоданчик.

— Он сразу заподозрит неладное, — решительно заявила Гвен. — И, разумеется, насторожится. Он и так уже весь как на иголках. Если мы уберем его соседей, то какой бы мы при этом ни изобрели предлог, он тотчас заподозрит подвох и будет смотреть в оба.

Второй пилот протянул им блокнот с последней радиограммой, полученной по спецсвязи. Радиограмма была от УП аэропорта Линкольна. Димирест и Гвен, наклонившись к свету, прочли:

ПО ДОПОЛНИТЕЛЬНЫМ СВЕДЕНИЯМ,
НАЛИЧИЕ У ПАССАЖИРА ГЕРРЕРО ВЗРЫВНОГО
УСТРОЙСТВА ПОЛНОСТЬЮ ПОДТВЕРЖДАЕТСЯ.
ПОВТОРЯЮ: ПОЛНОСТЬЮ ПОДТВЕРЖДАЕТСЯ.
ПАССАЖИР ПСИХИЧЕСКИ НЕУРАВНОВЕШЕН.
НЕ КОНТРОЛИРУЕТ СВОИ ПОСТУПКИ.
ВТОРИЧНО РЕКОМЕНДУЕМ ДЕЙСТВОВАТЬ
С ВЕЛИЧАЙШЕЙ ОСТОРОЖНОСТЬЮ.
ЖЕЛАЕМ УДАЧИ.

— Вот это последнее мне особенно понравилось, — сказал Сай Джордан. — Ну как это мило с их стороны, какая трогательная заботливость!

— Заткнись! — резко оборвал его Димирест.

На несколько секунд в кабине воцарилось молчание.

— Если б можно было придумать что-то, — медленно проговорил Димирест, — как-то отвлечь его внимание, чтобы он выпустил из рук чемоданчик. Нам нужно всего несколько секунд, чтобы завладеть им... две секунды, если действовать быстро.

— Он даже на пол его не ставит, — заметила Гвен.

— Я знаю! Знаю! Я просто рассуждаю сам с собой, вот и все. — Он помолчал. — Давайте обдумаем все сначала. Между Герреро и проходом находятся двое пассажиров. Один из них...

— Один из них мужчина; он сидит у прохода. Кресло посередине занимает миссис Квонсетт. Дальше сидит Герреро.

— Значит, бабуля сидит непосредственно рядом с Герреро, рядом с чемоданчиком?

— Да, конечно, но что нам это дает? Даже если мы посвятим ее во все, едва ли она...

Димирест перебил Гвен:

— Вы еще ничего ей не говорили? Она не знает, что мы ее поймали?

— Нет. Вы же сами не велели.

— Да, да. Просто я хотел еще раз удостовериться.

Снова наступило молчание. Вернон Димирест напряженно думал, взвешивал все «за» и «против». Наконец он проговорил с расстановкой:

— У меня возникла идея. Быть может, ее не удастся воплотить в жизнь, но другой возможности я пока не вижу. Теперь слушайте внимательно, я объясню вам, что нужно делать.

В салоне туристского класса большинство пассажиров уже покончили с ужином, и стюардессы собирали подносы. На этот раз ужин прошел быстрее обычного, отчасти потому, что из-за опоздания с отлетом многие пассажиры подкрепились в аэровокзале, и теперь, в этот поздний час, одни совсем отказались от еды, а другие лишь слегка поковыряли вилкой в тарелке.

Миссис Ада Квонсетт продолжала болтать со своим новым приятелем-музыкантом. Одна из стюардесс — бойкая молодая блондинка — обратилась к ним:

— Вы уже закончили, можно взять подносы?

— Да, пожалуйста, мисс, — сказал музыкант.

Миссис Квонсетт приветливо улыбнулась:

— Спасибо, душенька, можете взять мой поднос. Все было очень вкусно.

Угрюмый человек, сидевший по левую руку от миссис Квонсетт, вернул свой поднос, не произнеся ни слова. И тут маленькая старушка из Сан-Диего заметила другую стюардессу, стоявшую в проходе.

Миссис Квонсетт еще раньше обратила внимание на эту девушку, по-видимому, старшую стюардессу. Это была жгучая брюнетка с очень привлекательным широкоскулым лицом и решительным взглядом темных глаз; сейчас взгляд ее был холодно и непреклонно устремлен на Аду Квонсетт.

— Извините, мадам. Разрешите проверить ваш билет.

— Мой билет? Извольте. — Миссис Квонсетт изобразила удивление, хотя мгновенно поняла, что кроется за этой просьбой. Видимо, они уже пронюхали или почему-либо заподозрили, что билета у нее нет. Но миссис Ада Квонсетт еще никогда не сдавалась без боя, и мозг ее тотчас заработал с лихорадочной быстротой. Сейчас главное выяснить — насколько осведомлена эта девица.

Миссис Квонсетт открыла сумочку и сделала вид, что роется в ее содержимом.

— Где-то он у меня здесь, моя дорогая. Должен быть где-то здесь. — Она с самым невинным видом подняла глаза на стюардессу. — Должен быть здесь, если только контролер не отобрал его у меня при выходе из вокзала. Может, он оставил его у себя, а я не обратила внимания.

— Нет, — сказала Гвен Мейген, — он этого сделать не мог. Если это обратный билет, у вас должен остаться купон на обратный полет. А если билет в один конец, у вас остался бы корешок от билета и посадочный талон.

— Да, странно... — Миссис Квонсетт продолжала рыться в сумочке.

Гвен сказала жестко:

— Разрешите, я погляжу сама. — Во время этого диалога обычную ее обходительность как рукой сняло. — Если билет лежит у вас в сумке, я его найду. Если же его там нет, это избавит нас с вами от излишней потери времени.

— С какой это стати! — возмутилась миссис Квонсетт. Впрочем, она тут же сбавила тон: — Я понимаю, что вы не хотели меня обидеть, моя дорогая, но у меня здесь, помимо всего прочего, лежат личные бумаги. А вы, особенно вы, как англичанка, должны уважать неприкосновенность личности. Вы ведь англичанка, не правда ли?

— Кто я такая, не имеет ни малейшего отношения к делу. Сейчас нас интересует ваш билет. Если, конечно, он у вас есть. — Гвен повысила голос, слова ее были слышны теперь другим пассажирам. Кое-кто повернул голову в их сторону.

— О Господи, да есть у меня билет. Вопрос только в том, куда я его сунула. — Миссис Квонсетт дружелюбно улыбнулась. — А вот то, что вы англичанка, я сразу поняла, как только вы заговорили. В устах некоторых людей — вот как в ваших, например, — английская речь звучит так пленительно. Обидно, что мало кто из нас, американцев, обладает таким произношением. Мой покойный супруг не раз, бывало, говорил мне...

— Что говорил ваш супруг, нас не интересует. Где ваш билет? Нелегко было Гвен держаться так нелюбезно, даже грубо. В обычных обстоятельствах она обошлась бы с этой старушкой хотя и твердо, но добродушно и даже дружелюбно; запугивать женщину вдвое старше себя было очень не по душе Гвен. Но когда она покидала кабину пилотов, Вернон дал ей на этот счет строжайшие указания.

Миссис Квонсетт была, казалось, несколько оскорблена.

— Я терплю ваши грубости, милочка, но как только найду билет, я не премину объяснить вам, что ваше поведение...

— В самом деле, миссис Квонсетт? — От Гвен не укрылось, как вздрогнула старуха, когда она назвала ее по имени: впервые ее спокойное благодушие было поколеблено. А Гвен неумолимо продолжала: — Вы ведь Ада Квонсетт, не так ли?

Старушка приложила к губам кружевной платочек и вздохнула:

— Ну раз уж вам известно мое имя, было бы бесполезно его скрывать, верно?

— Безусловно, тем более что мы знаем про вас все. Вы настоящая уголовница, миссис Квонсетт.

Теперь уже многие пассажиры смотрели в их сторону и прислушивались к разговору, а некоторые даже покинули свои места и подошли поближе. Симпатии всех были явно на стороне старушки, все неодобрительно поглядывали на Гвен. Пассажир, сидевший у прохода и беседовавший с миссис Квонсетт, когда появилась Гвен, беспокойно заерзал на сиденье и сказал:

— Если произошло недоразумение, может быть, я могу помочь...

— Никакого недоразумения не произошло, — сказала Гвен. — Вы путешествуете вместе с этой дамой?

— Нет.

— Тогда это вас не касается, сэр.

До этой минуты Гвен ни разу не позволила себе взглянуть на пассажира, сидевшего у окна. И он тоже не смотрел на нее, однако его поза и наклон головы свидетельствовали о том, что он внимательно прислушивается к происходящему. Украдкой бросив взгляд в его сторону, Гвен успела заметить, что он по-прежнему держит чемоданчик на коленях. При мысли о том, что он там прячет, она похолодела, предчувствуя беду, и по телу ее побежали мурашки. Ей захотелось повернуться, кинуться в кабину экипажа, сказать Вернону, чтобы он справлялся с этим делом сам. Но она взяла себя в руки и преодолела минутную слабость.

— Я ведь сказала, что нам все про вас известно, — повторила она. — Не далее как сегодня вас уже поймали без билета на одном из наших лос-анджелесских рейсов. Вы даже были сняты с самолета, но вам удалось улизнуть. А потом вы обманом ухитрились пробраться на этот самолет.

Маленькая старушка из Сан-Диего заметила небрежно:

— Если вам все известно или кажется, что все известно, разубеждать вас нет смысла. — Ну что ж, решила она про себя, стоит ли расстраиваться? В конце концов, она ведь была готова к тому, что ее поймают. И все-таки она успела пережить интересное приключение и хорошо поужинать. Да и что такого особенного случилось? Эта рыжеволосая там, в аэропорту, сама сказала, что авиакомпании никогда не возбуждают дела в суде против безбилетных пассажиров.

Однако ей было любопытно, что же последует дальше.

— Мы что же, повернем теперь назад в аэропорт?

— Ну не такая уж вы важная персона. Мы сдадим вас в Италии тамошним властям. — Вернон Димирест предупредил Гвен, что все должны по-прежнему считать, будто самолет летит в Рим, ни в коем случае нельзя говорить, что они уже повернули обратно. Он несколько раз повторил, что Гвен должна быть груба со старушкой. Гвен вовсе не улыбалось выполнять такую роль, но это было необходимо, чтобы произвести соответствующее впечатление на Герреро и выполнить задуманный Димирестом план.

Герреро, конечно, не подозревал — и в случае удачи догадается, когда будет уже поздно, — что вся эта сцена разыгрывается только для него.

— Пройдемте со мной, — сказала Гвен миссис Квонсетт. — Командиру сообщили о вас, и он должен дать соответствующий ответ. Но сначала он хочет поговорить с вами. — И, обратившись к пассажиру, занимавшему кресло у прохода, она сказала: — Будьте любезны, пропустите эту даму.

Впервые за все время старушка проявила нервозность.

— Командир хочет со мной говорить?

— Да, и ждать он не любит.

С явной неохотой миссис Квонсетт поднялась с места. Музыкант, весьма расстроенный, вышел в проход, чтобы дать ей пройти. Гвен взяла ее под локоть и повела вперед, чувствуя на себе враждебные взгляды остальных пассажиров.

Она с большим трудом преодолела желание обернуться и поглядеть, наблюдает ли за ними пассажир с чемоданчиком.

— Меня зовут капитан Димирест. Пожалуйста, подойдите поближе, Гвен, будьте любезны, закройте дверь — как-нибудь разместимся. — Вернон Димирест улыбнулся миссис Квонсетт. — К сожалению, конструкторы самолета не учли, что сюда могут пожаловать гости.

Старушка из Сан-Диего устремила внимательный взгляд на говорившего. После ярко освещенного салона она еще не успела освоиться с полумраком кабины. Она различала лишь неясные очертания какой-то фигуры на фоне десятка светящихся красным циферблатов. Но голос звучал, несомненно, дружелюбно. А миссис Квонсетт уже мужественно приготовилась к разговору в совсем другом тоне.

Сай Джордан откинул подлокотник на свободном кресле позади Энсона Хэрриса. Гвен мягко и предупредительно — совсем не так, как несколько минут назад, — усадила старушку в кресло.

Самолет не качало, поэтому передвигаться в нем было легко. Он продолжал снижаться, но до тех слоев атмосферы, где бушевала пурга, было еще далеко, и самолет летел со скоростью пятьсот миль в час легко и плавно, словно плыл по заштилевшему морю.

— Миссис Квонсетт, — сказал Вернон Димирест, — забудьте о том, что произошло за стенами этой кабины. Мы пригласили вас сюда по другой причине. — Он обернулся к Гвен: — Вы были достаточно грубы с этой дамой?

— К сожалению, да.

— Мисс Мейген действовала по моим указаниям. Я ей подробно рассказал, как она должна себя вести. Мы знали, что одно интересующее нас лицо будет за этим наблюдать. Мы хотели, чтобы все выглядело естественно и можно было, не вызывая подозрений, пригласить вас сюда.

Большая темная фигура в кресле справа начала мало-помалу приобретать более отчетливые очертания. Ада Квонсетт, вглядываясь в лицо этого человека, нашла, что оно не выглядит злым. Пока еще она, разумеется, совсем не понимала, к чему он клонит. Она огляделась по сторонам. Все это было чрезвычайно интересно. Еще ни разу в жизни не доводилось ей бывать в кабине экипажа. Кабина оказалась куда меньше, чем она предполагала. Здесь было очень тесно. И тепло. Все трое мужчин сидели в одних рубашках. Да, теперь уже ей действительно будет о чем рассказать своей дочери в Нью-Йорке, если она когда-нибудь доберется туда.

— Мамаша, — сказал человек, отрекомендовавшийся капитаном. — Вы ведь не робкого десятка?

Вопрос был странный. Миссис Квонсетт задумалась и ответила не сразу:

— Да, мне кажется, я не особенно труслива. Случается, конечно, и понервничать, но только теперь это реже со мной бывает. С годами начинаешь пугаться все меньше и меньше.

Пристальный, испытующий взгляд капитана был прикован к ее лицу.

— Я решил рассказать вам кое-что, а затем попросить вас помочь нам. Времени у нас мало, я буду краток. Вероятно, вы заметили пассажира, который сидит рядом с вами — у окна.

— Такой тощий, с тоненькими усиками?

— Да, — сказала Гвен. — Этот самый.

— Как же, заметила. Очень странный господин. Ни с кем не разговаривает и не выпускает из рук чемоданчика. Мне кажется, он чем-то очень обеспокоен.

— Мы тоже обеспокоены, — негромко произнес Вернон Димирест. — У нас есть основания предполагать, что у него в чемоданчике бомба. И мы хотим ее забрать. Вот почему нам потребовалась ваша помощь.

«Самое удивительное, — пронеслось у Ады Квонсетт в голове, — что здесь у них такая тишина». В этой тишине и в наступившем после слов Димиреста молчании Ада Квонсетт услышала, как где-то у нее над головой заговорило радио:

— «Транс-Америка», рейс два, говорит Торонтский центр. Вы находитесь в пятнадцати милях к востоку от Клейнбергского маяка. Сообщите вашу высоту и намерения.

Человек, сидевший впереди слева — Ада Квонсетт не видела его лица, — ответил:

— Торонтский центр, говорит «Транс-Америка», рейс два. Снижаемся, покидаем эшелон два-девять-ноль. Просим разрешения продолжать медленно снижаться. Намерение совершить посадку в аэропорту Линкольна остается неизменным.

— «Транс-Америка», вас поняла. Освобождаем вам путь следования. Можете продолжать медленно снижаться.

Третий человек, сидевший справа от Ады Квонсетт за маленьким столиком, перед которым были расположены еще какие-то приборы, сказал:

— По моим подсчетам, мы должны быть на месте через час семнадцать минут. Это если ветер будет как по сводке; если же фронт шторма приблизился, то прилетим позже.

— Так мы, значит, все-таки возвращаемся? — Голос Ады Квонсетт выдавал охватившее ее волнение.

Димирест кивнул:

— Да, но, кроме вас, никто из пассажиров этого не знает. И пока вам придется держать это в секрете, причем главное, чтобы Герреро — пассажир с чемоданчиком — ничего не заподозрил.

У Ады Квонсетт даже дух перехватило. «Неужели это в самом деле происходит со мной?» — думала она. Потрясающее приключение, не хуже тех, что показывают по телевизору. Немножко опасное, конечно. Но она тут же сказала себе: об этом не стоит думать. Главное — она здесь, участвует во всем этом, разговаривает запанибрата с командиром корабля, и он доверяет ей свои тайны. Да, будет что порассказать дочери!

— Ну как, согласны вы нам помочь?

— Разумеется, согласна. Как я понимаю, вы хотите, чтобы я попробовала отобрать у него чемоданчик...

— Ни в коем случае! — Вернон Димирест обернулся и для большей убедительности перегнулся к ней через спинку кресла. Он сказал твердо: — И не вздумайте даже прикасаться к этому чемоданчику.

— Раз вы так говорите, — кротко согласилась миссис Квонсетт, — не буду.

— Да, я именно так говорю. И запомните: очень важно, чтобы Герреро не заподозрил, что мы обратили внимание на его чемоданчик и знаем о его содержимом. А теперь я проинструктирую вас — как раньше инструктировал мисс Мейген — насчет того, что вы должны делать, когда вернетесь в салон. Пожалуйста, слушайте меня внимательно.

Когда он закончил, старушка из Сан-Диего позволила себе улыбнуться уголками губ.

— О да, да! Мне кажется, я сумею это проделать.

Она уже вставала с кресла, а Гвен открывала дверь кабины, когда Димирест спросил:

— Мне сказали, что вы летели без билета из Лос-Анджелеса... как будто в Нью-Йорк. Зачем?

Миссис Квонсетт объяснила, что она порой чувствует себя одиноко на Западном побережье и ей хочется повидать дочь, живущую на востоке страны.

— Бабушка, — сказал Димирест, — если мы все это провернем, я лично обещаю вам, что обо всех неприятностях, которые с вами произошли, будет забыто, и более того: наша авиакомпания даст вам бесплатный билет до Нью-Йорка и обратно, первый класс.

Миссис Квонсетт была так растрогана, что едва не расплакалась.

— О, благодарю вас, благодарю! — От волнения голос ее дрогнул. «Какой изумительный человек, — подумала она. — Какой добрый, очаровательный человек!»

* * *

Пережитое Адой Квонсетт неподдельное волнение пришлось весьма кстати и немало помогло ей справиться со своей задачей, когда она прошествовала через салон первого класса к своему креслу. Гвен Мейген, крепко ухватив безбилетную пассажирку за локоть, подталкивала ее вперед, а та прикладывала кружевной платочек к глазам и являла собой весьма волнующее зрелище донельзя расстроенной пожилой дамы. Вытирая слезы, Ада Квонсетт внутренне ликовала: ведь она разыгрывала уже вторую сцену за сегодняшний вечер. Сначала на аэровокзале притворилась больной и одурачила этого мальчишку, Питера Кокли. Ей это прекрасно удалось — значит, все удастся и теперь.

И в самом деле, спектакль был настолько убедителен, что один из пассажиров даже спросил Гвен довольно сердито:

— Послушайте, мисс, я не знаю, чем провинилась эта дама, но почему вы позволяете себе так грубо обращаться с ней?

Гвен, зная, что Герреро уже может ее услышать, ответила резко:

— Прошу вас не вмешиваться, сэр.

Выполняя указания Вернона, Гвен, как только вошла в туристский салон, тут же задернула за собой портьеру, разделяющую салоны. При этом она успела бросить взгляд назад и заметила, что дверь кабины слегка приоткрылась. Гвен знала, что там, за дверью, стоит Вернон, наблюдает и ждет. Как только портьера между салонами первого и туристского классов задернется, Вернон пройдет вперед, станет за портьерой и будет следить за происходящим в щелку, которую Гвен должна была предусмотрительно оставить. А затем в нужный момент он откинет портьеру и быстро шагнет вперед.

При мысли о том, что произойдет через несколько минут — и чем все это может кончиться! — предчувствие беды снова охватило Гвен, и сердце ее сжалось от страха. И снова она нашла в себе силы победить страх. Она заставила себя вспомнить о том, что в ее руках жизнь экипажа и пассажиров, которые даже и не подозревают, какая драма разыгрывается сейчас у них на глазах, и подтолкнула миссис Квонсетт к ее креслу.

Пассажир по фамилии Герреро быстро вскинул на них глаза и тут же отвел взгляд. Гвен заметила, что чемоданчик все так же лежит у него на коленях и он не выпускает его из рук. Когда они подошли ближе, третий пассажир, гобоист, поднялся со своего сиденья с краю, рядом с креслом миссис Квонсетт. Всем своим видом выражая ей сочувствие, он вышел в проход, чтобы пропустить старушку на место. Гвен проворно шагнула вперед, преградив ему дорогу обратно. Место музыканта должно было оставаться пустым, пока Гвен не отойдет в сторону. Глаза Гвен уловили какое-то движение за портьерой. Значит, Вернон Димирест уже занял свой наблюдательный пост и готов действовать.

— Прошу вас! — Все еще стоя в проходе, миссис Квонсетт с мольбой обратила к Гвен полные слез глаза. — Умоляю: попросите командира отменить свое решение. Я не хочу, чтобы он передавал меня в руки итальянской полиции...

Гвен сказала грубо:

— Об этом надо было думать раньше. И я не могу указывать командиру, что ему делать.

— Но вы можете попросить его! Он вам не откажет.

Герреро повернул голову в их сторону, прислушался и снова отвернулся.

Гвен схватила старушку за плечо.

— Говорят вам — садитесь на свое место!

Ада Квонсетт начала всхлипывать:

— Я же вас только об одном прошу: отправьте меня обратно! Передайте меня полиции, но только дома, не в чужой стране!

За спиной Гвен послышался протестующий голос гобоиста:

— Мисс, неужели вы не видите, как расстроена эта дама?

— Пожалуйста, не вмешивайтесь, — огрызнулась Гвен. — Эта пассажирка вообще не имеет права здесь находиться. У нее нет билета.

Гобоист сказал возмущенно:

— Пусть так, но перед вами все-таки пожилая дама.

Не обращая внимания на гобоиста, Гвен толкнула миссис Квонсетт, и та пошатнулась:

— Вы что, не слышите? Садитесь на свое место и сидите тихо.

Ада Квонсетт упала на сиденье и взвизгнула:

— Вы мне сделали больно. Больно!

Несколько пассажиров, протестуя, вскочили с мест.

Герреро сидел, не поворачивая головы. Гвен видела, что руки его по-прежнему сжимают чемоданчик.

Миссис Квонсетт снова начала всхлипывать.

Гвен сказала холодно:

— У вас истерика! — наклонилась вперед и неторопливо, хорошо рассчитанным движением влепила миссис Квонсетт пощечину, внутренне содрогаясь от того, что ей приходится делать. Звук пощечины звонко прокатился по салону. Пассажиры онемели. Две другие стюардессы смотрели на Гвен, разинув от изумления рты. Гобоист схватил Гвен за руку; она поспешно оттолкнула его.

Дальше все произошло с такой стремительностью, что никто из присутствующих, даже из тех, что находились в непосредственной близости от происходящего, не смог бы точно пересказать последовательность событий.

Миссис Квонсетт повернулась к пассажиру слева — к Герреро.

— Сэр, умоляю вас! Помогите мне! Помогите!

Но Герреро продолжал сидеть с каменным лицом, игнорируя ее вопли.

Потеряв, по-видимому, самообладание от волнения и страха, Ада Квонсетт вскинула руки и, истерически всхлипывая, обхватила Герреро за шею.

— Умоляю вас, умоляю!

Герреро завертелся на сиденье, пытаясь высвободиться. Ему это не удалось. Ада Квонсетт лишь крепче сжала его шею:

— Спасите меня!

Лицо Герреро стали пунцовым; чувствуя, что задыхается, он попытался разорвать сжимавшее его шею кольцо рук. Ада Квонсетт мгновенно вцепилась в обе его руки.

В ту же секунду Гвен Мейген наклонилась и одним ловким и, казалось, даже неторопливым движением схватила лежавший на коленях у Герреро чемоданчик. Еще какая-то доля секунды — и чемоданчик находился уже в проходе, а между ним и Герреро встал непреодолимый барьер в лице Ады Квонсетт и Гвен.

Портьера, разделявшая салоны, раздвинулась. Вернон Димирест, высокий, внушительный в своей капитанской форме, стремительно шагнул вперед. Лицо его выражало облегчение, он уже протягивал руку, чтобы взять чемоданчик.

— Отлично сработано, Гвен. Давайте его сюда.

Не вмешайся в дело судьба, на этом все бы и кончилось, если не считать кары, которая ждала Герреро. Но случилось иначе — единственно по вине некоего Маркуса Расбоуна.

До этой минуты Расбоун был никому не известным и никого не интересующим пассажиром, занимавшим место 14Д через проход от гобоиста. И хотя никто не обращал на него внимания, этот самодовольный, надутый человек был, как всегда, преисполнен сознания собственной значимости.

В маленьком городке штата Айова мелкий торговец Маркус Расбоун был известен всем как зануда. Любому делу, любому начинанию своих сограждан он неизменно старался ставить палки в колеса. Его возражения и протесты по любому вопросу — значительному или пустяковому — сделались притчей во языцех. Он возражал против выбора книг для местной библиотеки, против плана установки домовых антенн, против взысканий, наложенных в школе на его сына, против цвета общественных зданий. Незадолго до этой поездки в Рим ему удалось провалить проект единого оформления вывесок, что значительно украсило бы главную улицу их городка. И при этом никто не помнил, чтобы зануда сам внес когда-нибудь хоть одно дельное предложение.

Другой отличительной чертой характера Расбоуна было то, что он презирал женщин, в том числе и свою собственную жену. Восставая против чего-либо, он никогда не руководствовался интересами женщин. Вот почему его ничуть не задело унизительное обращение с миссис Квонсетт, но зато когда Гвен Мейген схватила чемоданчик Герреро, этого Расбоун уже стерпеть не мог.

Женщина, да еще в форменной одежде, покушалась на права такого же рядового путешественника, как он сам, — так воспринял это Маркус Расбоун. Пылая негодованием, он поднялся с кресла и встал между Гвен и Верноном Димирестом.

В ту же секунду Герреро, весь побагровев и бормоча что-то нечленораздельное, кое-как высвободился из цепких объятий Ады Квонсетт, вскочил на ноги и шагнул в проход. Маркус Расбоун выхватил у Гвен чемоданчик и с учтивым поклоном протянул его владельцу. Словно дикий зверь, Герреро метнулся вперед и завладел своей собственностью.

Вернон Димирест бросился к нему, но было уже поздно. Он хотел схватить Герреро — и не смог: проход был узок, и в нем стояли Гвен, Расбоун и гобоист. А Герреро, проскочив у них за спиной, уже мчался по проходу. На его пути пассажиры вскакивали с мест. Димирест, видя, что все пропало, крикнул:

— Держите его! У него бомба!

Кто-то взвизгнул, кто-то выскочил в проход, закупорив его еще больше. Но Гвен Мейген, работая локтями, плечами, коленями, сумела оказаться ближе всех к Герреро.

Добежав до конца салона, Герреро обернулся, точно загнанное животное. Позади него были двери трех туалетов; световые указатели оповещали, что два из них свободны, а один занят. Стоя спиной к туалетам, Герреро вытянул вперед руки с чемоданчиком. Одной рукой он держал ручку чемоданчика, другой — петлю шнурка, который теперь был отчетливо виден всем. Сдавленным голосом он предостерегающе прорычал:

— Стойте! Не приближайтесь!

Вернон Димирест снова крикнул, перекрывая шум:

— Герреро, вы слышите меня? Слушайте! Слушайте, что я вам скажу!

На мгновение воцарилась тишина, все замерли — слышно было только, как гудят двигатели.

Герреро стоял, повернувшись лицом к преследователям, и затравленно поглядывал на них.

— Мы знаем, кто вы и что вы задумали, — продолжал Димирест. — Мы знаем про вашу страховку и про бомбу, и на земле об этом тоже известно, и страховка ваша аннулирована. Вы понимаете? Ваша страховка недействительна, она уже ни гроша не стоит. Если теперь вы взорвете бомбу, то ни за что ни про что убьете себя. Никто от этого не выиграет — и меньше всего ваша семья. Ваша семья, наоборот, только пострадает: ее будут винить во всем и преследовать. Вы слышите меня? Подумайте хорошенько.

Какая-то женщина испуганно вскрикнула. Герреро продолжал стоять в нерешительности.

— Герреро, — снова обратился к нему Вернон Димирест, — успокойте этих людей, пусть они сядут. Тогда, если хотите, мы с вами поговорим. Можете задавать мне любые вопросы. Обещаю, что никто к вам не подойдет, пока вы сами этого не захотите. — Димирест быстро прикидывал: если ему удастся достаточно долго отвлекать внимание Герреро, возможно, за это время проход очистится. После этого он попытается убедить Герреро отдать ему чемоданчик. Если же тот откажется, можно наброситься на него, сбить с ног и выхватить чемоданчик, прежде чем Герреро успеет дернуть за петлю. Риск, конечно, отчаянный, но ничего другого не оставалось.

Пассажиры начали понемногу боязливо возвращаться на свои места.

— Вы понимаете, Герреро, что раз нам все известно, значит, доводить ваш план до конца бессмысленно. Поэтому я предлагаю вам отдать мне чемоданчик. — Димирест старался говорить спокойно, рассудительно, понимая, что сейчас очень важно не делать пауз. — Если вы поступите так, как я предлагаю, даю вам слово: никто вас не тронет.

В глазах Герреро был страх. Он облизнул свои тонкие губы. Гвен Мейген стояла совсем близко от него.

Димирест произнес негромко:

— Спокойнее, Гвен. Сядьте-ка лучше. — Надо, чтобы между ним и Герреро никого не было, если ему придется силой отбирать чемоданчик.

Дверь одного из туалетов отворилась. Молодой человек в круглых очках, делавших его похожим на сову, вышел из туалета, и остановился, близоруко щурясь. Он явно ничего не слышал и не подозревал о том, что происходит.

И тут кто-то из пассажиров крикнул:

— Хватайте этого малого, у него в портфеле бомба!

Когда дверь туалета щелкнула у него за спиной, Герреро повернул голову. Услыхав возглас пассажира, он оттолкнул человека в очках и юркнул в туалет, из которого тот только что вышел.

При первом же движении Герреро Гвен Мейген бросилась следом за ним. Позади нее Вернон Димирест, расталкивая пассажиров, устремился туда же.

Дверь туалета уже захлопывалась, когда к ней подбежала Гвен. Она успела просунуть ногу в щель и всем телом налегла на дверь. Нога помешала двери затвориться, но распахнуть ее у Гвен не хватило сил. Она почувствовала острую боль в ноге: Герреро налегал на дверь с другой стороны.

В голове у него был полный сумбур. Он даже не понимал, что произошло в последние минуты, не слышал и половины того, что говорил Димирест. Одно только отчетливо дошло до его сознания и подавило все остальные мысли и чувства: он понял, что и этот замысел, подобно всем его великим начинаниям, потерпел фиаско. В чем-то он просчитался, как всегда. Вся жизнь его была сплошной неудачей. И завершающей неудачей будет смерть — теперь он с горечью осознал это.

Он навалился спиной на дверь туалета. Он чувствовал, как на дверь налегают с противоположной стороны, и понимал, что стоит им надавить сильнее, и его сопротивление будет сломлено, дверь распахнется. Он судорожно нащупал под ручкой чемоданчика шнур, который был присоединен к квадратику пластика, — квадратик вылетит, концы защепки сомкнутся, и произойдет взрыв. Когда пальцы Герреро нащупали петлю и потянули за нее, в голове его пронеслась последняя мысль: а что, если и тут осечка, если бомба тоже подведет...

В последний, предсмертный миг, прежде чем сознание его померкло, Герреро понял, что на этот раз осечки не произошло.

10

Взрыв на борту лайнера «Транс-Америки», рейс два «Золотой Аргос», был ошеломителен и страшен. В герметически закрытом пространстве самолета он прозвучал подобно стократно усиленному удару грома — язык пламени взметнулся вверх, словно вырвавшись из гигантского горна.

Смерть Герреро наступила мгновенно: он находился в центре взрыва, и его разорвало на куски. Миг назад он жил — и вот от человека остались лишь кровавые лохмотья.

Взрывом повредило фюзеляж.

Гвен Мейген, находившуюся ближе всех к Герреро, взрывной волной ударило в грудь и в лицо.

Повреждение фюзеляжа тотчас повлекло за собой разгерметизацию. С оглушительным воем воздух устремился через образовавшееся отверстие в разреженные высокие слои атмосферы. Искусственно поддерживаемое в самолете нормальное давление начало падать; в клубах поднявшейся пыли подобно обломкам кораблекрушения пронеслись по салонам — от носа к хвосту самолета — все незакрепленные предметы независимо от их величины и веса: подносы, газеты, винные бутылки, кофейные чашки, одежда, ручной багаж, различные вещи, принадлежащие пассажирам; они уносились, крутясь в воздухе, словно всасываемые гигантским пылесосом. Портьеры слетели с колец. Двери кабин и туалетов сорвало с петель и унесло туда же — в хвост самолета.

Нескольких пассажиров сбило с ног. Те, кто не был пристегнут ремнями к креслу, ухватились за что попало, чтобы их не унесло.

Над сиденьями распахнулись дверцы аварийного устройства и оттуда выпали желтые кислородные маски, соединенные пластмассовой трубкой с цистерной кислорода.

Внезапно вихрь улегся, в салоны проник мглистый ледяной воздух. Рев двигателей и вой ветра заглушали все звуки.

Вернон Димирест, ухватившись за спинку ближайшего сиденья, чтобы удержаться на ногах, крикнул что было сил:

— Надевайте маски! — И сам схватил маску.

Он знал то, чего не знало большинство пассажиров (это дали ему годы обучения и тренировок): воздух в самолете был теперь разрежен и не годился для поддержания жизни. Если сейчас люди не получат кислорода, то через пятнадцать секунд их сознание начнет меркнуть.

Небольшое же помутнение сознания — из-за отсутствия необходимого количества кислорода — возникнет уже через пять секунд.

Еще через пять секунд появится состояние эйфории, после чего многим покажется, что кислородные маски им ни к чему, и тогда они безмятежно лишатся чувств.

Уже давно все, понимавшие опасность разгерметизации, настаивали на том, чтобы авиакомпании перед каждым полетом более тщательно и продуманно разъясняли пассажирам, как пользоваться кислородным оборудованием в случае аварии. Пассажирам надлежит сказать следующее, утверждали они: «*Как только перед вами повиснет кислородная маска, хватайте ее и прижимайте к лицу. Вопросы будете задавать потом. Если возникла разгерметизация, нельзя терять ни секунды. Если же тревога окажется ложной, вы снимите маску, и дело с концом: она не причинит вам вреда*».

Пилотам, подвергавшимся испытаниям на разгерметизацию, демонстрировалось действие кислородной недостаточности в разреженной атмосфере тренажера. Надев кислородную маску, пилоты должны были поставить на листе бумаги свою подпись, но как только они начинали писать, им предлагали снять маску, и подпись тут же превращалась в каракули или просто обрывалась. Затем, прежде чем пилоты успевали потерять сознание, им снова надевали маску.

Глядя потом на свою подпись, пилоты не верили собственным глазам.

Однако руководство авиакомпании полагало, что слишком пристальное внимание к кислородным маскам может посеять тревогу среди пассажиров, и настаивало на самом поверхностном ознакомлении пассажиров с ними. Улыбающиеся стюардессы со скучающей или иронической миной нарочито небрежно демонстрировали, как пользоваться кислородной маской, и чей-то голос, явно торопясь поскорее покончить с этой ненужной процедурой, трещал тем временем по трансляции заученные фразы, как попугай:

— ...в случае крайне маловероятной неполадки... утвержденные правительством правила требуют, чтобы мы объяснили вам... О необходимости действовать в этом случае быстро не упоминалось вообще.

Все это приводило к тому, что пассажиры с таким же безразличием наблюдали демонстрацию кислородных масок, с каким обслуживающий персонал самолета ее проделывал. Какие-то чиновники-маньяки, размышляли пассажиры, придумали эти коробки у них над головой и эти нудные, из раза в раз повторяющиеся демонстрации с масками. (Зевок!) Им лишь бы изобрести что-нибудь похитрее, чтобы повысить подоходные налоги и оправдать все возрастающую дороговизну жизни. Так какого черта!..

И когда на регулярных рейсах над головой пассажира вдруг открывался люк и оттуда вываливалась кислородная маска, большинство с любопытством взирало на нее и даже не пыталось ее надеть. Примерно то же произошло и теперь — только на этот раз опасность была реальной.

Вернон Димирест увидел реакцию пассажиров и чуть не взревел от ярости, вспомнив о том, как он сам и другие пилоты тщетно пытались добиться, чтобы демонстрации с кислородными масками перестали носить полушутовской характер. Но не было времени ни предостеречь людей, ни хотя бы подумать о Гвен, которая, быть может, была уже мертва или умирала в нескольких шагах от него.

Сейчас необходимо было немедленно вернуться на свое место и помочь спасти самолет, если это еще возможно.

Вобрав в легкие кислород из маски, Димирест ринулся вперед.

В салоне туристского класса над каждым рядом кресел по обе стороны от прохода повисли четыре кислородные маски — три для пассажиров, занимающих кресла, и одна на всякий случай — для того, кто может оказаться в проходе. Одну из таких масок и схватил Димирест.

Но чтобы добраться до кабины, он должен был бросить эту маску и взять другую, переносную, с которой можно было бы передвигаться.

Два переносных кислородных баллона находились впереди, в сетке под потолком у входа в салон первого класса. Димирест знал, что если он доберется туда, то с помощью одного из баллонов сможет преодолеть расстояние до пилотской кабины.

Он продолжал продвигаться вперед, хватая одну кислородную маску за другой — из тех, что были свободны. Однако в одном из рядов впереди свободной маски не оказалось: три маски надели пассажиры — в том числе какая-то девочка-подросток, а четвертую та же девочка прижимала к лицу ребенка, лежавшего на коленях матери. Девочка, судя по всему, уже овладела положением и жестами показывала пассажирам, что надо делать. Димирест повернулся в другую сторону и увидел свободную маску: сделав последний глубокий вдох, он бросил свою маску и устремился к той, свободной. Прижав ее к лицу, он снова глубоко втянул в себя кислород. Он не прошел еще и половины туристского салона.

Он сделал еще рывок вперед и вдруг почувствовал, что самолет резко накренился на правый борт и начал падать.

Димирест замер на месте. Он понял, что сейчас уже ничего не может изменить. Дальнейшее зависело от двух обстоятельств: от того, насколько сильно поврежден самолет и насколько искусен окажется Энсон Хэррис, оставшийся один там, у штурвала.

Для тех, кто находился в пилотской кабине, все, что произошло за эти несколько секунд, явилось не меньшей неожиданностью, чем для всех остальных. С тех пор как Гвен Мейген с миссис Квонсетт, а следом за ними и Вернон Димирест покинули кабину, двое оставшихся членов экипажа — Энсон Хэррис и второй пилот Сай Джордан — понятия не имели о том, что происходило у них за спиной, в пассажирских салонах, пока самолет не тряхнуло взрывом, мгновенно вызвавшим разгерметизацию. Как и в пассажирских салонах, в кабине поднялось густое облако пыли, которая тотчас улетучилась, лишь только дверь сорвало с петель и унесло. И все, что не было прочно прикреплено, унеслось в вихре обломков. Под столиком борт-инженера надрывно загудел сигнал бедствия. Над креслами обоих пилотов вспыхнули ярко-желтые огни. И звуковые, и световые сигналы оповещали об одном — об опасном для жизни низком давлении воздуха.

А на смену облаку пыли в кабину вполз ледяной туман. Энсон Хэррис почувствовал мучительную боль в барабанных перепонках.

Но в это время он уже начал действовать — многолетний опыт и тренировка сделали свое.

На долгом и трудном пути к креслу командира воздушного корабля пилоты проводят долгие часы в упорных тренировках в учебных аудиториях и тренажерах, изучая теоретически и практически все непредвиденные тяжелые ситуации, которые могут возникнуть в воздухе как вследствие аварии, так и вследствие чисто психологических причин. Цель этих тренировок — воспитать в пилоте быструю и точную реакцию в любых неожиданных положениях.

Тренажеры имеются на всех крупных аэродромах всех рейсовых авиалиний.

Снаружи тренажер выглядит как нос самолета, отрубленный от всего остального фюзеляжа. Внутри он оборудован совершенно так же, как нормальная кабина экипажа.

Пилот проводит несколько часов в закрытом тренажере, в обстановке, полностью имитирующей дальний беспосадочный перелет. Когда дверь захлопывается, отрезая пилота от внешнего мира, ощущение возникает несколько жуткое; с абсолютной точностью воспроизводится и движение, и шум, пилот физически как бы ощущает себя в воздухе. Предусмотрено все для воспроизведения картины полета: перед лобовыми стеклами помещен экран, на котором возникают аэропорты и взлетно-посадочные полосы, то вырастающие, приближающиеся, то остающиеся позади, создавая впечатление приземления или взлета. Единственное отличие тренажера от кабины настоящего самолета лишь в том, что тренажер никогда не отрывается от земли.

Пилот в тренажере, так же как и в обычном полете, связан с диспетчерами по радио. В диспетчерской опытные операторы-инструкторы с пульта управления имитируют всю процедуру управления полетом в различных условиях. Оператор-инструктор может без предупреждения создавать для пилота крайне неблагоприятные условия, имитируя всевозможные аварийные ситуации, начиная от перебоев в работе двигателей и кончая пожаром, воздушным порывом, нехваткой горючего, повреждением электропроводки, взрывной разгерметизацией, выходом из строя приборов и прочими аварийными положениями. Даже столкновение в воздухе может быть имитировано. Иной раз тренажеры используются для того, чтобы пилот сумел задним числом разобраться в причинах аварии.

Иногда оператор-инструктор может создать для пилота несколько критических ситуаций одновременно, в результате чего пилот вылезает потом из тренажера совершенно измочаленный и взмокший от пота. Большинство пилотов тем не менее успешно проходят эти испытания, те же, кому это не удается, получают соответствующую пометку в своей служебной характеристике; им назначается новая проверка, и за их работой в дальнейшем ведется пристальное наблюдение. Проверки в тренажере проводятся систематически несколько раз в год на протяжении всего срока службы пилота, вплоть до его выхода на пенсию.

В результате этих тренировок при возникновении того или иного ЧП пилоты крупных рейсовых авиалиний точно знают, что им надлежит делать, не теряются и не тратят зря ни секунды драгоценного времени. Именно это наряду с некоторыми другими факторами и сделало рейсовые лайнеры наиболее безопасным средством передвижения за всю историю человечества. Вот почему и Энсон Хэррис мгновенно, автоматически, начал применять все необходимые меры для спасения самолета.

В процессе тренировки на разгерметизацию от членов экипажа требуют соблюдения одного основного правила: они прежде всего обязаны позаботиться о себе. Вернон Димирест выполнил это требование. Точно так же поступили Энсон Хэррис и Сай Джордан.

Прежде всего — кислород; им — даже раньше, чем пассажирам. А когда нормальная деятельность мозга будет обеспечена, можно уже принимать решения.

У каждого пилота на спинке кресла с наружной стороны висела кислородная маска, похожая на маску бейсбольного вратаря. Привычным, тысячу раз отработанным движением Хэррис сорвал с головы наушники и закинул руку за спину. Он дернул с такой силой, что отодрал держатель, и мгновенно натянул маску на голову. В маску, подсоединенную к цистерне с кислородом, вмонтирован микрофон. Для приема же Хэррис, после того как снял наушники, включил на большую громкость динамик над головой.

Сай Джордан, сидевший позади, молниеносно проделал то же самое.

В следующем автоматическом движении Энсона Хэрриса проявилась забота о пассажирах. В случаях разгерметизации система кислородного снабжения работала автоматически. Но из предосторожности — на случай, если она не сработает, — над головой у каждого из пилотов имелся выключатель. Он обеспечивал автоматический выброс кислородных масок пассажирам и подачу к ним кислорода. Хэррис щелкнул выключателем.

Затем правой рукой он взялся за секторы и уменьшил подачу топлива. Скорость снизилась.

Необходимо было снизить ее еще больше.

Слева от секторов находилась рукоятка воздушных тормозов. Хэррис до отказа взял рукоятку на себя. На обоих крыльях самолета поднялись спойлеры, создавая дополнительное сопротивление, способствуя уменьшению скорости.

Сай Джордан выключил сигнал тревоги.

До этого мгновения все действия производились автоматически. Теперь настало время решать, как быть дальше.

Прежде всего необходимо было снизить самолет, перебраться в те слои атмосферы, где человек может дышать. С двадцати восьми тысяч футов над землей самолет должен спуститься на три с половиной мили — там воздух не так разрежен и можно уже существовать без кислородной маски.

И вот перед Хэррисом встала дилемма: снижаться постепенно или пикировать?

Еще два года назад инструкция безоговорочно предписывала пилотам при разгерметизации в результате взрыва немедленно пикировать. Однако выполнение этой инструкции уже привело к тому, что один самолет разлетелся на куски, в то время как при медленном снижении, быть может, и удалось бы избежать катастрофы. Теперь пилотам было сказано: *сначала проверьте серьезность повреждений. Если самолет сильно поврежден, пикирование может привести к аварии, в таком случае снижайтесь медленно.*

Но и это было чревато опасностями. И Энсон Хэррис сразу понял, чем грозит им медленное снижение.

В фюзеляже, несомненно, образовалась пробоина. Это доказывала внезапная разгерметизация; только что прогремевший — меньше минуты назад — взрыв мог произвести большие разрушения. При других обстоятельствах Хэррис немедленно послал бы Сая Джордана выяснить, насколько серьезны повреждения, но отсутствие в кабине командира корабля предписывало бортмеханику оставаться на месте.

Однако независимо от величины повреждений одно было неоспоримо, и, быть может, наиболее важно. Температура окружающей среды приближалась к пятидесяти градусам ниже нуля. Судя по парализующему холоду, который ощущал Хэррис, температура в самолете упала примерно до такого же уровня. При подобной температуре и при отсутствии специальной одежды продолжительность жизни для любого человека измерялась минутами.

Каков же выбор: погибнуть от холода или рискнуть и спикировать?

Приняв решение, правильность которого могло подтвердить или опровергнуть только будущее, Энсон Хэррис крикнул в микрофон Саю Джордану:

— Предупредите КДП! Мы пикируем.

И тут же резко положил самолет в правый крен, одновременно переведя рычаг шасси вниз, на выпуск. Вираж перед пикированием преследовал двойную цель: пассажиры и стюардессы, стоявшие или не успевшие пристегнуться, будут удержаны на месте центробежной силой, в то время как при прямом пикировании их подбросило бы к потолку. И второе: вираж уведет самолет в сторону от трассы, и, надо надеяться, от других воздушных кораблей, следующих тем же курсом, но ниже.

Выпущенное же шасси должно еще больше затормозить самолет и позволить ему круче спикировать.

Из репродуктора у себя над головой Хэррис услышал голос Сая Джордана, монотонно оповещавшего о бедствии:

— Майский день, майский день, говорит «Транс-Америка», рейс два. Разгерметизация от взрыва. Мы пикируем, пикируем!

Хэррис резко отдал штурвал и крикнул в микрофон:

— Проси десять!

— Прошу дать эшелон десять тысяч футов, — передал в эфир Сай Джордан.

Энсон Хэррис переключил радар на семьдесят семь — радарный SOS. Теперь там, на земле, на экранах всех радаров вспыхнет «двуцветка» — сигнал, не оставляющий сомнения в том, что самолет терпит бедствие, и точно указывающий, где именно.

Самолет пикировал, обезумевший альтиметр раскручивался, как часы со сломанным анкером. Двадцать шесть тысяч футов... двадцать четыре... двадцать три... Вариометр показывал спуск восемь тысяч футов в минуту... Сверху, из динамика, раздался голос диспетчера Торонтского центра:

— Все эшелоны ниже вас свободны. Как только сможете, сообщите ваши намерения. Держитесь, мы с вами...

Хэррис, выведя самолет из виража, круто пикировал; предпринимать что-либо против холода не было времени. Если они успеют достаточно быстро спуститься, люди могут выжить...

Лишь бы самолет не рассыпался... Хэррис уже заметил, что тяги руля высоты и руля направления неисправны: руль направления заедало... Двадцать тысяч... девятнадцать... Судя по поведению самолета, взрывом была повреждена хвостовая часть; насколько сильно — станет ясно, когда он будет выводить машину из пике. В этот момент все решится. Если повреждение серьезно, самолет не выйдет из пике, и тогда... Хэррису сейчас очень не хватало соседа справа, но пересаживать туда Сая Джордана было уже поздно. И, кроме того, бортмеханику надлежало быть на своем месте — закрывать воздушные клапаны, обеспечивая максимальный обогрев салонов, проверять, нет ли повреждений в системе питания и в пожарной сигнализации... Восемнадцать тысяч футов... семнадцать... На четырнадцати тысячах, решил Хэррис, он начнет выходить из пике, с тем чтобы на десяти тысячах перейти на горизонтальный полет... Пятнадцать тысяч... четырнадцать... Ну вот теперь — попробуем!

Тяжело, с трудом, но самолет все же подчинился управлению... Хэррис с силой тянул на себя штурвал. Нос самолета начал подниматься, система управления сработала, самолет выходил из пике. Двенадцать тысяч футов — теперь они уже снижались медленнее. Одиннадцать тысяч... десять с половиной... десять!

Самолет вышел из пике! Пока что все прошло благополучно. На этой высоте уже можно было нормально дышать, дополнительного кислорода не требовалось. Термометр показывал минус пять градусов — все еще холодно, конечно, но уже не тот убийственный холод, как там, на высоте.

Весь их спуск продолжался две с половиной минуты.

Динамик над головой снова ожил:

— «Транс-Америка», рейс два, говорит Торонтский центр. Как у вас дела?

Сай Джордан подтвердил прием. В разговор включился Энсон Хэррис:

— Вышли из пике на десяти тысячах, возвращаемся на курс два-семь-ноль. Взрывом поврежден фюзеляж, степень повреждения не выяснена. Запрашиваем погоду, трассу Торонто — Детройт — аэропорт Линкольна. — Перед мысленным взором Хэрриса промелькнули аэропорты — достаточно крупные для «Боинга-707» по своим наземным возможностям, отвечающие требованиям, обеспечивающие необходимые условия для посадки.

Вернон Димирест, перешагнув через сорванную с петель дверь и кучу еще каких-то обломков, быстро вошел в кабину и опустился на кресло справа.

— Нам не хватало вас, — сказал Энсон Хэррис.

— Машина слушается управления?

Хэррис утвердительно кивнул.

— Если не отвалится хвост, мы еще можем выкарабкаться из этой передряги. — Он добавил, что руль направления заедает. — Кто-то из пассажиров решил устроить небольшой фейерверк?

— Вроде того. И пробил в самолете довольно-таки большую дыру. Забыл измерить.

Их беспечно-небрежный тон был лишь маской, и оба это понимали. Хэррис все еще продолжал выравнивать самолет, удерживая его на постоянной высоте и на курсе. Он сказал, желая приободрить коллегу:

— План у вас был отличный, Вернон. Все могло бы пройти как по маслу.

— Могло бы, но не прошло. — Димирест повернулся ко второму пилоту. — Ступайте в туристский салон. Осмотрите повреждения и доложите по внутреннему телефону. Потом помогите, чем сможете, людям. Нам надо знать, много ли пострадавших и насколько серьезно. — И только тут впервые Вернон Димирест позволил себе сформулировать ту мысль, которая подсознательно жгла его мозг. — И выясните, что там с Гвен.

С Торонтского центра начали поступать сведения, которые запросил Энсон Хэррис: аэропорт Торонто все еще закрыт — все взлетно-посадочные полосы заметены снегом. В детройтском аэропорту все взлетно-посадочные полосы закрыты для регулярных рейсов, но в случае крайней нужды и экстренной посадки снегоуборочные машины могут расчистить полосу три, левую. На полосе — пять-шесть дюймов снега, под ним — лед. Видимость в Детройте — шестьсот футов и перемежающийся шквальный снегопад. В аэропорту Линкольна все взлетно-посадочные полосы расчищены и могут быть использованы, кроме полосы три-ноль, которая заблокирована и потому временно закрыта. Видимость — одна миля, ветер северо-западный, порывистый, тридцать узлов в час.

Энсон Хэррис сказал Димиресту:

— Я не намерен выливать горючее.

Димирест понял ход мыслей Хэрриса и утвердительно кивнул. Даже если им удастся довести самолет до аэропорта, посадка неизбежно будет трудной и опасной из-за большого запаса горючего, которое они должны были израсходовать в полете до Рима. Тем не менее при наличии повреждения выливать горючее еще рискованнее. В результате взрыва и поломок в хвосте могло возникнуть короткое замыкание или трение металла о металл, вызывающее искры. При сливе горючего в полете одной искры будет достаточно, чтобы лайнер превратился в пылающий жертвенный костер. Оба пилота рассуждали так: лучше не рисковать в воздухе и пойти на тяжелую посадку.

Однако по тем же соображениям посадку в Детройте — ближайшем крупном аэропорту — можно было производить лишь в самом крайнем случае. При большом весе самолет приземлится на повышенной скорости. Нужна длинная посадочная полоса, чтобы за время пробежки успеть затормозить. А полоса три, левая — самая длинная в Детройтском городском аэропорту, — покрыта снегом и обледенела, условия — хуже не придумаешь.

Было и еще одно обстоятельство: где бы ни совершил посадку поврежденный самолет, нельзя было предугадать, в какой мере он будет управляем при неисправности руля направления — а то, что он неисправен, пилоты знали, хотя не знали, насколько.

Наиболее безопасные условия посадки мог предложить только аэропорт Линкольна. Но до него оставался еще по меньшей мере час лета. Они летели теперь со скоростью двести пятьдесят узлов, то есть значительно медленнее, чем на большой высоте, и Энсон Хэррис продолжал снижать скорость, чтобы не усугублять повреждений. К несчастью; и это не облегчало их положения. На десяти тысячах футов самолет начало трясти и появилась вибрация в хвостовой части. На этой высоте все еще бушевала снежная буря, для которой в более высоких слоях атмосферы самолет был недосягаем.

Таким образом, основным и решающим был сейчас вопрос: смогут ли они продержаться в воздухе еще час?

Трудно было поверить, но с момента взрыва и начала разгерметизации прошло меньше пяти минут.

А тем временем воздушный диспетчер запрашивал снова:

— «Транс-Америка», рейс два, сообщите ваши намерения.

Вернон Димирест ответил, запросил курс на Детройт и добавил, что размеры повреждений еще уточняются. А где они будут садиться — в Детройте или где-либо еще, — он сообщит через несколько минут.

— «Транс-Америка», рейс два, вас понял. Детройт освобождает от снегоуборочных машин полосу три, левую. Впредь до дальнейших указаний там будут готовиться к экстренной посадке.

Звякнул телефон внутренней связи. Говорил Сай Джордан, стараясь перекричать рев ветра:

— Капитан, здесь большая пробоина, примерно в шесть футов, позади задней двери. Кухня, туалеты и все вокруг завалено обломками, но, насколько я могу судить, машина пока не рассыпается. Бустер оторвало к черту, но тросы управления как будто в порядке.

— А плоскости оперения как? Видно вам что-нибудь?

— Похоже, сорвало обшивку, она попала на стабилизатор, и его заклинило. Помимо этого, я вижу снаружи несколько дыр и вмятин, — по-моему, от обломков. Но так вроде ничего не болтается — по крайней мере на виду. Основная сила взрыва, должно быть, пошла вбок.

Этого-то и не предусмотрел Герреро. Он с самого начала ошибся в расчетах. Его и тут постигла неудача.

Он не учел — и в этом заключался его главный просчет, — что, как только фюзеляж будет пробит, взрывная волна устремится наружу и разреженная атмосфера сразу ослабит силу взрыва. Кроме того, он не знал, как прочно сконструирован современный воздушный лайнер, и в этом был его второй просчет. В пассажирском лайнере предусмотрено такое дублирование всех систем, при котором повреждение одной из них не может вывести из строя всю систему управления. Лайнер может быть уничтожен бомбой, но лишь в том случае, если взрывом — случайно или преднамеренно — будут выведены из строя все наиболее важные его узлы. Всего этого и не учел Герреро.

— Сможем мы продержаться в воздухе еще час? — спросил Димирест Сая Джордана.

— Самолет, мне кажется, выдержит. Насчет пассажиров — не уверен.

— Пострадавших много?

— Трудно сказать. Я прежде всего обследовал, как вы велели, повреждения. Пока что веселого мало.

Димирест распорядился:

— Оставайтесь там сколько потребуется. Сделайте все, что в ваших силах. — Он помедлил, не решаясь задать следующий вопрос, страшась возможного ответа; потом все же спросил: — Гвен не попадалась вам на глаза? — Он ведь до сих пор ничего не знал о судьбе Гвен; ее могло унести за борт взрывной волной. Такие случаи бывали, и даже если этого не произошло, Гвен так или иначе находилась ближе всех к месту взрыва.

— Гвен тут, но, признаться, в тяжелом состоянии, — ответил Сай Джордан. — На борту оказалось трое врачей, и они занимаются ею и остальными ранеными. Я сообщу, как только что-нибудь прояснится.

Вернон Димирест повесил трубку. Хотя он и позволил себе задать мучивший его вопрос, однако по-прежнему старался гнать прочь все сугубо личные мысли и чувства. Все это потом. Сейчас надо принимать решения, спасать самолет, экипаж, пассажиров. Он коротко пересказал Энсону Хэррису сообщение второго пилота.

Хэррис размышлял, взвешивая все «за» и «против». Вернон Димирест не проявлял желания взять на себя управление самолетом и, по-видимому, одобрял его действия. Даже сейчас он предоставлял Хэррису самому решать вопрос о посадке.

Несмотря на критическую ситуацию, капитан Димирест вел себя так, как положено пилоту-контролеру.

— Попробуем дотянуть до Линкольна, — сказал Хэррис. — Главное — спасти самолет; что же до пассажиров, то в каком бы тяжелом положении они ни находились, остается надеяться, что они выдержат перелет.

Димирест кивнул в знак согласия, вызвал КДП Торонто и сообщил о принятом решении. Еще несколько минут — и заботу о них возьмет на себя Кливленд. Димирест попросил, чтобы аэропорт Детройта на всякий случай был готов принять их самолет, хотя намерения у них вряд ли изменятся. И пусть предупредят международный аэропорт Линкольна о том, что самолет, выполняющий рейс два, потребует аварийной посадки.

— «Транс-Америка», рейс два, вас понял. Детройт и Линкольн оповещаются.

После этого самолет несколько изменил курс. Они приближались к западному берегу озера Гурон, недалеко от границы между США и Канадой.

Оба пилота знали, что там, на земле, все внимание теперь сосредоточено на их самолете. Диспетчеры и старшие по смене в соответствующих центрах наблюдения за воздухом напряженно работают, согласовывая свои действия, убирая все машины с их пути. Центры передают их самолет друг другу и расчищают ему путь следования. Любое требование, поступившее с рейса два, будет мгновенно выполнено.

Когда они пересекали границу, диспетчер Торонтского центра, расставаясь с ними, радировал:

— Счастливого пути, желаю успеха.

А через несколько секунд их позывные принимал уже Кливленд.

Когда Димирест бросал взгляд назад, в дверной проем, он различал в неясном полумраке пассажирского салона какие-то движущиеся фигуры. (Сай Джордан, как только сорвало дверь, уменьшил свет в салоне первого класса, чтобы он не бил в кабину.) По-видимому, кто-то пересаживал пассажиров вперед, ближе к носу самолета, скорее всего это был Сай Джордан, и Димирест с минуты на минуту ждал от него сообщения. В самолете, даже в кабине, все еще было нестерпимо холодно, а в салонах, разумеется, того холоднее. Снова промелькнула мучительная мысль о Гвен, но Димирест тут же безжалостно прогнал ее и заставил себя сосредоточиться на том, что предпринять дальше.

Смелое решение продержаться в воздухе еще час было принято всего несколько минут назад, однако уже пора было планировать вход в зону аэропорта имени Линкольна и посадку там. Самолет продолжал вести Энсон Хэррис. Вернон Димирест достал карты зоны наблюдения и взлетно-посадочных полос аэродрома и разложил их на коленях.

Международный аэропорт имени Линкольна был воздушной базой и родным домом обоих пилотов, и они как свои пять пальцев знали его воздушную зону и все взлетно-посадочные полосы. Однако опыт и требования безопасности обязывали их не полагаться на память и проверять себя.

Карты подтвердили то, что было им хорошо известно. Такая посадка, как у них — с большим грузом и на большой скорости, — требовала самой длинной полосы. А неисправность руля поворотов требовала, чтобы эта полоса была и максимально широкой. При этом следовало учитывать направление и силу ветра, а ветер, согласно метеосводке из Линкольна, был северо-западный, порывистый, тридцать узлов. Только одна полоса — три-ноль — отвечала всем требованиям.

— Нам нужна три-ноль, — сказал Димирест.

— В последнем сообщении говорилось, что эта полоса временно закрыта, там какой-то затор, — заметил Хэррис.

— Я это слышал, — сердито буркнул Димирест. — Она уже черт знает сколько часов закрыта, и все потому, что там застрял мексиканский лайнер. — Он свернул карту зоны наблюдения и прикрепил ее к штурвалу. — Затор, черт бы их побрал! — выбранился он в сердцах. — У них есть еще пятьдесят минут, чтобы от него избавиться!

Он нажал кнопку микрофона, собираясь передать сообщение на КДП, и в этот момент Сай Джордан, бледный как смерть, потрясенный всем виденным, вошел в кабину.

11

Адвокат Фримантл был озадачен.

«Как это понять? — недоумевал он. — Никто из администрации аэропорта не обращает внимания на то, что толпа недовольных жителей Медоувуда заполнила добрую половину главного зала ожидания и шумит все больше и больше».

Когда Эллиот Фримантл несколько часов назад обратился к негру, лейтенанту полиции, и попросил у него разрешения провести в зале митинг протеста, ему было самым решительным образом отказано. Однако вот они собрались, а вокруг них — еще целая толпа зевак, и что же? Ни один полицейский даже носа сюда не кажет!

«Это просто загадочно!» — думал Фримантл.

Чем это объяснялось, он, конечно, не мог знать.

После встречи с управляющим аэропортом делегация медоувудцев во главе с Эллиотом Фримантлом спустилась из административного крыла здания в главный зал ожидания. Здесь ребята с телевидения, с которыми Фримантл договорился заранее, уже установили свою аппаратуру.

Медоувудцы — их к тому времени набралось человек пятьсот, не меньше, и новые продолжали прибывать — толпились вокруг.

Один из съемочной бригады сказал:

— Мы к вашим услугам, если вы готовы, мистер Фримантл.

Телевизионных съемочных бригад прибыло две — каждая с намерением получить интервью для завтрашней передачи. Фримантл, стреляный воробей, тотчас осведомился, по каким каналам они будут передаваться, и приготовился вести себя соответственно вкусам определенных категорий телезрителей. Первое интервью, как он выяснил, пойдет по первому каналу, весьма популярному, рассчитанному на зрителей, которым подавай горячие споры, стычки, даже эксцентричные выходки. Фримантл был вполне готов подладиться под их вкусы.

Репортер телевидения, красивый молодой человек с модной стрижкой, спросил:

— Мистер Фримантл, почему вы пришли сюда?

— Потому что этот аэропорт — разбойничий притон.

— Вы можете пояснить ваши слова?

— Разумеется. Жители Медоувуда регулярно подвергаются грабежу. У них крадут их покой, их право на уединение, их трудом заработанный отдых и, наконец, их сон. Их обкрадывают, отнимая у них радость досуга; обкрадывают, подрывая их физические и психические силы, их здоровье, а также здоровье и благополучие их детей. Все эти исконные права человека — права, гарантируемые нашей конституцией, — бесстыдно попираются управлением аэропорта имени Линкольна без всякой компенсации.

Репортер осклабился, обнажив два ряда безупречных белых зубов.

— Это смелые слова, господин адвокат.

— А мы — я и мои клиенты — не побоимся и подраться.

— Это желание зародилось у вас после того, как здесь произошли какие-нибудь события?

— Вот именно, сэр. После того, как управление аэропорта продемонстрировало свое бездушное отношение к судьбе моих клиентов.

— Что же вы намерены предпринять?

— В суде — и, если потребуется, то в самой высокой судебной инстанции — мы будем добиваться закрытия некоторых взлетных полос, а на ночное время — и всего аэропорта. В Европе, где цивилизация достигла в этом отношении более высокого уровня, чем у нас, в парижском аэропорту, к примеру, введено запрещенное для полетов время. Если же мы не сможем этого добиться, то потребуем соответствующей компенсации в пользу домовладельцев, которым наносится тяжелый ущерб.

— Насколько я понимаю, ваши действия в настоящий момент имеют целью получить общественную поддержку?

— Да, сэр.

— Вы полагаете, что общественность поддержит вас?

— В противном случае я предложу тем, кто с нами не согласен, провести сутки в Медоувуде, если, конечно, их барабанные перепонки и психика выдержат это испытание.

— Но в аэропортах, безусловно, выработана определенная система мероприятий для снижения шума, не так ли, господин адвокат?

— Надувательство, сэр! Шарлатанство! Обман общественного мнения! Управляющий этим аэропортом сам признался сегодня, что даже эти жалкие меры для так называемого снижения шума и то не соблюдаются.

И так далее и все в таком же духе.

Впоследствии Эллиот Фримантл задавал себе вопрос: не следовало ли, говоря о признании, сделанном Бейкерсфелдом, упомянуть — в соответствии с его заявлением — об особых погодных условиях, создавшихся сегодня вследствие бурана? Однако без этого упоминания его слова прозвучали сильнее, а если в них и была полуправда, то едва ли его станут притягивать за это к ответу. Так или иначе, и в первом интервью, и во втором ему удалось произвести впечатление на своих слушателей. И камера несколько раз запечатлела взволнованные, напряженные лица присутствовавших при этом интервью медоувудцев. Эллиот Фримантл очень рассчитывал на то, что позже, увидев себя на экранах телевизоров, они с благодарностью вспомнят того, чьими стараниями было достигнуто оказанное им столь большое внимание.

Он был немало удивлен числом жителей Медоувуда, последовавших за ним — словно за Дудочником из поэмы Браунинга — в аэропорт. На митинг в медоувудской воскресной школе собралось, по самым грубым подсчетам, человек шестьсот. Фримантл полагал, что ввиду позднего часа и плохой погоды будет совсем неплохо, если до аэропорта доберется хотя бы половина этих людей. Однако не только почти все присутствовавшие в школе пришли сюда, но кое-кто из них, должно быть, позвонил по телефону своим друзьям и соседям, и те присоединились к ним. А некоторые даже выразили желание, чтобы он представлял их интересы в суде, и попросили дать им бланки, которые он с немалым удовольствием тут же роздал. Заново произведя в уме кое-какие несложные подсчеты, Фримантл увидел, что его первоначальные надежды на сумму гонорара в двадцать пять тысяч долларов могут сбыться даже с лихвой.

Когда с телевизионными интервью было покончено, репортер из «Трибюн» Томлинсон, успевший записать кое-что во время съемок, спросил:

— Что вы думаете предпринять дальше, мистер Фримантл? Вы хотите провести здесь своего рода демонстрацию?

Фримантл покачал головой:

— К сожалению, свобода слова не в почете у администрации аэропорта, и нам было отказано в элементарной просьбе — мы просили разрешения созвать здесь небольшой митинг. Тем не менее я намерен сказать несколько слов этим дамам и господам.

И Фримантл указал на заполнявших зал медоувудцев.

— Разве это не то же самое, что митинг?

— Нет, не то же самое.

Однако, думал про себя Эллиот Фримантл, и это неплохо, тем более что он твердо решил устроить публичную демонстрацию, если это ему удастся. Он намеревался выступить с яростными нападками на администрацию аэропорта в расчете на то, что местная полиция прикажет ему заткнуться. Фримантл не собирался оказывать полиции сопротивление и попадать под арест. Вполне достаточно будет, если полиция прервет его выступление — желательно в разгар красноречия — и тем самым сделает его в глазах медоувудцев этаким мучеником, борцом за правду, а заодно даст неплохую пищу завтрашним газетам. (Утренние газеты, вероятно, уже печатают интервью с ним о положении в Медоувуде, редакторы же вечерних выпусков будут благодарны за новые сообщения.)

А главное — медоувудские домовладельцы получали еще одно подтверждение тому, что в его лице они приобрели умелого адвоката и энергичного вожака, который не зря будет получать свой гонорар. Можно предположить, что первые чеки начнут поступать уже послезавтра.

— Мы решили — надо открывать здесь митинг, — сказал ему Флойд Занетта, председатель митинга в Медоувуде.

Пока Фримантл давал интервью репортеру «Трибюн», кто-то из медоувудцев торопливо приладил портативную усилительную установку, привезенную из воскресной школы, и Фримантлу сунули в руки микрофон. Обращаясь к толпе, он начал вещать:

— Друзья мои, мы пришли сюда сегодня с конструктивными предложениями, настроенные на деловой разговор. Мы надеялись поделиться своими соображениями с управлением аэропорта, считая, что наши проблемы достаточно насущно важны и неотложны, чтобы привлечь к себе пристальное и сочувственное внимание. Отстаивая ваши интересы, я попытался настойчиво и твердо, однако в рамках практически осуществимого, изложить эти предложения. Я надеялся, что в результате такого собеседования получу возможность передать вам обещание, что ваше положение будет облегчено, или — на худой конец — хотя бы выражение сочувствия и понимания. С огорчением должен сообщить вам, что ваши представители рассчитывали на это напрасно. Мы встретили здесь только враждебность, оскорбления и бесстыдно циничное утверждение, что в ближайшем будущем шум, сотрясающий ваши жилища, должен еще возрасти.

Раздались возмущенные крики. Фримантл поднял руку.

— Да, поверить трудно, но спросите тех, кто был там вместе со мной. Пусть они вам расскажут. — Он ткнул пальцем в стоявших возле. — Говорил нам управляющий аэропортом, что дальше будет еще хуже?

Сначала несколько нерешительно, а потом все более уверенно кое-кто из членов депутации закивал головой.

Ловко исказив честное признание, сделанное Мелом Бейкерсфелдом, Эллиот Фримантл продолжал:

— Я вижу здесь, помимо моих медоувудских друзей и клиентов, еще и других лиц, заинтересовавшихся, по-видимому, нашими проблемами. Мы вполне понимаем их интерес. Поэтому позвольте мне вкратце информировать... — И он продолжал ораторствовать в обычном для него трескучем стиле.

Толпа, довольно внушительная с самого начала, теперь заметно увеличилась и продолжала расти. Пассажиры, направлявшиеся к выходам на летное поле, пробивались сквозь нее с трудом. Шум толпы заглушал объявления о прибывающих и отлетающих самолетах. Кое-кто из медоувудцев поднял над головой наспех нацарапанные плакаты:

ЛАЙНЕРЫ БЕСЧИНСТВУЮТ НАД МЕДОУВУДОМ!..
НАРОД ИЛИ САМОЛЕТЫ?..
ПОКОНЧИМ С ПРОКЛЯТЫМ ШУМОМ!..
МЕДОУВУД ТОЖЕ ПЛАТИТ НАЛОГИ...
К СУДУ АЭРОПОРТ ЛИНКОЛЬНА!

Как только Фримантл умолкал, крики и шум возрастали. Седовласый мужчина в спортивной куртке орал во всю мочь:

— Дадим-ка этим аэропортовским заправилам почувствовать шум на собственной шкуре!

410

Его слова вызвали рев одобрения.

«Интервью» Фримантла явно перерастало в демонстрацию. Теперь с минуты на минуту, по его расчетам, в дело должна была вмешаться полиция.

Однако адвокат Фримантл находился в полной неизвестности о том, что в то время как в главном зале заработали телекамеры и стала расти толпа, в управлении аэропорта возникла тревога по поводу возможности взрыва на «Золотом Аргосе», и вскоре все полицейские аэровокзала устремились на розыски Инес Герреро, и демонстрация медоувудцев не привлекла к себе внимания.

И даже после того, как Инес Герреро удалось разыскать, лейтенант Ордвей все еще находился на чрезвычайном совещании в кабинете Мела Бейкерсфелда.

Прошло еще минут пятнадцать, и Эллиота Фримантла охватило беспокойство. Хотя митинг и выглядел довольно внушительно, однако если власти не начнут его разгонять, заряд, можно сказать, пропал даром. Куда же, черт подери, думал Фримантл, подевалась вся полиция, почему она не исполняет своих обязанностей?

Наконец на лестнице административного этажа появились лейтенант Ордвей и Мел Бейкерсфелд и стали спускаться вниз.

Минуту назад все, кто находился в кабинете Мела, разошлись по своим делам. После того как Инес Герреро допросили, а «Золотому Аргосу» отправили вторую радиограмму с предостережением, оставаться здесь было бессмысленно. Таня Ливингстон, управляющий перевозками и старший пилот «Транс-Америки» разошлись по своим служебным помещениям и стали с тревогой ждать новых известий, и все остальные — за исключением Инес Герреро, которую передали для дальнейшего опроса агентам городской полиции, — тоже вернулись к своим непосредственным обязанностям. Таня пообещала таможенному инспектору Стэндишу, чрезвычайно обеспокоенному судьбой своей племянницы, тотчас сообщить ему, как только поступят какие-нибудь новые сведения с борта самолета.

Мел вышел из кабинета вместе с Недом Ордвеем, еще не решив для себя, где он будет нести эту ночную вахту.

Первым толпу медоувудцев и прежде всего Эллиота Фримантла заметил Нед Ордвей.

— Опять этот чертов адвокат! Я же сказал ему: никаких демонстраций! — И Нед быстро направился к собравшимся в зале ожидания. — Ну я их живо разгоню.

Мел, спеша за ним следом, предупредил:

— Возможно, он именно на это и рассчитывает — хочет стать в их глазах героем.

Они подошли ближе — Ордвей плечами прокладывал путь в толпе — и услышали, как Эллиот Фримантл вещает:

— Невзирая на заверения управляющего аэропортом, который принимал нас не далее как сегодня вечером, огромные тяжелые машины с душераздирающим ревом продолжают взлетать даже в столь поздний час. Даже в эту самую минуту...

— А ну прекратите, — без церемоний заявил Нед Ордвей. — Я ведь предупреждал вас, чтоб вы не устраивали здесь демонстраций.

— Позвольте, лейтенант, уверяю вас, что это вовсе не демонстрация. — Фримантл по-прежнему говорил в микрофон, и его слова были слышны во всех уголках зала. — Просто я обещал после беседы с администрацией вашего аэропорта — беседы, должен признаться, совершенно не удовлетворившей меня, — сказать несколько слов для телевидения, а затем отчитаться перед собравшимися здесь людьми...

— Отчитывайтесь в другом месте! — Ордвей повернулся к нему спиной и обратился к тем, кто стоял ближе: — Давайте, давайте расходитесь!

В толпе сердито зашумели, лица стали злыми, враждебными. Ордвей снова повернулся к Фримантлу, и в этот момент защелкали фотоаппараты, вспыхнули потушенные было прожекторы, услужливо высвечивая для телекамер два лица, и Эллиот Фримантл подумал: наконец-то все пошло как надо.

Стоя несколько в стороне, Мел Бейкерсфелд разговаривал с одним из сотрудников телевизионной компании и Томлинсоном из «Трибюн». Репортер начал проглядывать свои заметки и, перевернув страницу блокнота, прочел какую-то запись вслух. Лицо Бейкерсфелда гневно вспыхнуло.

— Я весьма уважаю вас, лейтенант, и исполнен такого же глубокого уважения к мундиру, который вы носите, — говорил тем временем Эллиот Фримантл, обращаясь к Ордвею. — Тем не менее должен заметить, что мы уже пробовали провести сегодня митинг в другом месте — у нас в Медоувуде, — но из-за шума, который создает ваш аэропорт, мы не слышали самих себя.

— Я здесь не для того, чтобы вступать с вами в споры, мистер Фримантл, — оборвал его Ордвей. — Если вы не подчинитесь, я вас арестую. Приказываю вам увести отсюда этих людей.

Из толпы кто-то крикнул:

— А если мы не уйдем, тогда что?

— Стойте здесь, и все! Всех не арестуют! — крикнул кто-то другой.

— Ни в коем случае! — Эллиот Фримантл, исполненный сознания своей правоты, поднял руку вверх. — Прошу вас, выслушайте меня! Мы не позволим себе никаких непорядков и неповиновения закону. Друзья мои и подопечные! Этот лейтенант полиции приказал нам разойтись и покинуть здание. Мы подчинимся его приказу. Мы имеем основание рассматривать это как грубое посягательство на свободу слова... — Ликующие возгласы в толпе. — Однако никто не посмеет сказать, что мы хоть на йоту нарушили закон. — И уже более деловым тоном он добавил: — Заявление для прессы я сделаю вне стен этого здания.

— Одну минуту... — Голос Мела Бейкерсфелда прозвучал громко и резко. Мел прокладывал себе путь сквозь толпу. — Я позволю себе поинтересоваться, Фримантл, какого рода заявление собираетесь вы делать представителям прессы. Будет ли это еще одна попытка подтасовать факты? Или еще одна порция предвзято подобранных судебных решений с целью дезинформировать и завлечь публику, которая плохо разбирается в этих делах? Или обыкновенный, старый как мир способ обмана путем прямых измышлений, в котором вы так понаторели?

Мел говорил громко, его слова отчетливо были слышны всем находившимся не слишком далеко. По толпе пробежал гул голосов. Многие направлявшиеся уже к выходу остановились, заинтересованные происходящим.

— Это злостное клеветническое утверждение! — по укоренившейся привычке воскликнул Эллиот Фримантл. Но тут же, почуяв опасность, пожал плечами: — Впрочем, я не желаю на это отвечать.

— Почему же? Если это клевета, вам ли не знать, как в таких случаях поступают? — Мел преградил адвокату дорогу. — Или вы боитесь, что клевета обернется правдой?

— Мне нечего бояться, мистер Бейкерсфелд. Этот полицейский только что объявил нам, что митинг закрыт. Так что, с вашего позволения...

— Мои слова относились только к вам, — сказал Ордвей. — А мистеру Бейкерсфелду я не указ. Он здесь хозяин. — Ордвей придвинулся поблизе к Мелу. Теперь они вдвоем преграждали адвокату дорогу.

— Если бы вы правильно понимали свои обязанности полицейского, — возразил Фримантл, — то не стали бы делать между нами различия.

Мел неожиданно согласился с ним:

— Мне кажется, адвокат прав. — Ордвей с любопытством поглядел на Мела. — Вы действительно не должны делать между нами различия. И вместо того чтобы закрывать этот митинг, вы, надеюсь, предоставите мне такую же возможность поговорить с этими людьми, какой только что воспользовался мистер Фримантл. Если, конечно, вы правильно понимаете свои обязанности.

— Мне кажется, я их понял. — По темному лицу лейтенанта Ордвея, на голову возвышавшегося над всеми, скользнула усмешка. — Вы... и мистер Фримантл хорошо мне их разъяснили.

Мел с вежливой улыбкой обратился к Эллиоту Фримантлу:

— Вы видите, нам удалось склонить его на нашу сторону. И теперь, раз мы оба тут, попробуем кое-что прояснить. — Он протянул руку. — Дайте-ка мне микрофон.

Гнев, владевший Мелом, был сейчас не так очевиден, как несколько минут назад. Когда Томлинсон, репортер «Трибюн», рассказал ему, что лежало в основе интервью Фримантла для телевидения и о его последующих выступлениях, Мела это взбесило. И Томлинсон, и представитель телевидения попросили Мела прокомментировать эти высказывания, и он заверил их, что сделает это непременно.

— Ну нет! — Фримантл энергично затряс головой. Опасность, которая почудилась ему минуту назад, внезапно обрела вполне реальную, осязаемую форму. Он сегодня один раз уже недооценил этого человека — Бейкерсфелда, — и ему отнюдь не улыбалось повторить ошибку. Фримантлу для осуществления поставленных перед собой целей чрезвычайно важно было не выпустить собравшихся здесь медоувудцев из-под своего влияния, и единственное, чего он сейчас жаждал, это чтобы все они как можно скорее разошлись теперь по домам. — Уже вполне достаточно было сегодня говорено! — высокомерно заявил он. Отвернувшись от Мела, он протянул микрофон одному из медоувудцев: — Забирайте вашу аппаратуру, и пошли.

— Дайте-ка сюда, — сказал Нед Ордвей, перехватывая микрофон. — И ничего не трогайте. — Он кивком подозвал к себе полицейских, появившихся позади толпы. Полицейские начали проталкиваться вперед. Пока Фримантл беспомощно оглядывался по сторонам, Ордвей передал микрофон Мелу.

— Спасибо, — сказал Мел и повернулся к медоувудцам. Многие из них смотрели на него с явной враждебностью. Кое-кто из проходивших мимо останавливался послушать. В эту субботнюю ночь поток пассажиров в главном зале ожидания нисколько не редел, невзирая на то, что время уже перевалило за полночь. Вследствие задержек, происходивших с отправкой самолетов, такое положение, видимо, не могло измениться до утра. Оно осложнялось еще и тем, что в конце недели наплыв пассажиров, как правило, возрастал. Некоторый спад мог наступить лишь после того, как аэропорт начнет работать по графику. Если медоувудцы поставили себе одной из задач увеличить неразбериху и усилить недовольство пассажиров, думал Мел, то этой цели они достигли. Около тысячи людей попусту толпились в зале, и поток пассажиров с трудом прокладывал себе путь сквозь толпу, как сквозь живую плотину. Ясно было, что необходимо как можно быстрее разрядить обстановку.

— Я буду краток, — сказал Мел в микрофон и представился слушателям, назвав свое имя и должность. — Не далее как сегодня вечером я принял ваших представителей. Я объяснил им, какие трудности стоят перед управлением аэропорта, и заверил их, что мы понимаем ваше положение и сочувствуем вам. Я ждал, что сказанное мной будет передано вам — если и не от слова до слова, то, во всяком случае, хотя бы самое существенное. Однако я узнал, что вас обманули, передав мои слова в совершенно искаженном виде.

— Это ложь! — завопил Эллиот Фримантл. Лицо его пылало. Безукоризненно прилизанные волосы растрепались.

Лейтенант Ордвей крепко взял его за локоть:

— А ну потише! Вы сегодня уже имели возможность наговориться всласть!

Микрофон у Мела в руке был подключен к телеустановке. Мел продолжал говорить, и в лицо ему ударил луч юпитера.

— Мистер Фримантл обвинил меня во лжи. Сегодня он вообще не воздерживался от крепких выражений. — Мел заглянул в свой блокнот. — Мной отмечены: «враждебность», «наплевательство», «оскорбления», с которыми якобы столкнулись ваши представители при встрече со мной. Было также произнесено слово «грабеж». Далее меры, принимаемые для снижения шума, адвокат Фримантл охарактеризовал как «надувательство», «шарлатанство» и «обман общественного мнения». Ну так вот, сейчас вы сами рассудите, кто здесь лжет или вводит вас в обман.

Мел понял теперь, что совершил ошибку, разговаривая сегодня с небольшой группой представителей медоувудцев, а не со всеми собравшимися здесь. Он надеялся достичь понимания и вместе с тем избежать беспорядков, но его надежды не оправдались.

Однако он постарается достичь понимания хотя бы теперь.

— Позвольте мне сейчас разъяснить вам, какую позицию занимает управление аэропорта в вопросе снижения шума.

Вторично за этот день Мел рассказал о предписаниях, полученных всеми пилотами от их авиакомпаний. Затем он добавил:

— В обычных условиях мы требуем неукоснительного выполнения этих предписаний. Но в трудных погодных условиях, в такую, к примеру, пургу, как сегодня, на первый план выступает вопрос безопасности, и пилотам дается право действовать сообразно обстановке. Что же касается использования взлетно-посадочных полос, то при малейшей возможности мы стараемся избежать использования полосы два-пять для взлета, дабы самолеты не поднимались над Медоувудом. Однако в отдельных случаях — в том числе и сегодня — приходится все же этой полосой пользоваться, поскольку полоса три-ноль не функционирует.

— Мы делаем для вас все, что в наших силах, — утверждал Мел, — и мы отнюдь не безразличны к вашим неудобствам, как это пытались тут изобразить. Но мы существуем для того, чтобы обеспечить воздушный транспорт. Мы не можем уклоняться от выполнения своих основных задач и в первую очередь должны нести ответственность за безопасность пассажиров и воздушных судов.

Слушатели явно были все еще настроены враждебно, но вместе с тем начинали проявлять интерес.

Последнее не укрылось от Эллиота Фримантла, злобно пожиравшего Мела глазами.

— Насколько мне известно, — сказал Мел, — мистер Фримантл не счел нужным изложить вам суть тех разъяснений, которые я давал вашей депутации по поводу производимого аэропортом шума. Никакого, — он снова заглянул в блокнот, — «бесстыдного цинизма» не содержалось в моих словах. Была лишь попытка говорить честно и с полной откровенностью. Теперь я намерен быть столь же откровенным здесь, с вами.

И Мел снова с полной откровенностью признал, что надеяться на большие успехи в области снижения шума нет оснований. Когда он сказал, что с введением в эксплуатацию само летов с новым типом двигателя шум неизбежно должен еще возрасти, лица медоувудцев помрачнели. Но вместе с тем Мел уловил и одобрение — слушатели оценили его объективность и откровенность. Раздалось несколько взволнованных восклицаний, но в основном Мела не прерывали, и слова его были отчетливо слышны на фоне шума аэровокзала.

— Беседуя с вашими представителями, я не упомянул двух обстоятельств, теперь я сделаю и это. — Голос Мела зазвучал жестче. — Боюсь, что вам это может не понравиться. Двенадцать лет тому назад вашего городка не существовало. На этом месте был пустырь — клочок никчемной земли, ценность которого значительно возросла после того, как здесь заложили аэропорт. В этом отношении ваш Медоувуд ничем не отличается от тысячи других городков, которые словно грибы после дождя вырастают вокруг всех аэропортов мира.

— Когда мы тут поселились, никто не знал, что от ваших самолетов будет такой адский шум! — крикнула из толпы какая-то женщина.

— Но мы это знали! — Мел повернулся к женщине. — Руководство аэропорта знало, что будут выпущены новые сверхмощные лайнеры, знало, какой они будут производить шум, и мы предупреждали об этом отдельных лиц и действующие в этом районе комиссии и уговаривали их не строить здесь домов. Я еще не работал тогда в аэропорту, но в нашем архиве сохранились фотографии и протоколы. Аэропорт расставил вокруг стенды — как раз там, где сейчас расположен ваш городок:

САМОЛЕТЫ БУДУТ ВЗЛЕТАТЬ И ИДТИ НА ПОСАДКУ НАД ЭТИМ УЧАСТКОМ.

Другие аэропорты делали то же самое. И повсюду торговцы и агенты по продаже земельных участков срывали эти объявления. Потом продавали участки и дома таким же вот людям, как вы, а насчет шума и насчет того, как будет расти аэропорт, помалкивали, хотя обычно были об этом хорошо осведомлены, так что, насколько я понимаю, эти дельцы перехитрили и вас, и нас.

Теперь выкриков из толпы уже не было, и Мел увидел перед собой море встревоженных лиц; он понял, что его слова не пропали даром, и почувствовал острую жалость к этим людям. Перед ним были не противники, с которыми ему надлежало бороться, а простые, славные люди со своей невыдуманной бедой. И он был бы рад помочь им, как своим ближним.

Он заметил, что Эллиот Фримантл саркастически усмехнулся.

— Вы, по-видимому, находите, что вели себя крайне мудро, Бейкерсфелд. — Адвокат повернулся к нему спиной и крикнул в толпу, уже не прибегая к помощи микрофона: — Не верьте этой болтовне! Вас пытаются одурачить! Держитесь крепко, держитесь за меня, и мы возьмем их тут за глотку! Так возьмем, что не отвертятся!

— На случай, если кто-нибудь не расслышал, — сказал Мел в микрофон, — я повторяю, мистер Фримантл советует вам держаться за него. По этому поводу я тоже хочу кое-что сказать.

Теперь его уже слушали внимательно.

— Многие предприимчивые люди наживались на таких, как вы: они продавали землю и дома в районах, где земельные участки не должны были застраиваться или застраиваться только промышленными предприятиями, которым шум аэропорта не может мешать. Отдав свои деньги, вы не оказались у разбитого корыта: у вас есть участки и дома, но, к сожалению, и то, и другое значительно упало в цене.

— Что верно, то верно, черт подери, — мрачно произнес кто-то.

— А теперь появились люди, которые уже разрабатывают новый план, как выманить у вас денежки. Крючкотворы во всех концах страны почуяли, что на этом пресловутом шуме можно нагреть руки, и обшаривают все жилые уголки вблизи аэропортов в поисках наживы!

— Еще одно слово, и я подам на вас в суд за клевету! — взвизгнул Фримантл. Он побагровел, лицо его исказилось от ярости.

— За какую клевету? Разве вы уже догадались, о чем я собираюсь говорить? — Что ж, подумал Мел, возможно, впоследствии Фримантл и притянет его к ответу за клевету, хотя едва ли. Он почувствовал, как в нем пробуждается спортивный азарт: захотелось, была не была, идти напролом, взять верх — и плевать на последствия. За последние годы это бывало с ним не часто. — Жителей таких городков, — продолжал он, — стараются убедить, что они могут защитить свои права через суд и выиграть процесс. Владельцам домов, расположенных вблизи аэропорта, сулят мешок с деньгами, словно в конце каждой взлетно-посадочной полосы зарыт клад. Я не хочу сказать, что с аэропортом нельзя судиться или что на свете нет честных, трезвых юристов, которые готовы потягаться с нами. Я хочу только предостеречь вас: среди юристов немало людей и совсем другого сорта.

Та же женщина, что кричала из толпы, спросила — на этот раз более миролюбиво:

— А как мы можем распознать, где кто?

— При вашей неосведомленности это трудно. То есть пока вы не знаете действующих в этом вопросе законов. Поэтому вас легко одурачить тенденциозно составленной подборкой судебных прецедентов. — Секунду поколебавшись, Мел сказал: — Я слышал здесь сегодня упоминание о некоторых из таких прецедентов. Если хотите, я обрисую их вам более подробно и под другим углом зрения.

Кто-то из стоявших впереди мужчин сказал:

— Что ж, послушаем вашу версию, мистер.

В толпе начинали с любопытством поглядывать на Эллиота Фримантла.

Мел был в нерешительности, чувствуя, что все это отняло больше времени, чем он предполагал. Но еще несколько минут, подумал он, ничего не решают.

Где-то с краю, за толпой, промелькнула фигура Тани Ливингстон.

— Судебные процессы, — сказал Мел, — которые здесь так бойко перечислялись, — старая как мир история, памятная всему руководящему персоналу аэропортов. Первым, насколько я помню, был процесс «США против Каузби». Решение по этому иску, положенное в основу всего хитросплетения фактов, с помощью которого Фримантл пускал пыль в глаза жителям Медоувуда, было принято более двадцати лет назад, — разъяснил Мел. — Фермер-куровод подал в суд на военные самолеты, беспрестанно летавшие над его домом на высоте шестидесяти семи футов — то есть так низко, как не пролетал еще ни один самолет над Медоувудом. Куры были в панике, и некоторые из них даже околели. После многих лет тяжбы дело это попало наконец в Верховный суд. Иск был удовлетворен, потерпевший получил возмещение убытков в сумме семьсот тридцати пяти долларов — стоимости погибших кур. Фермер не слишком-то разбогател в результате этого иска, и вам перспектива такой тяжбы тоже отнюдь не сулит горы золота, — добавил Мел.

Он бросил взгляд на Эллиота Фримантла, лицо которого то багровело от ярости, то становилось белым как мел. Нед Ордвей снова взял его за локоть.

— А вот еще один судебный процесс, который мистер Фримантл предпочел обойти молчанием. Этот процесс для вас важен — он также решался в Верховном суде и получил широкую огласку. Но, к несчастью для мистера Фримантла, этот процесс не только не льет воду на его мельницу, а является прямым аргументом против него. Я имею в виду, — сказал Мел, — иск «Баттен против Баттена», по которому в тысяча девятьсот шестьдесят третьем году Верховным судом было принято решение: только «физическое вторжение» подлежит судебной ответственности. Шум под эту категорию не подпадает. Другое судебное решение такого же плана, — продолжал Мел, — было принято в тысяча девятьсот шестьдесят четвертом году Верховным судом Калифорнии по иску городского клуба «Лома Портал» к «Америкэн эйрлайнз». Здесь суд определил, что владельцы недвижимой собственности не имеют права добиваться каких-либо ограничений движения самолетов над их домами, находящимися вблизи аэропорта. На первом месте должны стоять интересы общественного воздушного транспорта, они имеют превалирующее значение, говорится в решении калифорнийского суда...

Мел без запинки, не заглядывая в блокнот, цитировал решения судов. Это явно производило впечатление на слушателей. Он улыбнулся.

— Тут как со всякой статистикой, — сказал он. — Умело ее подтасовывая, можно доказать все что угодно. Вам совершенно не обязательно принимать мои слова на веру. Загляните сами в материалы архивов. Там все черным по белому написано.

Какая-то женщина, стоявшая рядом с Эллиотом Фримантлом, набросилась на него:

— Вы нам этого не говорили! Вы рассказали только о том, что вам выгодно.

Кое-кто уже начал свое враждебное отношение к Мелу переносить на адвоката.

Фримантл пожал плечами. В конце концов, решил он, в запертом на ключ портфеле, который он предусмотрительно оставил в автомобиле, уже лежит сто шестьдесят с лишним заполненных и подписанных бланков. Кто бы что бы тут ни говорил, это сделано и вспять не повернешь.

Но прошло еще несколько минут, и его начали одолевать сомнения.

Вот уже несколько человек один за другим стали обращаться к Мелу Бейкерсфелду по поводу этих подписанных ими сегодня бланков. Голоса этих людей выдавали их тревогу. Как видно, слова Мела и его манера держаться произвели на них сильное впечатление. Толпа стала разбиваться на отдельные маленькие группки; все возбужденно переговаривались.

— Тут интересуются моим мнением по поводу подписанных вами соглашений, — сказал Мел. — Я полагаю, все знают, о каких соглашениях идет речь? Я видел бланк такого соглашения.

Эллиот Фримантл рванулся вперед.

— Вас это не касается. Вы не юрист. Мы уже, кажется, один раз это установили. И всякого рода контракты не входят в вашу компетенцию. — Теперь уже Фримантл протолкался достаточно близко к микрофону, чтобы его слова были услышаны всеми.

— Контракты — это моя повседневная работа! — резко возразил Мел. — Каждый из арендаторов этого аэропорта, от крупнейших авиакомпаний до владельцев аптечных киосков, не может заключить контракт без моего ведома и одобрения, и все соглашения оформляются моими сотрудниками под моим руководством.

Он снова обратился к толпе:

— Мистер Фримантл совершенно справедливо указал на то, что я не юрист. Поэтому я дам вам не юридический, а деловой совет: соглашения, подписанные вами сегодня, могут иметь исковую силу. Соглашение есть соглашение. Вас и в самом деле могут притянуть к суду и принудительным путем взыскать указанную в соглашении сумму. Однако я считаю, что в том случае, если вы незамедлительно их опротестуете, никакого иска не воспоследует. Прежде всего адвокатское поручение еще не было выполнено, вам не было оказано каких-либо услуг. Ну и при том каждому из вас должен быть предъявлен самостоятельный иск. — Мел улыбнулся. — А ведь это тоже, доложу я вам, работенка. И еще вот что. — Тут Мел поглядел в упор на Фримантла. — Вряд ли какой-нибудь суд одобрительно посмотрит на то, что гонорар за юридические услуги весьма сомнительного, мягко выражаясь, свойства составляет около пятнадцати тысяч долларов.

Уже говоривший прежде человек спросил:

— Что же нам теперь делать?

— Если вы действительно пересмотрели ваше решение, я советую вам сегодня же утром, не откладывая, написать письмо мистеру Фримантлу. Сообщите ему, что вы больше не нуждаетесь в его услугах в качестве вашего юридического представителя в том виде, как это было оформлено соглашением, и объясните — почему. Но не забудьте оставить себе копию письма.

После чего — но это просто мое личное мнение — вы больше о нем не услышите.

Все получилось резче и грубее, чем хотелось Мелу, и, вероятно, он сильно рисковал, зайдя так далеко. При желании Эллиот Фримантл мог наделать ему больших неприятностей. Мел позволил себе встать между клиентами и их адвокатом в вопросе, который затрагивал интересы аэропорта, а следовательно, и самого Мела как его представителя. Глаза адвоката пылали такой ненавистью к Мелу, что он, без сомнения, не пожалеет сил, чтобы ему навредить. Однако внутреннее чутье подсказывало Мелу, что Фримантл вовсе не заинтересован в том, чтобы его методы вербовки клиентов и прочие профессиональные уловки выплыли на свет Божий. Судья, небезразличный к нарушениям профессиональной этики, может припереть Фримантла к стенке двумя-тремя каверзными вопросами, да и коллегия адвокатов также может доставить ему несколько неприятных минут. Поразмыслив немного, Мел перестал тревожиться.

А мысли Эллиота Фримантла текли в том же направлении, хотя Мелу это и не было известно. При всех прочих своих качествах Эллиот Фримантл был еще и прагматик. Он уже давно пришел к убеждению, что в жизни удачи всегда сменяются неудачами и наоборот. Иной раз неудача бывает непредвиденной и абсурдной. Случай, причуда судьбы, мелкая оплошность могли превратить уже почти состоявшийся успех в чудовищное поражение. Утешением служило то, что бывало и наоборот.

Встреча с управляющим аэропортом Мелом Бейкерсфелдом была именно такой оплошностью, которой следовало избежать. Даже после первого с ним столкновения, служившего — как теперь уже понимал Фримантл — явным ему предостережением, он все еще продолжал недооценивать своего противника и торчать в аэропорту, вместо того чтобы поскорее отсюда убраться. И еще одно обстоятельство слишком поздно обнаружил для себя Фримантл: Бейкерсфелд отнюдь не прост — он игрок и умеет рискнуть. Только азартный игрок мог сделать такую ставку, как сделал Бейкерсфелд минуту назад. И только Эллиот Фримантл сразу же понял, что Бейкерсфелд сорвал банк.

Фримантл знал, что коллегия адвокатов может весьма отрицательно отнестись к его сегодняшней деятельности. Более того: у него уже были однажды неприятные столкновения с наблюдательным комитетом коллегии, и ему отнюдь не улыбалось снова попасться ему на крючок.

Бейкерсфелд прав, думал Фримантл. Взыскивать судебным порядком причитающийся ему на основе подписанных с ним соглашений гонорар он не станет. Риск слишком велик, а шансы на победу ничтожны.

Но он, конечно, не сложит оружия. Завтра, решил Фримантл, он составит обращение к жителям Медоувуда, подписавшим эти соглашения. Он постарается убедить их сохранить его как своего постоянного юрисконсульта за оговоренную ранее сумму гонорара. Впрочем, он не надеялся, чтобы многие откликнулись на его предложение. Слишком большие сомнения удалось Мелу Бейкерсфелду — чтоб он пропал, наглая рожа! — поселить в их душах. Какую-то малость все же он, верно, наскребет — у тех, кто найдет для себя приемлемым продолжать вести с ним дела. Ну а дальше уж ему придется решать, стоит ли овчинка выделки. О том же, чтобы сорвать большой куш, больше не приходится и мечтать.

Но не сегодня-завтра подвернется что-нибудь еще. Так всегда бывает.

В результате усилий Неда Ордвея и еще нескольких полицейских толпа начала постепенно расходиться — в зале ожидания восстанавливалась нормальная циркуляция пассажиров. Микрофоны и телекамеры убрали.

Мел Бейкерсфелд увидел Таню Ливингстон — она пробиралась сквозь редевшую толпу.

В эту минуту одна из жительниц Медоувуда — она уже не раз попадалась Мелу на глаза в этот день — преградила ему дорогу. У нее было выразительное интеллигентное лицо и каштановые волосы до плеч.

— Мистер Бейкерсфелд, — негромко произнесла женщина, — мы тут много говорили между собой и теперь понимаем некоторые вещи лучше, чем раньше. И все же я не услышала ответа на вопрос: что же мне сказать моим детям, когда они плачут и спрашивают: «Почему не велят этому шуму, чтобы он перестал шуметь и не мешал нам спать?»

Мел грустно покачал головой. Безыскусные слова этой женщины заставили его почувствовать, насколько бесплодно было все, что здесь сегодня происходило. Он понимал: ему нечего ей ответить. И сомневался, что такой ответ может быть найден — до тех пор, во всяком случае, пока жилища людей и аэропорты будут соседствовать друг с другом. Он все еще раздумывал над ответом, когда Таня Ливингстон протянула ему сложенный листок бумаги.

Развернув его, Мел прочел отпечатанное на машинке сообщение, носящее явные следы спешки:

«рейс 2
взрыв воздхе.
смлет поврждн есть раненые.
взрщается сюда, трбует
экстрнн. псадки, ориент. время прибл. 01.30.
кмдир запршвает впп три-ноль.
кдп сообщ. три-ноль блкрвана».

12

Доктор Милтон Компаньо, практикующий терапевт-хирург, делал все, что подсказывали ему наука и опыт, чтобы спасти жизнь Гвен Мейген, лежавшей среди груды залитых кровью обломков в конце салона туристского класса. У него не было ни малейшей уверенности в том, что его старания увенчаются успехом.

Когда бомба взорвалась, ближе всех к месту взрыва, если не считать самого Герреро, находилась Гвен Мейген.

Ее могло убить на месте — как Герреро. Но этого не произошло; она еще была жива — в силу двух обстоятельств.

Находясь в непосредственной близости от места взрыва, Гвен в то же время была защищена от него дверью туалетной комнаты и телом Герреро. Каждой из этих преград в отдельности было бы недостаточно, чтобы спасти жизнь Гвен, однако вместе они в какой-то мере ослабили силу удара.

В то же мгновение был поврежден фюзеляж, и произошел второй взрыв — и взрывная разгерметизация.

Динамитным взрывом тяжело ранило Гвен, и она, обливаясь кровью, отлетела назад: однако силе взрыва теперь противостояла другая сила — волна сжатого воздуха, рвавшаяся наружу в пролом фюзеляжа. Было так, словно сшиблись два урагана. Но уже в следующую секунду разгерметизация одержала верх, подхватила взрывную волну и увлекла за собой в непроглядный мрак разреженных атмосферных высот.

Динамитный взрыв был мощным, но нанесенные им повреждения ограничились узким участком.

Сильнее всех пострадала Гвен, лежавшая теперь без сознания в проходе. Второй жертвой оказался очкастый молодой человек, который, выйдя из туалета, испугал Герреро. Раненный, оглушенный взрывом, он был весь в крови, но не потерял сознания и устоял на ногах. Еще человек пять-шесть были ранены и контужены различными обломками. Остальные получили ушибы и легкие ранения от пронесшихся через салон предметов, которые волна разгерметизации потащила в пролом фюзеляжа.

В первые мгновения после разгерметизации всех, кто не был пристегнут к сиденью, повлекло к зияющей дыре в фюзеляже, и в наибольшей опасности оказалась снова Гвен Мейген. Однако при падении она инстинктивно, а быть может, случайно зацепилась рукой за ножку кресла. Это спасло ее, а ее тело послужило преградой для других.

Через несколько секунд вихрь, созданный разгерметизацией, начал слабеть.

Теперь самую грозную опасность для всех — как для раненых, так и для непострадавших — представляла нехватка кислорода.

Хотя кислородные маски тотчас выпали из своих гнезд, лишь немногие пассажиры не растерялись и сразу воспользовались ими.

Впрочем, кое-кто начал действовать тут же, пока было еще не поздно. Все стюардессы, где бы они ни находились, мгновенно — вот когда сказалась тренировка — схватили кислородные маски и показали пассажирам, что надо делать. Среди пассажиров было трое врачей, отправившихся на время своих каникул в путешествие вместе с женами. Понимая, что дорога каждая секунда, они надели маски и заставили окружающих тоже их надеть. Джуди, племянница таможенного инспектора Стэндиша, проворная восемнадцатилетняя девушка, не только сама без промедления надела маску и на себя, и на ребенка в соседнем кресле, но и показала знаками родителям ребенка и другим пассажирам через проход от нее, чтобы они сделали то же самое. Миссис Квонсетт, старый опытный «заяц», много раз во время своих полетов без билета наблюдавшая, как стюардессы демонстрируют применение кислородных масок, тоже не растерялась, схватила одну маску для себя, а другую для своего приятеля-гобоиста, которого она силой заставила опуститься в кресло рядом с собой. У миссис Квонсетт уже не было уверенности, что она выйдет из этой переделки живой, но это не слишком ее тревожило; однако как бы ни развернулись дальше события, она хотела присутствовать при них до конца.

Кто-то успел сунуть маску раненому молодому человеку в очках, и тот, едва держась на ногах и, по-видимому, плохо отдавая себе отчет в происходящем, сумел все же прижать ее к лицу.

Тем не менее по истечении критического периода — то есть через пятнадцать секунд после разгерметизации — лишь около половины пассажиров были в кислородных масках. Те же, кто не обеспечил себя кислородом, один за другим начали впадать в дремотное оцепенение, а еще через пятнадцать секунд большинство из них потеряли сознание.

Гвен Мейген в первые мгновения не оказали помощи, и она лежала без кислородной маски. Ее обморок, вызванный взрывом, стал еще более глубоким вследствие недостатка кислорода.

В эту минуту в пилотской кабине Энсон Хэррис, идя на риск еще сильнее повредить самолет и, быть может, даже разнести его на куски, принял решение пикировать, чтобы спасти жизнь всех, кому грозила смерть от удушья, и в том числе Гвен.

Самолет вошел в пике на высоте двадцати восьми тысяч футов и вышел из пике через две с половиной минуты на десяти тысячах футов.

Человек может прожить без кислорода от трех до четырех минут, и мозг его при этом не пострадает.

В первую — одну с четвертью — минуту пикирования, пока самолет не снизился до девятнадцати тысяч футов, он находился в слишком разреженных для поддержания жизни слоях атмосферы. Ниже этой границы содержание кислорода в воздухе уже настолько возросло, что он стал пригоден для дыхания.

На двенадцати тысячах футов начало восстанавливаться нормальное дыхание. На десяти тысячах футов — когда последние критические секунды уже истекали — сознание начало возвращаться ко всем лежавшим без чувств, за исключением Гвен Мейген. Многие не успели даже заметить, что теряли сознание.

Когда первое потрясение прошло, все мало-помалу начали ориентироваться в происходящем. Одна из стюардесс, энергичная блондинка из Иллинойса, вторая по старшинству после Гвен, поспешно направилась в конец салона к наиболее тяжело раненным. Увидав их, она страшно побледнела, но продолжала настойчиво спрашивать:

— Нет ли здесь врача? Скажите, нет ли здесь врача?

— Есть врач, мисс! — Доктор Компаньо поспешил навстречу еще прежде, чем услышал этот призыв. Это был маленький, остроносый, подвижный человечек с быстрой речью и заметным бруклинским акцентом. Он оглядывался по сторонам, чувствуя пронизывающий холод — ветер с резким шумом врывался в пробоину в фюзеляже. На месте туалетов была груда искореженных, залитых кровью железных обломков. В фюзеляже самолета, в хвостовой его части, зияла дыра, сквозь которую видны были рулевые тросы... Он старался перекричать вой ветра и рев двигателей, ставшие оглушительными после повреждения фюзеляжа. — Я бы перевел всех, кого можно, вперед, подальше от пролома. Надо постараться как-нибудь их обогреть. А раненых нужно укрыть одеялами.

Стюардесса сказала с сомнением:

— Попытаюсь что-нибудь найти.

Почти все одеяла, лежавшие, как обычно, наверху, в сетках, унесло вместе с одеждой пассажиров и прочими предметами в момент разгерметизации.

Еще двое врачей из той же туристской группы, что и доктор Компаньо, присоединились к нему. Один из них сказал стюардессе:

— Тащите сюда все медикаменты, какие у вас есть, для оказания первой помощи.

Доктор Компаньо уже стоял на коленях возле Гвен: из трех врачей только у него оказалась при себе медицинская сумка.

Носить ее с собою повсюду было характерной особенностью доктора Милтона Компаньо. И теперь он сразу овладел положением и взял на себя руководство, хотя, будучи всего лишь врачом общей практики, был официально ниже рангом остальных двух врачей — профессиональных терапевтов.

Милтон Компаньо считал, что врач всегда на дежурстве. Выходец из нью-йоркских трущоб, нелегким трудом выбившийся в люди, он тридцать пять лет назад начал вести частный прием в итальянском квартале Чикаго, неподалеку от Милуоки и Гранд-авеню, и с тех пор, по утверждению его жены, не занимался медициной лишь в те часы, когда спал. Он хотел быть полезным людям — это давало ему радость. А своей профессией доктор Компаньо дорожил, как высокой наградой, которую он завоевал и должен сохранить. Он не отказывал ни одному пациенту, в какое бы время дня и ночи ни стучались к нему в дверь, и не было случая, чтобы он не поехал по вызову к больному. И если, проезжая по улице, доктор Компаньо становился свидетелем несчастного случая, он немедленно выходил из машины и оказывал посильную помощь — не в пример многим своим коллегам, которые, будучи уверены в роковом исходе катастрофы, боялись в дальнейшем обвинения в преступной небрежности. И еще: доктор Компаньо считал своим долгом быть в курсе всех новейших достижений медицины. И чем напряженнее он работал, тем больше, казалось, прибавлялось у него сил. Этот человек словно бы стремился за каждый день помочь стольким страждущим, чтобы остатка его жизни хватило на исцеление всех недугов человечества.

В Риме, на родине своих предков, посетить которую он собирался уже много лет, доктор Компаньо предполагал пробыть вместе с женой месяц и ввиду преклонных лет дал на сей раз согласие провести этот месяц в полном покое. И все же он знал, что где-то в пути или в Италии (плевать он хотел на отсутствие итальянского патента!) кому-то может потребоваться его помощь. Если это случится, он должен быть готов. И сейчас, когда его помощь потребовалась, это не застало его врасплох.

Доктор Компаньо прежде всего направился к Гвен, чье положение явно было наиболее тяжелым. На ходу он крикнул своим коллегам:

— А вы займитесь остальными!

В узком проходе между креслами доктор Компаньо осторожно перевернул тело Гвен и наклонился к ней — дышит или не дышит? Гвен еще дышала, но дыхание было почти приметно. Доктор Компаньо крикнул стюардессе, которая только что говорила с ним:

— Дайте сюда маску.

Стюардесса подбежала к нему с переносной маской; он раскрыл Гвен рот, чтобы проверить, не препятствует ли что-нибудь дыханию. Рот был полон крови и выбитых зубов; доктор Компаньо извлек их и принял меры, чтобы кровотечение не мешало ей дышать.

— Прикладывайте маску, — сказал он стюардессе.

Послышалось легкое шипение, кислород начал поступать. Минуты через две мертвенно-бледное лицо Гвен чуть заметно порозовело.

Доктор Компаньо начал обследовать окровавленное лицо и грудь — то, что сильнее всего пострадало от взрыва. Быстро, с помощью гемостата, он остановил кровотечение из лицевой артерии — здесь оно было наиболее обильным, — затем начал обрабатывать другие раны. Он обнаружил перелом левой ключицы и левой руки — надо было бы наложить гипс, но сейчас это не представлялось возможным. С чувством глубокой жалости доктор Компаньо заметил острые осколки в левом глазу Гвен; правый глаз как будто остался неповрежденным, но поручиться было трудно.

Второй пилот Сай Джордан, осторожно обойдя доктора Компаньо и Гвен, принялся помогать стюардессам переводить пассажиров в передний отсек самолета. Часть пассажиров перевели из туристского салона в салон первого класса, втиснув, где только можно, по два человека в кресло; других разместили в маленькой полукруглой гостиной первого класса — там было несколько свободных мест. Всю уцелевшую одежду независимо от принадлежности распределили между теми, кто больше других в ней нуждался. Как это нередко бывает в часы таких бедствий, люди проявляли готовность помогать друг другу, забывая о себе, и даже не теряли чувства юмора.

Два других врача оказывали помощь пассажирам, получившим различные повреждения; впрочем, особенно тяжело пострадавших не оказалось. Молодой человек в очках, находившийся позади Гвен в момент взрыва, получил глубокую рваную рану в предплечье, но рана была неопасна. Помимо этого, ему порезало осколками плечи и лицо. Рану обработали, руку перевязали, впрыснули морфий и сделали все возможное, чтобы согреть раненого и устроить его поудобнее.

Теперь, когда они спустились, ураган, бушевавший в нижних слоях атмосферы, давал себя знать, и самолет отчаянно болтало, что затрудняло работу врачей и передвижение пассажиров. Самолет тяжело вибрировал, время от времени он словно проваливался вниз или кренился набок. У многих пассажиров ко всем пережитым волнениям прибавилась еще морская болезнь.

Доложив еще раз о положении дел, Сай Джордан вернулся из пилотской кабины к доктору Компаньо.

— Доктор, капитан Димирест просил меня передать вам и вашим коллегам благодарность за оказанную помощь. Он будет вам чрезвычайно признателен, если вы улучите минуту и зайдете в кабину экипажа — ему надо знать, что радировать о состоянии людей.

— Подержите-ка этот бинт, — распорядился доктор Компаньо. — Прижмите покрепче вот здесь. А теперь помогите мне наложить лубок. Мы используем для этой цели твердые обложки журналов и полотенца. Раздобудьте мне журнал побольше форматом и сорвите с него обложку.

Минуту спустя:

— Я приду, как только смогу. Можете передать вашему командиру, что, по-моему, ему надо бы сказать несколько слов пассажирам. Люди уже начинают приходить в себя после первого потрясения. Их не мешает подбодрить.

— Хорошо, сэр. — Сай Джордан поглядел на Гвен, которая по-прежнему лежала без сознания. Меланхоличное худощавое лицо его стало еще более угрюмым и озабоченным. — А как она, доктор? Есть надежда?

— Надежда есть, сынок, но положение не из легких. Очень многое зависит от ее жизнестойкости.

— Я всегда считал, что этого ей не занимать.

— Она была красива?

Изуродованное окровавленное лицо, копна спутанных, грязных волос — составить себе представление о ее внешности было трудно.

— Очень.

Компаньо молчал. Как бы ни обернулось дело, девушка, лежавшая на полу самолета, уже не будет красивой... Разве что с помощью пластических операций.

— Я передам командиру ваше пожелание, сэр. — Сай Джордан, явно очень расстроенный, вернулся в пилотскую кабину.

Прошло несколько минут, и пассажиры услышали в репродукторе спокойный голос Вернона Димиреста:

— Леди и джентльмены, говорит капитан Димирест...

Сай Джордан включил радио на полную мощность, и каждое слово командира звучало отчетливо, перекрывая вой ветра и гул двигателей.

— ...Вы все знаете, что нас постигла беда... большая беда. Я не собираюсь приуменьшать ее размеры и не стану пытаться с помощью шутки поднять ваш дух. Здесь, в кабине экипажа, мы не усматриваем ничего смешного в создавшемся положении, и вы, очевидно, тоже. Все мы прошли через такое испытание, какого нам еще не выпадало и, я надеюсь, больше не выпадет. Но мы прошли через него, оно позади. Теперь самолет полностью управляем, мы повернули обратно и собираемся осуществить посадку в международном аэропорту имени Линкольна примерно через три четверти часа.

В обоих пассажирских салонах, где пассажиры туристского класса уже смешались с пассажирами первого, все на мгновение затихло и замерло, все взгляды были прикованы к репродукторам; люди напряженно слушали, боясь пропустить хоть слово.

— Вам известно, конечно, что самолет поврежден. Но повреждение могло оказаться куда более значительным — это истинная правда.

В пилотской кабине Вернон Димирест с микрофоном в руке задумался на секунду: в какой мере может он позволить себе быть профессионально точным и... честным. Вернон не одобрял командиров, которые, заигрывая с пассажирами, в течение всего полета бомбардировали свою пленную аудиторию всевозможными сообщениями. Сам он в полетах сводил обращения к пассажирам до минимума. Однако он чувствовал, что на этот раз ему следует изменить своему правилу, так как сейчас пассажиры должны знать истинное положение вещей.

— Не стану от вас скрывать, — сказал Димирест в микрофон, — что нам еще предстоит разрешить несколько проблем. Посадка будет нелегкой, и мы не знаем, как и в какой мере имеющиеся в самолете повреждения могут еще осложнить ее. Я говорю вам об этом потому, что, как только я закончу сообщение, члены нашего экипажа начнут инструктировать вас — они скажут, как вы должны сидеть и как вести себя при посадке. Затем вам объяснят, как, если понадобится, быстрее выбраться из самолета после приземления. В этом случае прошу вас действовать быстро, но сохранять спокойствие и неукоснительно выполнять указания любого члена экипажа. Позвольте мне заверить вас, что на земле сейчас делают все возможное, чтобы нам помочь.

Димирест вспомнил про полосу три-ноль и подумал: «Хорошо, если б так». Про то, что у них заело стабилизатор, он решил промолчать — не было смысла вдаваться в различные технические подробности аварии, которые для большинства пассажиров все равно останутся непонятными. И он продолжал — теперь уже с легким оттенком юмора в голосе:

— Но отчасти вам сегодня все-таки повезло, ибо у нас в кабине не один опытный пилот, а целых два — капитан Энсон Хэррис и ваш покорный слуга. Мы — два старых воздушных волка, за плечами у нас больше летных часов и лет, чем нам хотелось бы в этом признаться, — разве что сегодня, когда наш совместный опыт может всем нам весьма и весьма пригодиться. Мы будем всемерно помогать друг другу. Вместе с нами летит второй пилот Сай Джордан, который часть времени уделит вам. Прошу и вас, в свою очередь, помогать нам. В этом случае обещаю, что мы благополучно закончим полет.

Димирест выключил микрофон.

Не отрывая глаз от приборов, Энсон Хэррис пробормотал:

— Очень это у вас здорово получилось. Вам бы политикой заняться.

— Никто не станет за меня голосовать, — угрюмо сказал Димирест. — Люди не любят прямого, откровенного разговора и боятся правды. — Не без горечи вспомнил Димирест заседание Совета уполномоченных, где он яростно выступал против продажи страховок в аэропорту. Откровенный разговор привел его тогда к поражению. Интересно, что скажут члены Совета и его достопочтенный шурин теперь, когда стало известно, что этот маньяк Д. О. Герреро застраховал свою жизнь с намерением взорвать самолет. Очень может быть, думал Димирест, что их и этим не проймешь, и только вместо обычного: «Такого не может случиться» — ему заявят: «Это случай из ряда вон выходящий, такие вещи не повторяются». Ну ладно, лишь бы благополучно посадить самолет, а там уж, будьте спокойны, он задаст им жару с этими их страховками, какую бы чушь они ни пороли. И на сей раз к нему прислушаются. То, что произошло сегодня — чем бы это ни кончилось, — несомненно, привлечет к себе внимание прессы — уж он об этом позаботится. Он выложит репортерам все напрямик — и насчет этих страховок, и насчет Совета уполномоченных, и, уж конечно, насчет его драгоценного родственничка Мела Бейкерсфелда. Пресс-бюро «Транс-Америки» постарается, конечно, опровергнуть его сообщение «во имя общих интересов». Ладно, пусть только попробуют!

Снова прозвучали сигналы радиосвязи.

— «Транс-Америка», рейс два, говорит Кливленд. Аэропорт Линкольна сообщает — полоса три-ноль временно закрыта. Делаются попытки убрать помеху до вашего прибытия. Если не удастся, примут вас на два-пять.

Димирест подтвердил прием. Лицо Энсона Хэрриса помрачнело. Полоса два-пять была на две тысячи футов короче, да еще и уже и — по последней метеосводке — под скверным поперечным ветром. Посадка на два-пять сильно увеличивала опасность аварии.

Выражение лица Вернона Димиреста, принявшего радиограмму, яснее слов говорило о том, что он по этому поводу думал.

Буря не утихала, продолжало жестоко болтать. Энсон Хэррис старался по возможности выровнять самолет.

Димирест повернулся ко второму пилоту:

— Сай, ступайте снова к пассажирам, займитесь ими. Проследите, чтобы девушки продемонстрировали все, что может потребоваться при посадке, и постарайтесь, чтобы все это усвоили. Потом отберите несколько пассажиров понадежнее. Объясните им, где расположены аварийные выходы и как ими пользоваться. Если мы выскочим за пределы полосы — а при посадке на два-пять, несомненно, так оно и будет, — все полетит кувырком. В этом случае мы все, конечно, поспешим на помощь пассажирам, но можем и не успеть.

— Есть, сэр. — Сай Джордан снова, уже в который раз, встал со своего кресла.

Димирест предпочел бы сам пойти в пассажирский салон поглядеть, что с Гвен, но сейчас ни он, ни Хэррис не могли покинуть кабину.

Не успел Сай Джордан уйти, как появился доктор Компаньо. Джордан уже оттащил в сторону сорванную с петель дверь, и теперь ничто не преграждало доступ в кабину.

Милтон Компаньо коротко представился Вернону Димиресту.

— Капитан, — сказал он, — я готов сделать доклад о пострадавших, как вы просили.

— Будем вам очень признательны, доктор. Если бы не вы...

Но доктор Компаньо нетерпеливо отмахнулся.

— Потом, потом. — Он открыл кожаную записную книжечку, в которой тонким золотым карандашиком была заложена страница. С характерной для него пунктуальностью он уже выяснил фамилии пассажиров, записал, какие у кого повреждения и какая оказана помощь. — Тяжелее всех ранена ваша стюардесса, мисс Мейген. У нее много рваных ран на лице и на груди и большая потеря крови. Кроме того, сложный перелом левой руки и ключицы, ну и, разумеется, сотрясение мозга. Прошу также сообщить кому следует в аэропорт, что нам немедленно по прибытии потребуется помощь хирурга-окулиста.

Вернон Димирест, стараясь сохранять самообладание, записывал сообщение доктора Компаньо в бортовой журнал, лицо его было бледно как полотно. Внезапно он перестал писать.

— Хирурга-окулиста? Вы хотите сказать... у нее повреждены глаза?..

— Боюсь, что да, — хмуро подтвердил доктор Компаньо. — Во всяком случае, в левом глазу есть осколки, — уточнил он. — Что это — дерево или металл, — сказать не могу. Специалист

433

определит, уцелела ли сетчатка. Правый глаз, насколько можно судить, не пострадал.

— Великий Боже! — Димирест закрыл лицо руками; он чувствовал, как тошнота подступает у него к горлу.

— Пока еще рано делать выводы, — сказал доктор Компаньо. — Современная хирургия творит чудеса. Но здесь дорога каждая минута.

— Мы сейчас же пошлем радиограмму, — заверил его Энсон Хэррис. — Они успеют все подготовить к нашему прибытию.

— Тогда я продиктую вам остальное.

Димирест продолжал автоматически записывать то, что говорил ему доктор. По сравнению с Гвен Мейген остальные пассажиры пострадали довольно незначительно.

— Теперь я, пожалуй, вернусь туда, — сказал доктор Компаньо. — Надо поглядеть, все ли там в порядке.

— Обождите, — резко сказал Димирест.

Доктор поглядел на него с недоумением, но приостановился.

— Гвен... мисс Мейген... — Голос Димиреста показался ему самому неестественным и чужим. — Она была... она ждет ребенка... Это может как-то сказаться на ее состоянии?

Димирест заметил, как Энсон Хэррис бросил на него изумленный взгляд.

— Как можно знать наперед? — сказал доктор с оттенком раздражения в голосе. — Вероятно, у нее самое начало беременности?

— Да. — Димирест отвел глаза в сторону. — Да, самое начало. — Минуту назад он принял решение не задавать этого вопроса. А потом решил, что должен знать правду.

Доктор Компаньо задумался.

— На способность организма к восстановлению это, разумеется, повлиять не может. Что же касается ребенка, то мать не так долго находилась без кислорода, чтобы это могло оказать воздействие на плод, — никто ведь серьезно от этого не пострадал. А внутренних повреждений у нее нет. — Доктор помолчал и добавил не очень уверенно: — Нет, на ребенке сказаться не должно. Если мисс Мейген выживет — а при быстрой госпитализации на это, несомненно, есть надежда, — ребенок должен родиться нормальным.

Димирест молча кивнул. Доктор Компаньо постоял с минуту в нерешительности и ушел.

На некоторое время в кабине воцарилось молчание. Первым его нарушил Энсон Хэррис:

— Вернон, я бы хотел немного отдохнуть перед посадкой. Можете сменить меня пока?

Димирест кивнул. Его рука автоматически потянулась к штурвалу, ноги легли на педали. Он был благодарен Хэррису за то, что тот не стал задавать вопросов и вообще обошел Гвен молчанием. Что бы там Энсон Хэррис ни думал, у него хватило такта оставить это при себе.

Хэррис взял бортовой журнал с записью сообщения доктора Компаньо.

— Я займусь этим, — сказал он и вызвал по радио диспетчерскую «Транс-Америки».

После только что пережитых волнений Вернон Димирест сел за штурвал с чувством физического облегчения. Как знать, быть может, Хэррис предвидел это, обращаясь со своей просьбой. Но так или иначе, решение отдохнуть перед посадкой, чтобы сберечь силы, было, несомненно, разумным.

Посадку же, хотя она и обещала быть тяжелой, Энсон Хэррис, очевидно, намеревался произвести сам, и Димирест не видел оснований возражать против этого, поскольку в течение всего полета самолет пилотировал Хэррис.

Хэррис передал радиограмму и откинул кресло назад, давая отдых телу.

А в соседнем кресле Димирест упорно старался сосредоточиться на полете, но это ему никак не удавалось. Искусному и опытному пилоту во время управления самолетом нет необходимости полностью отключаться от всего — даже в таких трудных условиях. И сколько бы Димирест ни гнал от себя мысли о Гвен, они продолжали кружить у него в мозгу.

Гвен... Еще сегодня вечером такая красивая, оживленная, и вдруг... «Если мисс Мейген выживет...» И уже никакого Неаполя, рухнули все их планы... *Гвен...* Всего два-три часа назад она сказала ему — ее безупречный английский говор, ее нежный голос все еще звучал в его ушах: «*Дело в том, что я люблю тебя...*» Гвен... Ведь он тоже любит ее, к чему себя обманывать...

С мучительной тревогой он думал о ней, и воображение рисовало ему, как она лежит там, на полу самолета, окровавленная, без сознания... с его ребенком во чреве... Он так настойчиво понуждал ее отделаться от этого ребенка... Она сказала ему с горечью: «*Я все ждала, как и когда ты к этому подберешься...*» А потом, она была так взволнованна: «*...Это как подарок... Кажется, что произошло что-то непостижимое — ог-*

ромное и замечательное. И вдруг... мы должны разом покончить с этим, отказаться от такого чудесного подарка».

Но он был настойчив, и кончилось тем, что она уступила: «Ну что ж, вероятно, в конце концов я поступлю так, как подсказывает здравый смысл. Сделаю аборт».

Ни о каком аборте теперь не могло быть и речи. В клинике, куда отправят Гвен, аборт невозможен — разве что встанет вопрос о спасении жизни матери. Но судя по тому, что сказал доктор Компаньо, вопрос так не встанет. А потом, после клиники, будет уже поздно.

Значит, если Гвен выйдет живой из этой переделки, ребенок появится на свет. Вернон Димирест не в силах был разобраться сейчас в своих чувствах: не понимал — огорчает его это или радует.

Ему вспомнились и другие слова Гвен:

«Разница между нами в том, что у тебя уже есть ребенок... где-то есть живое существо, в котором продолжаешься ты».

Она говорила о ребенке, которого он никогда не видел, не знал даже его имени, — о девочке, сразу же после появления на свет навсегда исчезнувшей из его жизни в соответствии с «Тремя пунктами». Когда Гвен стала расспрашивать, его, он не мог не признаться, что порой мысль об этой девочке, о том, что с ней сталось, мучает его. Однако он не признался в другом — в том, что эта мысль посещает его чаще, чем ему бы хотелось.

Ей, его дочери, теперь уже должно быть одиннадцать лет. Димирест помнил день ее рождения, хотя и старался выкинуть эту дату из головы. Каждый год в этот день у него возникало желание что-то сделать для нее — может быть, просто послать поздравление... Вероятно, это потому, думал он, что у них с Сарой нет детей (хотя они оба хотели бы их иметь) и ему неведома радость, какую доставляет родителям день рождения ребенка... А потом внезапно его начинали терзать вопросы, на которые не было ответа: где его дочь? Какая она? Счастливо ли сложилась ее жизнь? Иной раз он невольно вглядывался в лица девочек на улицах, и, если их возраст казался ему подходящим, мелькала мысль: а вдруг... Потом он издевался над собственным идиотизмом. Иногда его охватывала тревога: может быть, его дочери плохо, может быть, ее обижают и она нуждается в помощи, а он ничего не знает и ничем не в силах ей помочь... Рука Вернона Димиреста судорожно сжала штурвал.

И тут он впервые отчетливо понял: повторения еще раз всей этой муки он не вынесет. По самой своей натуре он не мог мириться с неизвестностью. Другое дело аборт — это было что-то определенное, окончательное. И даже то, что говорил Энсон Хэррис, не могло бы поколебать его решения. Конечно, впоследствии могли бы возникнуть сомнения — правильно ли он поступил. Впоследствии он, возможно, мог бы и пожалеть. Но он бы знал: что сделано, то сделано.

Течение его мыслей резко нарушил голос в динамике над головой.

— «Транс-Америка», рейс два, говорит Кливленд. Левым заходом берите курс два-ноль-пять. При готовности начинайте спуск на шесть тысяч. Сообщите, когда уйдете с десяти.

Димирест взял на себя все четыре сектора и начал спуск. Затем переставил указатель курса и плавно вошел в вираж.

— Говорит «Транс-Америка», рейс два, ложимся на курс два-ноль-пять. Уходим с десяти тысяч, — передал Энсон Хэррис Кливленду.

Когда самолет начал снижаться, болтанка усилилась, но с каждой минутой они были ближе к цели и надежда на спасение росла. Теперь они приближались к невидимой воздушной границе, где Кливлендский центр передаст их Чикагскому. После этого еще тридцать минут лета, и они войдут в зону наблюдения аэропорта Линкольна.

Энсон Хэррис проговорил негромко:

— Вернон, вы, конечно, понимаете, как я расстроен из-за Гвен... — Он умолк, потом нерешительно добавил: — Что у вас там с ней, меня не касается, но если я по-товарищески могу быть чем-то полезен...

— Ничего не требуется, — сказал Димирест. Он отнюдь не собирался раскрывать душу Энсону Хэррису, который в его глазах был хотя и отличным пилотом, но типичной старой девой в штанах.

Димирест уже пожалел о том, что так разоткровенничался несколько минут назад, когда чувства взяли верх над сдержанностью, а это случалось с капитаном Димирестом не часто. Лицо его стало замкнутым — обычная маска, под которой он привык скрывать свои переживания.

— Восемь тысяч футов, продолжаем снижаться, — передал Энсон Хэррис центру наблюдения за воздухом.

Димирест, следуя заданным курсом, неуклонно вел самолет на снижение. Глаза его в строгой последовательности перебегали с прибора на прибор.

А мысли снова невольно возвратились к этому ребенку — его ребенку, появившемуся на свет одиннадцать лет назад. Он долго колебался тогда — не мог решить, не признаться ли во всем Саре. Они могли бы удочерить эту девочку, вырастить ее как родную дочь. Но у него не хватило духа. Он побоялся, что его признание будет слишком большим потрясением для Сары, что она не согласится взять ребенка — ведь в каком-то смысле он служил бы ей вечным укором.

Но потом — к сожалению, слишком поздно — он понял, что был к Саре несправедлив. Конечно, его признание должно было потрясти и оскорбить ее... Так же, как и теперь, она будет потрясена и оскорблена, если узнает про Гвен. Но со временем ее умение приспосабливаться к обстоятельствам взяло бы верх. Несмотря на всю ограниченность Сары и ее пустопорожний образ жизни, несмотря на ее мелкобуржуазные замашки, любительские потуги в живописи и клубное честолюбие, Димирест знал, что он может положиться на ее преданность и здравый смысл. Вероятно, это и делало их брак прочным, думал он, ведь даже сейчас он не помышлял о разводе.

В конечном счете с помощью Сары все как-нибудь обошлось бы. Она заставила бы его некоторое время помучиться, вымаливая у нее прощение, может быть, довольно долго. Но потом она все же согласилась бы взять ребенка, и, уж конечно, ребенку страдать бы не пришлось. Об этом Сара позаботилась бы — это в ее характере. Если только...

— Слишком уж много этих «если только», будь они прокляты! — произнес он вслух.

Он снизил самолет до шести тысяч футов и увеличил подачу горючего, чтобы не сбавлять скорость. Гул двигателей усилился.

Энсон Хэррис переключил радио на другую волну — они уже пересекли воздушную границу — и начал вызывать Чикагский центр.

— Вы что-то сказали? — спросил он Димиреста.

Димирест промолчал.

Снежный буран продолжал бушевать, самолет швыряло из стороны в сторону.

— «Транс-Америка», рейс два, видим вас на экране, — сказал новый голос: говорил чикагский диспетчер.

Энсон Хэррис продолжал прием.

А Вернон Димирест думал: как бы ни обернулось дело с Гвен, надо принимать решение сейчас, не откладывая. Ну что

438

ж, придется выдержать все — слезы Сары, ее гнев, упреки, — но он должен сказать ей про Гвен.

И признаться в том, что он — отец ребенка.

Начнутся истерики и, вероятно, будут продолжаться не день и не два, а потом еще долго — неделями, месяцами — ему придется сносить многое. Но в конце концов самое тяжелое останется позади, все мало-помалу образуется. Как ни странно, он ни на секунду не усомнился в этом — вероятно, потому, что верил в Сару.

Как они все это уладят, он пока еще себе не представлял; многое, конечно, будет зависеть от Гвен. Что бы там ни говорил доктор, а Гвен выкарабкается — Димирест был в этом уверен. У нее такая сила духа, столько мужества. Пусть даже бессознательно, она все равно будет бороться за жизнь, и, как бы ее ни искалечило, это ее не сломит, она сумеет справиться и с этим. И в отношении ребенка она скорее всего рассудит по-своему. Вполне возможно, что ее будет не так-то легко уговорить отдать его; скорее всего она и вообще не согласится. Гвен не из тех, кого можно вести на поводу, ею не покомандуешь. У нее своя голова на плечах.

Видимо, он окажется с двумя женщинами на руках. И в довершение всего — с ребенком. Тут будет над чем задуматься!

И снова возникал вопрос: до какого предела можно рассчитывать на благоразумие Сары?

О черт! Вот история!

И тем не менее после того, как для себя он принял решение, его не покидала уверенность в том, что рано или поздно все уладится. И он подумал угрюмо: да уж, надо надеяться, особенно если посчитать, чего это будет стоить — каких денег и каких мук.

Стрелка альтиметра показывала, что они снизились до пяти тысяч футов.

Значит, он станет отцом. Теперь это представлялось ему уже в несколько ином свете. Разумеется, распускать по этому поводу слюни, как некоторые, как тот же Энсон Хэррис, ни к чему, но что ни говори, это будет его ребенок. А подлинных отцовских чувств ему еще не доводилось испытывать. Как это сказала Гвен, когда они ехали на машине в аэропорт? *«Если родится мальчик, мы назовем его Вернон Димирест-младший, как принято у американцев».* Что ж, может быть, это и не такая уж плохая идея. Димирест хмыкнул.

Энсон Хэррис покосился на командира:

— Почему вы смеетесь?

— Я и не думал смеяться! — вспыхнул Димирест. — Какого черта стал бы я смеяться! Кажется, нам тут не до смеха.

Энсон Хэррис пожал плечами:

— Значит, мне послышалось.

— Вот уже второй раз вам что-то слышится. Когда мы закончим этот проверочный полет, советую вам прежде всего хорошенько проверить ваши уши.

— Можно бы обойтись и без грубостей.

— Можно? Вы в этом уверены? — раздраженно спросил Димирест. — А если при такой ситуации это просто необходимо?

— Ну если так, — сказал Хэррис, — лучше вас этому никто не обучен.

— В таком случае, когда вы кончите задавать идиотские вопросы, займитесь-ка снова своим делом, а мне дайте поговорить с этими тупицами на земле.

Энсон Хэррис поднял спинку своего кресла.

— Как угодно. Я готов.

Оставив штурвал, Димирест включил микрофон. Теперь, придя к решению, он чувствовал себя спокойнее, увереннее. Пора было заняться наиболее неотложными делами. Он заговорил намеренно резко:

— Чикагский центр! Говорит капитан Димирест, самолет «Транс-Америки», рейс два. Вы нас слушаете или уже приняли снотворное и отключились?

— Говорит Чикагский центр. Мы вас слушаем, капитан, и никто не отключался. — В голосе диспетчера прозвучала обида, но Димирест не счел нужным обратить на это внимание.

— Тогда почему, черт подери, вы бездействуете? У нас ЧП. Нам нужна помощь.

— Не отключайтесь, пожалуйста.

Пауза. Затем заговорил другой голос:

— Говорит главный диспетчер Чикагского центра. Командир рейса два «Транс-Америки», я слышал вашу последнюю фразу. Прошу понять, что мы делаем все от нас зависящее. Вас еще не успели передать нам, а у нас уже десять человек расчищали вам путь. И продолжают это делать. Мы даем вам зеленую улицу, первоочередность радиосвязи и прямой курс на международный Линкольна.

— Этого недостаточно, — все так же резко сказал Димирест. Он помолчал, не отключаясь, и продолжал: — Главный диспетчер, слушайте меня внимательно. Прямой курс до Линкольна ничего нам не даст, если нас посадят на ВПП два-пять

440

или любую другую, кроме три-ноль. Не говорите мне, что три-ноль не функционирует. Я это уже слышал и слышал даже — почему. А сейчас запишите то, что я вам скажу, и постарайтесь, чтобы в международном аэропорту Линкольна это уразумели: самолет тяжело нагружен, садиться будем на большой скорости. А у нас поврежден стабилизатор и ненадежен руль направления. Если нас посадят на ВПП два-пять, меньше чем через час вы будете иметь разбитую машину и груду трупов. Так что радируйте международному Линкольна, приятель, и прочистите им мозги. Скажите им: нам нужна три-ноль. Меня не касается, как они это сделают — пусть хоть взрывают к черту то, что у них там застряло, если не могут иначе. Вы меня поняли?

— Да, «Транс-Америка», рейс два, мы хорошо вас поняли. — Голос главного диспетчера звучал все так же невозмутимо, но уже не столь холодно-официально. — Вашу радиограмму сейчас же передаем международному Линкольна.

— Отлично. — Димирест сделал паузу и снова нажал кнопку микрофона. — У меня еще одно сообщение. Мелу Бейкерсфелду, управляющему аэропортом имени Линкольна, лично. Передайте ему предыдущую радиограмму, а затем добавьте следующее: «Моему шурину персонально. Это по твоей милости, сукин ты сын, заварилась вся эта каша. Ты не хотел слушать, когда я говорил: к дьяволу страховки в аэропорту! Теперь я от лица всех находящихся в этом самолете требую, чтобы ты пошевелил своей поросячьей задницей и очистил для нас три-ноль».

— «Транс-Америка», рейс два, мы записали вашу радиограмму. — Голос главного диспетчера звучал неуверенно. — Вы настаиваете на том, чтобы мы употребили именно эти выражения, капитан?

— Чикагский центр! — рявкнул Димирест. — Извольте употребить именно эти выражения, черт подери! Я требую, чтобы вы передали эту радиограмму немедленно, громко и абсолютно точно.

13

Ведя машину на большой скорости, Мел Бейкерсфелд слышал по радио, как в аэропорту вызывают со стоянок санитарные автомобили и направляют их к месту возможного приземления рейса два.

— Говорит наземный диспетчер, вызываю город двадцать пять. Это был кодовый номер аэропортовской пожарной команды.

— Город двадцать пять на выезде слушает. Продолжайте.

— Передачу продолжаю. ЧП второй категории ожидается примерно через тридцать пять минут. Упомянутая машина повреждена, будет садиться на полосу три-ноль, если таковую освободят. В противном случае самолет посадят на полосу два-пять.

Диспетчеры аэропорта в своих переговорах по радио старались по возможности умалчивать о том, какой именно самолет терпит аварию. Выражение «упомянутая машина» служило именно этой цели. Авиакомпании были чрезвычайно щепетильны в этих вопросах, считая, что' чем реже их будут упоминать в связи с несчастными случаями, тем лучше. Тем не менее Мел не сомневался, что все случившееся сегодня ночью получит самую широкую огласку — вероятнее всего, и за рубежом.

— Говорит город двадцать пять. Вызываю наземного диспетчера. Просит ли пилот дать пену на посадочную полосу?

— Пены не требуется. Повторяю: пены не требуется.

Если пилот не требовал пены, значит, шасси не было повреждено и сажать самолет на брюхо не понадобится.

Мел знал, что сейчас уже все машины аварийной колонны — автопомпы, спасательные и пожарные машины, машины «скорой помощи» — приведены в действие и следуют за машиной бранд-майора, у которого есть индивидуальная радиосвязь с каждой из них. При ЧП задержек не бывает. Все руководствуются одним правилом: лучше раньше, чем позже. Аварийная колонна остановится сейчас между двумя взлетно-посадочными полосами и затем двинется туда, куда будет надо. Делалось это не по наитию. Передвижение каждой машины было заранее предусмотрено и зафиксировано в подробном плане на случай аварийных ситуаций. Голоса в радиотелефоне умолкли. Мел включил свой микрофон.

— Наземный диспетчер, говорит машина номер один.

— Машина номер один, наземный диспетчер слушает.

— Поставлен ли в известность о создавшейся аварийной ситуации Патрони, который занимается самолетом, блокировавшим полосу три-ноль?

— Так точно. Держим с ним связь.

— Что говорит Патрони? Как у него дела?

— Он рассчитывает убрать застрявший самолет через двадцать минут.

— Есть у него стопроцентная уверенность?

— Нет.

Мел отключился. Одна рука на баранке, другая — на кнопке микрофона, он вел машину на максимальной скорости, какую можно было развить при плохой видимости в такую метель. Уже второй раз за этот вечер приходилось ему объезжать на машине аэропорт. Огни рулежных дорожек и взлетно-посадочных полос словно путеводные звезды мелькали мимо. Таня Ливингстон и Томлинсон, репортер из «Трибюн», сидели на переднем сиденье рядом с ним.

Несколько минут назад Таня передала Мелу свою записку с известием о том, что на рейсе два произошел взрыв и самолет возвращается на базу, и Мел, вырвавшись из окружавшей его толпы медоувудцев, тотчас бросился к эскалаторам, ведущим в подземный гараж, где стояла его служебная машина. Таня бежала за ним. Сейчас его место — на полосе три-ноль, где, если потребуется, он должен взять все в свои руки. В центральном зале, прокладывая себе путь к эскалаторам, он увидел репортера «Трибюн» и бросил ему на ходу:

— Идемте со мной. — Репортер помог Мелу, сообщив то, что знал об Эллиоте Фримантле — и о подписанных им контрактах, и о его позднейших лживых утверждениях, — и Мел решил отплатить ему услугой за услугу. Видя, что Томлинсон стоит в нерешительности, Мел крикнул: — Я не могу терять ни минуты! Вы очень пожалеете, если не воспользуетесь возможностью, которую я вам даю!

Томлинсон не стал задавать вопросов и последовал за Мелом. И сейчас, пока Мел гнал машину, опережая, где только можно, выруливавшие впереди самолеты, Таня передавала репортеру содержание полученных с рейса два радиограмм.

— Постойте, дайте-ка мне разобраться, — сказал Томлинсон. — У вас здесь, значит, всего только одна полоса имеет достаточную длину для таких посадок и при этом идет в нужном направлении?

— Да, только одна, — угрюмо подтвердил Мел. — Хотя полагалось бы иметь две.

Он с досадой вспомнил о том, как на протяжении трех лет много раз ставил вопрос о постройке еще одной взлетно-посадочной полосы, дублирующей полосу три-ноль. Это было насущно необходимо. Объем работы аэропорта и требования безопасности свидетельствовали о том, что предложение Мела надо претворять в жизнь, тем более что на постройку полосы ушло бы не менее двух лет. Однако сторонники иной точки зрения взяли верх. Денег на новую взлетно-посадочную полосу не нашлось, и она не была построена. Более того — даже не запланирована, несмотря на все старания Мела.

Во многих других случаях Мелу удавалось склонить на свою сторону Совет уполномоченных. По поводу новой взлетно-посадочной полосы он беседовал с каждым из членов Совета в отдельности и заручился поддержкой каждого из них, однако потом все их обещания оказались пустым звуком. Теоретически Совет уполномоченных являлся организацией, как бы не зависимой от политических влияний, но на деле назначение в Совет зависело от мэра города, да и большинство членов Совета сами были политическими деятелями. Если на мэра оказывалось давление с целью продвинуть какой-нибудь другой проект, также требующий финансирования, но зато весьма заманчивый в глазах избирателей, это давление быстро давало результаты.

Вот почему, с горькой иронией думал Мел, проект новой взлетно-посадочной полосы заваливали трижды, в то время как строительству трехэтажной стоянки для автомашин, далеко не столь необходимой, но зато более наглядно демонстрирующей заботу об избирателях, не чинили никаких препон.

Кратко и без обиняков Мел обрисовал Томлинсону положение, не преминув упомянуть о его политической подоплеке, чего он прежде никогда не позволял себе делать, разве что в частных беседах.

— Мне бы хотелось иметь право сослаться на вас. — Голос Томлинсона выдавал охватившее его волнение. Репортер уже понял, что ему дают в руки сенсационный материал. — Вы разрешите?

Мел понимал, что появление этого в печати вызовет черт знает какой вой. Уже в понедельник утром начнутся возмущенные звонки из муниципалитета. Но кто-то должен сказать правду во всеуслышание. Люди имеют право знать, какой опасности они подвергаются.

— Валяйте, — сказал Мел. — Я сейчас в подходящем настроении для такого интервью.

— Я как раз об этом и подумал. — Репортер пытливо, с любопытством поглядел на Мела. — Не обижайтесь, но вы сегодня, что называется, в форме. И сейчас, и раньше — когда разговаривали с этим адвокатом, а потом — с медоувудцами. Совсем как в былые времена. Давненько я не видал вас таким.

Мел смотрел прямо перед собой на рулежную дорожку, намереваясь обогнать самолет компании «Истерн», заворачивавший налево. Он думал: неужели то, что происходило с ним последние два-три года, даже другим бросалось в глаза, неужели этот упадок духа был столь очевиден?

Таня, сидевшая совсем рядом, так что он ощущал ее близость и исходившее от нее тепло, проговорила негромко:

— Мы вот все время толкуем о взлетно-посадочных полосах, об этих медоувудцах, об общественном мнении и всякое такое прочее, а меня не покидает мысль о тех, кто там, в этом самолете. Что они сейчас чувствуют, как им, наверное, страшно.

— Да, им, конечно, страшно, — сказал Мел. — Если они не потеряли сознания и отдают себе отчет в случившемся. Мне бы тоже было страшно на их месте.

Мелу припомнилось, какой ужас пережил он много лет назад, когда у него зажало ногу в потерявшем управление военном самолете. И при этой мысли тотчас заныла старая рана, словно воспоминание пробудило к жизни уснувшую боль. Волнения последних часов заглушили все остальное, но сейчас, как всегда в минуту усталости и перенапряжения, рана снова дала себя знать. Мел, сжав губы, ждал, когда боль утихнет.

Он прислушался по радио к переговорам наземных служб. Затем снова включил свой микрофон.

— Говорит машина номер один, вызываю наземного диспетчера. Вы получили сообщение о том, в каком положении окажется пострадавший самолет, если ему не дадут полосы три-ноль?

— Машина номер один, мы вас слышим, чрезвычайность положения понимаем. Это вы, мистер Бейкерсфелд?

— Да, это я.

— Не отключайтесь, пожалуйста, сэр. Мы сейчас принимаем еще одну радиограмму.

Машина Мела уже приближалась к полосе три-ноль. От того, что сейчас сообщат, будет зависеть, придется ли Мелу прибегнуть к самым крайним, отчаянным мерам, мысль о которых его не покидала ни на секунду.

— Машина номер один, говорит наземный диспетчер. Только что получена радиограмма с интересующего вас самолета, — передал Чикагский центр. — Начинаю: «Прямой курс до Линкольна ничего нам не даст, если нас посадят на ВПП два-пять... самолет тяжело нагружен, садиться будем на большой скорости...»

В машине управляющего аэропортом трое людей напряженно слушали радиограмму Вернона Димиреста. При словах: «Если нас посадят на ВПП два-пять... вы будете иметь разбитую машину и груду трупов...» — Мел услышал, как Таня тихонько ахнула, и почувствовал, что она вся дрожит.

Мел собирался уже подтвердить прием и отключиться, когда наземный диспетчер заговорил снова:

— Машина номер один... мистер Бейкерсфелд, получена еще одна радиограмма, дополнительно к предыдущей, адресована лично вам — от вашего зятя. Может быть, примете ее по телефону?

— Исключено, — сказал Мел. — Передавайте, я слушаю.

— Мистер Бейкерсфелд, — диспетчер явно колебался. — Радиограмма сугубо личного характера...

Диспетчер, так же как и Мел, знал, что передачу по радио в аэропорту будет слушать много посторонних ушей.

— Радиограмма имеет отношение к создавшейся ситуации?

— Безусловно.

— Тогда читайте.

— Слушаюсь, сэр. Начинаю: «Это по твоей милости, сукин ты сын, заварилась вся эта каша. Ты не хотел слушать, когда я говорил: к дьяволу страховки в аэропорту...»

Мел, сжав зубы, прослушал радиограмму до конца, затем бесстрастно подтвердил прием: «Вас понял», — и отключился. Должно быть, несмотря на катастрофическое положение, в котором находился самолет, Вернон получал большое удовольствие, посылая эту радиограмму, думал Мел, а узнай он о том, при каких обстоятельствах была она передана по назначению, это порадовало бы его вдвойне.

По существу же, вторая радиограмма была излишней. Мел принял решение уже после первой.

Он выехал на полосу три-ноль. В лучах прожекторов видно было кольцо служебных машин вокруг застрявшего в снегу «боинга». Мел с облегчением отметил, что снега на полосе немного и вся она, за исключением участка, занятого самолетом, уже расчищена.

Мел переключился на волну технических служб аэропорта.

— Машина номер один вызывает пульт управления снежной командой.

— Пульт управления слушает. — Голос Дэнни Фэрроу звучал устало, что было совсем не удивительно. — Валяй, что там у тебя?

446

— Дэнни, — сказал Мел, — разъедини «Анаконду». Снегоочистители «ошкош» и тяжелые грейдеры срочно отправь на
полосу три-ноль к застрявшему самолету, и пусть ждут там
дальнейших распоряжений. Как только они туда двинутся, тотчас сообщи мне.

— Вас понял, исполняю. — Мелу показалось, что Дэнни
хотел что-то спросить, но раздумал. Секунду спустя сидевшие
в машине услышали, как он на той же волне дает распоряжение
«лидеру» «Анаконды».

Репортер «Трибюн» наклонился к Мелу за спиной у Тани.

— Я все пытаюсь как-то увязать одно с другим, — сказал
он. — Насчет страховок... Ваш зять — один из наиболее влиятельных членов Ассоциации пилотов гражданской авиации, не так ли?

— Так. — Мел остановил машину в нескольких футах от
ярко освещенного прожекторами участка полосы, в центре которого находился огромный лайнер. Работа здесь кипела вовсю.
Вокруг самолета и под его брюхом — везде люди трудились
лихорадочно, ожесточенно. Мелькнула коренастая фигура Патрони, отдававшего распоряжения. Мел ждал ответа от Дэнни
Фэрроу, чтобы затем присоединиться к Патрони.

Томлинсон проговорил с расстановкой:

— Я сейчас припоминаю, что уже слышал как будто об этих
страховках. Кажется, ваш зять поднял большой шум по поводу
страхования жизни в аэропорту, против которого восставала и
Ассоциация пилотов, но вы уложили его на обе лопатки — так?

— Не я уложил, а Совет уполномоченных, но я был согласен с ним.

— Мне бы хотелось, если позволите, задать вам несколько
нескромный вопрос: события этой ночи не заставили вас изменить вашу точку зрения?

— Но послушайте, право же, сейчас не время... — вмешалась Таня.

— Я вам отвечу, — сказал Мел. — Я не изменил своей точки
зрения, пока еще не изменил. Но я буду над этим думать.

Мел рассуждал так: сейчас не время менять свою позицию
в этом вопросе (если вообще ее следует менять). Нет, во всяком
случае, не сейчас, в горячке, в смятении чувств, в обстановке
катастрофы. Пройдет день-другой, и трагические события этой
ночи получат более ясную и трезвую оценку. Тогда он и сможет
решить, надо ли ему настаивать на том, чтобы Совет уполномоченных пересмотрел свое отношение к этому вопросу. Вмес-

447

те с тем никто, конечно, не станет отрицать, что все случившееся значительно укрепило позицию Вернона Димиреста и Ассоциации пилотов гражданской авиации.

Возможно, думал Мел, и удастся прийти к какому-то компромиссу. Один из представителей Ассоциации признался ему как-то, что никто из пилотов не рассчитывает полностью и быстро одержать победу в этом споре; борьба будет тянуться годами: «Им придется отхватывать себе кусочек за кусочком — тоненькими ломтиками, как режут копченую колбасу». Сначала они добьются запрещения страховых автоматов в аэропорту имени Линкольна, как уже добились этого в некоторых других аэропортах. В штате Колорадо такое запрещение было проведено законодательным порядком, а в других штатах этот вопрос стоит сейчас на обсуждении в законодательных органах, что, впрочем, не мешает аэропортам действовать пока что по собственному усмотрению.

Система страховых автоматов казалась самому Мелу наименее приемлемой, хотя в случае с Герреро страховой полис и был приобретен другим путем. Ну а если система страхования через агентов будет действовать по-прежнему еще в течение нескольких лет — до тех пор пока общественное мнение в этом вопросе не оформится с полной очевидностью, — тогда, может быть, удастся выработать какие-то меры, гарантирующие невозможность злоупотреблений...

Но хотя Мел и решил не делать пока окончательных выводов, тем не менее он чувствовал, что прежняя его уверенность поколеблена.

Радио, все еще настроенное на волну технических служб, снова заговорило:

— Машина номер один, говорит пульт управления снежной командой.

— Валяй, Дэнни, — сказал Мел.

— Четыре снегоочистителя и три грейдера во главе с «лидером» направляются, как было велено, к ВПП три-ноль. Какие будут приказания?

Мел заговорил неторопливо, тщательно подбирая слова: он знал, что где-то в недрах КДП все записывается на магнитофонную ленту. И за каждое слово ему придется потом держать ответ. Но и помимо этого, он хотел, чтобы все, что он скажет, было понято абсолютно точно.

— Пульт управления снежной командой, говорит машина номер один. Все снегоочистители и грейдеры расположить под руководством «лидера» в непосредственной близости от «Боинга-707», застрявшего на ВПП три-ноль. Машины не должны, повторяю, не должны преграждать путь самолету, который через несколько минут попытаются своими силами сдвинуть с места. В случае, если эта попытка не даст результатов, снегоочистители и грейдеры получат распоряжение очистить полосу — столкнуть с нее самолет. Это необходимо сделать любой ценой и максимально быстро. ВПП три-ноль должна быть очищена и приведена в готовность не позже чем через тридцать минут. К этому времени и застрявший самолет, и всю технику нужно отвести на безопасное расстояние. В соответствии с сообщениями КДП я дам указание, когда снегоочистители и грейдеры должны быть приведены в действие, если это окажется необходимым. Подтвердите прием и получение инструкций. Все ли ясно?

Томлинсон негромко свистнул. Таня повернулась к Мелу, пытливо вглядываясь в его лицо.

Радио молчало. Затем послышался голос Дэнни Фэрроу.

— По-моему, ясно. Но проверить не мешает. — И Дэнни кратко повторил основной смысл распоряжения. Мел понимал, что Дэнни сейчас взмок не меньше, чем он сам.

— Правильно, — сказал Мел. — И особенно учти одно: если придется пускать в ход тяжелую технику, делать это будете по моему указанию, только по моему.

— Что ж, — сказал Дэнни, — по мне, лучше ты, чем я. Ты, конечно, понимаешь, Мел, что наша техника сделает с этим «боингом»?

— Она его уберет оттуда, — сказал Мел сухо. — А в настоящий момент это самое главное.

Мел знал, что в распоряжении технических служб аэропорта имеется немало всевозможного оборудования для выполнения такой грубой работы, как расчистка территории, но «Анаконда», уже находившаяся на летном поле, могла сделать это быстрее и надежнее. Он отключился и положил микрофон. Томлинсон сказал с сомнением:

— Уберет?! Лайнер стоимостью шесть миллионов долларов вы будете убирать с помощью снегоочистителей? Но, черт побери, вы же разнесете его в клочья! А потом «Аэрео Мехикан» и страховые компании сделают то же самое с вами.

— И это меня не удивит, — сказал Мел. — Хотя, конечно, многое зависит от точки зрения. Если бы владельцы и страхователи «боинга» находились сейчас на борту того, другого самолета, который вот-вот должен сесть, они, вероятно, кричали бы: «Давай! Давай!»

— Ну что ж, — сказал репортер, — одно несомненно: надо обладать большим присутствием духа, чтобы принять такое решение.

Таня украдкой сжала руку Мела; она проговорила негромко, взволнованно:

— Я тоже кричу: «Давай!» Вы правильно поступаете. Что бы ни случилось потом, этой минуты я не забуду.

Вдали уже показалась вызванная Мелом колонна снегоочистителей и грейдеров; они быстро приближались, мерцая сигнальными огнями на крыше.

— Но, может быть, еще ничего не понадобится. — Мел стиснул руку Тани, потом отпустил ее и распахнул дверцу машины. — В нашем распоряжении двадцать минут. Будем надеяться, что этого окажется достаточно.

Патрони топал ногами, пытаясь согреться, но все его усилия были тщетны, несмотря на меховые сапоги и парку. Тут к нему подошел Мел. Если не считать нескольких минут, которые Патрони провел в пилотской кабине после того, как ее покинули командир и первый пилот «Аэрео Мехикан», все остальное время — уже три с лишним часа — он невзирая на вьюгу находился у самолета. Он замерз и отчаянно устал от напряжения и треволнений последних суток, а две неудачные попытки сдвинуть самолет с места довели его до белого каления.

Услышав, что намерен предпринять Мел, Патрони едва не потерял самообладания.

Будь на месте Мела кто-нибудь другой, Патрони не постеснялся бы и отвел душу. Но Мел был его закадычным другом, и Патрони только уставился на него, словно не веря своим глазам: потом вынул изо рта изжеванную нераскуренную сигару и сказал:

— Сдвигать снегоочистителями совершенно целый самолет? Да ты что — ума лишился?

— Нет, — сказал Мел. — Я лишился нужной мне для посадки полосы.

На какую-то секунду Мела охватило отчаяние: он видел, что никто из ответственных лиц, кроме него самого, не понимает, сколь необходимо любой ценой очистить полосу три-ноль. Если он осуществит свое намерение — а он готов был это сделать, — лишь немногие одобрят его действия. Более того, он нисколько не сомневался, что найдутся и такие — особенно среди представителей компании «Аэрео Мехикан», — кто станет задним числом утверждать, что он мог бы попытаться сделать еще и то, и это или что поврежденный самолет можно было в конце концов посадить и на полосу два-пять. Да, как видно, принятое им решение ни у кого, даже у друзей, не найдет поддержки. И все же это не поколебало его решимости.

Поглядев на грейдеры и снегоочистители, выстроившиеся в колонну справа от лайнера, Патрони швырнул сигару в снег. Потом достал другую и проворчал:

— Попробую спасти тебя от этого безумия. Убери свои заводные игрушки подальше от самолета, да так, чтобы они не мозолили мне глаза. Через пятнадцать минут, а может, и раньше, я выкачу его отсюда.

Мел крикнул, стараясь перекрыть шум ветра и рев машин:

— Джо, запомни одно: когда КДП скажет, что наше время истекло, — никаких споров, никаких возражений. На карту поставлена жизнь всех, кто прибывает с этим самолетом. Если двигатели будут запущены, ты немедленно заглушишь их. И тотчас уберешь с дороги все свое снаряжение и людей. Предупреди их заранее, чтобы каждому было ясно. Машины приступят к делу по моему приказанию. А когда я дам сигнал, времени терять они не станут.

Патрони угрюмо кивнул. Мел видел, что, хотя главный механик и отвел душу, его обычная задиристая самоуверенность несколько поколеблена.

Мел вернулся к своей машине. Таня и Томлинсон, поеживаясь от холода, стояли возле нее и смотрели, как подводят траншеи под самолет. Как только Мел залез в машину, они последовали его примеру: приятно было очутиться в тепле.

Мел снова вызвал по радио КДП — на этот раз непосредственно руководителя полетов. После короткой паузы он услышал его голос. В нескольких словах Мел изложил ему свой план.

Он добивался от диспетчерской службы только одного: ему необходимо было знать точно, сколько еще он может ждать, прежде чем приводить в действие снегоочистители и грейдеры, которым потребуется всего несколько минут, чтобы убрать самолет с полосы.

— Согласно последним сообщениям, — сказал руководитель полетов, — упомянутый самолет войдет в нашу зону наблюдения раньше, чем мы предполагали. Чикагский центр рассчитывает передать его нам через двенадцать минут, после чего еще восемь — десять минут мы будем контролировать полет. Приземление произойдет самое позднее в ноль один двадцать восемь.

Мел бросил взгляд на часы. Стрелки на тускло освещенном циферблате показывали час одну минуту пополуночи.

— Решение о том, на какую полосу сажать самолет, — продолжал руководитель полетов, — должно быть принято не позже чем за пять минут до посадки. После этого участь самолета будет решена: мы уже не сможем его завернуть.

Следовательно, мысленно подсчитал Мел, до момента, когда надо принимать окончательное решение, остается семнадцать минут, а может быть, и меньше — все зависит от того, когда самолет войдет в зону наблюдения аэропорта. Значит, времени оставалось даже меньше, чем он сказал Патрони.

Мел почувствовал, что снова весь взмок.

Может быть, сказать Патрони, предупредить, что времени у них меньше, чем они рассчитывали? Нет, решил Мел. Главный механик и так не теряет ни секунды. Подгонять его было бы бессмысленно.

Мел снова взял микрофон.

— Говорит машина номер один, вызываю КДП. Мне нужна постоянная информация об идущем к нам на посадку самолете. Прошу оставить эту частоту исключительно в моем распоряжении.

— Есть, — последовал ответ руководителя полетов. — Мы уже переключили все регулярные рейсы на другую частоту. Будем давать вам постоянную информацию.

Мел подтвердил прием и отключился.

— Что теперь будет? — спросила Таня.

— Будем ждать. — Мел снова поглядел на часы.

Прошла минута. Две минуты.

Из автомобиля было видно, как рабочие продолжают лихорадочно рыть траншеи впереди и по бокам застрявшего лайнера. Прорезав мрак светом фар, подкатил еще один грузовик. Откинув задний борт, рабочие выпрыгнули из кузова и присоединились к тем, кто уже трудился возле самолета. Коренастая фигура Патрони появлялась то здесь, то там; он давал указания, подбадривал.

452

Снегоочистители и грейдеры стояли, вытянувшись в цепочку, и ждали. «Прямо как стервятники», — невольно подумалось Мелу. Молчание нарушил Томлинсон.

— Знаете, о чем я думаю? Когда я был мальчишкой — и ведь не так уж много с тех пор воды утекло, — здесь были еще поля и луга... Летом колосились пшеница и ячмень, на выгоне паслись коровы. И был маленький травяной аэродором, совсем крошечный — никто и подумать не мог, что он разрастется в такую махину. Рейсовые самолеты принимал только городской аэропорт.

— На то вам и авиация, — сказала Таня. Она рада была перевести разговор на другое, отвлечься на минуту от мыслей о том, чего они все ждали в таком напряжении. — Мне кто-то говорил, что, когда работаешь в авиации, жизнь кажется длиннее, потому что все здесь так часто и так быстро меняется.

— Ну не все и не так уж быстро, — возразил Томлинсон. — В аэропортах, например, перемены происходят не слишком-то быстро. Как вы считаете, мистер Бейкерсфелд, это верно, что через три-четыре года в авиации будет сплошной хаос?

— Хаос — вещь относительная, — сказал Мел. Все его внимание по-прежнему было приковано к тому, что происходило за стеклом его машины. — В жизни мы сталкиваемся с ним в самых разных проявлениях и так или иначе приспосабливаемся.

— Вам не кажется, что вы уклоняетесь от прямого ответа?

— Да, — сказал Мел, — вероятно.

И неудивительно, подумал он. До философии ли сейчас, когда такое происходит. Но он чувствовал стремление Тани хоть как-то — хотя бы внешне — ослабить напряжение. Он без слов остро ощущал все нюансы ее чувств и настроений, и это лишний раз подтверждало ему, как крепнет их духовная связь. К тому же, сказал он себе, ведь этот самолет, которого все они ждут, не зная, сможет ли он сесть без аварии или нет, — это самолет «Транс-Америки», а Таня — одна из служащих этой компании, она помогала отправлять его в полет. Именно она ближе всех соприкоснулась с людьми, которые находились сейчас там, на борту этого самолета.

Сделав над собой усилие, Мел постарался вникнуть в слова Томлинсона.

— Так было всегда, — сказал Мел. — В авиации прогресс в воздухе постоянно опережал прогресс на земле. Временами нам казалось, что мы нагоним и пойдем в ногу — в середине шестидесятых годов мы почти достигли этого. И все же так не получилось. Видимо, самое большее, чего мы можем добиться, — это не слишком плестись в хвосте.

Но репортер не унимался:

— Что же мы *должны* предпринять в отношении аэропортов? Что мы *можем* предпринять?

— Прежде всего мы должны научиться мыслить шире, давать волю воображению. Нужно освободиться от железнодорожного способа мышления.

— Вы считаете, что мы от него еще не освободились?

Мел кивнул:

— К несчастью, мы сталкиваемся с ним довольно часто. Все наши старые аэропорты представляют собой просто имитацию железнодорожных вокзалов, потому что их строителям приходилось опираться на опыт своих предшественников. Потом это стало уже шаблоном. Вот почему и в наши дни так много «вытянутых» аэропортов, где здание аэровокзала тянется до бесконечности и пассажиры вынуждены вышагивать не одну милю.

— А их не перестраивают? — спросил Томлинсон.

— Только кое-где, и то очень медленно. — Несмотря на серьезность момента, разговор этот задел Мела за живое. — Кое-где строятся циркообразные аэропорты — вроде пирога с начинкой, с автомобильными стоянками, расположенными внутри самого аэровокзала, а не за его стенами; там пешее передвижение пассажиров по аэровокзалу сокращено до минимума с помощью скоростных горизонтальных эскалаторов, а кроме того, самолеты подъезжают к пассажирам, а не наоборот. Это говорит о том, что аэропорт начинает завоевывать себе место как самостоятельная единица, а не просто приставка к чему-то. Творческая мысль прокладывает себе путь, и мы даже начинаем прислушиваться к заокеанским веяниям. Лос-Анджелес предлагает соорудить большой океанодром; Чикаго — аэропорт на искусственном насыпном острове на озере Мичиган. И это ни у кого не вызывает улыбки. «Америкэн эйрлайнз» проектирует постройку гигантского гидравлического лифта, с помощью которого самолеты будут размещаться один над другим на время погрузки и разгрузки. Но все эти нововведения внедряются медленно, авиакомпании действуют несогласованно, и мы строим аэропорты без всякого полета фантазии, как лоскутное одеяло. Это все равно как если бы каждый абонент сам соорудил себе телефон, а затем все начали бы включать их, кто как сумеет, в общую сеть.

Радиопозывные прервали слова Мела.

— КДП — машине номер один и городу двадцать пять. Чикагский центр сообщает: по его расчетам, интересующий вас самолет войдет в зону наблюдения и будет передан КДП Линкольна в ноль один семнадцать.

На часах Мела было один час шесть минут пополуночи, Значит, самолет прибывал на минуту раньше, чем рассчитывал руководитель полетов. В распоряжении Патрони оставалось на минуту меньше времени; в распоряжении Мела — только одиннадцать минут. После чего он должен будет принять решение.

— Машина номер один, произошли ли изменения на ВПП три-ноль?

— Изменений нет.

Не слишком ли он рискует, дотягивая до последнего, думал Мел. Он с трудом удерживался, чтобы не дать сигнал машинам снежной команды, но все же взял себя в руки. И в том, и в другом случае ответственность, ложившаяся на его плечи, велика. Не так-то просто отдать приказ, который превратит в обломки мощный современный лайнер стоимостью в шесть миллионов долларов. Еще оставалась надежда, что Патрони справится со своей задачей, но с каждой секундой это становилось все более сомнительным. Мел увидел, что прожекторы, установленные перед «Боингом-707», и некоторое другое оборудование отводят в сторону. Но двигатели еще не были запущены.

— А кто они такие — эти творцы нового, о которых вы говорите? — спросил Томлинсон. — Кто это?

— Ну, перечислять их по именам было бы нелегко, — рассеянно ответил Мел.

Он напряженно наблюдал за происходившим на поле. Теперь все пространство перед «Боингом-707» было очищено от машин, и Мел увидел запорошенную снегом фигуру Патрони, поднимавшегося по трапу в пилотскую кабину лайнера. На последней ступеньке Патрони остановился, обернулся и махнул кому-то рукой; видно было, что он кричит что-то стоявшим внизу. Вот он открыл дверь самолета и исчез за ней, и почти тотчас другая, более стройная и подвижная фигура поднялась по трапу за ним следом. Дверь самолета захлопнулась. Трап откатили. Томлинсон снова спросил:

— Мистер Бейкерсфелд, не назовете ли вы хоть кого-нибудь из этих людей — из тех, кто не лишен воображения и яснее представляет себе будущее аэропортов.

— Верно, — сказала Таня, — если можете, назовите...

«Они затеяли игру в шарады, когда в доме пожар», — промелькнуло в голове у Мела. Ну что ж, если Таня хочет, чтобы он принял участие в этой игре, — пожалуйста.

— Надо подумать, — сказал он. — Фокс из Лос-Анджелеса; Джозеф Фостер из Хьюстона — сейчас он в Американской ассоциации воздушного транспорта; Элан Бойд из правительства и Томас Сюлливан из управления нью-йоркского порта. Затем из авиакомпаний: Хейлеби из «Пан-Ам»; Херб Годфрей из «Юнайтед». В Канаде — Джон С. Паркин. В Европе — Пьеро Кот из «Эр Франс»; граф Кастелл в Германии. Есть и другие.

— Плюс Мел Бейкерсфелд, — вставила Таня. — Надеюсь, вы его не забыли?

Томлинсон, делавший пометки у себя в блокноте, проворчал:

— Этого-то я и сам записал. Тут все ясно без слов.

Мел улыбнулся. Но так ли уж все ясно, подумалось ему. Когда-то, и не столь давно, это, несомненно, было так. Но он знал, что в общенациональном масштабе его имя уже перестало звучать. Когда это случается, когда по тем или иным причинам тебя оставляют за бортом, ты обречен на скорое забвение, и потом тебе уже не может быть возврата назад, как бы ты к этому ни стремился. Это не значит, что его работа в международном аэропорту Линкольна не имела прежнего значения или что он делал ее хуже. Свои обязанности управляющего аэропортом он исполнял не хуже, а возможно, даже лучше прежнего, и он сам это понимал. Но его вклад в общее дело больше не привлекал к себе внимания. Он поймал себя на том, что эти мысли посещают его уже второй раз за сегодняшний вечер. Но так ли уж все это важно? Имеет ли это значение для него самого? Да, признался он себе: имеет!

— Смотрите! — внезапно воскликнула Таня. — Они запускают двигатели!

Репортер прильнул к окну. Мел почувствовал, как забилось у него сердце.

Позади третьего двигателя застрявшего «боинга» появилось сероватое облачко дыма, сгустилось и взвилось вверх. Двигатель завыл, вой перешел в ровное гудение. Струя воздуха прорвала и рассеяла пелену снега.

Второе облачко дыма поднялось над четвертым двигателем, и снова закрутился снежный вихрь, уносящийся прочь.

— Машина номер один и город двадцать пять, говорит наземный диспетчер. — Радиоголос прозвучал так внезапно, что Мел почувствовал, как вздрогнула Таня. — Чикагский центр передает новые данные. Упомянутый самолет войдет в зону приближения в ноль один шестнадцать, то есть через семь минут.

Самолет прибывает еще раньше, понял Мел, и, следовательно, в их распоряжении остается еще на минуту меньше.

Мел снова бросил взгляд на часы.

На самолете запустили второй двигатель, затем первый. Мел сказал тихо:

— Он еще может успеть. — И тут же вспомнил, что все четыре двигателя уже дважды запускались сегодня вечером и обе попытки выкатить самолет потерпели неудачу.

Темная фигура со светящимися жезлами, маячившая перед застрявшим самолетом, отодвинулась дальше, чтобы ее было видно из пилотской кабины. Сигнальщик поднял жезлы над головой. Это означало: «Путь свободен». Мел прислушивался к гулу моторов и понимал, что они работают еще не на полную мощность.

Оставалось шесть минут. «Почему Патрони не дает до отказа?» Таня произнесла каким-то странным, не своим голосом:

— Нет, я, кажется, не в состоянии этого выдержать.

— А меня даже пот прошиб, — сказал репортер.

«Патрони дает полный! Наконец-то!» — подумал Мел, услышав нарастающий оглушительный рев двигателей, и всем телом почувствовал их вибрацию. За хвостом самолета во мраке, прорезанном мерцанием ограничительных огней, бешено взметнулись ввысь снежные вихри.

— Машина номер один, — прозвучал резкий радиоголос. — Говорит наземный диспетчер. Как с ВПП три ноль? Есть ли какие-нибудь изменения?

Мел взглянул на часы: в распоряжении Патрони оставалось три минуты.

— Самолет не стронулся с места, — сказала Таня, тоже прильнувшая к ветровому стеклу машины. — Все двигатели работают, но он не трогается с места.

Однако там еще не сложили оружия. Об этом говорили снежные вихри. И все же Мел видел, что Таня права. Самолет был недвижим.

Снегоочистители и грейдеры подошли ближе. Ярко поблескивали сигнальные «мигалки».

— Подождите еще, — сказал Мел в микрофон. — Воздержитесь направлять самолет на ВПП два-пять. Положение на три-ноль сейчас изменится.

И он переключил радио на волну пульта управления снежной командой, чтобы двинуть вперед технику.

14

Обычно после полуночи напряжение в диспетчерской немного спадало. Но сегодня этого не произошло. Из-за бурана аэропорт имени Линкольна продолжал принимать и отправлять самолеты с опозданием на несколько часов. И то, что они запаздывали, увеличивало неразбериху на взлетно-посадочных полосах и рулежных дорожках.

Большинство диспетчеров закончили в полночь свою восьмичасовую вахту и, еле волоча ноги, отправились домой. На их место заступили другие. Поскольку людей вообще не хватало, да и к тому же кто-то еще был болен, некоторых попросили остаться и сверхурочно поработать до двух часов утра, и в том числе руководителя полетов, главного диспетчера радарной Уэйна Тевиса и Кейза Бейкерсфелда.

Полтора часа назад, после волнующего и столь внезапно оборвавшегося на полуслове разговора с братом, Кейз, стараясь обрести душевное равновесие, сосредоточил все внимание на экране радара, перед которым он сидел. Если ему удастся не отвлекаться мыслями ни на что другое, решил он, оставшееся время — последняя в его жизни вахта — пролетит быстро. Кейз продолжал принимать самолеты с востока: слева от него сидел помощник — молодой человек, проходивший обучение на радаре. Уэйн Тевис продолжал наблюдать за работой, разъезжая по диспетчерской на своем высоком табурете, который он сдвигал с места, отталкиваясь от пола высокими каблуками своих сапог, — правда, менее энергично, чем в начале смены.

Кейзу как будто удалось сконцентрировать свое внимание на экране — и в то же время удалось не вполне. У него было какое-то странное ощущение, будто мозг его раскололся и он мыслит сразу в двух плоскостях. Часть его мозга была занята самолетами, прибывавшими с востока, — в данную минуту тут не возникало проблем. А другая часть размышляла над его

458

собственной судьбой и занималась самоанализом. Такое положение, конечно, не могло длиться долго; Кейзу казалось, что мозг его подобен электрической лампочке, которая перед тем, как погаснуть, вспыхивает особенно ярко.

О себе он думал сейчас бесстрастнее и спокойнее, чем раньше, — возможно, помог разговор с Мелом, если не что-то еще. Все было продумано и решено. Смена Кейза рано или поздно окончится; он уйдет отсюда, и вскоре ожидание и все тревоги останутся позади. В нем зрело убеждение, что его жизнь уже отделена от окружающих и ничто больше не связывает его ни с Натали, ни с Мелом, ни с Брайаном или с Тео... как и их — с ним. Он принадлежит уже к мертвым. Да, он уже с теми, кто ушел, — с Редфернами, погибшими в обломках своего самолета, с маленькой Валери... Ведь в этом же суть! Почему только теперь стало ему ясно, что смертью он искупает свою вину перед Редфернами? «Интересно, уж не сумасшедший ли я?» — бесстрастно размышлял Кейз. Говорят, что жизнь кончают самоубийством сумасшедшие. Впрочем, какое это имеет значение? Он сделал выбор между мукой и покоем, и еще до наступления утра к нему придет этот покой. И снова, как уже неоднократно бывало на протяжении последних нескольких часов, рука его опустилась в карман, нащупывая ключ от комнаты 224 в гостинице «О'Хейген».

А другая часть его мозга, та, что еще сохранила прежнее чутье, автоматически продолжала следить за самолетами, прилетавшими с востока.

И лишь постепенно до сознания Кейза дошло, что рейс два «Транс-Америки» терпит бедствие.

Сообщение о намерении экипажа вернуться в аэропорт поступило на КДП примерно час назад и через несколько секунд после того, как стало известно решение, принятое Энсоном Хэррисом. Старший диспетчер Чикагского центра сообщил об этом по особому телефону руководителю полетов, предварительно предупредив центры в Кливленде и Торонто. Поначалу требовалось лишь поставить в известность начальство аэропорта имени Линкольна о том, что самолет просит разрешить посадку на полосу три-ноль.

А позже, когда центр в Кливленде передал рейс два Чикагскому центру, началась уже конкретная подготовка к приему самолета.

Руководитель полетов лично явился в радарную и поставил Уэйна Тевиса в известность о взрыве на рейсе два, о предполагаемом времени его прилета и о том, куда сажать самолет — на полосу два-пять или три-ноль.

Тем временем наземная диспетчерская предупредила аэропортовскую аварийку: «Будьте наготове и, как только самолет начнет снижаться, выезжайте на поле».

Наземный диспетчер по радиотелефону связался с Патрони и сообщил ему, что срочно нужна полоса три-ноль. Впрочем, Патрони уже знал об этом.

Затем на резервной волне установили контакт между КДП и кабиной самолета «Аэрео Мехикан», чтобы заранее обеспечить двустороннюю связь, которая могла понадобиться, когда Патрони сядет за штурвал.

В радарной Уэйн Тевис, выслушав сообщение руководителя полетов, невольно взглянул на Кейза. Если оставить все так, как оно есть, то именно Кейзу придется принимать рейс два от Чикагского центра и сажать самолет.

Тевис тихо спросил руководителя полетов:

— Может, нам снять Кейза и заменить кем-то другим?

Тот был в нерешительности. Он вспомнил о ЧП с военным самолетом КС-135. Тогда он под каким-то предлогом отстранил Кейза и потом все думал, правильно ли поступил. Когда человек не очень уверен в себе и может в любую минуту утратить остатки уверенности, достаточно пустяка, чтобы перетянуть в гибельную сторону чашу весов. К тому же руководитель полетов чувствовал себя неловко от того, что помешал разговору Кейза с братом в коридоре. В тот момент он вполне мог бы подождать, но не подождал.

Кроме того, руководитель полетов сам до смерти устал — не только за сегодняшний день, но и за все предыдущие. Он вспомнил, что недавно где-то читал, будто в середине семидесятых годов появятся такие системы наблюдения за воздухом, благодаря которым диспетчеры будут в два раза меньше утомляться и меньше нервничать. Правда, руководитель полетов отнесся к этой информации скептически. Он сомневался в том, что удастся когда-либо избежать профессиональных перегрузок: если в чем-то диспетчерам станет легче работать, им придется затрачивать больше нервной энергии в другом. Это пробуждало в нем сочувствие к Кейзу — бледному, худому, напряженному как струна, да и не только к Кейзу — ко всем, кого доводила до такого состояния существующая система организации труда.

Все так же тихо Уэйн Тевис снова спросил:

— Так снимать его или нет?

Руководитель полетов отрицательно покачал головой. И, понизив голос, ответил:

— Не будем ускорять ход событий. Не снимайте Кейза, но и не отходите от него.

Тут Кейз заметил двух шептавшихся начальников и догадался, что надвигается нечто серьезное. Как-никак он был старый матерый волк, которому хорошо знакомы признаки близкой беды.

Кроме того, инстинкт подсказывал ему, что речь шла и о нем. И он понимал почему. Теперь Кейз уже не сомневался, что через несколько минут его освободят от работы или же переведут на менее важное направление. Как ни странно, ему было все равно.

Он был очень удивлен, когда Тевис, не делая никаких перемещений, оповестил всех диспетчеров о том, что самолет «Транс-Америки» рейс два терпит бедствие, возвращается на базу и его надо принимать вне всякой очереди.

Диспетчеру, сидевшему на отлетах, было дано указание убирать все машины с предполагаемого курса рейса два.

И уже отдельно Кейзу Тевис изложил проблему посадки: решение о том, на какую полосу сажать самолет, предстояло принять в последнюю минуту.

— Разработай свой план посадки, мальчик, — сказал ему Тевис, на техасский манер растягивая слова. — И когда самолет передадут тебе, займись только им. Все остальные мы возьмем на себя.

Сначала Кейз только кивнул, нимало не обеспокоенный поставленной перед ним задачей. И машинально принялся производить расчет подхода самолета. Такого рода расчеты всегда делают в уме. На бумагу наносить их нет времени, да и потом, как правило, приходится на ходу все менять.

Как только Чикагский центр передаст ему самолет, решил Кейз, он поведет его к полосе три-ноль, но с таким допуском, чтобы можно было завернуть машину влево — но не слишком резко, учитывая небольшую высоту, — если придется сажать ее на полосу два-пять.

Кейз подсчитал: вести самолет ему предстоит минут десять. А Тевис предупредил его, что, по-видимому, лишь минут за пять до посадки он узнает о том, на какую полосу можно будет сажать машину. Времени, конечно, в обрез, и в радарной все изрядно вспотеют — как и в воздухе. Но справиться можно —

хотя будет и нелегко. И Кейз снова мысленно прочертил траекторию полета и зафиксировал направление.

А на КДП уже стали просачиваться — неофициальным путем — некоторые подробности. В свободные минуты диспетчеры сообщали их друг другу... На самолете в воздухе произошел взрыв. Он кое-как летел, несмотря на поврежденный фюзеляж и наличие раненых... Неизвестно, работает ли управление самолетом. Пилотам нужна самая длинная полоса, которая ко времени посадки, возможно, уже будет очищена, а возможно, и нет... Все повторяли слова Димиреста: «...*самолет поврежден, есть жертвы...*» Капитан послал невероятно злую радиограмму управляющему аэропортом. Управляющий находится сейчас на полосе три-ноль, делается все возможное, чтобы очистить ее... А время быстро истекало.

И теперь заволновались даже они, привыкшие к сложностям воздушного транспорта.

Помощник, сидевший рядом с Кейзом, рассказывал ему о случившемся по мере того, как узнавал сам. Кейз все понял и уже страшился того, что на него свалилось. Не хочет он принимать в этом участия — *ни малейшего, никакого!* Не стремится он — да и не может — что-то там такое доказать себе! И даже если он хорошо справится с задачей — разве этим что-нибудь изменишь? А если не справится, если где-то ошибется, погибнет самолет, полный людей, как уже погиб один.

На другом конце радарной Уэйна Тевиса вызвал по прямому телефону руководитель полетов. Несколько минут тому назад он поднялся на этаж выше — в «будку», чтобы быть рядом с наземным диспетчером.

Опустив на рычаг трубку, Тевис на своем табурете подкатил к Кейзу.

— Старик только что получил сигнал из Чикагского центра. Рейс два передадут нам через три минуты.

И Тевис переехал к диспетчеру, сидевшему на вылетах, и проверил, нет ли на пути рейса два вылетающих самолетов.

Помощник сообщил Кейзу, что на поле все еще стараются вытащить застрявший самолет и освободить полосу три-ноль. Они уже включили двигатели, но самолет так и не сдвинулся с места. За дело взялся брат Кейза (так сказал помощник), и, если самолет не двинется сам, снегоочистители разнесут его на куски, чтобы освободить полосу. Но всех волнует, хватит ли на это времени.

Раз Мел принял такое решение, подумал Кейз, значит, он уверен, что хватит. Мел всегда со всем справляется, он умеет подчинить себе ход событий. А вот у Кейза не выходит — или, во всяком случае, не всегда и не так, как у Мела. В том-то и разница между ними.

Прошло уже почти две минуты.

Помощник, стараясь говорить спокойно, заметил:

— Самолет появился на экране.

В самом углу экрана Кейз увидел двойную звездочку — сигнал бедствия, несомненно, исходивший от рейса два.

Скорее бежать отсюда, не хочет он! *Ему с этим не справиться.* Пусть кто-то другой возьмет это на себя — хотя бы Уэйн Тевис. Пока еще есть время.

Кейз резко повернулся, ища глазами Тевиса. Тот в этот момент стоял спиной к Кейзу возле диспетчера по вылетам.

Кейз открыл было рот, чтобы позвать его, но, к своему ужасу, не смог издать ни звука. Он попытался снова — безуспешно.

Все было как во сне, как в том кошмаре, который преследовал его: ему отказал голос... Но ведь это не сон — это происходит наяву! Разве?! Паника охватила его.

А на табло над экраном загорелся белый свет: их вызывал Чикагский центр. Помощник снял трубку прямого телефона и сказал:

— Валяй, центр. — Потом повернулся к селектору и передвинул рычажок, включив динамик над головой, чтобы и Кейз мог слышать.

— Линкольн, рейс два находится в тридцати милях к юго-востоку от аэропорта. Курс два-пять-ноль.

— Центр, вас понял. Он появился у нас на радаре. Переключайте его на нашу частоту. — И помощник повесил трубку.

Сейчас центр даст указание самолету переключиться на другую радиоволну и пожелает ему благополучной посадки. Самолету, который терпит бедствие, всегда желают благополучной посадки: они-то на земле находятся в безопасности, так надо же хоть как-то приободрить тех, кто в воздухе. Вот и теперь, сидя в этой теплой, надежно изолированной от внешнего мира тихой комнате, трудно было поверить, что где-то там, высоко в ночном небе, где гуляют ветер и метель, раненый самолет пробивает себе путь на землю и может погибнуть, так и не долетев.

Включилось радио на частоте прибывших с востока самолетов. Раздался резкий голос — это Вернон Димирест, его ни с кем не спутаешь. Кейз только сейчас вспомнил, кто командир потерпевшего аварию самолета.

— Диспетчерская Линкольна, говорит «Транс-Америка», рейс два, держимся на высоте шесть тысяч футов, курс два-пять-ноль.

Помощник молчал. Теперь Кейз должен подтвердить прием и взять на себя руководство полетом. *Но он не хочет, не хочет!* А Уэйн Тевис по-прежнему сидит спиной к нему. И голос по-прежнему не слушается Кейза.

— Диспетчерская Линкольна, — снова затрещало радио, — куда вы провалились, черт возьми!

Куда, черт возьми...

Да что же не обернется Тевис!

Безудержная ярость охватила вдруг Кейза. Черт бы побрал этого Тевиса! Черт бы побрал диспетчерскую! Черт бы побрал его покойного отца, который заставил сыновей заняться тем, что никогда не было по душе ему, Кейзу! Черт бы побрал Мела с этой его уверенностью в себе и умением справиться с любым делом! Черт бы побрал всех и вся!

Помощник недоуменно смотрел на Кейза. Рейс два сейчас снова вызовет диспетчерскую. Кейз понимал, что он в ловушке. Вовсе не уверенный в том, что голос его послушается, он включил микрофон.

— «Транс-Америка», рейс два, — сказал Кейз, — говорит диспетчерская Линкольна. Извините за задержку. Мы все еще рассчитываем посадить вас на ВПП три ноль — будем знать точно через три — пять минут.

Радио в ответ прорычало:

— Вас понял, Линкольн. Информируйте нас дальше.

Теперь Кейз был весь внимание: та часть его мозга, которая была занята посторонними мыслями, выключилась. Он забыл про Тевиса, про своего отца, про Мела, про самого себя. Все исчезло, кроме рейса два.

И он спокойно и четко произнес:

— «Транс-Америка», рейс два, вы находитесь в двадцати пяти милях к востоку от границы поля. Начинайте спуск по собственному усмотрению. Заворачивайте вправо, курс два-шесть-ноль...

Наземный диспетчер, сидевший в своей стеклянной будке этажом выше, сообщил Мелу Бейкерсфелду о том, что Чикагский центр передал им рейс два для посадки.

Мел ответил по радио:

— Снегоочистителям и грейдерам дано указание убрать самолет «Аэрео Мехикан» с полосы. Сообщите Патрони, чтобы немедленно выключил двигатели. Скажите ему: если может, пусть вылезет оттуда, если не может — пусть держится покрепче. Не отключайтесь — как только полоса освободится, нужно будет посоветоваться.

Руководитель полетов на другой волне уже сообщал Патрони о принятом решении.

15

Патрони и сам уже знал, что время его истекло. Он намеренно не включал двигатели «боинга» до последней минуты: ему хотелось дать возможность рабочим получше расчистить пространство под самолетом и вокруг него.

Когда Патрони понял, что ждать дольше нельзя, он в последний раз огляделся по сторонам. И то, что он увидел, отнюдь его не воодушевило.

Шасси все еще не удалось полностью очистить от грязи и снега. Да и траншеи, проложенные от основных колес вверх до заасфальтированной полосы, не были достаточно широкими и глубокими. Чтобы сделать все как надо, не хватало каких-нибудь пятнадцати минут.

Но Патрони знал, что этих пятнадцати минут у него нет.

Нехотя взошел он по трапу, чтобы вторично попытаться сдвинуть с места самолет, — только теперь он уже сам сядет за штурвал. Он крикнул Ингрему:

— Велите всем убраться подальше! Включаю двигатели!

Из-под самолета вынырнули фигуры людей. Снег все еще падал, но уже не валил, как два-три часа назад.

Патрони снова крикнул с высоты трапа:

— Мне нужен механик сюда наверх, но чтоб был полегче. Пошлите какого-нибудь тощего парня, который бывал в кабине экипажа.

И он вошел в самолет.

Из кабины Патрони увидел служебную машину Мела Бейкерсфелда — она казалась ярко-желтым пятном среди окружающей тьмы. Машина стояла на полосе, ближе к левому краю. Подле нее

465

вытянулись в ряд снегоочистители и грейдеры — напоминание о том, что в распоряжении Патрони осталось всего несколько минут.

Главный механик ушам своим не поверил, когда узнал о намерении Мела убрать самолет с полосы, если понадобится, с помощью механической силы. И такая реакция была вполне естественна, хотя его не меньше других волновала судьба тех, кто находился на борту самолета «Транс-Америки». Но Патрони всю жизнь заботился о сохранности самолетов, в этом состояла его работа. И у него просто не укладывалось в голове, что такой красавец самолет можно своими руками разом превратить в груду лома. В глазах Патрони самолет — любой самолет — был плодом ума, самопожертвования, инженерной сноровки, многих часов труда и порой даже любви. И вдруг взять и разрушить все это? Да как можно!

И Патрони решил попытаться спасти самолет. За его спиной отворилась и снова захлопнулась дверь. Отряхиваясь от снега, подошел молодой механик, маленький, худенький. Патрони уже скинул с себя парку и пристегивался в левом кресле.

— Как тебя зовут, сынок?

— Роллинг, сэр.

— Что ж, Роллинг*, может, твое присутствие здесь — добрый для нас знак, — усмехнулся Патрони.

Пока Роллинг сбрасывал парку и усаживался в правое кресло, Патрони посмотрел в окно. Трап уже отогнали.

Звякнул внутренний телефон, и Патрони поднял трубку. Звонил Ингрем снизу:

— Мы готовы.

Патрони кинул взгляд на соседа:

— Порядок, сынок?

Тот кивнул.

— Включить третий двигатель.

Молодой механик включил стартер.

— Третий двигатель включен.

Гул мотора стал ровным.

Один за другим заработали четвертый, второй и первый двигатели.

По внутреннему телефону голос Ингрема, заглушаемый наземным ветром и ревом двигателей, произнес:

---

* Роллинг — в пер. с англ. «катящийся».

— Все машины внизу убраны.

— О'кей! — крикнул Патрони. — Отсоедините внутренний телефон и сами убирайтесь подальше. — И, обращаясь к Роллингу, посоветовал: — Держись крепче, сынок, прижмись к спинке. — Главный механик «ТВА» перекинул в самый угол рта сигару, которую он вопреки обыкновению раскурил, не изжевав, несколько минут назад. Затем, растопырив короткие пальцы, двинул от себя все четыре рычага.

Гул двигателей усилился.

Перед самолетом стоял человек, держа высоко над головой светящиеся сигнальные жезлы. Патрони усмехнулся:

— Надеюсь, этот малый хорошо умеет бегать, а то вдруг мы рванем.

Все двигатели были включены, закрылки приспущены, чтобы способствовать взлету. Механик потянул на себя штурвальную колонку. Патрони по очереди нажимал на педали руля направления в надежде, что, если чуть развернуть машину, самолету легче будет сдвинуться.

Взглянув в окно, он снова увидел машину Мела Бейкерсфелда. Патрони знал, что остаются считанные минуты — может быть, даже секунды.

Теперь двигатели развили уже более трех четвертей полной тяги. По высокому тону их гула он определил, что они работают на большую мощность, чем в тот раз, когда пилот «Аэрео Мехикан» пытался сдвинуть самолет с места. А по вибрации фюзеляжа Патрони понял, почему пилот тогда отступил. При нормальном положении вещей самолет уже быстро катил бы по взлетно-посадочной полосе. Но сейчас он стоял на месте, сдерживаемый глубоко застрявшими в грязи колесами, и весь трясся как в лихорадке. Было ясно, что он вот-вот встанет на нос. Молодой механик, которому явно уже было не по себе, искоса взглянул на Патрони.

Патрони перехватил этот взгляд и буркнул:

— Если машина сейчас не сдвинется, из нее сделают дохлую утку.

Но, как и во время двух предыдущих попыток, самолет упрямо буксовал на месте.

Патрони решил раскачать самолет, надеясь таким образом высвободить колеса из грязи. Он сбавил тягу двигателей, потом снова резко ее увеличил. Но самолет по-прежнему не двигался. Изжеванная сигара во рту Патрони потухла. Он с омерзением выплюнул ее и полез за другой. В кармане оказалось пусто — сигара была последней.

Патрони ругнулся и снова взялся за рычаги. Двинув их еще больше вперед, он рявкнул:

— Да вылезай же! Вылезай, сукин ты сын!

— Мистер Патрони! — крикнул ему механик. — Машина больше не выдержит.

Внезапно у них над головой ожило радио. Послышался голос руководителя полетов:

— Патрони, говорит КДП. Мистер Бейкерсфелд передал: «Время истекло. Заглушите двигатели».

Глянув наружу, Патрони увидел, что снегоочистители и грейдеры пришли в движение. Он знал, что они не подойдут близко, пока на самолете работают двигатели. Но он вспомнил предупреждение Мела: *«Когда КДП скажет, что время истекло, — никаких споров».*

Он подумал: «А кто спорит?»

Снова раздался настойчивый голос по радио:

— Патрони, вы меня слышите? Подтвердите прием.

— Мистер Патрони! — заорал молодой механик. — Вы слышали? Глушите двигатели!

Патрони крикнул в ответ:

— Ни черта не слышу, сынок. Слишком много шума.

Любой дошлый аварийщик знает, что в его распоряжении есть еще минута, когда эти паникеры у себя там, наверху, говорят, что время истекло.

Ох, как ему нужна была сейчас сигара!

И вдруг Патрони вспомнил: несколько часов назад Мел Бейкерсфелд поспорил с ним на коробку сигар, что он не сдвинет этот самолет с места.

И он крикнул механику:

— Я проигрываю пари. Иду ва-банк! — И быстрым, решительным движением двинул вперед рычаги до упора.

Звон и вибрация и прежде были устрашающими. А теперь они стали просто невыносимы. Самолет трясло так, что казалось, он вот-вот развалится. Патрони снова изо всей силы качнул педали руля направления.

В кабине на приборной доске вспыхнули огни, предупреждающие о перегреве моторов. Впоследствии механик описал это так: «Огни замелькали, точно на игральном аппарате в Лас-Вегасе».

— Температура выхлопного газа — триста семьдесят один градус. — В голосе молодого механика слышалась тревога.

По радио продолжали сыпаться приказы, в том числе и приказ поскорее убраться из самолета. Патрони и сам чувствовал, что пора это сделать. Рука его, лежавшая на рычагах, напряглась.

И вдруг машина качнулась. Сначала она только чуть-чуть сдвинулась с места, а потом со все возрастающей скоростью рванулась вперед к рулежной дорожке. Молодой механик что-то крикнул предостерегающе. Патрони мгновенно оттянул назад все четыре рычага и скомандовал:

— Выпустить закрылки!

Оба видели, как от самолета бросились врассыпную фигурки людей.

До рулежной дорожки оставалось всего пятьдесят футов, а самолет еще катил вовсю. Если его не завернуть, он промчится по бетону и снова увязнет в снегу по другую сторону дорожки. Почувствовав под колесами бетон, Патрони изо всех сил налег на левый тормоз и двинул вперед два правых рычага. Тормоз и рычаги сработали и самолет, описав крутую дугу, завернул влево. Патрони снова убрал оба рычага и налег на все тормоза. «Боинг» еще немного прокатился, замедлил бег и стал как вкопанный.

Патрони осклабился: самолет стоял как раз посредине рулежной дорожки.

Взлетно-посадочная полоса три-ноль — в двухстах футах позади них — была свободна.

В машине Мела Бейкерсфелда раздался возглас Тани:

— Он сделал это! Сделал!

Мел, сидевший рядом с ней, уже связался по радио с пультом управления снежной командой и приказал убрать с поля снегоочистители и грейдеры.

А всего несколько секунд назад Мел в третий раз гневно потребовал, чтобы КДП велел Патрони немедленно выключить двигатели. Мелу ответили, что его требование передано, но Патрони не подчиняется. Мел до сих пор еще не остыл и мог устроить большие неприятности Патрони, не подчинившемуся приказу управляющего и даже не подтвердившему его получение. В то же время Мел знал, что никакого разноса он не устроит: Патрони с честью вышел из тяжелейшего положения, а ни одному разумному человеку и в голову не придет выносить порицание за успех. Знал Мел и то, что после сегодняшнего вечера в легенде о Патрони прибавится еще одно звено.

Снегоочистители и грейдеры уже уходили с полосы три-ноль. Мел снова переключился на частоту КДП:

— Машина номер один вызывает наземного диспетчера. Самолет, мешавший движению, убран с ВПП три-ноль. Машины тоже покидают полосу. Остаюсь для проведения инспекции.

Мел включил прожектор и направил его луч на поверхность взлетно-посадочной полосы. Таня и Томлинсон внимательно вглядывались в нее вместе с ним. Случалось, что после таких происшествий рабочие оставляли на полосе инструменты или материалы, что могло причинить серьезный ущерб взлетающим или садящимся самолетам. Однако сейчас при свете прожектора не видно было ничего, кроме неровной поверхности, занесенной снегом.

Снегоочистители один за другим на ближайшем перекрестке сворачивали с полосы. Мел нажал на газ и последовал за ними. За последние минуты и он, и Таня с Томлинсоном до того перенервничали, что сейчас были совсем без сил, хотя и понимали, что главная нервотрепка еще впереди.

Когда его машина, в свою очередь, свернула влево, Мел радировал:

— ВПП три-ноль очищена и свободна для эксплуатации.

16

Самолет, летевший рейсом два «Золотой Аргос», находился среди облаков в десяти милях от аэропорта на высоте полутора тысяч футов.

Энсон Хэррис, отдохнув немного, снова взялся за штурвал.

Аэропортовский диспетчер — голос его показался Вернону Димиресту смутно знакомым — последовательно менял им курс, слегка заворачивая самолет по мере того, как они снижались.

Оба пилота понимали, что курс им прокладывает человек опытный и, следовательно, посадку на любую из двух полос можно будет осуществить без особого маневрирования. Решение о том, на какую полосу их будут сажать, могло поступить в любую минуту.

И по мере того как приближалась эта минута, напряжение у обоих пилотов росло.

Второй пилот Сай Джордан только что по приказу Димиреста вернулся в кабину, чтобы подсчитать приблизительный вес самолета за вычетом израсходованного горючего. Теперь, выполнив все, что требовалось от бортинженера, Джордан вернулся на свое место у запасного выхода в голове пассажирского салона.

Энсон Хэррис с помощью Димиреста уже разработал все детали посадки самолета, учитывая, что у них заело стабилизатор.

Они как раз закончили приготовления, когда позади них появился доктор Компаньо.

— Хочу сообщить вам, что ваша стюардесса — мисс Мейген — пока держится. Если нам удастся быстро доставить ее в больницу, я почти убежден, что она выкарабкается.

Димирест, чувствуя, что голос может выдать его волнение, промолчал. А Энсон Хэррис обернулся и сказал:

— Благодарю вас, доктор, нам осталось лететь всего несколько минут.

В обоих пассажирских салонах были приняты все меры предосторожности для посадки. Всех раненых, за исключением Гвен Мейген, пристегнули поясами к сиденьям. Два врача находились по бокам Гвен, чтобы поддержать ее, если самолет тряхнет. Остальным пассажирам объяснили, как они должны вести себя в условиях предстоящей тяжелой посадки, чреватой любыми неожиданностями.

Старенькая миссис Квонсетт наконец по-настоящему испугалась и крепко вцепилась в руку своего недавно обретенного друга. Да и усталость начала брать свое — ведь день у нее выдался на редкость утомительный.

Только что она буквально расцвела, когда стюардесса передала ей слова капитана Димиреста. Стюардесса сказала, что капитан благодарит ее за помощь и, поскольку миссис Квонсетт выполнила обещанное, капитан Димирест намерен сдержать слово и, когда они приземлятся, отправить ее в Нью-Йорк. Милый, чудесный человек, подумала Ада Квонсетт: вспомнил о ней, когда голова у него совсем другим забита!.. Вот только, мелькнула у нее мысль, будет ли она жива, чтобы лететь в Нью-Йорк?

Джуди, племянница таможенного инспектора Стэндиша, снова взяла было младенца у своих соседей. Теперь она вернула его матери. Младенец, не ведая о нависшей над ним опасности, крепко спал.

А в кабине пилотов Вернон Димирест определил по таблице на приборной доске скорость подхода к земле при том весе, который сообщил ему второй пилот, и сухо произнес:

— Держите скорость сто пятьдесят узлов.

Это была скорость, на которой они должны пролететь над границей летного поля, учитывая перегрузку и заевший стабилизатор.

Хэррис кивнул. Насупившись, он протянул руку и включил ограничитель на своем индикаторе скорости. То же проделал и Димирест.

Даже на длинной полосе посадка будет опасной.

Скорость свыше ста семидесяти миль в час была дьявольски большой для посадки. Оба пилота знали, что при таких условиях самолету надо долго бежать после того, как он коснется земли, а скорость из-за их большого веса будет спадать очень медленно. Однако подлетать на скорости ниже той, какую только что установил Димирест, было бы самоубийством: самолет может камнем упасть вниз.

Димирест потянулся к радиомикрофону, но, прежде чем он успел что-либо сказать, голос Кейза Бейкерсфелда произнес:

— «Транс-Америка», рейс два, заворачивайте вправо, курс два-восемь-пять. ВПП три-ноль свободна.

— О Господи! — вырвалось у Димиреста. — Самое время! Он включил микрофон и подтвердил прием.

Оба пилота быстро проверили, все ли готово к посадке.

Раздался глухой стук — выпустилось шасси.

— Да, — сказал Хэррис, — скоро будем садиться... Нам и этой-то полосы дай Бог чтобы хватило.

Димирест что-то буркнул в знак согласия. Он напряженно смотрел вперед, словно хотел пробить взглядом облака и тьму и увидеть сквозь них огни аэропорта, которые вот-вот должны были появиться. Несмотря на внешнее спокойствие, он очень волновался. Они до сих пор не знали, насколько серьезно повреждена взрывом машина и какие еще поломки произошли во время весьма нелегкого обратного полета. Во-первых, была эта чертова дыра в хвосте, а при тяжелой посадке на большой скорости... *Да вся хвостовая часть может отлететь к черту...* И если это произойдет, думал Димирест, то при скорости сто пятьдесят узлов... *Какая все-таки сволочь этот мерзавец с бомбой!* Жаль, что он подох! Димирест с радостью растерзал бы его своими руками, сам прикончил бы гада...

Рядом с ним Энсон Хэррис, снижая самолет по приборам, увеличил скорость спуска с семисот до восьмисот футов в минуту.

Димирест искренне жалел, что не он пилотирует машину. Будь на месте Хэрриса пилот помоложе или младше по чину,

Димирест принял бы на себя командование. Но Хэрриса он не мог пока упрекнуть ни в чем... Оставалось только надеяться, что он так же безупречно проведет и посадку... Мысли Димиреста вернулись к тому, что происходило в пассажирском салоне. *«Гвен, мы почти прилетели! Продержись еще немного!»* Он уже не сомневался, что они втроем — он, Гвен и Сара — сумеют все уладить, если Гвен и ребенок останутся живы.

Снова раздался голос Кейза Бейкерсфелда:

— «Транс-Америка», рейс два, идете и снижаетесь хорошо. На полосе легкое снежное покрытие. Ветер северо-западный, тридцать узлов. Вам дается первоочередность при посадке.

Через несколько секунд они вынырнули из облаков и увидели прямо впереди огни взлетно-посадочной полосы.

— КДП Линкольна! — вызвал по радио Димирест. — Видим полосу.

— Рейс два, вас понял. — В голосе диспетчера звучало явное облегчение. — Даем разрешение на посадку. Переключайтесь на частоту наземного диспетчера. Благополучной посадки. Все.

Вернон Димирест дважды нажал на кнопку микрофона: по авиационному коду это означало «спасибо». Энсон Хэррис сухо скомандовал:

— Включить посадочные огни. Закрылки — под углом пятьдесят градусов.

Димирест выполнил команду.

Самолет стремительно снижался.

Хэррис предупредил:

— Если не справлюсь с рулем направления, поможете.

— Есть.

Димирест поставил обе ноги на педали руля. Когда скорость спадет, руль из-за искореженного стабилизатора заест. И на земле обоим пилотам, возможно, придется пустить в ход всю свою силу, чтобы удержать управление.

Самолет с ревом пронесся над краем поля — вдаль жемчужной цепочкой убегали огни взлетно-посадочной полосы. По обеим сторонам полосы высились сугробы, за ними тьма. Близость земли делала ощутимее необычную скорость полета. Обоим пилотам эти две мили бетона впереди никогда еще не казались такими короткими.

Хэррис выровнял машину и прикрыл все четыре рычага. Рев реактивных двигателей затих, и стал слышен пронзительный вой ветра. Когда они подлетали к самой полосе, перед глазами Димиреста промелькнули сгрудившиеся машины «скорой помощи» и аварийки — он знал, что они сейчас помчатся следом за ними по полосе. И подумал: *«А они ведь могут нам понадобиться! Держись, держись, Гвен!»*

Самолет все еще был в воздухе — скорость его почти не уменьшилась.

И вдруг он сел на землю. Тяжело. И помчался вперед.

Хэррис быстро поднял закрылки и включил реверс. Двигатели, взревев, действовали теперь уже как тормоз: их тяга противостояла инерции самолета.

Пробежав три четверти полосы, машина стала замедлять ход, но очень незначительно.

— Право руля! — крикнул Хэррис.

Самолет уводило влево. Димирест и Хэррис совместными усилиями старались удержать самолет на полосе. Но край полосы, за которым во мраке громоздились сугробы, быстро приближался.

Энсон Хэррис изо всех сил нажал на педали тормозов. Металл повизгивал, скрипела резина. А мрак все ближе. Но вот машина замедлила бег... пошла медленнее... еще медленнее...

Самолет остановился в трех футах от конца полосы.

17

Взглянув на часы в радарной, Кейз Бейкерсфелд увидел, что до конца смены осталось еще полчаса. Ему было все равно.

Он отодвинул табурет от консоли, снял наушники и встал. Окинул взглядом комнату, понимая, что видит все это в последний раз.

— Эй, — окликнул его Уэйн Тевис, — в чем дело?

— Вот, — сказал ему Кейз, — возьми. Кому-нибудь пригодятся.

Он сунул наушники в руки Тевису и вышел из комнаты. Кейз понимал, что должен был так поступить много лет назад.

Он чувствовал какую-то странную приподнятость, почти облегчение. И, выйдя в коридор, подумал: отчего бы это?

Не потому же, что он посадил рейс два: на этот счет иллюзий у него не было. Да, конечно, Кейз квалифицированно провел посадку, но любой другой на его месте провел бы ее так же, а может быть, и лучше. И притом события сегодняшнего дня — как он и предугадывал — ничего не изменили: ни искупить прошлое, ни зачеркнуть его они не могли.

Не имело значения и то, что ему удалось преодолеть внутреннюю скованность, которая охватила его десять минут назад. Все было ему сейчас безразлично — он только хотел побыстрее отсюда уйти. Ничто не могло поколебать его решения.

Быть может, подумал он, тут помогла ярость, внезапно овладевшая им несколько минут назад, мысль, которой он прежде ни на миг не допускал, что он ненавидит авиацию, всегда ненавидел. Сейчас, с опозданием на пятнадцать лет, он пожалел, что не понял этого раньше.

Он вошел в гардеробную, где стояла деревянная скамья и висела заклеенная объявлениями доска. Открыл свой шкафчик и снял с вешалки костюм. На полках лежало несколько его личных вещей. Пусть они лежат. Ему хотелось взять с собой только цветную фотографию Натали. Он осторожно отодрал ее от дверцы шкафчика.

Натали — в бикини: озорное смеющееся лицо эльфа в веснушках... распущенные волосы... Он посмотрел на снимок и чуть не расплакался. За паспарту фотографии была заткнута записка:

«Я счастлива, милый, что нежность и страсть

Имеют над нами по-прежнему власть».

Кейз сунул снимок и записку в карман. Остальные вещи кто-нибудь выбросит отсюда. А ему не нужно ничего, что напоминало бы об этом месте. И вдруг он замер.

Замер, осознав, что незаметно для самого себя пришел к новому решению. Он еще не знал, к чему это решение приведет, каким оно покажется ему завтра и даже — сможет ли он жить, приняв его. Но если не сможет, выход у него всегда есть: бежать из жизни с помощью таблеток, лежащих в кармане.

А пока главное то, что он не пойдет в гостиницу «О'Хейген». Он поедет домой.

Только одно он теперь уже знал твердо: если он останется жить, авиации в его новой жизни не будет места. Правда, осуществить это не так-то просто, как уже обнаружили до него многие, кто раньше работал диспетчером.

«И даже если удастся вырваться, — сказал себе Кейз, — учти: прошлое то и дело будет напоминать о себе». Он будет вспоминать международный аэропорт Линкольна, Вашингтонский центр в Лисберге и то, что произошло и здесь, и там.

Можно от всего убежать, но нельзя убежать от воспоминаний. А воспоминания о гибели семейства Редфернов... о маленькой Валери Редферн... никогда не покинут его.

Однако память ведь приспосабливается — правда? — ко времени, к обстоятельствам, к реальностям жизни. Редферны мертвы. А в Библии сказано: «Пусть мертвые хоронят своих мертвецов». Что было, то прошло.

И Кейз подумал: может быть... может быть... теперь... он сумеет жить, если будет думать прежде всего о Натали и о своих детях, а Редферны останутся грустным воспоминанием, и только.

Он не был уверен, что ему это удастся. Не был уверен, что у него хватит моральных и физических сил. Давно прошло то время, когда он вообще был в чем-то уверен. Но попытаться можно.

Он сел в лифт и спустился вниз.

На дворе, по дороге к своей машине, Кейз остановился. Движимый внезапным импульсом, сознавая, что, может быть, позже он пожалеет об этом, Кейз вынул из кармана коробочку и высыпал таблетки в снег.

18

Из своего автомобиля, стоявшего на ближайшей к полосе три-ноль рулежной дорожке, Мел Бейкерсфелд видел, как самолет «Транс-Америки», не задерживаясь, покатил к аэровокзалу. Мела отделяла от самолета уже половина летного поля, однако, несмотря на дальность расстояния, ему отчетливо были видны быстро удалявшиеся огни. По радио, настроенному на «землю», Мел слышал, как диспетчеры задерживают у перекрестков другие самолеты, чтобы дать пройти пострадавшей машине. Ведь на борту ее находились раненые. Рейсу два было приказано подрулить прямо к выходу сорок семь, где их ждали «скорая помощь» и служащие компании.

Мел смотрел, как уплывают огни самолета, сливаясь с галактикой аэровокзальных огней.

Машины «скорой помощи» и аварийки, так и не понадобившиеся, стали разъезжаться.

Таня и Томлинсон были уже на пути к аэровокзалу. Они ехали с Патрони, который поручил кому-то отрулить самолет «Аэрео Мехикан» в ангар.

Таня непременно хотела быть у выхода сорок семь, когда с самолета начнут сходить пассажиры. Похоже, что она могла там понадобиться.

Прежде чем расстаться с Мелом, она спокойно спросила:

— Вы все-таки приедете ко мне?

— Мне бы очень хотелось, — сказал он. — Если вы не считаете, что уже слишком поздно.

Он смотрел на Таню. Она отбросила с лица прядь рыжих волос, устремила на него свой прямой, открытый взгляд и улыбнулась:

— Нет, не поздно.

Они условились встретиться у главного выхода через три четверти часа.

Томлинсон намеревался взять интервью сначала у Патрони, а потом у команды рейса два. Ведь через несколько часов члены команды, как и Патрони, станут героями. Драматическая история бедствия, которое терпел самолет, и его благополучное возвращение на землю, подумал Мел, наверняка затмят его высказывания по поводу более обыденных проблем, связанных с трудностями, переживаемыми аэропортами.

Хотя, может быть, и не совсем. Томлинсон, с которым Мел поделился своими соображениями, был репортер вдумчивый, умный, которому, возможно, придет в голову связать нынешнюю драматическую ситуацию с не менее серьезными и не сиюминутными проблемами.

Мел увидел, как покатили куда-то «боинг» компании «Аэрео Мехикан». Самолет был, видимо, целехонек. Теперь его вымоют, тщательно обследуют и отправят в беспосадочный полет в Акапулько.

Следом за ним двигались разнообразные служебные машины, неотлучно находившиеся при нем, пока он был в плену у стихий.

Мел тоже мог больше не задерживаться на поле. Он сейчас уедет — через минуту-другую. Но уединенность летного поля, непосредственная близость к полетам — все это настраивало на размышления.

Именно здесь несколько часов назад, вспомнил Мел, у него возникло предчувствие беды. Ну и в известной степени оно оправдалось. Беда случилась, хотя, по счастью, и без рокового исхода. И не аэропорт — будь он плохой или хорший — виноват в том, что произошло.

А катастрофа ведь могла произойти и в аэропорту — тогда она была бы грандиозной, — и все из-за несоответствия его современным требованиям авиации, что Мел давно уже предсказывал и тщетно пытался выправить положение.

Ведь аэропорт имени Линкольна безнадежно устарел. Устарел — и Мел это прекрасно понимал, — несмотря на хорошие кадры, сверкающее стекло и хром, несмотря на объем воздушных перевозок, рекордное число пассажиров, Ниагару грузов, несмотря на перспективу роста и самонадеянную вывеску: «Воздушный перекресток мира».

Аэропорт устарел потому, что, как это часто случалось на протяжении коротких шести десятков лет существования современной авиации, прогресс в воздухе превзошел все предсказания. Здесь опять-таки эксперты-прогнозисты оказались не правы и правы — мечтатели, провидцы.

И то, что происходило с аэропортом имени Линкольна, происходило везде.

Не только по всей стране, но и по всему миру. Очень много шло разговоров о росте авиации, ее потребностях, развитии воздушного сообщения, которое постепенно станет самым дешевым в мире видом транспорта и средством для перевозки грузов — видом транспорта, благодаря которому народы, живя в мире, смогут лучше узнать друг друга, смогут легче торговать. Однако на земле, учитывая масштабы проблемы, очень мало что делалось.

Конечно, ничей одинокий голос не способен что-либо изменить, но всякий, кто может что-то сказать со знанием дела и убежденностью в своей правоте, тем самым внесет свою лепту. За последние несколько часов Мел понял — сам не зная почему, он это понял именно сейчас, — что будет и дальше открыто высказывать свои мысли, как сделал это сегодня и как не делал уже давно.

Завтра — или, вернее, еще сегодня — он начнет звонить аэропортовским уполномоченным и в понедельник утром созовет чрезвычайное заседание Совета. Когда Совет соберется, Мел потребует разрешения немедленно приступить к строительству новой взлетно-посадочной полосы параллельно полосе три-ноль.

Сегодняшнее происшествие необычайно подкрепило доводы в пользу увеличения числа взлетно-посадочных полос, о чем Мел давно уже говорил. Но на этот раз он решил дать бой — прямо, в открытую предупредить, что катастрофы неизбежны, если о проблемах безопасности будут только болтать, не обращая внимания на то, что жизненно необходимо для нормальной деятельности аэропорта, или бесконечно откладывая решение насущных вопросов. Уж он проследит за тем, чтобы пресса и общественное мнение были на его стороне, иными словами, окажет все меры давления на столичных политиков.

После того как вопрос о строительстве новых полос будет решен, надо настаивать на осуществлении и других проектов, о которых до сих пор только говорят или только мечтают, в частности, на сооружении нового аэровокзала с новым взлетно-посадочным комплексом, с более разумным распределением потоков людей и грузов, с наличием небольших полей-сателлитов для вертикально взлетающих самолетов и самолетов с короткой пробежкой, которые скоро должны появиться.

Либо международный аэропорт имени Линкольна принадлежит реактивному веку, либо нет, а если он принадлежит, то должен шагать в ногу со временем.

Аэропорты ведь, думал Мел, это не роскошь и не уступка вкусам публики. Почти все они самоокупаются, дают доходы и работу многим людям.

Все битвы за прогресс на земле и в воздухе, конечно, не выиграть — этого никогда не будет. Но некоторые выиграть можно, и кое-что из того, что говорилось здесь и делалось, благодаря положению, которое занимал Мел, может быть распространено на всю страну, а то и на весь мир.

Если это произойдет, тем лучше! Английский поэт Джон Донн, вспомнил вдруг Мел, однажды написал: «Человек — это не изолированный остров; нет, каждый человек — это кусочек континента, частица Большой земли». И аэропорт — это тоже не остров, а уж международный — тем более, и все в нем должно оправдывать это высокое звание. Быть может, работая рука об руку со своими коллегами, Мелу и удастся показать, что надо делать.

И сейчас Мел твердо решил: те, кто забыл о его существовании, скоро услышат о нем.

Ему предстоит много дел, а если он к тому же возьмется за прежнее — активно включится в борьбу за прогресс не только в воздухе, но и на земле, — это займет его ум и отвлечет от личных проблем. Во всяком случае, Мел очень на это надеялся. Тут он вспомнил, что надо будет позвонить Синди — быть может, даже завтра — и условиться, когда он заберет свои вещи. Это будет неприятная процедура, и оставалось только надеяться, что удастся осуществить все в отсутствие дочерей. Для начала, решил Мел, он переедет в гостиницу, а потом подыщет себе квартиру.

Но одно он знал твердо: его решение о разводе — как и решение Синди — бесповоротно. Оба понимали это и сегодня просто решили убрать фасад, за которым была пустота. И сами они, и дети ничего не выигрывали — так к чему оттягивать неизбежное?

И все же на это потребуется время.

Ну а Таня? Мел не был уверен, что их ждет совместная жизнь впереди. Возможно, конечно, хотя время для решительного шага — если он вообще его предпримет — пока не настало. Мел только чувствовал, что сегодня, в конце этого долгого и трудного рабочего дня, ему очень хочется тепла, нежности и дружеского участия. А из всех его друзей лишь Таня могла ему это дать.

Время прояснит, к чему это может привести его и Таню.

Мел включил мотор и свернул на дорогу, огибавшую поле. Справа от него уходила вдаль полоса три-ноль.

Он видел, как, несмотря на поздний час, на нее непрерывной чередой, один за другим садились самолеты. Мимо промчался «Конвейр-880» компании «ТВА» и сел. А всего в какой-нибудь миле позади него уже мигали посадочные огни другого самолета. За второй машиной виднелась третья.

Раз третья машина идет на посадку, значит, подумал Мел, облака поднялись. И только тут он обнаружил, что снегопад прекратился, а на южной стороне неба даже проглядывает синева. И с облегчением подумал: буран кончился.

ОКОНЧАТЕЛЬНЫЙ ДИАГНОЗ

1

В это жаркое летнее утро жизнь в больнице Трех Графств шла как обычно — со своими часами пик и часами затишья. За стенами больницы жители города Берлингтона, штат Пенсильвания, изнывали от неимоверной жары — 32 градуса в тени, влажность воздуха 78 процентов. А там, где располагались промышленные предприятия города — сталелитейные заводы и железнодорожное депо — и, разумеется, не было никакой тени, температура воздуха была еще выше.

В больнице было несколько прохладнее, но не намного. Однако лишь наиболее состоятельные пациенты да немногие счастливчики из врачебного персонала спасались от жары в помещениях с кондиционированным воздухом.

В приемном отделении больницы, размещавшемся на первом этаже, кондиционеров не было, и Мадж Рейнольдс извлекла за это утро уже пятнадцатую бумажную салфетку из ящика своего стола, чтобы промокнуть мокрое от пота лицо. Мадж Рейнольдс, тридцати восьми лет, старшая сестра приемного отделения, была страстной поборницей личной гигиены и свято верила во все рекламируемые средства. Мысль о том, что в такую жару она может выглядеть отнюдь не «стерильно», приводила ее в ужас и заставляла при первой удобной минуте бежать в дамскую комнату, чтобы опрыснуть себя новой порцией дезодоратора. Однако сейчас она решила прежде позвонить четырем пациентам, которых предстояло сегодня поместить в больницу.

Где-то в разных концах Берлингтона или в его окрестностях они ждали ее звонка, кто с надеждой, кто со страхом, чтобы отдать себя в руки персонала больницы Трех Графств. Держа в руке шестнадцатую бумажную салфетку, мисс Рейнольдс открыла регистрационный журнал и начала набирать телефонный номер.

* * *

В амбулатории больницы было прохладнее, чем во владениях мисс Мадж Рейнольдс. Здесь были кондиционеры. В шести кабинетах полным ходом шел прием больных. Шесть врачей-специалистов консультировали больных, кто не мог или по тем или иным причинам не хотел пользоваться платными услугами городских врачей. Старый Руди Германт чувствовал себя вполне комфортно в кресле отоларинголога доктора Макюана, пока тот пытался найти причину прогрессирующей глухоты своего пациента. Сказать по правде, Руди мало беспокоила его глухота, он даже не прочь был спекульнуть ею, особенно когда мастеру вздумывалось что-либо приказывать ему или требовать, чтобы он работал побыстрее. Но старший сын Руди настоял, чтобы старик показался специалисту.

Доктор Макюан, недовольно ворча, извлек отоскоп из уха Руди.

— Вам не мешало бы изредка мыть уши, — раздраженно сказал он.

Это было совсем непохоже на доктора Макюана, но сегодня он был не в духе. За завтраком жена снова возобновила начатый вчера разговор о растущих расходах и во всем винила мужа. Расстроенный Макюан, выводя машину из гаража, с такой силой включил скорость, что повредил правое крыло своего новенького «олдсмобила».

Однако, допустив бестактность в отношении Руди, Макюан тут же устыдился своих слов и был рад, что глуховатый пациент их не расслышал. Случай был не совсем простой — глухота могла быть следствием склероза или же опухоли. Профессиональный интерес заставил доктора забыть о личных неприятностях.

В терапевтическом отделении толстяк Тойнби, прикуривая новую сигарету от еще не потухшего окурка, внимательно изучал сидящего перед ним пациента. Выслушивая его жалобы, он и сам вдруг почувствовал легкое покалывание в области печени и подумал, что, пожалуй, временно придется отказаться от обедов в китайском ресторанчике. В сущности, это будет не так трудно — на этой неделе он уже приглашен на обед в два дома, а во вторник можно пообедать в клубе.

Поставив диагноз, он пристально посмотрел на пациента и строгим голосом сказал:

— У вас избыток веса, необходимо соблюдать диету и бросить курить.

484

* * *

Мисс Милдред, старший делопроизводитель больницы, почти бежала по шумному коридору первого этажа.

— Доктор Пирсон! Доктор Пирсон!

Лишь тогда, когда она поравнялась с ним, главный патологоанатом больницы остановился.

— Ну, чего вам? — передвинув сигарету из одного угла рта в другой, недовольно спросил он.

Сухонькая маленькая пятидесятидвухлетняя мисс Милдред, являвшая собой классический образ старой девы, тщетно пыталась увеличить свой рост с помощью непомерно высоких каблуков. Она побаивалась грубоватого доктора Пирсона. Но больничная документация, протоколы вскрытий, истории болезней за долгие годы работы в больнице стали ее жизнью. Поборов робость, она храбро приступила к делу:

— Необходимо подписать протокол вскрытия, доктор Пирсон. Отдел здравоохранения требует дополнительные экземпляры.

— В другой раз. Мне сейчас некогда. — Доктор Пирсон был сегодня не в лучшем расположении духа. Но маленькая мисс Милдред не собиралась отступать — она гонялась за ним уже три дня. И Пирсону пришлось сдаться.

— Это что? Я должен знать, что вы мне здесь подсовываете.

— Это история болезни Хоудена.

— Кто такой? Не помню. — Пирсон еле сдерживал себя.

— Помните, рабочий-мостостроитель, сорвался с арки моста во время работы? Представители компании пытались утверждать, что всему виной сердечный приступ, а техника безопасности здесь ни при чем, — терпеливо напомнила ему мисс Милдред.

— Угу, — буркнул себе под нос Пирсон. Пока он подписывал документы, мисс Милдред, раз начав, считала своим долгом продолжить пояснения. Она во всем любила порядок.

— Вскрытие, однако, показало, что сердце у него совершенно здоровое и причина падения совсем не в том...

— Достаточно, знаю, — оборвал ее Пирсон. — Несчастный случай, жене полагается пенсия.

Он поставил еще одну подпись, роняя пепел сигареты на бумаги. Сегодня следы завтрака на его галстуке были заметнее обычного. «Интересно, когда он причесывался в последний раз?» — подумала мисс Милдред. Внешний вид доктора Пирсона давно стал притчей во языцех. С тех пор как десять лет назад умерла его жена, он совсем перестал обращать внимание на свою внешность. Сейчас, когда доктору Пирсону было уже шестьдесят шесть, его скорее можно было принять за бродягу, чем за руководителя одного из важнейших отделений больницы.

Наконец Пирсон подписал последнюю бумагу и, сунув всю охапку в руки мисс Милдред, голосом, в котором слышалось еле сдерживаемое раздражение, спросил, может ли он теперь наконец заняться делами. Сигара прыгала в его губах, и пепел хлопьями падал на отполированный до блеска линолеум. Пирсон так давно работал в больнице, что мог позволить себе то, что не простилось бы молодому врачу, — быть грубым и не обращать внимания на таблички «Не курить», повсюду висящие в коридоре.

На четвертом этаже, в хирургическом отделении, температура и влажность воздуха поддерживались на определенном уровне, поэтому хирурги, врачи-стажеры и операционные сестры, облаченные в зеленые стерильные халаты, могли работать, не страдая от жары. Утренние операции были закончены, и те, кто освободился, направились в больничный кафетерий.

Хирург-ортопед Люси Грэйнджер, прихлебывая обжигающий рот кофе, горячо защищала достоинства только что приобретенного ею маленького «фольксвагена».

— Боюсь, Люси, я сегодня утром ненароком наступил на него, когда выходил из своей машины, — подшучивал доктор Бартлет.

— Пустяки, Гил. Зато вы ежедневно совершаете неплохой моцион, обходя вокруг вашего детройтского чудовища, — парировала Люси.

Гил Бартлет из отделения общей хирургии, обладатель любовно ухоженного кремового «кадиллака», слыл щеголем и единственный из врачей носил бородку. Когда он говорил, эта острая бородка а-ля Ван Дейк так забавно прыгала, что Люси Грэйнджер не могла отвести от нее взгляда.

Неторопливой походкой подошел Кент О'Доннел, главный хирург больницы.

— Кент! — тут же обратился к нему Бартлет. — На той неделе я читаю сестрам лекцию о тонзиллэктомии у взрослых. У вас не найдется цветных диапозитивов, чтобы наглядно продемонстрировать им разницу между трахеитом и пневмонией?

О'Доннел мысленно попытался вспомнить весь запас наглядных пособий, имевшихся в больнице. Он знал, что нужно Бартлету. Речь шла об одном из редких осложнений во время удаления миндалин у взрослых. Даже при удачных операциях бывают случаи, когда крохотные частицы удаленной ткани попадают в легкое и вызывают абсцесс.

— Думаю, что подберу что-нибудь, — ответил он.

— Не найдете снимков трахеи, можете дать ему любые: он все равно не заметит разницы, — под общий хохот съязвила Люси.

О'Доннел улыбнулся. С Люси Грэйнджер они давнишние друзья. Иногда ему казалось, что, будь он не так занят, эта дружба могла бы перерасти в нечто большее.

Этажом выше в отдельной палате под номером сорок восемь больной Джордж Эндрю Дэнтон уже не способен был чувствовать ни жару, ни холод — какие-нибудь считанные секунды отделяли его от полного небытия. Доктор Макмагон держал руку на пульсе умирающего, чтобы не пропустить момент наступления смерти. Сестра Пэнфилд на полную мощность включила вентилятор — в палате, где присутствовала вся семья умирающего, было трудно дышать.

«Какая хорошая семья, — думала про себя сестра Пэнфилд. — Жена, взрослый сын, дочь, и все плачут. Когда придет мой черед, надеюсь, и обо мне кто-нибудь вот так поплачет. Это лучше всякого некролога в газете».

Доктор Макмагон отпустил руку Джорджа Эндрю Дэнтона и посмотрел на родных. Все было ясно без слов. Сестра Пэнфилд, как положено, зафиксировала время смерти — 10 часов 52 минуты.

В других палатах этажа в этот час было, пожалуй, спокойнее, чем обычно. Утренние процедуры, раздача лекарств и обходы врачей закончены, до обеда оставалось немного свободного времени. Кое-кто из сестер спустился вниз выпить кофе, остальные занялись приведением в порядок историй болезни.

«Жалобы на непрекращающиеся боли в брюшной полости», — начала записывать сестра Уайлдинг в историю болезни и, задумавшись, остановилась. Второй раз за это утро сестра Уайлдинг, одна из старейших медсестер больницы, вынимает из кармана своего халата письмо и фотографию, с которой на нее смотрят молодой моряк, ее сын, и незнакомая девушка. Письмо она прочитала дважды, прежде чем поняла, что сын уведомляет ее о скоропалительной женитьбе.

Надо послать поздравительную телеграмму, думает сестра Уайлдинг. Как часто говорила она себе, что уйдет на пенсию, как только сын станет на ноги. Что же, теперь это уже не за горами. Она снова прячет письмо и фотографию в карман и, взяв ручку, продолжает запись: «Небольшая рвота, доктор Рюбенс уведомлен».

В акушерском отделении на четвертом этаже никогда не знают покоя. По мнению доктора Чарльза Дорнбергера, дети имеют обыкновение появляться на свет в самое неподходящее время, причем один за другим, словно с конвейера.

Так было и в этот час относительного затишья во всей больнице. Привезли очередную пациентку Дорнбергера, немолодую негритянку, которая вот-вот должна была произвести на свет своего десятого ребенка. И акушер поспешил в родильное отделение.

В больничной кухне, где не боялись жары, так как давно к ней привыкли, старшая диетсестра Хилда Строуган попробовала рисовый пудинг с изюмом и одобрительно кивнула головой. Она подумала, что все эти пробы, как всегда, в конце недели скажутся на ее весе, когда она в очередной раз повторит ритуал взошествия на весы, но, увы, снятие проб — ее обязанность. К тому же сестре Строуган было уже поздно заботиться о фигуре. Когда она несла свое мощное тело по коридору, казалось, плывет авианосец и все остальные вокруг — неприметный эскорт.

Но что бы там ни было, миссис Строуган любила свою работу. Она с удовлетворением окинула взором свои владения — блестящие никелированные плиты, столы для раскладки пищи, начищенные до блеска кастрюли, белоснежные фартуки поваров и их подопечных. Все ласкало ее глаз.

На кухне была горячая пора: обед — самое хлопотное время дня. Ведь кроме больных предстояло накормить еще и больничный персонал. А потом, когда судомойки займутся горой грязной посуды, повара начнут готовить ужин.

Мысль о грязной посуде заставила диетсестру нахмуриться, и она проследовала в дальний конец кухни, где стояли два посудомоечных аппарата. Этой частью своих владений она едва ли могла гордиться. Модернизация кухни не затронула этот уголок. Разумеется, не все сразу. За те два года, что она работает в больнице Трех Графств, она добилась немалого. Сестра Строуган решила, что настало время снова потребовать от администрации заменить пришедшие в негодность посудомоечные аппараты.

В рентгеновском кабинете, на втором этаже, мысли Джеймса Блэдуика, вице-президента одной из трех самых крупных в Берлингтоне компаний по продаже автомобилей, тоже были заняты едой. Он был голоден как волк. Ему должны были сделать снимок желудка, и поэтому он голодал уже с полуночи. Рентгеновское исследование либо подтвердит, либо отклонит подозрение на язву двенадцатиперстной кишки. Больной надеялся, что подозрения не подтвердятся.

Но доктор Ральф Белл, старший рентгенолог, не сомневался, что у пациента язва.

— Разумеется, вы будете жить, — ответил он на вопрос больного. Всем им хотелось сразу же знать, что он там увидел в своем флюороскопе, но ставить диагноз не его дело. — Завтра ваш врач получит снимки и все вам скажет.

«Да, не повезло тебе, приятель», — подумал про себя доктор Белл.

Неподалеку от главного корпуса больницы, в одной из комнат ветхого здания, которое некогда было мебельной фабрикой, а теперь служило общежитием для медсестер, Вивьен Лоубартон, сестра-практикантка, никак не могла застегнуть «молнию» на платье.

— Сто чертей! — воскликнула она, вспомнив любимое ругательство своего отца.

Вивьен было девятнадцать, и она уже четыре месяца работала медсестрой в больнице. Сначала было трудно, страшно, отвратительно, и порой ей казалось, что она близка к обмороку при виде такого количества болезней.

Но надо было привыкать. Иногда хотелось отвлечься. И тогда она искала спасения в музыке. Берлингтон, небольшой городок, как ни странно, имел прекрасный симфонический оркестр. Вивьен очень огорчилась, когда летом он прекратил свои концерты. Теперь приходилось думать, чем заполнить свободное время между утренними лекциями и дежурствами в больнице.

Наконец-то непослушная «молния» застегнулась, и Вивьен выбежала из комнаты. Боже, какая на улице жара!

Таким было это утро, самое обычное утро в больнице Трех Графств — в ее амбулатории, детском отделении, лабораториях и операционных, в отделениях неврологии, психиатрии, педиатрии, дерматологии, ортопедии, офтальмологии, гинекологии и урологии, в палатах, в административно-хозяйственных службах и в комнатах для свиданий, в больничных коридорах, холлах, лифтах — словом, на всех ее пяти этажах.

Было одиннадцать часов утра пятнадцатого июля.

2

На колокольне церкви Спасителя часы пробили два часа пополудни, когда Кент О'Доннел покинул хирургическое отделение и стал спускаться по лестнице, направляясь в помещение административно-хозяйственных служб. По дороге ему встречались спешащие по своим делам сестры и молодые врачи-стажеры, которые сразу же становились серьезными, почтительно здоровались и уступали ему дорогу. На площадке второго этажа О'Доннел остановился, чтобы пропустить сестру, которая катила перед собой больничное кресло — в нем сидела девочка лет десяти с забинтованным глазом. Сестра была ему незнакома, но он вежливо улыбнулся ей и заметил, как она окинула его оценивающим взглядом.

Несмотря на свои сорок с лишним лет, О'Доннел нередко ловил на себе взгляды женщин. Ему удалось сохранить спортивную фигуру — в свое время он был отличным защитником в команде колледжа. Он и по сей день по старой привычке расправлял свои мощные плечи, когда предстояло преодолеть трудности или принять серьезное решение. Он не был красив в общепринятом смысле этого слова, но такие грубоватые мужественные лица с неправильными чертами странным образом привлекают женщин.

О'Доннел услышал, как кто-то окликнул его. Это был Билл Руфус, один из штатных хирургов больницы. Руфус нравился О'Доннелу. Он был добросовестным врачом, хорошим специалистом с большой практикой. Больные верили в него, коллеги и младший медперсонал уважали. Единственной странностью Билла — если это можно было назвать странностью — было пристрастие к слишком ярким галстукам. Вот и сейчас О'Доннел внутренне содрогнулся, увидев новый галстук своего коллеги, немыслимого рисунка, переливающийся всеми цветами радуги. Руфуса нередко разыгрывали, он был объектом постоянных шуток и острот своих коллег, но на все это неизменно отвечал добродушной улыбкой. Сегодня, однако, вид у него был озабоченный.

— Кент, мне надо поговорить с тобой. Речь идет о заключениях патологоанатомического отделения. Они поступают с большим опозданием. Слишком большим.

— Но с предварительным заключением задержек не бывает?

— Нет, — ответил Руфус, — здесь все в порядке. Задерживаются окончательные ответы.

— Понимаю. — О'Доннел мысленно проследил процедуру исследования. После замораживания срез ткани направляли в лабораторию, где проводилось кропотливое исследование и давалось окончательное заключение. Изменение предварительных заключений не считалось чем-то из ряда вон выходящим. В таких случаях больного возвращали в операционную и подвергали необходимой операции. Вот почему второе, окончательное заключение непременно должно было поступать своевременно.

В этом, собственно, и была суть справедливой жалобы Руфуса.

— Если бы это случилось один раз, — продолжал Билл Руфус. — Я знаю, отделение перегружено работой, и я не хочу ни в чем обвинить Джо Пирсона. Но это становится системой. Вот конкретный случай. На прошлой неделе я оперировал больную Мэйсон. Я удалил опухоль и получил заключение Джо Пирсона, что она доброкачественная. А позднее Пирсон классифицировал опухоль как злокачественную. Понадобилось целых восемь дней, чтобы дать заключение, а к тому времени больная выписалась из больницы.

«Да, это никуда не годится», — подумал О'Доннел. Тут уже он ничего не мог возразить Руфусу.

— Не так-то просто, — продолжал Руфус, понизив голос, — сказать теперь этой женщине, что мы ошиблись в диагнозе и ей снова предстоит операция.

О'Доннел хорошо знал, что это непросто. Однажды, до того как он начал работать в этой больнице, ему самому пришлось пережить такое, и он надеялся, что это никогда не повторится.

— Билл, позволь мне самому заняться этим. — О'Доннел был рад, что в данном случае имеет дело с Руфусом: с другим хирургом это было бы не так легко.

— Разумеется. Только надо что-то сделать. Случай, к сожалению, не единичный.

Все верно, да вот только Руфус не знает всех других проблем.

— Я поговорю с Джо Пирсоном сегодня же. После конференции. Спасибо, что ты мне об этом рассказал. Меры будут приняты. Я тебе обещаю.

«Меры, — думал О'Доннел, шагая по коридору, — но какие меры?»

Он вошел в административное крыло и открыл дверь в кабинет Гарри Томаселли.

О'Доннел увидел Томаселли только тогда, когда тот его окликнул:

— Иди сюда, Кент.

Большую часть своего рабочего времени он проводил в дальнем конце кабинета, у стола, заваленного чертежами и планами.

— Все мечтаешь, Гарри? — О'Доннел взял в руки один из чертежей. — Уверен, ты смог бы построить себе отличную квартирку на крыше восточного крыла больницы.

Томаселли улыбнулся.

— Я не против, если тебе удастся убедить совет.

О'Доннел рассматривал архитектурный план новой больницы Трех Графств с новыми пристройками, проектирование которых вот-вот будет закончено.

— Какие еще новости? — спросил он у Томаселли.

— Сегодня утром беседовал с Ордэном.

Ордэн Браун — президент второго по величине сталелитейного завода в Берлингтоне — был председателем попечительского совета больницы.

— Ну и что?

— Он убежден, что мы можем рассчитывать на дополнительные полмиллиона долларов примерно в январе. Это значит, что в марте мы можем начать строительство.

— А другие полмиллиона?

— На прошлой неделе Ордэн сказал мне, что, по его мнению, этот вопрос решится уже в декабре.

О'Доннел подивился такому оптимизму.

— Я тебя понимаю, — ответил Томаселли. — Но он просил меня передать тебе это. Вчера он еще раз встретился с мэром города. Они уверены, что смогут осенью завершить кампанию по сбору средств.

— Неплохие новости, — сказал О'Доннел и решил пока не высказывать своих сомнений.

— Да, между прочим, — сказал Томаселли, — Ордэн и мэр должны в среду встретиться с губернатором штата. Мы, очевидно, все-таки получим дополнительные ассигнования.

Новость обрадовала О'Доннела. Это уже приближало его к осуществлению давнишней мечты, которая зародилась три с половиной года назад, когда он впервые появился в больнице Трех Графств. Странно, как человек привыкает к месту. Если бы ему кто-либо сказал на медфакультете Гарвардского университета или потом, когда он был главным хирургом в Колумбийской пресвитерианской больнице, что он когда-нибудь окажется в захолустной больнице, он бы рассмеялся ему в лицо. Он мечтал о ведущем медицинском учреждении, таком, как больница Джона Гопкинса или Главная больница штата Массачусетс. С его знаниями и опытом он мог выбирать. Но в Нью-Йорк приехал Ордэн Браун и уговорил его посетить больницу в Берлингтоне.

То, что он увидел, ужаснуло его. Ордэн Браун показал все, ничего не скрывая. Потом О'Доннел согласился пообедать у него и последним самолетом вернулся в Нью-Йорк.

За обедом гостеприимный хозяин рассказал ему историю больницы. История была самой обычной. Некогда больница Трех Графств была вполне современным учреждением и о ней шла добрая слава в штате. Вскоре, однако, все изменилось: самодовольство одних и инертность других сделали свое дело. Председатель попечительского совета, стареющий промышленник, перепоручал все дела кому придется и почти не появлялся в больнице. Заведующие отделениями, занимавшие свои посты в течение многих лет, противились нововведениям. Молодые врачи, окончательно отчаявшись чего-либо добиться, уходили в другие больницы. Наконец репутация больницы стала такой, что ни один высококвалифицированный врач не хотел в ней работать. Так обстояло дело, когда на сцене появился О'Доннел.

Единственной положительной переменой было назначение Ордэна Брауна председателем попечительского совета больницы, когда старый председатель умер. Теперь Браун пытался убедить всех членов совета в необходимости перемен и полной модернизации больницы.

Это было нелегким делом. Консервативные члены совета да и многие из старого персонала всячески противились этому. Брауну приходилось действовать очень осторожно и осмотрительно, чтобы не восстановить против себя влиятельных членов совета. Ведь больнице нужны были деньги! И человек, которого консерваторы прочили на пост председателя вместо Брауна, владелец целой империи универмагов, уже намекнул ему, что завещания в пользу больницы могут быть и переписаны.

Только в одном Браун пока преуспел: он убедил большинство членов совета в необходимости подыскать нового главного хирурга. Вот почему он обратился к О'Доннелу.

На этом разговор закончился. Браун сам отвез О'Доннела в аэропорт.

В самолете О'Доннел пытался прочесть интересующую его статью, но то и дело возвращался мыслью к больнице Трех Графств. И вдруг впервые начал думать о своем отношении к медицине. Что она для него значит? Чего он хочет для себя самого? Что он сам может дать другим? Он так и не женился и, наверно, никогда не женится. Куда ведет его дорога от Гарвардского университета, пресвитерианской больницы и стажировки в Лондоне? И вдруг понял: она ведет его в Берлингтон, в больницу Трех Графств. По прибытии в Нью-Йорк он дал Ордэну телеграмму с одним коротким словом: «Согласен».

И вот сейчас, рассматривая чертежи, он мысленным взором окинул три с половиной года своей работы в больнице.

О'Доннелу довольно быстро удалось объединить вокруг себя всех штатных хирургов, жаждущих перемен.

Менее квалифицированных хирургов отстранили от сложных операций. Нескольким горе-хирургам предложили на выбор: либо уйти в отставку, либо быть уволенными.

Не обошлось без неприятностей, без скандалов с медицинским советом графства.

Однако О'Доннелу и его единомышленникам удалось заменить ушедших опытными врачами, терапевтическое отделение приобрело нового заведующего — доктора Чандлера, специалиста по внутренним болезням, и хотя он не всегда соглашался с О'Доннелом, иногда бывал высокомерен, он был бескомпромиссен, когда дело касалось вопросов медицины.

За эти три с половиной года произошли и другие изменения. На работу был принят Гарри Томаселли, сумевший улучшить административное руководство больницей. Год назад О'Доннел стал главным врачом. В больницу начала приходить молодежь.

Но недостатков было еще слишком много. Об этом О'Доннел как раз и думал после разговора с Руфусом. Отделение патанатомии оставалось своеобразным оплотом старого порядка. Доктор Джозеф Пирсон, который считал отделение своей вотчиной, работал в больнице 32 года. Он был в самых дружеских отношениях с большинством старых членов и частенько играл в шахматы с Юстасом Суэйном, одним из самых влиятельных членов попечительского совета. В сущности, Пирсона нельзя считать плохим специалистом. В молодости он подавал надежды, мог стать хорошим исследователем и какое-то время был даже президентом Ассоциации патологоанатомов штата. Но у отделения было теперь слишком много работы, и один человек не мог с ней справиться. О'Доннел также опасался, что техника лабораторных исследований безнадежно устарела.

Предстояла кампания по сбору средств для строительства нового здания, и размолвка с Пирсоном могла помешать. Он дружен с Юстасом Суэйном, а старый магнат мог или помочь, или же расстроить все их планы. О'Доннел надеялся, что вопрос о переменах в отделении Пирсона удастся отложить еще на какое-то время, но Билл Руфус ждал ответа. Оторвавшись от чертежей, О'Доннел сказал, обращаясь к Томаселли:

— Боюсь, Гарри, нам придется объявить войну старику Пирсону.

3

В отличие от духоты и больничной суматохи, царивших на верхних этажах, здесь, в окрашенном белой масляной краской коридоре подвального этажа, было прохладно и тихо. Тишину не нарушила появившаяся небольшая процессия — медицинская сестра Пэнфилд, сопровождавшая каталку, которую медленно вез перед собой санитар.

В который раз совершает она путь по этому коридору, думала сестра Пэнфилд. Должно быть, в пятидесятый, не меньше, за эти одиннадцать лет. А может быть, и больше, разве этому ведешь счет?

Коридор в одном месте разветвлялся, из правого его крыла доносился гул работающих механизмов — там помещались бойлерная, контрольные пульты электросети больницы, аварийные генераторы. Налево коридор заканчивался дверью с надписью: «Патологоанатомическое отделение. Морг».

Когда санитар Вайдам свернул налево, сторожу Ринну пришлось прервать свое занятие: он едва успел промочить горло глотком кока-колы. Вытирая губы тыльной стороной ладони, он сочувственно произнес, указывая на каталку:

— Кому-то не повезло, а?

— Да, на сей раз номер вытащил этот бедолага, — в тон ему ответил санитар. Обмен подобными репликами стал у них привычкой.

Прежде чем пропустить каталку дальше, Ринн все же допил свою бутылку кока-колы.

Какая ничтожная черта отделяет жизнь от смерти, в который раз подумала сестра Пэнфилд. Семья покойного вела себя разумно, когда встал вопрос о необходимости вскрытия, — никаких истерик, страхов, предубеждений. Доктору Макмагону, приготовившемуся убеждать, как это важно для диагностики будущих случаев и вообще для прогресса медицинской науки, так и не пришлось блеснуть красноречием.

Сторож Ринн распахнул двери, и каталку ввезли в секционный зал морга.

В дальнем его конце доктор Макнил уже натягивал халат. Просматривая карточки, врученные ему сестрой Пэнфилд, он поймал себя на мысли, что ему приятны ее присутствие, легкий запах духов, даже прядь волос, выбившаяся из-под белой шапочки. Сколько ей лет? Года тридцать два, не более.

— Ну что же, бумаги, как всегда, в полном порядке, — заставил он себя вернуться к делу.

— Благодарю вас, доктор, — улыбнулась сестра Пэнфилд и направилась к двери.

— Ждем еще. Сами понимаете, практика нам необходима. — Дежурная острота в этом царстве смерти. Однако сестре Пэнфилд показалось, что доктор Макнил хотел сказать что-то совсем другое. Что ж, возможно, скажет в другой раз, ведь они еще увидятся.

Джордж Ринн уже раскладывал пинцеты, пилу для трепанации черепа и бесчисленные мелкие пилки и ножички. Дело свое он знал. Подготовив все, он вопросительно посмотрел на доктора.

— Да, Ринн, позвоните сестрам-практиканткам — они могут спускаться вниз — и скажите доктору Пирсону, что мы начинаем.

— Слушаюсь, доктор, — почтительно ответил Ринн и вышел.

Макнил умел заставить уважать себя, хотя как врач-стажер получал не многим больше сторожа Ринна.

В больнице Трех Графств он стажируется уже три года. Еще полгода, и он станет штатным патологоанатомом больницы. Тогда наступит долгожданная свобода и можно будет подумать о лучшем месте. Патологоанатомов не так много, спрос постоянно превышает предложение. Тогда уже не придется раздумывать, примет ли его ухаживания сестра Пэнфилд.

Дверь морга распахнулась, и в помещение стремительно вошел, скорее вбежал, Майк Седдонс, стажер-хирург, временно прикомандированный к отделению. Как всегда, его рыжие вихры в беспорядке торчали во все стороны, а на мальчишеской физиономии играла неизменная улыбка. Макнил считал его хвастуном, хотя парень, к счастью, проявлял подлинный интерес к патанатомии, не то что большинство других больничных хирургов, с которыми Макнилу доводилось здесь работать.

— Что за случай? От чего смерть?

Макнил кивком указал на историю болезни.

— Ага, инфаркт.

— Так указано в истории болезни.

— Пирсон будет присутствовать?

— Кто знает? Он сам себе хозяин. Да и случай неинтересный. Заполните пока документ осмотра тела.

Седдонс, взяв нужную форму, принялся за дело. В коридоре послышался шум шагов. В двери показалась голова одной из начальниц школы медсестер.

— Доброе утро, доктор Макнил. — За ней толпились ее подопечные. Их было на сей раз шесть.

— Входите, девочки, не бойтесь и занимайте места в партере, — подбодрил их шуткой Майк Седдонс, а сам оценивающим взглядом окинул всю группу. Кажется, есть новенькие. Вот эту брюнетку он видит впервые.

— Вы новенькая?

— Нет, я здесь уже давно, как и все. А разве врачи замечают сестер-практиканток?

— Вообще нет. Но бывают случаи... — И Майк Седдонс поспешил представиться, с удовольствием разглядывая миловидное личико девушки.

— Вивьен Лоубартон, — с улыбкой ответила она, но, заметив строгий взгляд старшей сестры, тут же снова стала серьезной. Да, да, нельзя, ведь на столе лежит мертвый, он только что умер, и сейчас будет вскрытие. Это слово немножко пугало ее. Она здесь впервые, и неизвестно, как она все это еще перенесет. Но сестра должна привыкнуть ко всему — к операции, смерти, вскрытию.

Вскрытие должен был производить сам доктор Пирсон. Вот уже слышны его шаги, распахивается дверь, и сестры, почтительно расступившись, пропускают доктора к столу. Короткое приветствие и вежливое бормотание оробевших сестер. Все очень эффектно, подумал Седдонс. Не хватает только аплодисментов.

— Вы, кажется, здесь впервые? — обратился Пирсон к девушкам. — Тогда познакомимся, я главный патологоанатом больницы, эти джентльмены — патологоанатом доктор Макнил и хирург Седдонс, который работает здесь уже третий год, если я не ошибся, — он повернулся к Седдонсу, — чем, разумеется, оказывает нам великую честь.

— Совершенно верно, доктор Пирсон.

Пирсон никогда не упускал случая отпустить колкость по адресу хирургов, которых недолюбливал. Видимо, за сорок лет работы старый доктор нашел не одну их ошибку.

— Патологоанатом, — продолжал Пирсон, — это врач, которого пациент почти не видит. Но ни одно из отделений больницы не играет такой роли в судьбе больного, как наше. Патанатомия исследует срезы тканей и дает окончательное заключение. Исходя из этих данных, лечащий врач делает назначение больному, а когда все медицинские средства бессильны, — он взглянул на тело Джорджа Эндрю Дэнтона, — именно патологоанатом устанавливает окончательный диагноз. — Mortui vivos docent*, — произнес он. — Данный пациент, видимо, — и он сделал ударение на этом слове, — умер от коронарного тромбоза. Вскрытие покажет, так ли это. — И Пирсон приступил к вскрытию.

— Вы согласны, — обратился он к Седдонсу, — что диагноз правилен — коронарный тромбоз?

---

* Мертвые учат живых (лат.). — Здесь и далее примеч. пер.

Седдонс кивнул головой.

— Однако, — указывая на легкие, добавил Пирсон, — я вижу и туберкулез. Больному делали рентген грудной клетки?

Седдонс отрицательно покачал головой:

— В истории болезни не указано, что делали снимок.

— У больного был, кроме всего, еще и туберкулез легких, который очень скоро погубил бы его. По-видимому, ни больной, ни его врач не знали об этом. В вашей практике, — обратился Пирсон к сестрам, — будет немало случаев, когда больные будут умирать. И крайне важно, чтобы родственники давали разрешение на вскрытие, хотя этого не всегда легко добиться. Когда вам понадобятся убедительные доводы, вспомните сегодняшний случай и приведите его в качестве примера. Этот человек был болен туберкулезом в течение многих месяцев. Возможно, он заразил остальных членов семьи, своих сослуживцев, даже кого-нибудь из персонала больницы.

Медсестры инстинктивно отступили от стола.

— Не бойтесь, сейчас опасности заражения нет. Туберкулез — это респираторная инфекция. Но вот тех, кто непосредственно контактировал с больным при его жизни, пожалуй, необходимо взять под наблюдение.

К удивлению Седдонса, слова старика Пирсона тронули его. Как он профессионально тактичен. Седдонс почувствовал невольное уважение и подумал, что Пирсон, несмотря ни на что, все же ему нравится.

Как бы прочитав его мысли, старый доктор, повернувшись к нему, сказал не без иронии:

— И у нас, патологоанатомов, есть свои маленькие победы, доктор Седдонс.

Закончив вскрытие, доктор Пирсон поклонился сестрам и вышел, оставив после себя облако сигарного дыма.

4

На этот раз ежемесячная конференция была назначена на 14.30. Люси Грэйнджер, несколько запыхавшись, вошла в приемную администратора.

Все только что прошли в конференц-зал, и за дверью слышался гул голосов.

Люси Грэйнджер села на ближайший свободный стул рядом с Кентом О'Доннелом и еще каким-то молодым человеком, которого она видела впервые. Было шумно и уже порядком накурено. На ежемесячных патологоанатомических конференциях требовалось присутствие всего старшего медицинского персонала, и большинство из сорока хирургов больницы, а также штатные врачи и врачи-стажеры были уже в сборе.

— Люси, — сказал О'Доннел, — позволь тебе представить доктора Роджера Хилтона. Он только что зачислен к нам в штат. А это доктор Грэйнджер, наш хирург-ортопед.

— Ваше первое назначение в больницу? — спросила она, подавая руку новому коллеге. На вид ему было лет двадцать семь.

— Да, до этого я работал в клинике Майкла Риса.

Теперь Люси вспомнила. О'Доннелу очень хотелось заполучить молодого хирурга. Значит, он того стоит.

— Люси, можно тебя на минутку? — вдруг сказал О'Доннел.

Извинившись перед Хилтоном, Люси вместе с главным хирургом отошла к окну.

— Так будет лучше. Здесь мы хоть услышим друг друга. Как поживаешь, Люси? За последнее время я тебя вижу только на работе.

Она ответила не сразу, казалось, обдумывая свой ответ.

— Как тебе сказать? Поживаю сносно, пульс нормальный, температура 36,6, а вот кровяное давление давно не измеряла.

— Может, разрешишь мне это сделать, ну хотя бы, скажем, за обедом в каком-нибудь ресторанчике? Право, Люси, почему бы нам не пообедать вместе?

— С удовольствием, Кент, но раньше мне надо взглянуть на свое расписание.

— Я позвоню тебе. А теперь пора открывать совещание.

Глядя, как он идет к столу, Люси впервые подумала, что он нравится ей. Он неоднократно приглашал ее обедать, они провели немало вечеров вместе, и порой ей казалось, что между ними уже установилось некое подобие близости. Она не замужем, он тоже холост, она на семь лет его моложе. Но О'Доннел, очевидно, видит в ней лишь интересную собеседницу, не более.

Люси знала, что, если бы она дала себе волю, ее симпатия к О'Доннелу могла бы превратиться в серьезное чувство. Но она не собиралась торопить события.

— Начнем, господа? — громко произнес О'Доннел, заняв свое место во главе стола.

— Я не вижу Джо Пирсона! — выкрикнул Билл Руфус.

— Разве Джо здесь нет? — О'Доннел обвел взглядом присутствующих. — Кто-нибудь знает, где Пирсон?

Многие недоуменно пожали плечами.

По лицу О'Доннела пробежала тень неудовольствия.

— Мы не можем проводить конференцию без главного патологоанатома.

В эту минуту открылась дверь, и вошел Пирсон.

— Я был на вскрытии. Продолжалось дольше, чем я предполагал. Кроме того, проголодался и забежал в буфет за бутербродом. — Из его папки торчал уголок бумажной салфетки.

«Наверное, с остатками бутерброда», — подумала Люси и улыбнулась. Только Джо Пирсон мог позволить себе жевать во время совещания.

О'Доннел представил Пирсону нового хирурга. Обменявшись рукопожатием, Пирсон уронил папку, и бумаги рассыпались по полу. Билл Руфус, скрывая улыбку, собрал их и вместе с папкой сунул Пирсону под мышку. Поблагодарив его кивком головы, Пирсон отрывисто спросил Хилтона:

— Хирург?

— Да, сэр.

«Воспитанный молодой человек, — подумала Люси, — почтителен к старшим».

— Еще один кандидат в ремесленники, — проворчал Пирсон. Поскольку это было сказано довольно громко, в кабинете воцарилась настороженная тишина. Но Хилтон рассмеялся:

— Может быть, вы и правы, сэр.

Однако Люси показалось, что грубоватая острота Пирсона обескуражила его.

— Не обращайте внимания на Джо, — поспешил сгладить неловкость О'Доннел. — Он не жалует нас, хирургов. Ну-с, пожалуй, начнем.

Старший врачебный персонал занял свои места непосредственно за столом, остальные расположились кто где. Люси имела возможность видеть почти всех. По левую руку от О'Доннела уселся Пирсон со своими бумагами. Ничуть не стесняясь, он жевал бутерброд. Далее сидели акушер Дорнбергер и доктор Гил Бартлет и напротив — Белл из рентгенологии и отоларинголог Макюан, которые обычно не присутствуют на таких совещаниях.

О'Доннел, взглянув на свои записи, открыл совещание.

— Первый случай. Сэмюэль Лоубиц, белый, 53 лет. Докладывает доктор Бартлет.

Гил Бартлет, как всегда безупречно одетый, открыл свою папку.

— Больной был направлен ко мне 12 мая, — начал он тихим голосом.

— Погромче, Гил, — послышались голоса.

Бартлет повысил голос:

— Постараюсь, но кое-кому не мешает показаться доктору Макюану. — Замечание было встречено дружным смехом.

Люси завидовала тем, кто мог так себя вести на подобных совещаниях. Она сама никогда не была спокойной, в особенности когда разбирались случаи из ее отделения. Было настоящим испытанием говорить о диагнозе и лечении человека, которого уже нет в живых, выслушивать суждения коллег, а потом отчет патологоанатома о данных вскрытия. Джо Пирсон не щадил никого.

Случаи врачебных ошибок не так редки. Самое важное — это учиться на ошибках и не допускать их повторения. Вот для этого и проводились совещания.

Но бывали ошибки непростительные. И тогда в кабинете главврача воцарялось тягостное молчание, присутствующие избегали смотреть друг другу в глаза. В таких случаях редко кто решался резко критиковать виновного, ибо никто не был уверен, что когда-нибудь сам не очутится на его месте.

Люси не приходилось еще попадать в подобное положение. Но она знала, каким беспощадным бывал главный хирург, когда беседовал с виновным с глазу на глаз в своем кабинете.

Гил Бартлет продолжал:

— Больного направил ко мне доктор Симбалист.

Люси знала этого частнопрактикующего врача. Он и к ней направлял своих больных.

— Доктор позвонил мне домой и сказал, что подозревает прободную язву желудка. Описанные им симптомы подтверждали диагноз. Больной был уже на пути в больницу. Я известил об этом дежурного хирурга по телефону.

Бартлет снова заглянул в свои записи.

— Сам я увидел больного примерно через полчаса. У него были сильные боли в верхней части живота. Давление упало, лицо было пепельно-серым, холодная испарина, состояние шока. Я распорядился сделать переливание крови и укол морфия. Живот был, как доска, при пальпации определялся положительный симптом Блюмберга.

— Рентгеновский снимок сделали? — спросил Руфус.

— Нет. Я считал, что тяжелое состояние больного не позволяет подвергать его рентгеноскопии. Я был согласен с диагнозом и решил немедленно оперировать.

— Выходит, у вас даже не возникло никаких сомнений, доктор? — Эти слова произнес Пирсон. До этого он рылся в своих бумагах, а теперь смотрел на Бартлета.

На минуту Бартлет растерялся, и Люси подумала: «Что-то здесь не так. Очевидно, диагноз был неправильным, и Джо Пирсон готовится захлопнуть ловушку».

— В таких неотложных случаях всегда бывают сомнения, доктор Пирсон, но я решил, что симптомы оправдывают оперативное вмешательство. — Бартлет сделал паузу. — Но прободной язвы не оказалось, и больного вернули в палату. Я пригласил доктора Тойнби на консультацию, однако больной скончался до его прибытия.

Итак, диагноз все же оказался неправильным. Несмотря на внешнее спокойствие Бартлета, Люси знала, что он испытывает сейчас.

О'Доннел попросил Пирсона доложить о результатах вскрытия.

Порывшись в своих бумагах, Пирсон наконец извлек нужную. Быстро окинув взглядом сидевших за столом, он сказал:

— Как уже доложил нам доктор Бартлет, прободной язвы желудка не было. В брюшной полости мы не нашли изменений. — Он сделал паузу, как бы готовя присутствующих к тому, что должно прозвучать для них как взрыв бомбы, а затем продолжил: — Это была начальная стадия пневмонии, отсюда и боли.

Люси вспомнилось, что в подобных случаях симптомы бывают схожими.

— Кто хочет высказаться? — спросил О'Доннел.

Воцарилось неловкое молчание. Была допущена ошибка, и все же ошибка объяснимая. Большинство из присутствующих сознавали, что каждый мог бы действовать, как Бартлет. Билл Руфус заговорил первым:

— При подобных симптомах, я считаю, пробная лапаротомия бывает оправданной.

Пирсон только этого и ждал.

— Как сказать! Нам всем хорошо известно, что доктор Бартлет редко видит выше живота. — А затем в полной тишине спросил, обратившись прямо к Бартлету: — А вы хотя бы выслушали больного?

Само замечание и вопрос были непозволительны по форме и тону. Даже если действия Бартлета и заслуживали самой резкой критики, это должен был сделать О'Доннел, а отнюдь не Пирсон и, разумеется, не в присутствии всех. Бартлет не был безответственным врачом. Те, кто работал с ним, знали, что он добросовестно относится к своим обязанностям и порой даже излишне осторожен. В данном же случае он был поставлен перед необходимостью принять немедленное решение.

Краска бросилась в лицо Бартлету, он резко отодвинул стул и встал.

— Разумеется, я выслушал больного. Я уже сказал, что состояние не позволяло подвергать его рентгеноскопии, но даже если бы и можно было это сделать...

— Джентльмены, прошу вас, — попытался было вмешаться О'Доннел, но Бартлета уже невозможно было остановить.

— Все мы задним умом крепки. Вы это хотите сказать, доктор Пирсон? Что ж, сам мистер Пирсон не раз служил тому примером.

На другом конце стола доктор Чарли Дорнбергер попытался было что-то сказать в защиту Пирсона.

— Он ваш друг, — сердито оборвал его Бартлет. — И к тому же не питает чувства кровной мести к акушерам.

— Ну это уж слишком, господа! Я прошу вас... — О'Доннел постучал председательским молоточком по столу. Его атлетическая фигура с воинственно расправленными плечами возвышалась над столом. — Доктор Бартлет, садитесь на свое место!

О'Доннел внутренне негодовал и не мог скрыть этого. Джо Пирсон не имел права срывать совещание. О'Доннел понимал, что теперь не может быть и речи о спокойном и объективном разборе и он должен будет попросту закрыть совещание. Он с трудом сдержался, чтобы не отчитать Пирсона прямо тут же. Но он понимал, что это лишь усугубит и без того трудное положение.

О'Доннел сам считал, что Бартлет заслуживает строгого разбора и критики. Но ошибку можно было бы обсудить спокойно и объективно. Но теперь поздно. Если О'Доннел на этой стадии поднимет все вопросы так, как он предполагал сделать, получится, что он поддерживает Пирсона. Разумеется, с Бартлетом он поговорит наедине, но возможность полезного открытого обсуждения упущена. Черт бы побрал этого Джо Пирсона!

— Думаю, всем ясно, что повторения подобных ошибок не должно быть. Хочу заметить, что наши конференции созываются не для препирательств и сведения счетов. — О'Доннел посмотрел на Пирсона и Бартлета. — Переходим к разбору следующего случая.

Конференция рассмотрела еще четыре случая, не вызвавших дискуссий, и Люси подумала о том, как вспышки антагонизма вредят работе.

Люси казалось, что Пирсон нередко основывает свои суждения на личной неприязни. Сегодня жертвой стал Гил Бартлет, опытный хирург, успешно оперировавший больных в случаях, которые ранее считались неоперабельными.

Пирсон хорошо знал это. Почему же такое недоброжелательство? Может быть, он завидует Бартлету? В свои сорок лет Бартлет достиг многого, чего не удалось достичь Пирсону, он был известен, имел обширную практику в городе. Специальность же патологоанатома, чрезвычайно важная и необходимая, в общем-то малопопулярна и славы не приносит. Многие считают ее чем-то вроде лаборанта, даже и не подозревая, что должность требует высшего медицинского образования и многих лет практики.

Могли здесь играть роль и деньги. Гил Бартлет, помимо всего, консультировал и получал от больных гонорары, а Пирсон был штатным работником больницы и жил на одно жалованье. При такой постановке дела любой начинающий хирург мог зарабатывать вдвое больше опытного патологоанатома. Кто-то как-то съязвил, что хирург получает пятьсот долларов за удаление опухоли, в то время как патологоанатом — пять долларов за исследование этой опухоли, диагноз, рекомендацию дальнейшего лечения и прогноз течения болезни.

Люси была в хороших отношениях с Пирсоном, ей даже казалось, что он симпатизирует ей, да и она сама ничего не имела против старика. Он охотно консультировал ее больных, когда она к нему обращалась, и это очень помогало ей в работе.

Совещание закончилось. Присутствующие понемногу расходились. Пирсон замешкался, собирая свои бумаги. Проходя мимо него, О'Доннел попросил его пройти в соседнюю комнату.

— На минутку, Джо.

Начав разговор, О'Доннел старался быть как можно более сдержанным:

— Джо, мне кажется, пора прекратить ваши резкости и нападки на сотрудников.

— Почему? — Пирсон не собирался сдавать позиции.

— Да потому, что это ни к чему хорошему не приведет, — ответил О'Доннел, невольно повышая голос. Раньше он этого никогда бы себе не позволил в разговоре с Пирсоном. Правда, как главный хирург О'Доннел не имел права вмешиваться в деятельность патологоанатома, но когда работа отделения патанатомии затрагивала интересы хирургии, у него все же были кое-какие права.

— Я всего лишь обратил внимание на неправильный диагноз. — Тон Пирсона был резким. — А вы считаете, что подобные случаи следует замалчивать?

— Уж вам-то не надо такое говорить, — ледяным голосом ответил О'Доннел.

— Я просто не так выразился, — проворчал Пирсон.

О'Доннел не смог скрыть улыбки. Для Пирсона не так-то легко было извиниться перед кем-либо.

— Я думаю, все это можно делать совсем по-другому, — сказал О'Доннел уже миролюбивым тоном. — На наших конференциях я хотел бы, чтобы вы докладывали о результатах вскрытий, а руководить дискуссией буду я сам. И поменьше эмоций.

— Кому нужны эти эмоции? — Пирсон продолжал еще ворчать, но чувствовалось, что он уже отходит.

— И все-таки, Джо, я хотел бы руководить конференциями, как я это считаю нужным. — О'Доннелу хотелось поскорее закончить разговор, но все же он решил поставить точки над i.

Пирсон пожал плечами:

— Пожалуйста.

— Вот мы и договорились. Спасибо, Джо. — О'Доннел подумал, что это, пожалуй, самый подходящий момент решить со стариком еще один вопрос. — Раз уж вы здесь, Джо, — сказал он, — есть еще одно небольшое дело.

— Я очень занят. В другой раз. — Пирсон, казалось, давал О'Доннелу понять, что, хотя он и уступил в одном вопросе, он отнюдь не намерен позволить покушаться на свою независимость.

— Дело не терпит отлагательства. Речь идет о заключениях вашего отделения. Есть жалобы, — спокойно продолжал О'Доннел, — что вы слишком поздно даете заключения.

— Ну конечно, Руфус пожаловался! — опять вспылил Пирсон.

Но О'Доннел твердо решил не дать спровоцировать себя на новую ссору.

— В том числе и Руфус. Вы сами знаете, Джо, жалоб много.

Пирсон ответил не сразу, и О'Доннелу даже стало жаль старика. Пирсону было шестьдесят шесть, и работать ему осталось от силы каких-нибудь пять-шесть лет. Он, очевидно, не мог смириться с мыслью, что ему придется уступить место молодому врачу. Возможно, он сам понимает, что как специалист отстал и уже не может поспеть за быстрым прогрессом науки. Но, несмотря на свой неуживчивый характер, старик заслуживал уважения. О'Доннелу нравилась прямота Пирсона, и в начале своей работы в больнице он даже воспользовался этим его качеством, чтобы навести порядок в отделении хирургии. Вот почему теперь О'Доннел старался как можно мягче разговаривать с Джо.

— Вы себе не представляете, Кент, сколько у меня работы! — Пирсон уже совсем успокоился.

— Представляю, Джо. — О'Доннел был рад, что разговор принимает именно такой оборот. — Вы действительно страшно перегружены. И это несправедливо. — Он чуть было не добавил: «В вашем возрасте», — но вовремя спохватился. — Вам необходима помощь.

Реакция была незамедлительной. Пирсон теперь уже просто кричал:

— Вы все говорите: помощь, помощь! А где она? Сколько месяцев я прошу, чтобы мне дали лаборантов. Нам нужно не меньше трех. А мне говорят, что могут дать только одного. А секретарь-стенографистка? У меня скопилась масса патолого-анатомических заключений, а кто мне их перепечатает? Если бы только наши администраторы оторвали свои зады от стульев, кое-что можно было бы сделать. Все только болтают о помощи...

О'Доннел спокойно выслушал старика.

— Я не о лаборантах и не о секретаршах. Я имею в виду еще одного специалиста, который помогал бы вам в организации работы и даже, может быть, в ее модернизации.

При слове «модернизация» Пирсон даже вскочил со стула. О'Доннел жестом остановил его.

— Я вас выслушал, Джо, теперь выслушайте меня. Я имею в виду толкового молодого человека, который освободил бы вас от некоторых ваших обязанностей.

— Мне не нужен еще один врач, — произнес Пирсон резким и бескомпромиссным тоном. — Двум квалифицированным врачам здесь делать нечего. С работой я могу справиться сам. Кроме того, у меня есть помощник.

— Но он работает временно, — продолжал О'Доннел. — Разумеется, кое в чем он может вам помочь. Но на него нельзя возложить ответственность за организационные вопросы. А именно в этом вам больше всего нужна помощь.

— Это уж моя забота. Дайте мне несколько дней, и мы ликвидируем задолженность по патологоанатомическим заключениям.

Было ясно, что Пирсон не собирается сдаваться. О'Доннел знал, что старик будет возражать, но не ожидал такого яростного сопротивления. Что это? Нежелание делить с кем-либо власть или же боязнь потерять должность, передать ее кому-то более молодому? В сущности, О'Доннел не собирался освобождать Пирсона от работы, его опыт в патологоанатомии был незаменим. Но он хотел укрепить отделение, а этим и всю работу больницы. Пирсону надо было это разъяснить.

— Джо, речь идет не о каких-то радикальных переменах. Вы остаетесь во главе отделения...

— В таком случае разрешите мне руководить отделением, как я это нахожу нужным.

О'Доннел почувствовал, что терпение его иссякло. На сегодня, пожалуй, хватит; этот разговор он возобновит через несколько дней. Он хотел, по возможности, обойтись без конфликта.

— На вашем месте я бы все-таки подумал, Джо, — сказал он спокойно.

— И не собираюсь. — Пирсон был уже у двери и, едва кивнув, вышел.

«Такие дела, — подумал О'Доннел. — Что же, война почти объявлена». Он стоял и думал, что следует предпринять дальше.

5

В кафетерии больницы Трех Графств обычно обсуждались все самые свежие новости: повышение по службе, чрезвычайные происшествия, увольнения. Все здесь становилось известным задолго до официальных оповещений.

Медперсонал больницы использовал кафетерий для встреч и консультаций за чашкой кофе, ибо кафетерий был, пожалуй, единственным местом в больнице, где они, работающие на разных этажах и в разных отделениях, наверняка могли встретиться. Здесь нередко разбирались серьезные случаи и давались советы — те советы специалистов, за которые в другой обстановке пришлось бы платить большие деньги.

Правда, не все штатные врачи охотно делились своими знаниями и опытом, считая, что бесплатное использование их талантов — недопустимая роскошь. В таких случаях они обычно уклонялись от ответов и приглашали коллегу или больного к себе в кабинет. Так обычно поступал Гил Бартлет.

Хотя кафетерий был вполне демократичным учреждением, где если не совсем забывали о табели о рангах, то по крайней мере временно пренебрегали ею, некоторая субординация все же наблюдалась. Для старших ординаторов имелись отдельные столики, в то время как младшие врачи и практиканты запросто подсаживались к медсестрам. Поэтому не было ничего необычного в том, что Майк Седдонс подсел к столику сестры-практикантки Вивьен Лоубартон. Вивьен, несколько раз уже видевшая Майка в здании больницы, хорошо запомнила его густую рыжую шевелюру и неизменную широкую улыбку. Она решила, что, пожалуй, он ей нравится, и отметила, что он тоже приглядывается к ней и непременно захочет завязать знакомство. И вот он наконец подсел к ее столику.

— Я пришел к вам с одним гнусным предложением.

— А мне казалось, подобные предложения делаются хотя бы после знакомства.

Майк улыбнулся:

— Вы забыли, что мы живем в век космических скоростей и для всяких цирлих-манирлих не хватает времени. Мое гнусное предложение: послезавтра обед в ресторанчике «Куба», а затем в театр.

— А денег-то у вас хватит? — с любопытством спросила Вивьен.

Жалованье молодых врачей, как и медсестер, было столь мизерным, что стало предметом постоянных грустных шуток.

Майк вытащил из кармана два билета на гастроли бродвейского театра и оплаченную квитанцию на обед в ресторанчике «Куба».

— Это от благодарного пациента. Ну как, идем?

Вивьен, разумеется, согласилась.

Прошли полторы недели с того дня, как Гарри Томаселли сообщил О'Доннелу, что больничное строительство начнется весной. И вот О'Доннел, председатель попечительского совета больницы Ордэн Браун и Томаселли в кабинете администратора.

Хотя они и старались учесть пожелания всех заведующих отделениями, но в первую очередь приходилось считаться с финансовыми возможностями.

От многого пришлось отказаться. Например, не будет рентгеновской установки, которая стоит пятьдесят тысяч долларов, хотя она необходима для улучшения диагностики сердечных заболеваний.

В сборе средств на больничное строительство должен будет помочь и медперсонал. С этой целью было решено обложить «добровольными» взносами старших ординаторов, их заместителей и помощников. Это должно было заставить местных богатеев раскошелиться.

О'Доннел знал, что большинству врачей больницы, еле-еле сводивших концы с концами на свое жалованье, будет чрезвычайно трудно сделать эти «добровольные» пожертвования.

Томаселли обещал О'Доннелу подготовить сотрудников больницы. «Томаселли — прекрасный администратор», — подумал О'Доннел. Он вспомнил адвокатское образование, жизненный путь и большой опыт Томаселли — именно это побудило Брауна предложить ему пост администратора больницы Трех Графств. Голос Ордэна Брауна вернул О'Доннела к действительности: Браун приглашал его на обед, но не к себе, как обычно, а к Юстасу Суэйну, самому консервативному члену попечительского совета. Браун хотел, чтобы О'Доннел помог ему повлиять на Суэйна в нужном направлении. Хотя О'Доннел старался держаться подальше от дел попечительского совета, он не мог отказать Брауну.

Едва за Брауном закрылась дверь, как в кабинет вошла Кэти Коэн, секретарша Томаселли.

— Прошу извинить, но какой-то мужчина настоятельно просит вас к телефону, — сказала она Томаселли. — Некий мистер Брайан.

— Я занят. Скажите, что я ему сам позвоню попозже, — ответил Томаселли, удивившись, что Кэти решилась беспокоить его по такому пустяку.

— Я ему так и сказала, но он настаивает. Говорит, что он муж нашей пациентки.

— Пожалуй, поговори с ним, Гарри. Я подожду, — улыбнулся О'Доннел.

— Ладно. Так и быть. — Томаселли протянул руку к одному из телефонов. — Администратор вас слушает. — Голос Томаселли был дружелюбным, но, услышав первые слова мистера Брайана, он нахмурился.

О'Доннел мог слышать лишь отдельные слова, доносившиеся из трубки: «...безобразие... взвалить такие расходы на семью... Необходимо еще разобраться...»

Прикрыв трубку рукой, Томаселли сказал:

— Он вне себя. Что-то там с его женой, я ничего не могу понять. — И, обращаясь к Брайану, попросил: — Начните, пожалуйста, с самого начала. Когда вашу жену поместили в больницу? Кто был ее врачом? Так, ясно.

О'Доннел опять услышал слова Брайана: «...Невозможно ничего добиться...»

— Нет, мистер Брайан, мне ничего не известно об этом случае, но я обещаю вам навести справки. Я понимаю, что такое больничный счет для семьи, — сказал Томаселли. — Однако только лечащий врач решает, сколько больному следует находиться в больнице. Вам надо еще раз поговорить с врачом, а я, со своей стороны, попрошу нашего бухгалтера тщательно проверить счет. До свидания, мистер Брайан.

Во время разговора с Брайаном Томаселли что-то записывал на листке бумаги. Окончив разговор, Томаселли положил его в лоток с надписью: «Для диктовки».

— Он считает, что его жену слишком долго держали в больнице, и теперь он вынужден залезать в долги, чтобы оплатить счет. Она пробыла в больнице три недели. Что-то слишком много стало таких жалоб.

— Кто был лечащим врачом? — спросил О'Доннел.

Томаселли взглянул на свои записи.

— Рюбенс.

— Давай проверим.

Томаселли нажал кнопку внутренней связи.

— Кэти, найдите доктора Рюбенса.

Через несколько секунд Рюбенс был на проводе.

— Я к твоим услугам, — ответил он О'Доннелу, взявшему трубку.

— У тебя есть больная Брайан? — спросил О'Доннел.

— Есть, а что? Ее муж жаловался?

— Ты знаешь об этом?

— Разумеется, знаю. — Чувствовалось, что Рюбенс раздражен. — Лично я считаю, что у него есть все основания жаловаться.

— В чем дело, Рюб?

— А в том, что я поместил миссис Брайан в больницу по поводу предполагаемого рака молочной железы. Опухоль я удалил, она оказалась доброкачественной.

— Почему же ты ее продержал в больнице три недели?

— Об этом лучше спросить Джо Пирсона.

— Будет проще, если ты объяснишь сам.

Помолчав немного, Рюбенс сказал:

— О том, что опухоль доброкачественная, я узнал только через две с половиной недели. Именно столько времени понадобилось Пирсону, чтобы положить препарат под микроскоп.

— Ты напоминал ему?

— Не один, а десять раз. Если бы не мои напоминания, я бы, наверно, и сейчас еще не получил заключение.

— Значит, поэтому ты продержал миссис Брайан в больнице целых три недели?

— Разумеется. Или вы считаете, что я должен был ее выписать? — В голосе Рюбенса сквозили явные нотки сарказма. — Есть еще вопросы? — спросил он.

— Нет, — ответил О'Доннел и повесил трубку. — Гарри, я намерен созвать совещание во второй половине дня, — обратился он к Томаселли. — Человек пять-шесть из старшего врачебного персонала. Соберемся у тебя, и я хочу, чтобы ты тоже присутствовал.

— Хорошо, — кивнул Томаселли.

— Пригласим главного терапевта Гарвея Чандлера, затем Руфуса и Рюбенса и обязательно Чарли Дорнбергера. Скольких я уже назвал?

— С нами шестеро. А Люси Грэйнджер?

После минутного колебания О'Доннел сказал:

— Хорошо, пусть будет семь человек.

— Повестка дня? — спросил Томаселли, держа карандаш наготове.

О'Доннел покачал головой:

— Никакой повестки. У нас лишь один вопрос: реорганизация патологоанатомического отделения.

Когда администратор назвал Люси Грэйнджер, О'Доннел вспомнил их последнюю встречу. Они пообедали в хорошем ресторанчике, поговорили о себе, об общих знакомых, о работе и о вещах, не имеющих отношения к медицине. Затем он отвез

512

Люси домой, в ее новую уютную квартирку. Она пригласила его зайти. Когда она готовила коктейли, стоя спиной к нему, он вдруг спросил, была ли она замужем.

— Нет, — ответила она не оборачиваясь.

— Я часто думаю, почему ты не вышла замуж.

— В сущности, все очень просто. — Люси повернулась, держа в руках стакан. — Во-первых, мне давно уже никто не делает предложений, а раньше, когда делали, я думала только о карьере врача, и это для меня было самым главным. Карьера и семья казались мне несовместимыми.

— И ты не жалеешь?

— Нет, — сказала она, подумав. — Я достигла того, к чему стремилась, и во многих отношениях удовлетворена. Правда, иногда я задумываюсь, как бы сложилась моя жизнь, если бы я решила иначе. Ведь, в сущности, все мы люди прежде всего.

— Да, — промолвил О'Доннел. Признание Люси тронуло его. Ей надо было иметь детей, быть матерью и женой, подумал он и вдруг спросил: — Ты по-прежнему считаешь, что семья и карьера несовместимы?

— Нет, я перестала быть столь категоричной в этом вопросе, — ответила она. — Жизнь кое-чему меня научила.

О'Доннел подумал, каким бы был его брак с Люси. Была бы в нем любовь и нежность? Или их работа помешала бы им приспособиться друг к другу? Что бы они делали, встречаясь после работы дома, о чем говорили? Неужели обсуждали бы больничные дела за обедом и диагнозы за десертом? Был бы у него домашний очаг или же дом стал бы естественным продолжением привычной рабочей обстановки? Однако вслух он сказал:

— Мне давно кажется, что у нас с тобой много общего.

— Да, и мне тоже, Кент, — ответила Люси.

Допив коктейль, О'Доннел собрался уходить. Он понимал, что они сказали друг другу гораздо больше, чем то, что выразили словами. Теперь он знал, что опять будет думать о Люси и анализировать свои чувства к ней. Здесь не должно быть поспешных решений: слишком многое ставится на карту.

— Ты можешь не уходить, Кент. Останься, если хочешь.

Люси сказала это так просто. Он знал, что все теперь зависит от него. Осторожность и привычка взяли верх.

— Спокойной ночи, Люси.

Когда дверь лифта захлопнулась за ним, Люси все еще стояла в дверях своей квартиры.

6

— Я вас пригласил сюда, — обратился О'Доннел к собравшимся в конференц-зале, — потому что мне нужна ваша помощь. Думаю, для вас не секрет, что в отделении патанатомии неблагополучно. Речь идет не только о работе отделения, есть и другая проблема, так сказать, личного характера.

— Что за проблема? — спросил Дорнбергер. — Мне не совсем понятно, о чем речь, Кент.

О'Доннел этого и ждал. Дорнбергер и Пирсон были старыми друзьями.

— Постараюсь объяснить, — сказал он спокойно и начал детально излагать претензии к отделению патанатомии, рассказав и о категорическом отказе Пирсона принять в отделение второго врача. — Я убежден, что нам нужен еще один специалист. Помогите мне убедить Пирсона в необходимости произвести перемены, — закончил он.

— Мне не нравится, как мы решаем этот вопрос, — заметил Билл Руфус.

— Почему, Билл? — О'Доннел отметил про себя, что сегодня на нем вполне приличный галстук.

— Я не думаю, чтобы несколько человек, собравшись вместе, как это сделали мы, были вправе обсуждать перемены в отделении. — Билл Руфус посмотрел на присутствующих. — Разумеется, у меня были столкновения с Пирсоном, как и у большинства из нас. Но это не значит, что я готов участвовать в каком-то сговоре, чтобы выжить его отсюда.

О'Доннел был даже рад такой откровенности Руфуса.

— Разрешите вас заверить, — сказал он, — что никаких намерений, как вы выразились, — он посмотрел на Руфуса, — «выжить отсюда» доктора Пирсона у нас нет.

Его слова были встречены одобрительным гулом голосов.

— Давайте подойдем к этому вопросу следующим образом, — продолжал он. — Мы все согласны, что в отделении патанатомии необходимы перемены. Задержка хотя бы на день там, где необходимо немедленное хирургическое вмешательство, грозит жизни больного. Это вам хорошо известно.

— И не следует забывать, — прервал его Гарри Томаселли, — что всякие задержки отнимают больничные койки у тех, кто в них остро нуждается. У нас огромный список больных, ожидающих госпитализации.

— Конечно, — снова продолжал О'Доннел, — я могу созвать исполнительный комитет, и не премину это сделать, если понадобится, но вы все знаете, к чему это может привести. Зная Пирсона, мы можем не сомневаться, что любая дискуссия приведет к конфликту, тем более что Пирсон сам член комитета. Чего мы добьемся? Пирсон уже не сможет быть заведующим отделением, и мы только повредим себе и больнице. — О'Доннел подумал также, хотя и не мог сказать об этом, что Пирсон имеет влияние на «старую гвардию» в попечительском совете и конфликт может иметь далеко идущие последствия.

— Я не обещаю, что смогу разделить вашу точку зрения, но что вы предлагаете? — сказал Чарли Дорнбергер, попыхивая трубкой.

О'Доннел решил раскрыть карты.

— Я предлагаю, Чарли, чтобы вы поговорили с Пирсоном от имени всех нас.

— Ну нет, увольте! — Иного ответа О'Доннел и не ожидал. Но Дорнберга надо было уговорить.

— Чарли, мы знаем, что вы близкий друг Пирсона. Вы один можете его убедить.

— Короче говоря, удар должен нанести я, — отметил сухо Дорнбергер.

— Какой же это удар, Чарли?

Дорнбергер заколебался. Он видел, что все ждут его ответа. Его терзали два противоречивых чувства — тревога за благополучие больницы и личная симпатия к Джо Пирсону.

То, что говорилось сегодня, не было новостью для Дорнбергера; он давно подозревал неладное. Тем не менее случаи с больными Руфуса и Рюбенса просто потрясли его. Дорнбергер также понимал, что О'Доннел не собрал бы их здесь, если бы это все не было так серьезно. Главного хирурга он уважал.

И в то же время он хотел помочь Пирсону. Казалось, он один противостоял натиску событий, могущих погубить старого врача. Должно быть, О'Доннел был искренен, когда говорил, что не намерен выживать Пирсона из больницы, и остальные разделяли его чувства. Да, как посредник он лучше других сможет помочь Джо. Окинув взглядом собравшихся, Дорнбергер спросил:

— Вы все так считаете?

Люси Грэйнджер, подумав немного, сказала:

— Я очень его люблю. Мне кажется, мы все его любим. Но я все-таки считаю, что в отделении необходимы перемены.

Это были ее первые слова, до этого она сидела молча и раздумывала над тем, что произошло в ее квартире в тот вечер, когда к ней зашел О'Доннел. Давно ничто так не волновало ее. Не влюбилась ли она? Но она заставила себя снова вернуться к проблемам патологоанатомического отделения.

— А ты, Билл? — обратился О'Доннел к Руфусу.

— Если Чарли поговорит с Пирсоном, я согласен.

— Я лично уверен, что именно так можно будет наилучшим образом решить эту проблему, — сказал Гарвей Чандлер, обращаясь к Дорнбергеру. — Вы окажете больнице огромную услугу.

— Хорошо, — сдался Дорнбергер. — Я постараюсь.

На мгновение в зале наступила тишина, и О'Доннел почувствовал наконец облегчение. Он понял, что важность затронутого вопроса дошла до всех и теперь что-то можно будет сделать.

— Итак, — сказал негромко Томаселли, — нужно подыскивать специалиста. У меня есть список возможных кандидатов.

Собственно, у Томаселли было два списка. Так называемый «открытый список» свободных врачей и «закрытый список» — тех, кто работает, но недоволен своим местом и готов переменить его. Когда он передал материал О'Доннелу, того заинтересовал один из кандидатов именно второго, «закрытого списка», некий Дэвид Коулмен 31 года. Он с отличием окончил Нью-Йоркский университет, прошел практику в больнице Белвью, прослужил два года в армии и пять лет проработал в трех хороших больницах.

Присутствующие, да и сам О'Доннел, выразили сомнение, что патологоанатом такой высокой квалификации согласится работать в больнице Трех Графств. Но оказалось, что Томаселли уже вел с ним неофициальные переговоры.

Про себя О'Доннел подумал, что Томаселли следовало бы прежде согласовать это с ним. Но он только спросил:

— Вы думаете, его заинтересует наше предложение?

Дорнбергер взял карточку с данными Коулмена.

— Что я должен с ней делать?

О'Доннел оглядел присутствующих, словно спрашивая одобрения:

— Я думаю, Чарли, вам надо взять ее с собой и показать доктору Пирсону.

7

В помещении, примыкающем к секционному залу, все было подготовлено для работы, и Макнил ждал лишь прихода доктора Пирсона. Ему доводилось бывать в секционных залах других больниц, там все оборудование было из нержавеющей стали. Подобная модернизация не коснулась отделения Пирсона.

Макнил услышал знакомые шаркающие шаги, и в зал в облаке сигарного дыма вошел Пирсон.

— Не будем терять время, — сразу же начал он, не утруждая себя излишними церемониями. — Прошло полторы недели, как я разговаривал с О'Доннелом, а дело так и не сдвинулось. Когда закончим разбор, сделаем биопсию всех присланных на исследование материалов.

Надев черный резиновый фартук и натягивая резиновые перчатки, он подошел к столу. Макнил сел напротив.

— Больная пятидесяти пяти лет. Медицинское заключение: смерть от рака молочной железы.

— Покажите историю болезни. — Иногда он довольствовался тем, что докладывал ему Макнил. Иногда же внимательно просматривал историю болезни сам.

Пирсон приступил к тщательному исследованию всех органов после вскрытия.

— Кто работал над сердцем? — спросил он. — Вы?

— Нет. Кажется, Седдонс.

— Плохая работа. Кстати, почему его нет?

— Он в хирургии. Там какая-то операция, на которой он хотел присутствовать.

— Скажите ему, что я требую его присутствия на каждом разборе результатов вскрытия.

Макнил приготовился записывать.

— Сердце несколько увеличено, — диктовал Пирсон. — Обратите внимание на митральный клапан. Видите?

— Да, — сказал Макнил, нагнувшись над столом.

— Больная страдала ревмокардитом, хотя умерла совсем не от этого.

Покончив с осмотром сердца, он занялся легкими.

— В легких многочисленные метастазы, — продолжал он диктовку. И снова заставил Макнила внимательно осмотреть исследуемый орган.

В эту минуту отворилась дверь, и чей-то голос спросил:

— Вы заняты, доктор Пирсон?

Пирсон раздраженно обернулся. Это был Карл Баннистер, старший лаборант, за ним виднелась чья-то фигура.

— Разумеется, занят. Вы что, не видите? Что там у вас? — спросил Пирсон полудобродушно-полуворчливо.

Они с Баннистером работали уже много лет и давно привыкли друг к другу. Поэтому Баннистера ничуть не обескуражил тон Пирсона.

— Это Джон Александер, наш новый лаборант. Вы приняли его на работу на прошлой неделе. Сегодня он должен приступить, — пояснил он Пирсону.

Макнил с любопытством взглянул на новичка — ему не более двадцати двух, решил он. Он слышал, что Александер только что окончил колледж, имеет диплом специалиста по медицинскому оборудованию. Именно такой человек и нужен их лаборатории, ибо Баннистер далеко не Луи Пастер. Макнил невольно перевел взгляд на старшего лаборанта. Грязный, в пятнах, халат был не застегнут и открывал неряшливый, мятый костюм. На лысой голове кое-где еще торчали жидкие пряди волос, не знавшие расчески.

Макнил знал историю его появления здесь. Он появился в этом отделении спустя два года после прихода Пирсона и стал у него чем-то вроде мальчика на побегушках. Он был учетчиком и посыльным, мыл посуду в лаборатории. С годами Баннистер как-то незаметно стал правой рукой Пирсона. Официально он занимался серологией и биохимией, но так долго работал здесь, что мог в случае необходимости заменить лаборантов и на других участках. В конце концов Пирсон взвалил на него добрую часть своих административных обязанностей по лаборатории. Опыта у Баннистера было достаточно, но не было никаких теоретических знаний. Баннистер мог делать серологические и биохимические анализы, но абсолютно не знал научной основы этих исследований. Макнил не раз думал, как бы однажды это не обернулось трагедией.

Александер — это то, что им нужно. У него за плечами три года колледжа, практика в средней медицинской школе. В аккуратном халате, отутюженных брюках и начищенных до блеска ботинках он казался прямой противоположностью Баннистеру.

— Садитесь, Джон, — сказал Пирсон, кивая новичку.

— Благодарю вас, доктор, — вежливо ответил Александер.

— Вы уверены, что вам понравится у нас? — спросил Пирсон, продолжая работу.

— Уверен, доктор.

«Неплохой парень», — подумал Макнил.

— Может, не все вам здесь понравится. Мы работаем по старинке, как говорят, но кое-что и мы делаем, а, Карл?

— Да, доктор, — с готовностью подтвердил Баннистер.

Пирсон продолжал работу.

— ...Язва двенадцатиперстной кишки прямо под привратником желудка, — диктовал он Макнилу, перелистывая лежащую перед ним историю болезни.

— Интересный случай. Больная умерла от рака груди. За два года до смерти дети безуспешно пытались убедить ее обратиться к врачам, но, видимо, у нее было какое-то предубеждение против медицины. Сделай она это раньше, она могла бы еще жить.

Александер внимательно следил за работой Пирсона, время от времени задавая вопросы.

«Это не просто вежливость, — подумал Макнил, — парня действительно все это интересует».

После небольшой паузы Пирсон неожиданно спросил Александера, женат ли он, есть ли дети и когда он привезет жену.

— Простите, доктор Пирсон. — В голосе Александера послышалась нерешительность. — Я как раз хотел кое о чем вас попросить. Моя жена ждет ребенка. Мы здесь никого не знаем. — Александер умолк. — Мы обязательно должны сохранить этого ребенка, первого мы потеряли через месяц после его рождения. Я хотел просить вас рекомендовать мне акушера, к которому моя жена могла бы обратиться.

— Что ж, это очень легко сделать. — С лица Пирсона исчезла появившаяся было настороженность. — Доктор Дорнбергер. Он работает в нашей больнице. Хотите, я сейчас позвоню ему?

Разговор с Дорнбергером был коротким. Акушер попросил, чтобы пациентка сама позвонила ему.

— И еще! — крикнул в трубку Пирсон. — Не вздумайте присылать им ваши фантастические счета. Я не хочу, чтобы парень тут же начал просить надбавку.

У себя в кабинете доктор Дорнбергер сделал пометку на карточке «сотрудник больницы», а в трубку сказал:

— Джо, у меня к тебе дело.

— Только не сегодня. Чертовски перегружен. Вот разве завтра.

— Нет, тогда лучше послезавтра, — сказал Дорнбергер, справившись со своим расписанием.

— Что у тебя там?

— Скажу при встрече.

— Как хочешь, Чарли. Пока все в порядке, — повернувшись к Александеру, сказал Пирсон. — Когда придет срок, вашу жену положат в родильное отделение нашей больницы. Как нашему сотруднику вам положена скидка двадцать процентов.

8

— Я не совсем уверен, что борьба с полиомиелитом так уж полезна и необходима.

Эти слова произнес Юстас Суэйн, миллионер, король империи универсальных магазинов, филантроп и член попечительского совета больницы Трех Графств.

— Разумеется, вы шутите! — воскликнул председатель совета Ордэн Браун. Происходило это в библиотеке старого, но все еще импозантного особняка Суэйна в восточном предместье Берлингтона. Кроме Суэйна и Ордэна в обшитой темным дубом библиотеке присутствовали О'Доннел, жена Ордэна Амелия Браун и замужняя дочь Юстаса Дениз Квэнтс.

Кент О'Доннел медленными глотками попивал коньяк, удобно устроившись в глубоком кресле, которое сразу же облюбовал, как только общество, отобедав, перешло в библиотеку. Оглядывая темные панели, массивные балки потолка, переплетенные в кожу книги в шкафах вдоль стен, огромный, как пещера, камин, где лежали не поленья, а целые бревна, он подумал, что во всей этой обстановке есть что-то средневековое. Да и сам Суэйн в кресле с прямой спинкой чувствовал себя королем, а гости, расположившиеся перед ним полукругом, были всего лишь его свитой.

— Нет, я вполне серьезно, — сказал Суэйн, отставив рюмку с коньяком и наклонившись вперед. — Покажите мне ребенка на костылях, и я первый вытащу из кармана свою чековую книжку. Но это частности, а я имею в виду проблему в целом. Я убежден — и готов спорить с каждым, кто вздумает отрицать это, — что мы способствуем ослаблению рода человеческого.

Это все было знакомо О'Доннелу, поэтому он лишь из вежливости спросил:

— Вы предлагаете прекратить исследования, затормозить прогресс медицины и вообще перестать бороться с болезнями?

— Увы, это невозможно, — заметил Суэйн.

О'Доннел рассмеялся:

— Тогда не вижу предмета спора.

— Вот как! — Суэйн даже стукнул кулаком по ручке кресла. — Следовательно, нечего возмущаться нелепостями, если невозможно предотвратить их?

— Понимаю, — неопределенно сказал О'Доннел, не желая продолжать этот спор. Он опасался, как бы это не повредило тому делу, ради которого они с Ордэном Брауном пришли сюда. Он окинул взглядом присутствующих. Амелия Браун дружески улыбнулась ему — она была прекрасно осведомлена о всех проблемах больницы. Дочь Суэйна с интересом прислушивалась к разговору.

За обедом О'Доннел ловил себя на том, что взгляд его то и дело останавливался на Дениз Квэнтс.

Трудно было поверить, что изящная воспитанная Дениз — дочь этого грубияна, прожженного дельца, выдержавшего не одну жестокую схватку в мире большого бизнеса. Ему и сейчас доставляло удовольствие шокировать собеседника грубым словом или бесцеремонностью манер. Иногда О'Доннелу казалось, что старому Суэйну не хватает былых потасовок с конкурентами и он ищет стычек — хотя бы словесных. Кроме того, старика, должно быть, донимали больная печень и ревматизм.

Дениз удивительным образом умела двумя-тремя словами сгладить неприятное впечатление от бестактности отца. О'Доннел находил, что она очень красива той особой поздней красотой, которой нередко расцветает женщина в сорок лет. Из разговора он понял, что она довольно часто навещает отца в Берлингтоне, хотя постоянно живет в Нью-Йорке. Если она пару раз и упомянула о детях, то о муже не обмолвилась ни словом. Следовательно, заключил он, она или разведена, или же живет отдельно. Мысленно он вдруг почему-то сравнил светскую Дениз с Люси Грэйнджер, которая целиком поглощена своей работой. Какой тип женщины должен больше нравиться мужчинам? Дениз, должно быть, блещет в обществе и вместе с тем прекрасная жена и хозяйка.

Эти мысли были прерваны самой Дениз, которая, наклонившись к нему, вдруг сказала:

— Неужели вы так легко уступите поле боя, доктор О'Доннел? Отец просто несносен со своими рассуждениями.

— Какое поле боя? Ерунда. Вопрос совершенно ясен, — сердито фыркнул Суэйн. — Испокон веков природа сама контролировала рост населения, сохраняя равновесие. Когда чрезмерно повышалась рождаемость, на помощь приходил голод.

— А иногда это делала политика, — подал реплику Ордэн Браун. — Тут действовали не одни только силы природы.

— Допустим, — пренебрежительно отмахнулся Суэйн. — Но какую вы видите политику в том, что слабый погибает, а выживает наиболее приспособленный?

— Слабый или тот, кому просто не повезло? «Ну что же, если ты хочешь спорить, давай поспорим», — подумал О'Доннел.

— Нет, именно слабый. — В голосе старика послышалось явное раздражение, но, кажется, он этого и хотел — раздражаться и кричать. — Чума и эпидемии убирали слабых, а сильные выживали. Естественным образом поддерживался нужный уровень. Природа знала, что делает. Сильные продолжали жизнь на земле, они давали новое потомство.

— Неужели, Юстас, вы действительно считаете, что человечество вырождается? — воскликнула Амелия Браун, и О'Доннел увидел, что она улыбается. Она, должно быть, хорошо знала все штучки старика Суэйна.

— Да, мы вырождаемся, по крайней мере здесь, на Западе. Мы продлеваем жизнь калекам, слабым и больным. Мы взваливаем на плечи общества груз из людей бесполезных и никчемных, не способных принести пользу обществу. Вот скажите мне, зачем нужны все эти санатории и больницы для неизлечимо больных? Говорю вам, медицина сегодня занята только одним — как сохранить жизнь тем, кто должен умереть. Мы делаем все, чтобы они жили и плодили себе подобных. И так до бесконечности.

— Наука пока еще не установила непосредственной связи между болезнями и наследственностью, — заметил О'Доннел.

— В здоровом теле здоровый дух, — огрызнулся Суэйн. — Разве дети не наследуют все слабости и пороки родителей?

— Не всегда. — Спорили теперь только О'Доннел и старый магнат.

— Но в большинстве случаев, не так ли?

— Бывает, что и так.

— Не поэтому ли у нас так много психиатрических больниц?

— Возможно, мы просто больше стали уделять внимания психическому здоровью населения в целом.

— А возможно, мы просто стали заботиться о том, чтобы сохранить для общества побольше никчемных и больных людей. Да, да, никчемных, слабых людей! — передразнил его Суэйн. Он

522

распалился так, что почти кричал и даже закашлялся. «Надо поосторожней, — подумал О'Доннел, — а то еще его хватит удар».

Старик отпил немного коньяку и, словно угадав мысли
О'Доннела, сердито проворчал:

— Не беспокойтесь, молодой человек. Еще неизвестно, кто
кого переспорит.

О'Доннел все же решил умерить пыл и вести спор в более
спокойных тонах. Поэтому он как можно спокойнее заметил:

— Мне кажется, вы забываете об одном, мистер Суэйн. Вы
считаете болезни естественным регулятором в жизни общества.
Но многие болезни отнюдь не результат естественного развития
общества. Они результат окружения, условий, созданных самим
человеком. Плохие санитарные условия, нищета, трущобы, загрязнение воздуха. Все это не естественные, а искусственно
созданные условия.

— Но они часть эволюции человеческого общества, а эволюция — естественное явление в природе. Это все — процесс
сохранения равновесия.

О'Доннел подумал: «Да, тебя не так-то легко сбить с твоих
позиций». Но теперь он не намерен был уступать:

— В таком случае медицина тоже часть естественного процесса поддержания равновесия в природе.

— Откуда вы это взяли? — сердито огрызнулся Суэйн.

— Потому, что она тоже часть эволюции человеческого
общества. — Несмотря на свое решение не горячиться, О'Доннел почувствовал, что говорит резче, чем хотел бы. — Любое
изменение окружающей среды ставит перед медициной новые
проблемы. И медицина пока еще не может решить их полностью. Она постоянно отстает.

— Но все эти проблемы ставит перед собой сама медицина,
а отнюдь не природа. — Глаза Суэйна недобро блеснули. —
Если бы мы не вмешивались, природа прекрасно справлялась
бы со всеми проблемами еще до того, как они возникнут. В
результате естественного отбора выживает сильнейший.

— Вы ошибаетесь. — О'Доннел уже забыл о всякой осторожности и дипломатии — он скажет этому старику все, что
думает. — У медицины лишь одна задача, всегда была и всегда
будет. Помочь каждому отдельному человеку выжить. — Он
остановился. — А это один из самых главных и самых древних
законов природы.

— Браво! — не удержавшись, воскликнула Амелия Браун.

О'Доннел продолжал:

— Вот почему мы боремся с полиомиелитом, мистер Суэйн, с чумой, корью, тифом, сифилисом, туберкулезом и раком. Вот зачем строим санатории и больницы для хронических больных. Вот почему сохраняем жизнь людям как сильным, так и слабым. Потому что человек должен жить. Это единственная задача медицины.

Он ожидал яростной ответной атаки. Но Суэйн промолчал, а затем, взглянув на дочь, вдруг спокойно произнес:

— Дениз, налей доктору О'Доннелу еще коньяку.

Когда Дениз склонилась над ним, чтобы наполнить его рюмку, О'Доннел уловил легкий запах ее духов и вдруг почувствовал неудержимое желание коснуться рукой ее мягких темных волос. Но Дениз уже подошла к отцу.

— Раз ты действительно так думаешь, отец, не понимаю, для чего ты состоишь членом больничного совета? — спросила она, тоже подливая ему коньяк в рюмку.

Юстас довольно хмыкнул:

— А для того, чтобы Ордэну Брауну и другим было на что надеяться — авось я что-нибудь да и оставлю им в своем завещании. — Он кинул взгляд на Ордэна. — Они уверены, что ждать уже осталось недолго.

— Вы несправедливы к своим друзьям, Юстас, — ответил Ордэн Браун полушутя-полусерьезно.

— А вы порядочный лгун. — Старик явно наслаждался ситуацией. — Ты спрашиваешь, Дениз, зачем я состою в опекунском совете больницы? Да потому, что я реалист и практик. Что-либо изменить в этом мире я уже не могу, а вот служить неким регулятором равновесия я еще в силах. Я знаю, многие считают меня ретроградом, человеком, мешающим прогрессу.

— Разве вам кто-нибудь это говорил, Юстас? — воскликнул Ордэн.

— Разве обязательно говорить об этом? — И Суэйн не без злорадства посмотрел на председателя попечительского совета. — Я знаю только одно: каждому делу нужен тормоз, этакая сдерживающая сила. Не станет меня, сами начнете искать кого-то другого.

— Вы говорите глупости, Юстас. Наговариваете на себя бог знает что. — Ордэн Браун тоже решил поиграть в откровенность. — Вы сделали немало хорошего здесь, в Берлингтоне.

Старик вдруг словно съежился и стал меньше в своем кресле.

— Знаем ли мы истинные мотивы своих поступков? — А затем, подняв голову, сказал: — Разумеется, вы ждете от меня немалых пожертвований на все это ваше строительство?

— Откровенно говоря, мы надеемся на ваш обычный взнос, — смиренно промолвил Ордэн.

— А если я дам вам четверть миллиона, это вас устроит? — неожиданно сказал Суэйн.

О'Доннел услышал, как у Ордэна перехватило дыхание от неожиданности.

— Не стану скрывать, Юстас, — наконец проговорил он. — Я потрясен.

— Не стоит. — Старик задумчиво вертел в руках рюмку. — Правда, я еще не решил окончательно, но подумываю сделать это. Скажу вам точнее недельки через две. — Вдруг он резко повернулся к О'Донеллу: — Вы играете в шахматы?

О'Доннел отрицательно покачал головой.

— Играл когда-то, еще в колледже.

— А мы с доктором Пирсоном частенько играем в шахматы, — сказал Суэйн. — Вы с ним знакомы, разумеется?

Он пристально посмотрел на О'Доннела.

— Да. И довольно близко.

— А я вот знаю Джо Пирсона очень давно. Знал его еще до того, как он начал работать в здешней больнице. — Он произносил слова медленно, словно вкладывал в них особый смысл. — Я считаю его одним из самых знающих врачей нашей больницы и надеюсь, что он еще многие годы будет возглавлять свое отделение. Я безоговорочно верю в его опыт и знания.

«Вот оно что, — подумал О'Доннел. — Это ультиматум мне и Ордэну Брауну как председателю опекунского совета больницы: хотите получить четверть миллиона, руки прочь от Джо Пирсона».

Позднее, когда они втроем ехали в машине, после долгого молчания Амелия наконец сказала:

— Ты думаешь, это серьезно — эти четверть миллиона?

— Вполне, если он не передумает, — ответил Ордэн Браун.

— Мне кажется, тебя предупредили? — сказал О'Доннел.

— Да, — спокойно произнес Ордэн, но не стал далее обсуждать этот вопрос.

О'Доннел мысленно поблагодарил его за тактичность. Пирсон — это, по сути дела, его, О'Доннела, проблема. И Ордэну не стоит ломать над этим голову.

Они высадили О'Доннела у отеля, где он жил. Прощаясь с ним, Амелия вдруг сказала:

— Да, кстати, Кент, Дениз не разведена, но живет отдельно от мужа. У нее двое детей школьного возраста, и ей тридцать девять лет.

— Зачем ты ему все это говоришь? — удивился Ордэн.

— Потому что он хочет это знать, — улыбнулась Амелия. — Надо быть женщиной, чтобы понимать это, милый.

«Действительно, почему она решила сказать мне это?» — раздумывал О'Доннел, стоя на тротуаре перед отелем. Возможно, она слышала, как, прощаясь, Дениз Квэнтс дала ему свой телефон и просила позвонить, как только он будет в Нью-Йорке. О'Доннелу вдруг пришла в голову мысль, что, пожалуй, ему не следует отказываться от поездки в Нью-Йорк на предстоящий съезд хирургов. И снова вдруг вспомнилась Люси Грэйнджер. Он вдруг почувствовал легкое чувство вины перед ней. Он направился к дверям отеля.

— Добрый вечер, доктор О'Доннел, — вдруг услышал он и, обернувшись, увидел молодого хирурга-стажера Майка Седдонса, а рядом с ним миловидную брюнетку, лицо которой показалось ему знакомым.

— Добрый вечер, — ответил он, вежливо улыбнувшись, и отпер собственным ключом стеклянную дверь отеля.

— Он чем-то расстроен, — сказала Вивьен Лоубартон.

— С чего ты взяла, детка? — весело воскликнул Майк. — Когда взбираются так высоко, как он, я думаю, все невзгоды остаются позади.

Молодые люди только что вышли из театра, где смотрели довольно удачный спектакль. Во время представления они много и с удовольствием смеялись и держались за руки, как настоящие влюбленные. Майк пару раз клал руку на спинку кресла и, словно невзначай, касался плеча Вивьен. До спектакля они успели пообедать в ресторане и наговорились вдоволь. Майк расспрашивал ее, почему она пошла в школу медсестер. Она сказала ему, что серьезно обдумала этот шаг, и он поверил. Что-что, а характер у этой девушки есть.

— Если я что решила, то непременно сделаю, — подтвердила Вивьен.

Майк думал, глядя на профиль девушки: «Только не теряй голову, парень, ничего серьезного, простое увлечение».

— Пойдем через парк, — предложил он, коснувшись руки Вивьен.

— Ну вот, я так и знала! Старая песня, — засмеялась она.

Но почему-то не стала противиться, когда он увлек ее через ворота парка в темноту аллеи.

— Я знаю сколько угодно старых песен, хочешь услышать еще одну? — пошутил он.

— Какую, например? — Несмотря на полную уверенность в себе, голос ее дрогнул.

— Ну, вот эту... — И, взяв ее за плечи, Майк повернул ее к себе и крепко поцеловал в губы.

Вивьен почувствовала, как забилось сердце, но уверенность в себе все еще не покидала ее. Майк Седдонс нравился ей. Она уже знала это. И когда он снова поцеловал ее, она охотно ответила на его поцелуй. Майк привлек ее к себе.

— Какая ты красивая, — прошептал он. — Милая, милая Вивьен...

Их губы снова встретились. Не думая больше ни о чем, Вивьен в порыве безотчетной нежности прильнула к нему.

Вдруг резкая обжигающая боль в колене заставила девушку громко вскрикнуть.

— Что, что с тобой, Вивьен?

— Нога, колено, — простонала она. Боль то утихала, то снова накатывалась какими-то волнами. — Майк, моя нога! Мне надо сесть. — Она вся сжалась от боли.

— Вивьен, если тебе неприятно, что я... — начал было Майк.

— О, Майк, поверь мне, я не притворяюсь. Мне очень больно...

— Прости, Вивьен...

— Я знаю, что ты подумал. Но это правда, Майк.

— Тогда объясни мне, где болит. — Это говорил уже врач. — Покажи.

— Вот здесь, в колене.

— Спусти чулок. — Опытными пальцами хирурга он осторожно ощупал ее колено. — Раньше бывали боли?

— Однажды, но не такие сильные, и все сразу прошло.

— Как давно?..

— Месяц назад.

— Ты показывалась врачу?

— Нет. А что? — В голосе ее прозвучала тревога.

— Небольшое затвердение. Надо завтра же показаться нашему ортопеду Люси Грэйнджер. А теперь пошли-ка домой, детка.

Прежнего радостного настроения как не бывало. По крайней мере сегодня его уже не вернуть — это понимали оба.

Вивьен поднялась, опираясь на руку Майка. Он внезапно почувствовал тревогу, желание помочь ей и защитить ее.

— Ты сможешь идти?

— Да. Мне почти не больно.

— Только до ворот, а там мы поймаем такси. — И чтобы хоть немного развеселить встревоженную девушку, сказал шутливым тоном: — Ну и пациентка мне попалась. Где уж там гонорар получить! Изволь везти ее домой на собственные деньги.

9

— Ну, докладывайте, — ворчливо сказал доктор Пирсон, склоняясь над бинокулярным микроскопом.

Заглядывая в историю болезни, доктор Макнил стал зачитывать данные, одновременно передавая патологоанатому предметные стекла. Они сидели рядом за одним столом.

— Удаление аппендикса...

— Кто оперировал?

— Доктор Бартлет.

— Молодчина. Операция сделана вовремя. Взгляните-ка сюда, Макнил.

Доктор Пирсон проводил обычный патологоанатомический разбор случаев. Привлекая к этому в целях инструктажа молодого врача Макнила, стажирующегося в больнице, он одновременно пытался хоть как-то ликвидировать задолженность своего отделения перед хирургией по гистологическим заключениям. Удаление аппендикса было сделано Бартлетом две недели назад, и пациент давно выписался. В данном случае заключение патологоанатома носило характер простой формальности и лишь подтверждало верный диагноз хирурга.

— Следующий случай, — промолвил Пирсон, приняв от Макнила новую партию предметных стекол.

В это время дверь отворилась, пропустив Баннистера. Взглянув на спины Пирсона и Макнила, он бесшумно проследовал в дальний угол зала и стал складывать в шкаф истории болезни.

— Это из самых последних, — сказал Макнил. — Срезы сделаны пять дней назад. Хирург ждет нашего заключения.

— С последних давайте сегодня и начнем. А то хирургия опять поднимет крик, — желчно заметил Пирсон.

Макнил хотел было напомнить ему, что еще две недели назад он предлагал именно так изменить порядок рассмотрения анализов, но главный патологоанатом упорно продолжал придерживаться хронологического порядка. «Зачем мне лишние неприятности», — подумал Макнил и промолчал.

— Соскоб кожной ткани. Больная пятидесяти шести лет. Разросшееся родимое пятно. Как вы думаете, это не злокачественная меланома?

— Возможно, — пробормотал Пирсон, прилаживая линзы микроскопа. — И вместе с тем это может быть безобидный синий невус. А ваше мнение, коллега? — И он уступил Макнилу свое место у микроскопа.

Макнил знал, как легко ошибиться в диагнозе и принять злокачественную меланому за синий невус. Он быстро перебрал в памяти все известные характеристики. Они были убийственно похожи. И, взглянув в глаза Пирсона, он честно признался:

— Не знаю. Хорошо бы сравнить с предыдущими случаями. У нас ведь есть материалы?

— Разумеется, но нам с вами понадобился бы год, чтобы разыскать их в архивах. Надо, однако, когда-нибудь начать картотеку.

— Вы говорите об этом уже пятый год, — раздался сзади скрипучий голос Баннистера.

— А вы что здесь делаете? — резко обернулся Пирсон.

— Привожу в порядок дела. То есть делаю то, чем должен был бы заниматься технический работник, если бы он у нас был.

«И сделал бы это куда лучше тебя», — подумал про себя Макнил. Он прекрасно понимал, как запущена документация в отделении патологии, как необходимо модернизировать всю технологию обработки материалов. В других больницах все это уже пройденный этап. А здесь все идет по старинке.

Пирсон продолжал внимательно изучать в микроскоп предметные стекла, время от времени по привычке бормоча под нос.

— Нет, это все же обыкновенный синий невус, — наконец произнес он. — Пишите, Макнил, диагноз: синий невус. Советую вам познакомиться с материалами поближе, такие случаи встречаются довольно редко.

Макнил не сомневался, что старик не ошибся в диагнозе. Что бы там ни было, но Пирсон опытный врач и дело свое знает. Только вот когда он уйдет, сможет ли кто-нибудь разобраться во всем этом хаосе.

Макнил доложил еще пару случаев. Вдруг Пирсон грозно рявкнул:

— Где Баннистер?

— Я здесь, сэр.

— Что это за срезы? Кто их готовил? Разве можно дать правильное заключение на основании такой мазни? — И он с возмущением швырнул злополучное стекло на стол.

Старший лаборант, взяв стекло, поглядел его на свет.

— Срезы так толсты, что из них впору бутерброды делать, — негодовал Пирсон, просматривая одно стекло за другим.

— Хорошо, я проверю микротом. В последнее время он действительно что-то барахлит, — недовольно согласился Баннистер. — Мне это унести обратно? — спросил он, указывая на стекла.

— Нет, не надо. Придется работать с тем, что есть. — Старик уже немного поостыл. — Только наведите наконец порядок в лаборатории гистологии, Баннистер.

— Если бы меня не загружали всякой ерундой, — ворчливо огрызнулся Баннистер, направляясь к двери.

— Ладно, ладно, я все это уже слышал, — буркнул ему вдогонку Пирсон.

Не успел Баннистер закрыть дверь, как в нее кто-то легонько постучался, и на пороге появился доктор Дорнбергер.

— Можно к вам, Джо?

— Разумеется, — с улыбкой ответил Пирсон. — Решили расширить свой кругозор, Чарли?

Акушер вежливо кивнул Макнилу.

— Мы с вами условились встретиться сегодня, Джо, разве вы забыли?

— Признаться, совсем забыл. — Пирсон отодвинул папку с очередной партией стекол. — Сколько случаев у нас еще осталось, Макнил?

— Восемь.

— На этом пока остановимся.

Макнил стал собирать готовые материалы со стола. Дорнбергер, неторопливо набивая трубку, обвел взглядом неуютный зал отделения.

— Как у вас здесь сыро, — сказал он, поежившись. — Того и гляди схватишь простуду.

— Да, тут полно вирусов гриппа. Мы их специально выращиваем для непрошеных гостей, — шутливо заметил Пирсон и добродушно рассмеялся. А затем, подождав, когда за Макнилом закрылась дверь, спросил: — В чем дело, Чарли?

Дорнбергер решил прямо перейти к делу:

— Я вроде делегата, Джо.

— Что случилось? Неприятности? — Глаза их встретились.

— Все зависит от того, как вы на это посмотрите, Джо, — тихо сказал Дорнбергер. — Речь идет о том, чтобы дать вам помощника.

Дорнбергер ожидал взрыва негодования, но Пирсон принял все удивительно спокойно.

— Даже если я буду возражать? — медленно, словно раздумывая, спросил он.

— Да, Джо. — Дорнбергер решил, что Пирсону лучше знать всю правду.

— Без О'Доннела, разумеется, здесь не обошлось? — не без горечи сказал Пирсон.

— Дело не только в нем, Джо.

— Как мне поступить, Чарли? — спросил вдруг Пирсон. Это была уже просьба о совете, с которой он обращался к старому другу.

Дорнбергер положил трубку, которую так и не успел раскурить, в пепельницу.

— Боюсь, у вас нет выбора, Джо. Ваше отделение слишком задерживает заключения, вы это сами знаете. И еще другие моменты.

Сказав это, он испугался, подумав, что позволил себе слишком много, — теперь бури не миновать. Но Пирсон по-прежнему, по крайней мере внешне, оставался спокойным.

— Да, здесь не мешает кое в чем навести порядок, — согласился он. — Но я мог бы сделать это сам.

«Прошло», — с облегчением подумал Дорнбергер.

— Вот теперь вы этим и займетесь, Джо, когда у вас появится помощник. — И почти небрежным жестом вынул из кармана карточку с данными нового кандидата.

— Что это? — спросил Пирсон.

— Пока еще ничего не решено. Просто Томаселли подобрал несколько кандидатур. Если интересно, взгляните.

— Да, они время даром не теряют, — промолвил Пирсон, беря карточку.

Пробежав ее глазами, он вслух прочел:

— «Дэвид Коулмен». — А затем тихо добавил: — Тридцать один год. — В голосе его были горечь и растерянность.

Был час обеденного перерыва для медперсонала больницы, и кафетерий был переполнен. Диетсестра миссис Строуган внимательно следила за работой тех, кто стоял на раздаче блюд. Сегодня меню было довольно разнообразным, но она заметила, что бараньи отбивные почему-то не идут. Надо будет самой попробовать. Возможно, мясо жестковато. Она знала, как бывает в таких случаях: стоит одному попробовать, как все уже потом избегают брать неудачное блюдо. Вдруг взгляд миссис Строуган остановился на стопке чистых тарелок. Что это? На верхней явные следы остатков пищи. Она быстро сняла тарелку. Опять посуда плохо вымыта. Нет, пора категорически поставить вопрос перед администрацией о замене посудомоечных аппаратов. Так больше продолжаться не может.

В зале кафетерия было шумно, слышались громкие голоса, смех. За столиком обедающие врачи и медсестры обменивались шутками и новостями. Кто-то шумно поздравлял рентгенолога Белла, в восьмой раз ставшего отцом.

— Подумайте только, восемь Беллов! Целый оркестр. Когда же это случилось?

— Сегодня утром, — принимал поздравления Ральф Белл.

Люси Грэйнджер тоже поздравила счастливого отца, справилась о здоровье матери и младенца, а затем, улучив минутку, сказала рентгенологу:

— Ральф, я тебе направляю сегодня одну мою больную. Это Вивьен Лоубартон, она учится в нашей школе медсестер.

— А что с ней, Люси? — сразу посерьезнев, спросил Белл.

— Сделай снимок левого колена. Опухоль, и она мне не нравится.

Вернувшись в свой кабинет, доктор Дорнбергер позвонил О'Доннелу и сообщил ему результаты своей встречи с Джо Пирсоном.

— Думаю, Кент, что если доктор... как его там... Коулмен приедет, Джо, пожалуй, готов побеседовать с ним. Но мне думается, впредь Джо должен быть полностью в курсе всего, что касается его отделения.

— Спасибо, Чарли.

Затем доктор Дорнбергер набрал еще один номер. Он позвонил некой миссис Джон Александер, которая, судя по записям, оставленным медсестрой, звонила в его отсутствие. Он условился, что на следующей неделе миссис Александер зайдет к нему в его приемные часы в городе.

Пока доктор Дорнбергер беседовал с миссис Джон Александер, ее муж получал свою первую взбучку от Пирсона. А произошло это так. Как только Баннистер вернул в лабораторию серологии, где работал Джон Александер, забракованные Пирсоном предметные стекла и стал обвинять лаборантов в нерадивости, Александер вступился за них:

— Знаете, Карл, они не виноваты. Они слишком перегружены работой.

— Мы все перегружены, — огрызнулся Баннистер.

— Пора что-то сделать. Существует столько новой аппаратуры, а мы здесь все делаем вручную.

— Ну, об этом бесполезно говорить. Как только вопрос касается денег, можете не стараться — ничего не получится.

Лаборант Александер не стал больше спорить, но про себя решил, что при первом удобном случае сам поговорит с доктором Пирсоном.

В этот же день случай представился. Ему понадобилось подписать несколько заключений, и он спустился в кабинет патологоанатома. Он застал его за разбором почты и прочих поднакопившихся бумаг. Взглянув на Александера, Пирсон знаком велел ему положить заключения на стол и снова углубился в бумаги. Но Александер не спешил уходить.

— В чем дело? — подняв недовольный взгляд, резко спросил Пирсон. — Да, да, в чем дело?

— Доктор Пирсон, у меня есть кое-какие предложения, они касаются работы лаборатории. Я хотел бы изложить их вам.

— Именно сейчас?

Тот, кто хорошо знал Пирсона, на этом бы закончил все попытки, но неискушенный Александер тут же стал выкладывать свои соображения относительно того, как им необходимо купить новую аппаратуру для лаборатории серологии.

— Она стоит денег, — раздраженно оборвал его Пирсон.

— Знаю, сэр, но мы работаем вручную, задерживаем анализы, качество их плохое...

Старик даже встал со стула. Александеру бы остановиться, но он продолжал горячо убеждать патологоанатома, как им необходима современная аппаратура, насколько она облегчит труд лаборантов, повысит качество работы отделения. Он сам видел эти прекрасные машины, они делают отличные срезы... Это было уже слишком.

— Довольно! — почти заорал Пирсон, выведенный из себя подобной дерзостью. Он вышел из-за стола и стоял теперь перед Александером. — Запомните раз и навсегда: я главный патологоанатом больницы, и я руковожу этим отделением. Я не против предложений, если они разумны, но советую вам не переходить границы. Понятно?

Обескураженный и расстроенный, Александер вернулся в лабораторию.

Майк Седдонс весь день буквально заставлял себя сосредоточиться на работе. Во время вскрытия Макнил даже сделал ему замечание:

— Вы отхватите себе кусок пальца, Седдонс, если будете так рассеянны.

Мысли его были заняты Вивьен. Почему он так много думает о ней? Хорошенькая, желанная, но ведь Майк Седдонс не желторотый юнец. Девушек он знает. Но в ней есть что-то, что непонятным образом пленило его.

Вернувшись после занятий в общежитие, Вивьен нашла записку Майка. Он просил ее встретиться с ним на четвертом этаже главного здания больницы, у отделения педиатрии, в 9.45 вечера. Вначале она решила, что не пойдет, — как, в случае чего, она объяснит свое пребывание там в столь неурочный час? Но вдруг почувствовала, что ей хочется видеть Майка.

Он ждал, задумчиво вышагивая по коридору. Увидев Вивьен, он тут же сделал ей знак рукой, указывая на дверь, выходящую на боковую лестницу. Когда они спустились по лестнице два марша вниз, ей совершенно естественным показалось то, что она очутилась в объятиях Майка.

— Вивьен!

— Майк, милый!..

Когда Майк сказал, что его товарищ по комнате вернется поздно, она больше не колебалась и не раздумывала.

— А если нас кто увидит, что тогда? — все же спросила она.

— Выгонят, вот и все. Пойдем, — сказал Майк и взял ее за руку. Когда они шли по коридору, им все-таки попался один из врачей. Вивьен порядком перетрусила, увидев вдали его белый халат.

Майк толкнул какую-то дверь:

— Входи, Вивьен.

В темноте она едва различила кресло и две кровати. Сзади щелкнул замок — из осторожности Майк даже закрыл дверь на цепочку. Они прильнули друг к другу. Откуда-то доносились слабые звуки музыки — очевидно, по радио передавали Шопена. А потом мир, люди, музыка Шопена — все это куда-то ушло. Остались она и Майк.

Приглушенные звуки прелюда Шопена наконец снова дошли до ее слуха. Она лежала в темноте рядом с Майком, и тихая мелодия успокаивала и убаюкивала.

Майк вдруг легонько коснулся губами ее щеки.

— Вивьен, девочка, выходи-ка за меня замуж.

— О, Майк, что ты? Ты уверен, что ты этого хочешь?

Слова слетели с его губ непроизвольно, должно быть, от избытка переполнявшей его нежности. Но, произнеся их, он уже не сомневался, что вполне искренен.

— Уверен. А ты?

— Никогда еще ни в чем не была так уверена, — прошептала Вивьен, крепко обнимая его.

— Да, как твое колено? — вдруг спросил Майк. — Что сказала доктор Грэйнджер?

— Ничего. Направила к доктору Беллу сделать снимок. Через два дня она меня вызовет.

— Поскорей бы все выяснилось.

— Ерунда, милый. Разве пустячная шишка на колене может быть опасной?

10

Доктор Дэвид Коулмен перечитывал свое письмо, адресованное Г. Томаселли, администратору больницы Трех Графств. Он извещал последнего о своем согласии принять его предложение и с 15 августа приступить к работе. Доктора Коулмена, разумеется, интересовал квартирный вопрос, а пока он просил заказать ему номер в местной гостинице.

«...Что касается работы, которую мне предстоит выполнять в вашей больнице, — писал он, — то мы с вами так и не обсудили подробно вопрос о моих обязанностях. Я напоминаю об этом потому, что надеюсь, что вы сами обсудите его с доктором Пирсоном до моего приезда. Мне кажется, я смогу принести больше пользы больнице, да и сам получу удовлетворение от работы, если у меня будет четко определенный круг обязанностей и известная самостоятельность как в организационных, так и других вопросах. Меня особенно интересуют такие области работы в отделении, как серология, гематология и биохимия. Хотя я, разумеется, готов помогать доктору Пирсону в решении любых проблем, когда он найдет это нужным».

Свое письмо Коулмен закончил просьбой решить все это до его приезда и еще раз заверил администратора, что он намерен во всем сотрудничать с доктором Пирсоном и работать в меру своих сил и способностей.

Отправившись опустить письмо в почтовый ящик, Дэвид Коулмен задумался. Почему вдруг из семи предложений он выбрал именно то, что пришло из больницы в Берлингтоне, о которой никто никогда не слышал?

Что это? Страх стать незаметным винтиком в большой машине столичной больницы? Нет, опыт говорил ему, что такое ему не грозит. Предстоящие трудности? Возможно. Доктор Коулмен знал, что больница Трех Графств отнюдь не лучшая из больниц, а Пирсон, по наведенным им справкам, человек, с которым сработаться очень трудно. Неужели снова это стремление умерить гордыню, выбрать самый трудный путь? Коулмен, человек незаурядных способностей, слишком часто сознавал свое превосходство над многими из своих коллег. Учеба всегда давалась ему легко. Учиться в школе, в колледже или университете было так же просто, как дышать. Его ум без труда впитывал знания. Сознание своего превосходства сделало его одиноким — ему завидовали, его сторонились и не любили. Он чувствовал это, но как-то особенно не задумывался над причинами. Но однажды ректор университета, сам блестящий ученый, умный и тонкий человек, отведя его в сторону, вдруг сказал:

— Вы уже взрослый человек, Коулмен, и я могу быть откровенным с вами. Ведь у вас нет здесь ни единого друга, кроме, возможно, меня.

Сначала он не поверил этому. Но он был честен, прям и беспощаден к себе. Ему пришлось согласиться, что это действительно так.

— Вы прекрасный специалист, Коулмен, будущее перед вами, вы в него верите. Вы человек выдающегося ума и способностей — таких я, пожалуй, еще не встречал среди своих учеников. Но если вы хотите жить и общаться с людьми, то должны иногда забывать об этом. — Вот что еще сказал ему тогда ректор.

Коулмен был молод, впечатлителен, и эти слова глубоко ранили его. Он много размышлял над ними и в итоге стал презирать себя за свою одаренность. Коулмен даже разработал целую программу самодисциплины и самоуничижения. Раньше людей пустых и неинтересных он не удостоил бы и словом, теперь же заставлял себя тратить уйму времени на пространные беседы с ними. К нему стали обращаться за советом в трудных и спорных вопросах, и он давал их. Казалось бы, это должно было изменить его отношение к людям, сделать его мягче, терпимее, снисходительнее к другим. Но в душе Коулмен знал, что по-прежнему презирает тупость и скудость ума. Медицину он выбрал отчасти потому, что отец был врачом, да и потому, что медицина всегда интересовала его. Но, решив специализироваться в области патанатомии, где, как считалось, труднее всего сделать карьеру, он подсознательно понимал, что это тоже борьба с собственной гордыней. Вот уже пятнадцать лет, как она продолжается. Может быть, сейчас это тоже решило вопрос о выборе именно этой небольшой и отнюдь не первоклассной больницы. Здесь мучившим его самолюбию и гордыне будут нанесены самые ощутимые удары. Коулмен опустил письмо в почтовый ящик.

В кабинете доктора Дорнбергера пациентка Элизабет Александер одевалась за ширмой.

— Когда будете готовы, мы поговорим, — услышала она голос доктора Дорнбергера из приемной.

— Я уже почти готова, доктор.

Сидя в кресле за столом, он улыбался. Он любил, когда женщина с радостью воспринимает весть о предстоящем материнстве. Элизабет Александер сразу же понравилась ему. К тому же она наделена благоразумием, несмотря на свой юный возраст. Он заглянул в ее карточку — всего двадцать три года. Нет, ей можно говорить все и рассчитывать на понимание. Поэтому он, не дожидаясь, пока она выйдет, крикнул:

— Я уверен, вы родите вполне здорового ребенка.

— Доктор Корссмен меня тоже в этом заверял, — сказала Элизабет, выходя и садясь на стул у стола.

— Это ваш врач в Чикаго?

— Да.

— Он принимал вашего первого ребенка?

— Да. — Элизабет открыла сумочку и вынула листок бумаги. — Вот его адрес.

— Хорошо, я спишусь с ним и попрошу сообщить мне все подробности. Отчего умер ваш ребенок?

— Бронхит. Ей был всего месяц.

— Роды были нормальные?

— Да.

— А теперь я хотел бы с вами подробно побеседовать.

— Мой муж работает в больнице Трех Графств, — сказала Элизабет.

— Да, я знаю. Мне говорил доктор Пирсон. Ему нравится работа?

— Джон очень мало говорит о работе, но мне кажется, он доволен. Он любит свою профессию.

— Это очень важно.

Прочитав все, что он записал, доктор Дорнбергер поднял глаза на свою пациентку и улыбнулся:

— Мы все зависим от результатов работы вашего мужа и его коллег. Вот вам направление на анализ крови.

— Да, доктор, я как раз собиралась вам сказать, что у меня отрицательный резус-фактор*, а у мужа положительный.

— Мы все проверим, не беспокойтесь.

— Спасибо, доктор.

Доктор Дорнбергер, решив было на этом закончить, вдруг передумал. Она сама сказала ему о резус-факторе, значит, это ее беспокоит. Поймет ли она, если он попытается ей объяснить, что это означает для нее и для ребенка? Поразмыслив секунду, он решил, что необходимо ее успокоить и по возможности все объяснить.

---

* Здесь и далее вся медицинская терминология дается в соответствии с английским оригиналом.

— Миссис Александер, я хочу, чтобы вы хорошо себе уясните, что тот факт, что у вас и у мужа разные резус-факторы, отнюдь не угрожает ребенку. Вам это ясно?

— Да, доктор.

— А вы знаете, что такое резус-положительная и резус-отрицательная кровь?

— Не совсем, доктор.

Он так и думал. Теперь он уже не может не объяснить ей. Он уверен, что она поймет. Да и Элизабет не сомневалась и приготовилась слушать, как прилежная ученица.

Доктор Дорнбергер не ошибся — миссис Александер уходила от него успокоенная, почти восхищенная. Как он все хорошо и понятно ей объяснил.

— Вы замечательный человек, доктор! — не удержавшись, воскликнула она.

— Я и сам иногда так думаю, — шутливо ответил доктор.

— Джо, можно с вами поговорить? — окликнула доктора Пирсона Люси Грэйнджер, увидев в коридоре его массивную фигуру.

— Что-нибудь серьезное, Люси?

— Один случай, Джо. Девушка девятнадцати лет, учится в нашей школе медсестер. Я подозреваю костную опухоль. Завтра сделаю биопсию. А сегодня, может быть, взглянете на нее?

— Ладно, так и быть. Где она?

— На втором этаже. Сейчас?

— Согласен, ведите.

Вивьен Лоубартон лежала в маленькой двухместной палате.

— Это доктор Пирсон, Вивьен, — сказала Люси Грэйнджер, входя в палату.

— Здравствуйте, доктор.

Вивьен недоумевала, зачем доктору Грэйнджер понадобилось уложить ее в постель. Хотя отдохнуть от занятий и практики совсем неплохо. Только что звонил Майк. Он очень беспокоится, дурачок, и обещает забежать, как только освободится.

— Покажите-ка ваши колени, Вивьен, — сказал доктор Пирсон.

Ощупывая больное колено, Пирсон задавал короткие вопросы.

— Здесь больно?

— Да.

— В истории болезни записано, что вы ушибли колено месяцев пять назад?

— Да, доктор. — Вивьен старалась как можно добросовестнее отвечать на все вопросы. — В бассейне во время прыжка в воду.

— Было очень больно?

— Да, вначале. А потом прошло, и я даже забыла, пока это не случилось снова вот теперь.

— Покажите снимки, — сказал Пирсон, обращаясь к Люси.

Вивьен с интересом наблюдала, как доктор Пирсон и доктор Грэйнджер, отойдя к окну, рассматривают снимки, передавая их друг другу, и обмениваются короткими фразами.

— Вы знаете, что такое биопсия, Вивьен? — спросил доктор Пирсон, подходя к ее кровати.

— Догадываюсь, — сказала девушка неуверенно.

— Доктор Грэйнджер возьмет кусочек костной ткани там, где у вас болит. А потом передаст мне на исследование...

— И вы мне скажете, что со мной?

— Иногда мне это удается. Вы занимаетесь спортом?

— Да, доктор. Теннис, плавание, лыжи. Еще люблю верховую езду. Я много ездила у нас, в Орегоне.

— В Орегоне, да? — рассеянно сказал доктор Пирсон, думая о чем-то другом. — Ну вот пока и все, Вивьен.

Когда за врачами закрылась дверь, Вивьен почувствовала неприятный холодок страха.

— Возможна костная опухоль, — медленно сказал Пирсон, обращаясь к Люси и продолжая о чем-то размышлять.

— Злокачественная?

— Вполне вероятно.

Когда они подходили к лифту, Люси вдруг сказала:

— Значит, ампутация ноги.

Пирсон медленно кивнул:

— Именно это не выходит у меня из головы.

11

Турбореактивный лайнер шел на посадку. Наблюдая за ним из зала ожидания берлингтонского аэропорта, Кент О'Доннел невольно подумал, что у медицины и авиации много общего. Обе они продукт прогресса человеческой мысли, обе стремятся изменить жизнь человека и ломают старые понятия, идут к неизведанным горизонтам и пока смутно угадываемому будущему. Была у них и еще одна общая черта. Авиация не поспевала за собственными открытиями. Один знакомый конструктор как-то сказал О'Доннелу: «Самолет, который поднялся в воздух, уже устарел». Так и в медицине: больницы, клиники, даже врачи не поспевали за развитием самой медицины, как бы они ни старались. Хирургия сердца давно известна, но как долго лишь горстка врачей умела делать операции на сердце... Не все новшества оправдали себя в конечном итоге, были и ошибки, ложные шаги и повороты. Не всякое изменение ведет к прогрессу. Вот в больнице Трех Графств есть разумные консерваторы и сторонники решительных перемен. Среди тех и других — честные, добросовестные врачи, заслуживающие всяческого уважения, и ему, О'Доннелу, часто трудно решить, на чьей он стороне.

Размышления О'Доннела были прерваны шумом моторов подруливающего самолета. Увидев среди пассажиров доктора Коулмена, нового патологоанатома больницы, О'Доннел поспешил ему навстречу.

Дэвид Коулмен был несколько удивлен, что его встречает сам главный хирург больницы Трех Графств.

— Рад видеть вас, — проговорил О'Доннел. — Доктор Пирсон не смог приехать, и мы решили, что кто-то должен сказать вам «добро пожаловать».

О'Доннел умолчал о том, что Пирсон наотрез отказался встречать Коулмена, а Гарри Томаселли не было в городе. Вот и пришлось ехать О'Доннелу.

Несмотря на трехчасовой перелет, габардиновый костюм Коулмена выглядел безукоризненно, волосы аккуратно причесаны. Он казался гораздо моложе своих тридцати с небольшим лет.

Уже в машине О'Доннел сообщил Коулмену, что ему заказан номер в тихом и уютном отеле «Рузвельт», и спросил, не хочет ли он отдохнуть день, но тот пожелал завтра же выйти на работу. Он произвел впечатление сдержанного, уверенного в себе человека. О'Доннел поймал себя на мысли, что его тревожит, сработается ли Коулмен с Джо Пирсоном.

Коулмен тоже немного волновался, думая о том, что ждет его в больнице. Это было его первое официальное назначение.

Пропуская трактор-тягач на перекрестке, О'Доннел остановил свой «бьюик».

— Мне хотелось бы вам кое-что сказать, — повернулся он к Коулмену. — У нас в больнице Трех Графств за последние несколько лет все же произошли некоторые перемены. Ваше назначение — это тоже одна из важных перемен, и я полагаю, что теперь последуют и другие.

Коулмен вспомнил, какое впечатление на него произвело патологоанатомическое отделение в тот его первый короткий визит, и, утвердительно кивнув головой, спокойно сказал:

— Не сомневаюсь.

— Мы стараемся по мере возможности внедрять новое мирным путем, — продолжал О'Доннел, немного помолчав. — Но это не всегда удается. Я не из тех, кто считает, что следует жертвовать принципами ради сохранения мира. Я хочу, чтобы вы это поняли.

Коулмен снова кивнул головой, но ничего не сказал.

— В общем, — продолжал О'Доннел, — советую вам, где можно, действовать убеждением и не стрелять из пушек по воробьям.

— Понимаю, — спокойно ответил Коулмен, хотя ему не совсем было ясно, что хотел сказать главный хирург.

Если ему предлагают отказаться от нововведений, дабы не смущать чей-то покой, то они ошиблись, пригласив его на работу. Компромиссы не для него. Что за человек этот О'Доннел?

А сам О'Доннел размышлял, правильно ли он поступил, сказав все это Коулмену. Больнице повезло, что она получила такого специалиста, и О'Доннелу отнюдь не хотелось сразу же оттолкнуть его.

Но его беспокоили Джо Пирсон и Юстас Суэйн. Насколько это было возможно, О'Доннел старался ни в чем не подводить Ордэна Брауна. Председатель попечительского совета во многом поддерживал главного хирурга. О'Доннел понимал, как важно для Брауна получить те четверть миллиона долларов, которые обещал Суэйн. Больница действительно в них нуждалась. О'Доннел даже был согласен на некоторые уступки Джо Пирсону, но не в самом главном.

Где кончается закулисная игра и начинается его ответственность как главного хирурга? Этот вопрос мучил О'Доннела. Когда-нибудь ему придется решить, где проходит демаркационная линия. Не продолжает ли он эту игру и сейчас, говоря все это Коулмену? Власть развращает, подумал он.

«Бьюик» свернул во двор отеля. Договорившись с Коулменом, что завтра он ждет его в больнице, О'Доннел развернул машину и уехал.

Пока Элизабет Александер сидела в приемной лаборатории в ожидании, когда ее пригласят на анализ крови, перед ее глазами прошла вся ее короткая жизнь: встреча с Джоном, замужество, рождение Памелы, ее смерть от бронхита. Сейчас они с Джоном обосновались в Берлингтоне, городок ей нравится, квартирка тоже. Мебель они купят в рассрочку. Новая беременность возвратила Элизабет к жизни. К ней вернулись бодрость, жизнерадостность и даже здоровье.

Наконец девушка в белом халате пригласила ее в лабораторию. Процедура взятия крови из вены заняла у опытной лаборантки не более пятнадцати секунд.

— А что дальше? — спросила с любопытством Элизабет, указывая на пробирку.

— Отправим в лабораторию, там сделают анализ.

«А вдруг моя кровь попадет на анализ к Джону?» — почему-то подумала Элизабет.

Майк Седдонс был встревожен. Если бы месяц назад ему сказали, что он будет волноваться из-за девушки, с которой едва знаком, он счел бы этого человека сумасшедшим. А сейчас перед его глазами стояла запись, сделанная рукой доктора Люси Грэйнджер в истории болезни Вивьен: «Подозрение на костную саркому — подготовить к биопсии».

Когда он впервые увидел Вивьен в секционном зале, она была просто одной из многих миловидных сестер-практиканток. Сейчас все изменилось. Впервые в жизни он полюбил. И его терзал страх за Вивьен.

Сама Вивьен считала, что у нее всего лишь пустячная опухоль на ноге, от которой ничего не стоит избавиться, но Майк Седдонс хорошо понимал, что могли означать зловещие слова «костная саркома». Если диагноз подтвердится, дни Вивьен сочтены даже при хирургическом вмешательстве.

Нет, этого не может быть! Это безвредная костная опухоль. Шансов, что это так, пятьдесят на пятьдесят. Майк Седдонс покрылся холодным потом, когда подумал, что их судьба с Вивьен зависит теперь от результатов биопсии.

Вчера он навестил ее, она была беспечной и веселой, а он едва смог скрыть свою тревогу.

А сегодня в полдень Люси Грэйнджер будет делать биопсию, и, если лаборатория не задержит, ответ будет уже завтра. «Господи! Сделай так, чтобы опухоль оказалась доброкачественной!»

В начале пятого в серологическую лабораторию, громко насвистывая, развинченной походкой вошел больничный рассыльный, парень лет шестнадцати, находившийся в состоянии непрекращающейся войны со старшим лаборантом Баннистером. Он и походку эту усвоил, только чтобы выводить из себя Баннистера.

Как и следовало ожидать, старший лаборант тут же напустился на него:

— В последний раз говорю тебе, прекрати этот дурацкий свист!

— Слава Богу, что в последний! А то надоело слушать, — невозмутимо ответил парень, продолжая насвистывать. — Получайте свеженькую кровь, мистер Вампир, — сказал он, ставя на стол ящик с пробирками.

Александер не смог скрыть улыбку. Баннистера же просто взорвало:

— Не смей сюда ставить. Их место там, — указал он на скамью в углу лаборатории.

— Слушаюсь, сэр. — И посыльный, взяв под козырек и вильнув бедрами, вышел, уже распевая во весь голос.

Александер не мог удержаться и рассмеялся.

— Напрасно смеетесь. От этого он только еще больше наглеет, — недовольно проворчал Баннистер и направился к ящику с пробирками. — Смотрите, — воскликнул он, указывая на листок, прикрепленный к одной из пробирок, — кровь взята у какой-то миссис Александер. Это, случайно, не ваша жена?

— Да. Видимо, назначение доктора Дорнбергера. У жены отрицательный резус, — пояснил Александер и, помолчав, добавил: — А у меня положительный.

— Видите ли, — глубокомысленно, с оттенком превосходства заметил Баннистер, — в большинстве случаев на ребенке это не сказывается. Вы сами хотите сделать этот анализ?

— Да, если вы не возражаете.

— Ничуть.

Баннистер редко возражал, если кто-то изъявлял желание сделать за него работу.

Спрятав пробирки в холодильник, Александер вдруг взглянул на старшего лаборанта:

— Послушайте, Карл, я давно хотел вас спросить. Это касается анализов крови. Меня кое-что удивляет.

— Что именно?

Александер тщательно выбирал выражения, зная, как обидчив Баннистер.

— Я заметил, что у нас делается только два анализа: один с физиологическим раствором и второй с высокомолекулярным белком. Мне кажется, это считается недостаточным в наше время.

— Почему? — В голосе Баннистера звучала ирония. — Может, вы объясните? — Теперь это звучало резко, почти как вызов.

Но Александер не обратил внимания ни на иронию, ни на резкость старшего лаборанта. Его интересовала суть дела.

— Сейчас почти во всех лабораториях обязательно делают третий вид исследования — определяют реакцию на сыворотку Кумбса.

— Это что еще за Кумбс?

— Вы что, шутите? — Эти слова вырвались почти непроизвольно, и Александер понял, что допустил бестактность. Но он и представить себе не мог, чтобы сотрудник, работающий в лаборатории серологии, не знал, что такое проба по Кумбсу.

Александер извинился, но это не помогло.

— Послушайте, молодой человек. — Баннистер с достоинством повернулся к нему, и свет лампы упал на его лысину. — Я скажу вам кое-что, и это, надеюсь, пойдет вам на пользу. Вы только что окончили ваше учение и пока еще не знаете, что все, чему вас там учили, не применяется на практике.

— Но это не просто теория, — горячо возразил Александер. — Доказано, что антитела в крови беременных женщин иногда невозможно обнаружить с помощью только физиологического раствора или протеина.

— Ну и часто такое случается? — Баннистер спрашивал так, будто заранее уже знал ответ.

— Нет, очень редко.

— То-то и оно. — И Баннистер не стал дальше слушать. — Прочтете мне лекцию в другой раз. — Сняв халат, он протянул руку за пиджаком, висевшим за дверью.

Понимая, что его доводы не убедят Баннистера, Александер тем не менее сделал еще одну попытку:

— С этой пробой работы не так много. Я с удовольствием возьму это на себя. Мне только нужна сыворотка Кумбса. Разумеется, анализ будет стоить немного дороже.

В этих вопросах Баннистер чувствовал себя особенно уверенно и знал, чем бить противника.

— О, Пирсон будет в восторге! — язвительно воскликнул он. — Все, что касается увеличения расходов, для него что красное полотнище для быка.

— Неужели вы не понимаете? — Александер не заметил, как повысил голос. — Результаты двух анализов могут быть отрицательными, и вместе с тем кровь матери может оказаться несовместимой с кровью ребенка. Вы можете погубить новорожденного!

— Довольно! — Баннистер уже рассвирепел. — Пирсон не собирается здесь что-либо менять, особенно если это стоит денег. — Баннистер несколько сбавил тон: оставалась одна минута до пяти, он не любил задерживаться и хотел как можно скорее покончить с этим разговором. — Послушайтесь меня, мы не врачи, мы всего лишь лаборанты и делаем то, что нам приказывают.

— Но это не значит, что я не должен думать. Я хочу, чтобы анализ крови моей жены был сделан со всей тщательностью. Разумеется, вам до этого нет дела! Но для нас ребенок, которого мы ждем, слишком много значит.

— Что ж, идите к Пирсону и скажите ему, что вам не нравятся наши порядки. — И Баннистер, взглянув на часы, вышел, оставив Александера одного в лаборатории.

12

Карл Баннистер разбирал бумаги на столе доктора Пирсона, когда раздался стук в дверь и в патологоанатомическое отделение вошел доктор Коулмен.

— Доброе утро, — произнес он.

Старший лаборант с удивлением посмотрел на вошедшего — так рано сюда никто не заходит, всем известно, что Пирсон появляется не раньше десяти.

— Доброе утро, — не очень любезно ответил Баннистер. По утрам он был особенно раздражителен. — Вы к доктору Пирсону?

— Очевидно. Я доктор Коулмен. С сегодняшнего дня я здесь работаю.

Это было столь неожиданно, что Баннистер, бросив бумаги, выскочил из-за стола.

— Прошу прощения, доктор! Я не знал. Правда, я слышал, что вы должны приехать, но не думал, что это будет так скоро. Увы, доктор Пирсон будет часа через два, не раньше.

— Разве он не ждет меня? — осведомился Коулмен.

На лице Баннистера появилось подобие улыбки, которая могла означать все, что угодно: и известное снисхождение к слабостям Пирсона, и намек на то, что Коулмен тоже, если захочет, может приходить позднее. Затем, вспомнив, что он еще не представился, торопливо произнес:

— Карл Баннистер, старший лаборант. — Коулмен пожал протянутую руку. — Если хотите, я могу показать вам лабораторию.

Коулмен колебался. Возможно, лучше подождать доктора Пирсона, но тогда придется потерять целых два часа.

— Ну что ж, если вы не очень заняты, — согласился он.

— Работы, разумеется, у нас всегда хватает, доктор, но я почту за честь уделить вам время. — Голос Баннистера был откровенно подобострастным. — Прошу вас сюда. — И, открыв дверь в лабораторию серологии, он пропустил Коулмена вперед.

Джон Александер сидел за центрифугой, куда только что поставил пробирку с кровью.

— Это Джон Александер, лаборант, — представил его Баннистер, — он работает у нас недавно. Можно сказать, еще желторотый юнец в нашей профессии, не так ли, Джон? — Баннистера буквально распирало от чувства собственной значимости.

Коулмен подошел к лаборанту и протянул ему руку:

— Доктор Коулмен.

— Так вы и есть наш новый патологоанатом? — Александер с интересом посмотрел на Коулмена.

— Да. — Коулмен обвел взглядом лабораторию. Многое же здесь придется модернизировать. Он заметил это еще в прошлый раз, когда впервые побывал в больнице Трех Графств. — Чем вы сейчас занимаетесь?

— Исследование крови на сенсибилизацию. И по странной случайности это кровь моей жены.

— Вот как! — Молодой лаборант произвел на Коулмена куда более приятное впечатление, чем Баннистер. — Беременность? Большая?

— Пять месяцев, — сказал Александер, продолжая внимательно следить за центрифугой.

Коулмен обратил внимание на то, как быстро и четко он работает — ни одного лишнего движения.

— А вы женаты, доктор? — вдруг вежливо осведомился Александер.

Коулмен отрицательно покачал головой. Ему показалось, что Александер хотел еще что-то сказать, но передумал.

— Вы что-то хотели спросить?

Джон Александер ответил не сразу, словно раздумывая:

— Да, доктор.

Пусть это грозит ему неприятностями, но он должен высказать свои сомнения. После вчерашнего спора с Баннистером и той взбучки, которую задал ему Пирсон, он решил было оставить все как есть и не говорить больше о пробе по Кумбсу.

— Я хотел уточнить у вас кое-что относительно процедуры исследования крови, — сказал Александер.

Баннистер, до того молча стоявший в стороне, однако внимательно прислушивавшийся к разговору Коулмена с Александером, не выдержал.

— Послушай, если ты опять о том же, выбрось это из головы, — грубо прервал он Александера.

— А в чем дело? — сдержанно полюбопытствовал Коулмен.

Но старший лаборант уже принялся отчитывать Александера:

— Не успел появиться новый доктор, как ты морочишь ему голову всякой ерундой. Хватит об этом, понял? — Затем, повернувшись к Коулмену, со снисходительной улыбкой пояснил: — У него пунктик, доктор. А теперь, если хотите, мы пойдем в гистологию, — попытался он увести Коулмена.

— Одну минуту. — Коулмен обратился к Александеру: — Если это касается работы, я готов вас выслушать.

— Мой вопрос непосредственно связан с тем исследованием крови, которое я сейчас провожу, — начал Александер. — Видите ли, у моей жены отрицательный резус-фактор, а у меня положительный.

— Это случается довольно часто, — улыбнулся Коулмен. — В чем же проблема? Результаты пробы, надеюсь, отрицательные?

— Все дело именно в пробе, доктор.

— То есть? — Коулмен никак не мог понять, что же так волнует лаборанта.

— Я считаю, что мы обязаны кроме обычных проб с физиологическим раствором и высокомолекулярным белком проверить также реакцию на сыворотку Кумбса, — взволнованно сказал Александер.

— Само собой разумеется, — продолжал недоумевать Коулмен.

— Что вы сказали, доктор? Будьте добры, повторите еще раз.

— Пожалуйста. — Коулмен по-прежнему не понимал причины волнения Александера и весь этот странный разговор. Лаборант просил его повторить элементарную истину, известную любому серологу. Зачем?

— Мы не делаем пробу по Кумбсу, — словно отвечая на его вопрос, сказал Александер и посмотрел на Баннистера. — Сыворотка Кумбса при исследованиях крови на сенсибилизацию у нас не применяется.

Коулмен подумал, что он ослышался. Александер ошибается, он работает здесь недавно и, по-видимому, что-то перепутал. Но в тоне Александера были неподдельное волнение и искренность.

— Это действительно так? — обратился Коулмен к Баннистеру.

— Исследованиями руководит доктор Пирсон. — Старший лаборант всем своим видом показывал, что он считает этот разговор беспредметным.

— Может быть, доктор Пирсон не знает, как вы делаете пробу на сенсибилизацию?

— Пирсон прекрасно все знает. — Баннистер уже не сдерживался. К нему вновь вернулись его обычная грубость и раздражительность. Вот так всегда с этими новичками. Не успеют явиться, как жди от них неприятностей. Он искренне старался быть любезным с этим новым доктором, и вот что из этого вышло. Ну, ничего, Пирсон быстро поставит его на место.

Коулмен словно не замечал вызывающего тона старшего лаборанта. Нравится он ему или нет, но какое-то время придется с ним работать. А теперь необходимо выяснить все до конца.

— Боюсь, я не совсем вас понял, — обратился он к Александеру. — Безусловно, антитела в крови беременных женщин не всегда можно обнаружить с помощью только физиологического раствора и высокомолекулярного белка. Вот почему необходима проба на сыворотку Кумбса.

— Именно это я и твержу.

— Разумеется, если нужно, я могу поговорить с доктором Пирсоном, — продолжал Коулмен. — Но я уверен, что это простое недоразумение. В дальнейшем эту пробу и другие делайте только так — все три исследования. И обязательно третье — с сывороткой Кумбса.

— У нас в лаборатории нет сыворотки Кумбса, доктор! — Теперь Александер был рад, что решился еще раз сказать об этом. Новый доктор ему положительно нравился. Может быть, наконец удастся изменить что-то в лаборатории.

— Если нет сыворотки, выпишите ее для нужд лаборатории. Чего-чего, а сыворотки Кумбса у нас хватает. Дайте мне бланк заказа, — обернулся он к Баннистеру. — Думаю, я имею право подписать его. Собственно говоря, это входит в мои непосредственные обязанности — я буду отвечать за работу лаборатории.

Поколебавшись, старший лаборант нехотя открыл ящик стола и, достав нужный бланк, протянул его Коулмену.

— Вообще-то доктор Пирсон сам делает все заказы, — недовольно проворчал он.

— Думаю, что моя работа в отделении будет связана с несколько большей ответственностью, чем счет на пятнадцать долларов, — не без иронии заметил Коулмен, начинавший понимать обстановку.

Телефонный звонок выручил Баннистера.

— Меня вызывают в клиническое отделение, — ворчливо сказал он, кладя трубку.

— Я вас не задерживаю, — холодно ответил Коулмен. Все, что произошло, возмутило его гораздо больше, чем он мог предполагать. Неправильная методика исследования — вопрос настолько серьезный, что его нельзя недооценивать. Навести здесь порядок будет не так просто, если такие, как Баннистер, станут мешать этому. Должно быть, патологоанатомическое отделение находится в еще более запущенном состоянии, чем он думал.

Коулмен снова, теперь уже внимательно, осмотрел помещение лаборатории. Горы использованной лабораторной посуды, кипы ненужных, пожелтевших от времени бумаг, на столах и стенах — слой пыли, кое-где даже плесень. Коулмен медленно обошел лабораторию, заглядывая во все углы.

Александер с беспокойством наблюдал за ним.

— Неужели лаборатория всегда в таком состоянии? — наконец не выдержал Коулмен.

— Да, здесь грязно, — согласился Александер, испытывая жгучее чувство стыда от того, что Коулмен увидел, как неприглядна лаборатория. Однако он счел излишним оправдываться и рассказывать новому доктору о том, как все его попытки навести хотя бы минимальный порядок были решительно отвергнуты старшим лаборантом. Баннистер категорически запретил к чему-либо прикасаться.

— Грязно? Я бы выразился определенней. — Коулмен провел пальцем по полке — на пальце остался толстый слой пыли. «Все здесь необходимо срочно менять, — подумал он. — Или пока еще повременить?» Коулмен знал, как необходимы такт и осторожность в отношениях с новыми сослуживцами. Опыт и благоразумие подсказывали ему, что торопиться не следует. И тем не менее он понимал, как трудно ему будет сдерживать свой нетерпеливый характер, видя эту грязь и запустение.

Александер тем временем пристально разглядывал доктора Коулмена. Как только тот вошел в лабораторию, Джону показалось, что он где-то его уже видел.

— Извините, доктор Коулмен, — решился наконец Александер, — но мне кажется, мы с вами встречались.

— Возможно, — подчеркнуто безразлично ответил Коулмен. Он вовсе не хотел, чтобы его поддержка Александера в споре с Баннистером стала поводом к фамильярности в их отношениях. Но тут же понял, что был не слишком вежлив. — Я стажировался в Белвью, затем работал в клинике Уолтера Рида и Главной больнице штата Массачусетс.

— Нет, не там. Видимо, я встречал вас раньше. Скажите, вы бывали в Нью-Ричмонде, штат Индиана?

— Да! — воскликнул Коулмен, не скрывая удивления. — Я родился там.

— О, теперь я вспомнил. Мне знакомо ваше имя... Доктор Байрон Коулмен — ваш отец?

— Вы его знаете? — Уже много лет никто не вспоминал имени его отца.

— Я сам из Нью-Ричмонда, и моя жена тоже.

— Вот как! Мы встречались с вами? — заинтересовался Коулмен.

— Не думаю. Хотя я помню, что видел вас несколько раз. — Джон Александер стоял в социальном отношении на несколько ступенек ниже доктора Коулмена. — Мой отец был фермером, мы жили за городом. Но вы, вероятно, знаете мою жену, Элизабет Джонсон. У ее отца был магазин скобяных товаров.

Коулмен задумался, что-то припоминая.

— Не было ли это связано с каким-то несчастным случаем? — наконец спросил он.

— Совершенно верно, — подтвердил Александер. — Отец Элизабет погиб, когда поезд разбил его машину на железнодорожном переезде. Элизабет тоже была с ним.

— Да, теперь я вспоминаю, что слышал об этом. — Воспоминания перенесли Коулмена на много лет назад, в кабинет отца, доктора Байрона Коулмена. — Правда, меня тогда не было в Нью-Ричмонде, но мне рассказывал отец.

— Элизабет была при смерти, но ей вовремя сделали переливание крови. Вот тогда я впервые побывал в больнице. Я почти безвыходно жил там в течение недели. — Александер умолк, раздумывая, а затем, словно обрадовавшись пришедшей ему в голову мысли, посмотрел на Коулмена. — Если у вас выдастся свободный вечер, мы с женой будем рады видеть вас у себя, доктор Коулмен. — И Александер снова умолк, словно поняв, что, хотя они оба из Нью-Ричмонда, между ними по-прежнему водораздел — сын фермера и сын врача.

Коулмен тоже понимал это. Но в нем говорил не столько снобизм, сколько осторожность. Всякое сближение с подчиненными вредило служебной дисциплине. Вслух же он сказал:

— Боюсь, что в ближайшее время я буду очень занят. — Коулмен почувствовал, как фальшиво и неубедительно прозвучали его слова. «Да, друг мой, — сказал он себе, — ты мало в чем изменился».

Порой Гарри Томаселли ловил себя на мысли, что был бы счастлив видеть старшую диетсестру миссис Строуган как можно реже. Но хорошая диетсестра — находка для больницы. А миссис Строуган была прекрасной диетсестрой, Томаселли это хорошо знал. Только почему Хилда Строуган никак не может воспринимать больницу Трех Графств как нечто единое? После каждой беседы с ней, а их было немало, Томаселли все больше убеждался, что для старшей диетсестры центром больницы являются кухня и все связанные с ней службы, а все остальное второстепенно. Будучи человеком справедливым, Томаселли понимал, что это объясняется чрезмерно серьезным отношением

Строуган к своим обязанностям. Подобный недостаток следует прощать. Томаселли предпочитал иметь дело с такими беспокойными работниками, как старшая диетсестра, чем с людьми нерадивыми и равнодушными.

Вот и сейчас в кабинете Томаселли старшая диетсестра, заполнив собой все кресло, снова повела решительную атаку на администратора.

— Понимаете ли вы, как это важно, мистер Т.? — С теми, кого она давно знала, миссис Строуган имела обыкновение разговаривать без излишних формальностей и называла их просто по первой букве фамилии. Даже собственного мужа она называла «мистер С.».

— Думаю, что да, — согласился Томаселли.

— Посудомоечные аппараты вышли из строя еще лет пять назад. Я твержу вам об этом с тех пор, как работаю здесь. Вы мне обещаете, что в будущем году все изменится. Но история повторяется. Так дело не пойдет, мистер Т. Я вас спрашиваю: где наконец мои новые посудомоечные аппараты?

Говоря о своих кухонных владениях, миссис Строуган злоупотребляла притяжательными местоимениями «мой», «мои». Против этого Томаселли тоже не мог ничего возразить, но его раздражало нежелание старшей диетсестры считаться с общим положением дел в больнице. Превыше всего она ставила интересы «своей» кухни.

— Разумеется, миссис Строуган, посудомоечные машины следует заменить, и это со временем будет сделано. Требуются немалые деньги, как вы понимаете.

— Чем больше вы будете откладывать, тем дороже вам все обойдется, — отпарировала сестра Строуган.

— Я и сам понимаю. — Постоянно растущие цены на больничное оборудование и аппаратуру буквально не давали спать Гарри Томаселли. — Но, миссис Строуган, новое строительство и расширение больницы поглощают все наши средства. Кроме того, закупки совершенно необходимой лечебной аппаратуры...

— Многого стоит ваша аппаратура, если больных мы кормим из грязных тарелок, — не сдавалась диетсестра.

— Но, миссис Строуган, вы преувеличиваете.

— Ничуть. Мы проверяем посуду, конечно, но за всем не уследишь. Меня беспокоит опасность распространения инфекции через грязную посуду. Вы заметили, как участились случаи желудочных заболеваний среди персонала? И все, разумеется, сразу же винят мою кухню.

— Я не думаю, что все так уж серьезно. — Терпение Томаселли начало иссякать. Миссис Строуган пришла к нему в особенно тяжелое утро — неотложных дел по горло. — Когда делали лабораторные анализы всем, кто работает у посудомоечных аппаратов?

— Могу узнать, мне кажется, месяцев шесть тому назад, — ответила миссис Строуган.

— Надо бы повторить.

— Хорошо, мистер Т. — Миссис Строуган пришлось смириться с тем, что и сегодня она ничего не добилась. — Мне поговорить с доктором Пирсоном?

— Нет, я сделаю это сам, — ответил Томаселли, что-то пометив в своем блокноте.

«По крайней мере хотя бы Джо Пирсон будет избавлен от сомнительного удовольствия беседовать со столь энергичной особой», — подумал он.

Дэвид Коулмен после обеда в кафетерии возвращался в патологоанатомическое отделение, мысленно подводя итог первым часам совместной работы с доктором Пирсоном в больнице Трех Графств. Хорошего пока было мало.

Доктор Пирсон был с ним вежлив и любезен, если не в первые минуты, то по крайней мере потом.

Когда в тот первый день Пирсон увидел ожидавшего его Коулмена, он не преминул иронически заметить:

— Сказано — сделано. Вы действительно немедленно приступили к работе.

— Зачем откладывать? Я побывал уже в лабораториях. Надеюсь, вы ничего не имеете против? — поспешил добавить Коулмен.

— Ваше дело. — И словно поняв, что его слова прозвучали не очень любезно, Пирсон сказал: — Ну что же, добро пожаловать, доктор Коулмен. — Они обменялись рукопожатиями.

— Но прежде всего, — заявил старый патологоанатом, — мне надо разобраться со всем этим. — И он указал на груду папок с предметными стеклами и историями болезни у себя на столе. — А потом мы поговорим о ваших обязанностях.

Коулмен сел и, взяв какой-то медицинский журнал, попробовал хоть чем-то заняться, пока Пирсон разбирался с делами.

Но затем Пирсона пригласили на разбор материалов вскрытия, и Коулмен последовал за ним и присутствовал при разборе в непривычной для себя роли молчаливого зрителя. Пирсон словно забыл о нем и, казалось, не торопился вовлекать своего нового заместителя в работу. Потом они вместе отправились обедать в больничный кафетерий, где Пирсон вынужден был представить его кое-кому из коллег и вскоре оставил его одного, сославшись на неотложные дела. И теперь, предаваясь грустным размышлениям, Коулмен возвращался в отделение.

Он и не собирался брать на себя многого и понимал, что первое время будет работать под руководством и контролем старшего коллеги. Он и сам на месте Пирсона сначала присмотрелся бы к новому человеку. Но то, что произошло в действительности, несколько озадачило его. Должно быть, несмотря на его письмо, никто и не подумал решить вопрос об обязанностях нового патологоанатома. Выходит, он только и будет делать, что выполнять отдельные задания Пирсона.

Коулмен отлично знал свои недостатки, но он отнюдь не собирался умалять своих достоинств. Ему не раз представлялась возможность убедиться в своих способностях. Его опыту и квалификации могли позавидовать многие из старших коллег. Коулмену трудно было смириться с тем, что старик Пирсон явно намерен обращаться с ним всего лишь как с неопытным юнцом.

Коулмен хотел служить медицине честно и бескомпромиссно. Он достаточно встречал таких, кто шел на компромиссы, различного рода политиканов, бездельников или людей, обуреваемых непомерным тщеславием. Они вызывали у него отвращение.

Он не был ни романтиком, ни человеком сентиментальным и стал изучать медицину отнюдь не из гипертрофированного человеколюбия. Медицина интересовала его как наука. Он совсем не был похож на своего отца, доброго, отзывчивого, мягкого человека и, возможно, заурядного врача. Коулмен был сдержан, холоден, даже несколько высокомерен. Но еще будучи врачом-стажером, до того, как он увлекся патанатомией, он как-то незаметно отнял у отца половину его пациентов, поверивших в молодого строгого врача.

Вернувшись к действительности, Коулмен подумал, что, очевидно, конфликта не миновать.

Когда он вошел в отделение, он застал Пирсона за микроскопом.

— Взгляните-ка сюда, коллега, — позвал тот его. — Хочу знать ваше мнение. — Пирсон подвинулся, давая Коулмену возможность посмотреть в микроскоп.

— История болезни? — спросил Коулмен, склоняясь над микроскопом.

— Пациентка доктора Люси Грэйнджер. Некая Вивьен Лоубартон девятнадцати лет. Кстати, учится в нашей школе медсестер. Опухоль ниже левого коленного сустава. Боли. Рентген показал изменения. Перед вами результаты биопсии.

Стекол было восемь. Коулмен по очереди просмотрел каждое. Случай сложный. И тем не менее он уверенно сказал:

— Мое мнение, опухоль доброкачественная.

— А по-моему, злокачественная, — тихо промолвил Пирсон. — Костная саркома.

Не ответив ему, Коулмен снова взял первое стекло, а затем внимательно просмотрел вновь все восемь стекол.

— Боюсь, что я с вами не согласен, — вежливо возразил он Пирсону. — Опухоль доброкачественная.

Пирсон молчал, словно обдумывая свои возражения. Через какое-то время он задумчиво произнес:

— Известные сомнения, разумеется, есть и у меня.

— Но если диагноз — саркома, нужна немедленная ампутация! — воскликнул Коулмен.

— Да. — Слово прозвучало резко, но в голосе патологоанатома не чувствовалось прежней враждебности. Пирсон был слишком честным врачом, чтобы не уважать мнение коллеги, высказанное прямо и откровенно, даже если коллега заблуждался. — Как я ненавижу случаи, когда ты должен немедленно принять решение, хотя тебя мучают сомнения!

— Таков удел патологоанатома, не так ли? — мягко сказал Коулмен.

— Но почему? — Старик сказал это так горячо и страстно, словно Коулмен коснулся самого больного вопроса. — Как мало люди знают о наших муках и сомнениях. Для них патологоанатом — это маг в белом халате. Посмотрел в микроскоп и изрек. Они не знают, как часто мы терзаемся, чувствуя собственное бессилие.

Коулмен сам не раз раздумывал над этим, но никогда не принимал так близко к сердцу несовершенства своей профессии.

— Но в большинстве случаев мы все же даем верные заключения, не так ли, доктор? — сказал он, чтобы успокоить старика.

— Да, конечно. — Все это время Пирсон нервно ходил по комнате, а теперь подошел к Коулмену вплотную. — Ну а что вы скажете о случаях, когда мы ошибаемся? Вот этот, например. Скажи я, что опухоль злокачественная, доктор Грэйнджер ампутирует ногу. Иного выхода нет. А если я ошибся? Молодая девушка из-за моей ошибки лишится ноги. Ну а если это все же злокачественная опухоль, а мы не сделаем операцию и она умрет... — Он помолчал несколько секунд, а потом сказал с горечью: — Она может умереть и после ампутации. Ампутацией не всегда удается спасти жизнь больному.

Коулмен словно видел перед собой другого Пирсона. Как хорошо он понимал его! Изучая препарат, нанесенный на стекло, врач, разумеется, не должен забывать о человеке, судьбу которого решает. Коулмену знакомы были эти сомнения. И, стараясь помочь Пирсону, он предложил:

— Посмотрим материалы аналогичных случаев.

— Это невозможно. У нас нет картотеки. Все как-то руки не доходят, — тихо сказал Пирсон, словно предупреждая дальнейшие вопросы.

Коулмен едва смог скрыть свое удивление и растерянность. Что-что, но не иметь в отделении картотеки историй болезни! Для него это было аксиомой. Этому он всегда учил всех стажеров, работавших под его началом. Такая простая вещь — картотека, и вместе с тем как она необходима! Но, взяв себя в руки, он спокойно спросил:

— Что вы предлагаете, доктор Пирсон?

— Нам остается только одно, — промолвил Пирсон и, подойдя к столу, нажал кнопку селектора и попросил прислать к нему Баннистера. А Коулмену пояснил: — В этой области есть два специалиста: Коллингем в Бостоне и Эрнхарт в Нью-Йорке.

— Да, я слышал об их работах, — заметил Коулмен.

Когда вошел Баннистер, Пирсон громко распорядился:

— Эти срезы надо немедленно отправить авиапочтой вместе с сопроводительными письмами и копией истории болезни. Ответ мы попросим телеграфировать, и как можно скорее.

«По крайней мере хоть здесь старик проявил оперативность», — подумал Коулмен.

— Мы должны получить ответы не позднее чем через два-три дня, — продолжал Пирсон, обращаясь к Коулмену. — С Люси Грэйнджер я поговорю сам. Скажу, что у нас возникли сомнения. — Он посмотрел на Коулмена. — И мы решили проконсультироваться на стороне.

13

Ошеломленная, потерявшая всякую способность понимать что-либо, Вивьен словно окаменела. Нет, этого не может быть! Доктор Грэйнджер говорит о ком-то другом. Произошла ошибка, перепутали анализы. В больницах такое случается. Она сделала усилие над собой, постаралась взять себя в руки, и вдруг поняла — это не ошибка. Вот почему у Майка и доктора Грэйнджер такие странные лица, почему они так смотрят на нее!

— Когда вы узнаете... точно? — наконец произнесла она, повернув лицо к Люси Грэйнджер.

— Через два дня. Доктор Пирсон нам сообщит.

— А сейчас он... не знает?

— Сейчас нет, Вивьен, — ответила Люси. — Точно не знает.

— О Майк!.. — Вивьен протянула к нему руку. — Простите меня... я, кажется, сейчас расплачусь...

Майк обнял девушку за плечи.

Люси поднялась.

— Я еще зайду, Вивьен, — сказала она. — Вы остаетесь, Майк?

— Да.

— Объясните ей, что мы еще сами не уверены, — шепнула Люси, направляясь к двери. — Но я хочу, чтобы она была подготовлена... Кто знает?

— Я понимаю. — Майк кивнул.

«Да, да, я знаю, что ты все понимаешь», — подумала Люси, закрывая за собой дверь. Вчера, когда доктор Пирсон сообщил ей по телефону о своих опасениях, Люси не знала, говорить ей с Вивьен сейчас или подождать эти два дня. Если опухоль окажется доброкачественной, незачем пугать девушку. А если нет? Если немедленно потребуется операция, а время будет упущено и Вивьен не будет к ней готова? Как перенесет она это страшное известие? То обстоятельство, что Пирсон решил проконсультироваться на стороне, заставляло опасаться худшего. После недолгих колебаний Люси решила поговорить с Вивьен не откладывая. Если все обойдется, девушка быстро забудет о тягостных днях тревоги и ожидания. А если опасения подтвердятся, она будет подготовлена и операцию можно будет сделать без промедления. В этих случаях каждый день дорог.

Положение облегчалось тем, что теперь она могла рассчитывать на помощь доктора Седдонса. Вчера молодой хирург сам зашел к ней и сказал, что они с Вивьен собираются пожениться. Он признался, что вначале не намеревался сообщать кому-либо об этом, но теперь считает необходимым. Люси обрадовалась. Значит, Вивьен не одинока, у нее есть близкий человек, на чью помощь и поддержку она может рассчитывать.

Осторожно подбирая слова, Люси сообщила девушке о подозрениях на костную саркому. Теперь необходимо известить родителей, проживающих в штате Орегон, — Вивьен разрешила ей сделать это. По законам штата требовалось их согласие на операцию, ибо Вивьен была несовершеннолетней. Люси взглянула на часы. Сегодня все утро она будет занята приемом больных в городе. Лучше всего заказать телефонный разговор с Орегоном прямо сейчас, из больницы.

Кабинет, который Люси делила с Гилом Бартлетом, был так мал, что они старались не появляться в нем одновременно. Но, войдя, Люси увидела, что кроме Бартлета здесь был также Кент О'Доннел.

— Прошу прощения, Люси, — шутливо воскликнул он, — я немедленно ухожу. В этой каморке третий определенно лишний.

— Не беспокойся, я всего на минутку. — Люси с трудом протиснулась к своему столу.

— Советую остаться, — весело воскликнул Бартлет, и его бородка забавно подпрыгнула. — Мы с Кентом сегодня, как никогда, серьезны. Мы обсуждаем будущее хирургии.

— Разве вам никто не говорил, что у хирургии нет будущего? Что хирурги обречены на вымирание и скоро станут такой же редкостью, как шаманы? — в тон ему ответила Люси.

— А кто же будет резать, ставить заплаты, разрешите спросить? — запротестовал Бартлет.

— Никто. Все будет решать диагностика. Для борьбы с недугами медицина будет опираться на естественные резервы организма, данные ему природой. Наше физическое здоровье будет зависеть от нашей психики, рак будет побежден с помощью психиатрии, а подагра — с помощью прикладной психологии и так далее. Разумеется, вы догадываетесь, что я цитирую.

— Жду не дождусь этого счастливого времени, — улыбнулся О'Доннел.

Как всегда, общество Люси доставляло ему искреннее удовольствие. Не глупо ли с его стороны, что они так редко видятся?

Чего он, собственно, боится? Следует предоставить событиям развиваться своим чередом. Однако при Бартлете не стоит договариваться с ней о встрече.

— Боюсь, нам не дожить до этих времен, — промолвила Люси, доставая нужные ей бумаги и потянувшись за папкой. Ее слова прервал телефонный звонок. Она сняла трубку и передала ее Бартлету. Звонила сестра из «Скорой помощи»: произошла дорожная катастрофа, в больницу доставлены пострадавшие, один — с серьезной травмой грудной клетки. Доктор Клиффорд просит доктора Бартлета ассистировать при операции.

— Сейчас буду. Прости, Люси, закончим разговор в другой раз, — сказал Бартлет, повесив трубку. — Замечу только одно: безработица меня не пугает. Пока будут автомобили и будет увеличиваться их скорость, нам, хирургам, работы хватит.

Он вышел, а за ним, дружески кивнув Люси, ушел и О'Доннел. Люси, помедлив минуту, набрала номер междугородной и заказала разговор с родителями Вивьен Лоубартон.

О'Доннел торопливо шел по коридору. Впереди был трудный день: через полчаса операции в больнице, затем заседание медицинского совета, а потом до позднего вечера частный прием больных в городе. Вспоминая Люси, он снова невольно подумал, что общие профессиональные интересы могут осложнить их отношения. Странно, что в последнее время он так часто думает о ней и вообще о женщинах. Неужели это и есть тот пресловутый беспокойный возраст мужчины, которому повернуло на пятый десяток? Незаметно мысли его обратились к Дениз Квэнтс. Она просила позвонить, когда он будет в Нью-Йорке, и О'Доннел уже твердо решил, что поедет туда на предстоящий съезд хирургов.

Войдя в кабинет, он бросил взгляд на часы — первая операция через двадцать минут. О'Доннел снял трубку и заказал разговор с Нью-Йорком.

Он слышал, как телефонистка соединила его с Нью-Йорком и чей-то голос ответил:

— Квартира миссис Квэнтс.

— Вызывает междугородная, — сказала берлингтонская телефонистка.

— Миссис Квэнтс нет в Нью-Йорке. Она в Берлингтоне, штат Пенсильвания. Вам нужен номер ее телефона в Берлингтоне?

— Да, будьте любезны. — Телефонистка свято блюла правила: клиент должен быть обслужен.

Узнав номер телефона, она осведомилась, расслышал ли его О'Доннел.

— Да, благодарю вас, — ответил он и повесил трубку.

Справившись по телефонной книге и убедившись, что это телефон Юстаса Суэйна, О'Доннел набрал номер и через несколько секунд говорил с Дениз.

— Я не уверен, помните ли вы меня. Говорит Кент О'Доннел.

— Конечно, помню, доктор О'Доннел. Как мило, что вы позвонили.

— Я только что звонил вам в Нью-Йорк.

— Я прилетела сюда вчера вечером, — сказала Дениз. — У отца легкий бронхит. Решила побыть с ним пару дней.

— Надеюсь, ничего серьезного?

— Что вы? Разумеется, нет, — засмеялась Дениз. — Мой отец здоров как мул и так же упрям.

— Вы не откажетесь пообедать со мной на будущей неделе в Нью-Йорке?

— Позвоните, как только приедете, — ответила она.

— Может быть, нам не откладывать до Нью-Йорка? У вас найдется свободный вечер, пока вы в Берлингтоне?

— Пожалуй, только сегодня, — после минутной паузы ответила Дениз, но тут же разочарованно воскликнула: — О, я совсем забыла! Сегодня у нас обедает доктор Пирсон, и, разумеется, мое присутствие обязательно. Приходите и вы, если хотите.

О'Доннел усмехнулся, представив, как удивится Джо Пирсон. Однако благоразумие взяло верх.

— Благодарю, — ответил он. — В таком случае нашу встречу действительно придется отложить до Нью-Йорка.

— Мы можем встретиться после обеда, когда отец и доктор Пирсон засядут за шахматы. Тогда им уж никто не нужен.

— Прекрасно, — обрадовался О'Доннел. — Когда?

— В половине десятого.

— Заехать за вами?

— Не стоит. Лучше встретимся в городе. Это сэкономит время. Скажите где.

О'Доннел назвал ресторан. Повесив трубку, он посмотрел на часы. Надо спешить в операционную.

* * *

Шахматная партия длилась уже сорок минут. В погруженной в полумрак библиотеке стояла тишина. Свет лампы, висевшей над шахматным столиком, освещал лишь доску, оставляя лица партнеров в тени. Откинувшись на спинку кресла и вертя в руках рюмку, Суэйн изучал ситуацию, складывающуюся на шахматной доске: только что Пирсон, игравший белыми, пошел ферзем...

Оставив рюмку с недопитым коньяком, Суэйн передвинул пешку на два поля вперед.

— Говорят, в больнице перемены? — отрывисто произнес он, нарушая тишину.

Джо Пирсон тоже пошел пешкой.

— Кое-какие есть, — ворчливо ответил он.

Снова воцарилось молчание. Казалось, время остановилось. Старый магнат шевельнулся в кресле.

— Вы их одобряете? — Наклонившись вперед, он подвинул слона на два поля вправо и не без злорадства посмотрел на противника.

— Не все, — сердито ответил Пирсон и занял ладьей свободную линию.

Юстас Суэйн не спешил с ответным ходом. Прошла минута, две, три. Наконец, приняв вызов, он поместил ладью черных на ту же линию.

— Если они вам не по душе, у вас есть возможность наложить вето.

— Что? Какое вето? — рассеянно переспросил Пирсон и быстро пошел конем в центр доски.

— Я обещал Ордэну Брауну и этому, как его, вашему главному хирургу четверть миллиона долларов на больничное строительство, — сказал Суэйн, поместив королевского коня перед конем противника.

Последовала длительная пауза. Наконец Пирсон через все поле взял слоном пешку черных и объявил Суэйну шах.

— Это большие деньги, — спокойно промолвил он.

— Я поставил условие. Деньги дам лишь в том случае, если вы по-прежнему останетесь полновластным хозяином в своем отделении. — Черные должны были защищаться, и Суэйн подвинул короля на соседнее поле.

Пирсон задумчиво смотрел поверх головы партнера в темноту.

— Я тронут, — наконец просто сказал он.

562

Взгляд его снова вернулся к фигурам на доске. Подумав с минуту, он нашел для своего коня такую позицию, что и без того терпящий бедствие черный король оказался в безвыходном положении.

Суэйн наполнил рюмки.

— Мир в наше время принадлежит молодым, — сказал он. — Впрочем, так всегда было. Но у стариков осталась еще кое-какая власть... и достаточно ума, чтобы воспользоваться ею. — Глаза Суэйна сверкнули, и королевской пешкой он снял угрожавшего его фигурам белого коня.

Пирсон задумчиво поглаживал подбородок.

— Вы говорите, Ордэн Браун и О'Доннел знают о вашем условии? — спросил он и ферзем взял королевскую пешку.

— Я прямо сказал им об этом, — ответил магнат и своим слоном побил слона белых.

Пирсон тихонько засмеялся. Трудно было понять, что так развеселило его — ход противника или только что сказанные слова. В мгновение ока ферзь белых встал рядом с черным королем.

— Шах и мат, — тихо произнес Пирсон.

Хотя Суэйн проиграл партию, в его взгляде, обращенном на Пирсона, было явное одобрение.

— Вы все такой же молодчина, Джо. Ничуть не меняетесь, сколько я вас знаю.

Музыка умолкла, и танцевавшие пары вернулись к своим столикам.

— О чем вы думали во время танца? — с улыбкой спросила Дениз у Кента О'Доннела.

— О том, как хорошо было бы повторить этот вечер.

Дениз слегка приподняла свой бокал:

— Пью за то, чтобы вам почаще приходили в голову подобные мысли.

— Я тоже с удовольствием выпью за это.

Они сидели за столиком в одном из немногих фешенебельных ночных ресторанов Берлингтона.

— Вы часто бываете в Берлингтоне? — спросил О'Доннел.

— Довольно редко, — ответила Дениз. — Я приезжаю сюда, только чтобы повидаться с отцом. Я не люблю этот город. — И, рассмеявшись, спросила: — Надеюсь, я не задела ваши патриотические чувства?

— Разумеется, нет. Но ведь вы родились здесь? Можно мне называть вас просто Дениз?

— Конечно. К чему формальности? Да, я родилась и училась здесь. Но тогда была жива моя мать.

— Почему вы выбрали именно Нью-Йорк?

— Мне кажется, это мой город. К тому же в Нью-Йорке жил муж. — Она впервые упомянула о муже и сделала это спокойно и непринужденно. — Когда мы расстались, я поняла, что не хочу покидать Нью-Йорк. Ни один город не может с ним сравниться.

— Пожалуй, вы правы, — согласился О'Доннел.

Дениз очень красивая женщина, подумал он. И вместе с тем она проста и естественна. Ей очень идет это платье, элегантное и, без сомнения, дорогое. О'Доннел вдруг подумал, что Дениз, в сущности, очень богата. Разумеется, как он мог забыть, что она единственная наследница старого Суэйна. Нет, эта мысль особенно не волновала его. Он просто подумал, что впервые ухаживает за богатой женщиной.

— Расскажите о себе, — сказала Дениз. — Я умею слушать.

— В сущности, рассказывать нечего.

Но О'Доннел не заметил, как с увлечением начал рассказывать о работе в больнице Трех Графств, о своих планах и надеждах. Дениз слушала с интересом, лишь изредка задавая вопросы. Ее интересовало его прошлое, друзья и знакомые. О'Доннел ей нравился, ее удивляла глубина его суждений и оценок.

Когда официант вежливо напомнил им, что бар клуба закрывается, и справился, не хотят ли они заказать еще напитки, Дениз отрицательно покачала головой. Посмотрев на часы, О'Доннел с удивлением убедился, что уже час ночи. Поскольку Дениз сразу же отпустила машину, О'Доннелу предстояло доставить ее домой.

Когда они спустились в фойе, Дениз с сожалением сказала:

— Как жаль, что надо уходить. Напрасно мы не заказали еще вина.

— Мы можем заехать ко мне, если хотите, — предложил О'Доннел, сам несколько удивившись собственной дерзости.

— Прекрасная мысль, — просто сказала Дениз.

Вечер был тихий и теплый. О'Доннел медленно вел машину...

Пока он готовил коктейли, Дениз стояла у открытого окна, глядя на огни города и темную ленту реки.

— Давно я не готовил традиционных коктейлей. Надеюсь, вам понравится, — сказал он, передавая ей бокал.

— Как и все в вас, Кент, — сказала Дениз своим мягким глуховатым голосом. Глаза их встретились.

Телефонный звонок в соседней комнате нарушил тишину. Резкий, требовательный, он повторился, и игнорировать его было невозможно. Когда О'Доннел пересек гостиную и, войдя в спальню, снял трубку, через открытую дверь он видел, как Дениз не спеша собирает свои вещи: перчатки, сумочку, меховую накидку. Вспыхнувшее было чувство досады мгновенно улеглось: звонили из больницы. О'Доннел внимательно слушал, что говорил ему дежурный врач, задавая короткие вопросы. Состояние больного, которого он накануне оперировал, резко ухудшилось.

— Еду, — быстро сказал О'Доннел. — Приготовьте все для переливания крови.

Затем он позвонил швейцару и попросил вызвать для Дениз такси.

14

Доктор Пирсон обычно рано ложился спать, однако после игры в шахматы с Юстасом Суэйном это не всегда ему удавалось. На следующий день он чувствовал себя неважно и бывал особенно раздражительным. Шахматная партия не замедлила сказаться и в это утро.

Рассматривая заявки на покупку препаратов для лабораторий — занятие, которое он особенно недолюбливал, — он раздраженно фыркнул и отложил в сторону одну из заявок об оплате. Подписав несколько заявок, он снова вернулся к злополучной квитанции и на сей раз гневно нахмурился. Человек, хорошо знавший Пирсона, сразу бы понял, что грозы не миновать.

Задержав взгляд еще на одной заявке, он отшвырнул карандаш, схватил бумаги и устремился к двери. Войдя в серологическую лабораторию, он стал искать глазами Баннистера. Старший лаборант находился в дальнем углу лаборатории, где готовил анализы.

— Иди сюда! — приказал Пирсон и бросил бумаги на стол.

— Что случилось? — спросил Баннистер, подходя к Пирсону. Он привык к подобным вспышкам. В известной степени они даже успокаивали его.

— Что случилось? Что это за заявки? — Пирсон немного отошел, хотя все еще был разгневан. — Ты, должно быть, считаешь, что мы с тобой работаем не в захолустной больнице Трех Графств, а в какой-нибудь столичной клинике.

— Но нашей лаборатории нужны эти материалы.

Пирсон пропустил возражение мимо ушей.

— Иногда мне кажется, что ты все просто съедаешь. Кроме того, разве я не просил прилагать объяснительную записку к необычным заявкам?

— Я забыл об этом, — покорно повинился Баннистер.

— Пора бы запомнить, что тебе говорят. — Пирсон взял первую заявку. — Зачем нам окись кальция?

На лице Баннистера появилась ехидная улыбка.

— Вы сами попросили заказать. Разве это не для вашего сада? — И старший лаборант тактично, как только мог, напомнил Пирсону, что тот, будучи членом общества садоводов, частенько выписывал химикалии за счет больничной лаборатории. Из вежливости Баннистер даже изобразил смущение.

— А... да... Хорошо... оставим эту заявку. — Пирсон положил ее на стол, но тут же взял другую. — А это что? Для чего нам понадобилась сыворотка Кумбса? Кто ее заказал?

— Доктор Коулмен, — поспешил ответить Баннистер.

Услышав это, Джон Александер насторожился.

— Когда? — резко спросил Пирсон.

— Вчера. Доктор Коулмен сам подписал заявку. — Баннистер, указав на заявку, не без удовольствия добавил: — Поставил свою подпись там, где обычно подписываетесь вы.

Пирсон взглянул на заявку. Подписи он как раз и не заметил.

— Для чего она ему?

Старший лаборант понял, что гроза миновала. Теперь он мог насладиться ролью зрителя.

— Расскажи-ка ему сам, — обратился он к Александеру.

Слегка растерявшись, Александер стал объяснять:

— Это для пробы на сенсибилизацию, доктор Пирсон. Анализ крови моей жены, для доктора Дорнбергера.

— Зачем тогда вам сыворотка Кумбса?

— Для косвенного теста Кумбса, доктор.

— Почему такой анализ нужен вашей жене? Особый случай? — В голосе Пирсона звучал сарказм. — Разве недостаточно проб физиологическим раствором и высокомолекулярным белком? Мы их делаем всем.

Александер нервно глотнул и промолчал.

— Я жду ответа, — промолвил Пирсон.

— Дело в том, сэр... — Александер сначала поколебался, но потом прямо сказал: — Это я сказал доктору Коулмену, что необходима еще третья проба по Кумбсу, и он со мной согласился.

— Вот оно что? — Тон, которым это было сказано, не предвещал ничего хорошего, но Александер продолжал:

— Да, сэр. Мы считаем, что необходим еще один анализ...

— Хватит! — Окрик был громким и властным. Пирсон ударил кулаком по куче заявок на столе. В лаборатории воцарилась тишина.

Тяжело дыша, старик молча глядел на Александера. Наконец, несколько успокоившись, он проговорил:

— Вся беда в том, что вы злоупотребляете тем, чему вас учили в школе.

В словах Пирсона были гнев и горечь против, должно быть, всей той молодежи, которая вмешивалась и посягала на его авторитет. Будь это в другое время, он, пожалуй, не придал бы этому такого значения. Но теперь все приобретало иной смысл. Пора раз и навсегда поставить выскочку-лаборанта на свое место.

— Слушайте и запоминайте! Я уже говорил вам и больше не собираюсь повторять. — Это были слова разгневанного начальника, облеченного властью, который разъяснял нерадивому подчиненному его проступок. — Отделение возглавляю я, доктор Пирсон, и если у вас или еще кого-либо имеются вопросы, будьте добры адресовать их мне. Ясно?

— Да, сэр. — Александер ничего так не хотел сейчас, как скорейшего прекращения этой ужасной сцены. Он уже твердо решил, что в этой больнице ему следует молчать. Если такова цена права на сомнения, он будет впредь держать их при себе. Пусть другие беспокоятся.

Но Пирсону показалось мало того, что он сказал.

— Я не разрешаю пользоваться тем, что доктор Коулмен здесь человек новый.

Александер вспыхнул.

— Я ничем не пользовался, сэр.

— А я говорю, что пользовались! Прошу впредь этого не делать! — Старик опять разъярился.

Александер подавленно умолк.

В течение нескольких мгновений Пирсон мрачно глядел на него. Затем, видимо, решив, что внушение достигло цели, сказал:

— И вот еще что. Анализы крови, то есть пробы физиологическим раствором и высокомолекулярным белком, дают исчерпывающие данные. Это говорит вам старый патологоанатом, и он знает, что говорит. Понятно?

— Да, сэр, — тихо ответил Александер.

— Ну и ладно. — Казалось, Пирсон предлагает перемирие. — Поскольку вас так беспокоит этот анализ, я его сделаю сам. И прямо сейчас. Где проба крови?

— В холодильнике, — ответил Баннистер.

— Давайте ее сюда.

Доставая пробирку из холодильника, Баннистер уже сожалел, что все приняло такой оборот. Александеру следовало дать нагоняй, но старик немного погорячился. Баннистеру скорее хотелось бы, чтобы часть гнева пала на голову зазнайки Коулмена. Но старик сделает это позднее. Он достал пробирку с надписью «Миссис Э. Александер» и захлопнул дверцу холодильника. Пирсон тут же занялся анализом. Баннистер, заметив на полу заявку, явившуюся причиной только что произошедшей сцены, поднял ее.

— А что делать с заявкой? — спросил он Пирсона. Тот был поглощен работой.

— С какой заявкой? — раздраженно спросил он.

— На сыворотку Кумбса.

— Теперь она не нужна. Можешь ее выбросить.

Сколько он ни проработает анатомом, он никогда не привыкнет к вскрытию детских трупов, подумал Роджер Макнил. Вид мертвого ребенка лишал его сна. Особенно если становишься свидетелем такой нелепой смерти, как эта.

Майк Седдонс стоял рядом.

— Бедняжка, — промолвил он, глядя на тело мальчика, распростертое на столе.

— Полиция все еще здесь? — спросил Макнил.

Седдонс кивнул:

— Отец тоже здесь.

— Позовите Пирсона.

Седдонс направился к телефону. Макнил корил себя за малодушие. Надо выйти и что-то сказать тем, кто ждет за дверью.

— Пирсон в лаборатории серологии, — сказал Майк. — Сейчас он будет здесь.

Они молча ждали. Наконец послышались шаркающие шаги Пирсона. Макнил доложил ему подробности. Час назад мальчика сшибла машина. Когда его привезли в больницу, он был мертв. Полицейский следователь приказал сделать вскрытие. И врач рассказал Пирсону, что показало вскрытие.

— И это все? — спросил старик. Он с трудом поверил услышанному.

Пирсон шагнул к секционному столу, но остановился. Нет, Макнил не мог допустить ошибки.

— В таком случае они просто стояли... и наблюдали, — промолвил он.

— Должно быть, так, — сказал Седдонс. — Они не понимали, что происходит.

Пирсон сокрушенно покачал головой.

— Сколько лет мальчику?

— Четыре года. Красивый мальчик.

Пирсон опять сокрушенно покачал головой и пошел к выходу:

— Хорошо, я им скажу сам.

В приемной ждали трое: полицейский, высокий мужчина с красными от слез глазами и испуганно сжавшийся в углу человек небольшого роста, похожий на взъерошенную мышь.

— Вы были свидетелем несчастного случая? — спросил Пирсон полицейского, представившись всем троим.

— Я прибыл вскоре после того, как это случилось, — ответил полицейский и, указав на высокого мужчину, добавил: — Это отец мальчика, а этот господин вел машину.

Похожий на мышь человек поднял голову и, обращаясь к Пирсону, залепетал:

— Он выбежал из-за угла дома прямо на меня. Я очень осторожный водитель. У меня у самого дети. Да и ехал я не быстро. Я совсем остановился, когда его увидел...

— Это ложь! — вдруг выкрикнул отец ребенка, задыхаясь от рыданий. — Вы убили его! И вам это не пройдет даром.

— Пожалуйста, успокойтесь, — произнес Пирсон и обратился к полицейскому: — Следователь получит исчерпывающее заключение, но я вам могу уже сейчас сообщить наше предварительное мнение. — Он сделал паузу. — Вскрытие показало, что смерть наступила не от удара машиной.

— Но я сам видел!.. — воскликнул отец мальчика.

— Я вам очень сочувствую, но пока это все, что я могу сказать вам, — промолвил Пирсон. — Машина всего лишь сбила мальчика с ног. У него было небольшое сотрясение мозга, поэтому он потерял сознание, а также небольшой ушиб носа, совсем небольшой. Но, к сожалению, он вызвал сильное носовое кровотечение.

Пирсон повернулся к полицейскому:

— Насколько я понимаю, вы оставили мальчика лежать там, где он упал? И он лежал на спине?

— Совершенно верно, сэр, — сказал ничего не понимающий полицейский. — Мы не хотели его трогать до прибытия кареты «скорой помощи».

— И как долго он лежал так?

— Минут десять.

Пирсон печально покачал головой. Этого времени было больше чем достаточно. Да и пяти минут хватило бы.

— Боюсь, именно это и явилось причиной смерти, — сказал он. — Кровь из носа текла в горло ребенка. Он умер от удушья.

На лице отца отразился ужас.

— Вы хотите сказать, что... что если бы мы только перевернули...

— Я хотел сказать только то, что уже сказал. Ничего другого, к сожалению, я сказать не могу.

Лицо полицейского стало белым как мел.

— Доктор, — произнес он растерянно, — ведь если бы мы только его перевернули... только бы сделали это... Я не знал... Я прошел курс по оказанию неотложной помощи. Нам всегда говорили: ни в коем случае не трогать пострадавших, ни в коем случае...

— Да, но только не в тех случаях, когда у пострадавшего носовое или горловое кровотечение, — тихо произнес Пирсон, с сожалением глядя на него.

Дэвид Коулмен увидел Пирсона, когда тот выходил из приемной. Коулмену сначала показалось, что главный патологоанатом болен. Он выглядел как-то странно, словно не понимал, где находится. Но, заметив Коулмена, быстро пошел ему навстречу.

— Доктор Коулмен, что-то я хотел сказать вам...

Коулмен понял, что Пирсон не может собраться с мыслями. Думая о чем-то своем, он протянул руку и машинально взял Коулмена за лацкан халата — рука Пирсона дрожала. Коулмен осторожно высвободился.

— Вы что-то хотели мне сказать?

— Да, о лаборатории. — Пирсон рассеянно покачал головой. — Забыл. Ладно, потом вспомню. — Он быстро повернулся, чтобы уйти, но вдруг вспомнил: — Вам, пожалуй, следует взять на себя контроль над вскрытиями с завтрашнего же дня.

— Хорошо. Я сделаю все, что смогу. — У Коулмена были свои, совершенно четкие представления, как следует организовать работу, и теперь наконец представлялась возможность осуществить свои идеи. Он подумал, что, раз они уже начали этот разговор, неплохо обсудить и другие вопросы.

— Могу я поговорить с вами о лабораториях? — спросил он.

— О лабораториях? — Мысли старика, казалось, были по-прежнему далеко.

— Очевидно, вы помните, что в своем письме я просил поручить мне заведование лабораториями. — Конечно, несколько странно обсуждать такие вопросы в коридоре, но Коулмен опасался, что иной возможности может не представиться.

— Да, да, припоминаю. — Пирсон проводил глазами печальную группу — полицейский и владелец машины, сбивший мальчика, поддерживали под руки убитого горем отца. Они медленно удалялись по коридору, направляясь к выходу.

— Нельзя ли мне начать с серологической лаборатории? — продолжал Коулмен. — Я хотел бы проверить методы лабораторных исследований.

— Что?

Коулмен почувствовал раздражение от того, что вынужден повторять свои слова.

— Я сказал, что хотел бы проверить методы исследований в серологической лаборатории.

— Да, да, конечно, — рассеянно ответил Пирсон. Он все еще смотрел в конец коридора, когда Коулмен ушел.

Элизабет Александер чувствовала себя хорошо. Собираясь позавтракать в кафетерии больницы Трех Графств, она вдруг ясно ощутила, что уже несколько дней чувствует себя хорошо, и особенно хорошо сегодня. Она только что была в универмаге на распродаже и купила очень красивые занавески. Она радовалась тому, что они подойдут для спальни малютки.

В кафетерии она встретилась с Джоном, чтобы позавтракать вместе.

Увидев, сколько блюд ставит на поднос Элизабет, Джон добродушно спросил ее:

— А не слишком ли?

— Мой маленький очень голоден, — ответила она.

Джон улыбнулся. Несколько минут назад он чувствовал себя угнетенным и подавленным. Он еще не забыл утреннего нагоняя, полученного от доктора Пирсона, но, увидев бодрую и веселую Элизабет, отогнал мрачные мысли. Теперь у него не будет больше неприятностей. Он хорошо подумает, прежде чем высказывать свое мнение.

Доктор Пирсон сам сделал анализы на сенсибилизацию и заверил его, что ему нечего беспокоиться. Он был почти любезен. Доктор Пирсон опытный патологоанатом, а Джон пока еще ничто. Может быть, доктор Пирсон прав в том, что Джон слишком полагался на знания, полученные в медицинской школе. В школах людей начиняют теориями, которые в жизни часто оказываются совсем ненужными. Доктор Пирсон с его опытом знает лучше, что нужно. Он так и сказал, когда производил анализ крови Элизабет. Если менять лабораторные методы каждый раз, когда появится что-нибудь новое, то этому конца-краю не будет. Каждый день совершаются новые открытия в медицине. Но все они нуждаются в длительной проверке. На карту ставится жизнь человека, и здесь, в больнице, ни у кого нет права на риск.

И все же Джону было непонятно, почему лишний тест Кумбса вызвал такое сопротивление у Пирсона. Например, доктор Коулмен тоже был убежден в необходимости третьей пробы.

— Твой суп остынет, — прервала его раздумья Элизабет. — О чем ты думаешь?

— Так, ничего, дорогая.

Джон Александер заметил доктора Коулмена. Он направлялся к столикам, за которыми обычно завтракали врачи. Поддавшись внезапному чувству, Александер вдруг вскочил со стула и окликнул его:

— Доктор Коулмен! Я хочу познакомить вас с моей женой. Элизабет, это доктор Коулмен.

— Здравствуйте, миссис Александер, — сказал Коулмен. Он держал в руках поднос с едой.

Джон смутился от собственной дерзости.

— Помнишь, дорогая, я тебе рассказывал, что доктор Коулмен тоже из Нью-Ричмонда.

— Здравствуйте, доктор Коулмен, — радостно сказала Элизабет. — Я вас очень хорошо помню. Вы заходили в магазин моего отца.

— А ведь верно. — Коулмен вдруг тоже вспомнил ее: она была тогда веселой длинноногой девочкой, ловко и быстро находившей в магазине нужные товары. — Помню, однажды вы, кажется, продали мне бельевую веревку, не так ли?

— Неужели! — воскликнула она весело. — Надеюсь, она оказалась достаточно крепкой.

— Ну, раз уж вы спрашиваете, то скажу откровенно — она сразу же разорвалась в нескольких местах.

Элизабет звонко расхохоталась.

— Ну тогда вы должны вернуть ее, и моя мать даст вам взамен другую. Она по-прежнему держит магазин, и порядка в нем еще меньше, чем при отце. — Ее смех был столь заразительным, что Коулмен тоже заулыбался. Джон придвинул стул и пригласил доктора сесть за их столик.

Коулмен мгновение колебался, но, поняв, что это будет просто невежливо с его стороны, согласился. Элизабет ему понравилась, и, глядя на нее, он вернулся в прошлое, вспомнил юность в штате Индиана, старую, видавшую виды автомашину отца, в которой тот ездил к пациентам...

— Я давно не был в Нью-Ричмонде. Отец умер, мать живет на Западном побережье. Вам нравится быть замужем за врачом? — вдруг спросил он Элизабет.

— Не за врачом, — вмешался Джон, — а всего лишь за лаборантом.

— Не преуменьшайте значения вашей профессии, — заметил Коулмен.

— Да, я знаю, он предпочел бы быть врачом, — сказала Элизабет.

Коулмен посмотрел на Джона:

— Это верно?

Джон был недоволен, что Элизабет заговорила об этом.

— Одно время у меня было такое желание, — сказал он неохотно.

— Почему же вы не поступили в медицинский институт?

— Обычные причины. В основном, конечно, деньги, которых у меня нет. Мне хотелось как можно скорее начать зарабатывать.

— Сколько вам лет?

— Через два месяца Джону исполнится двадцать три года, — ответила за него Элизабет.

— Да, преклонный возраст, — заметил Коулмен, и все рассмеялись. — И все-таки у вас есть еще время.

— Не знаю, — сказал Джон, раздумывая. — Беда в том, что все это повлечет дополнительные расходы, а мы только-только начинаем устраиваться. И кроме того, у нас будет ребенок... — закончил он как-то неуверенно.

— Многие смогли окончить медицинский институт, имея семью, детей и множество таких же проблем.

— Я ему все время это твержу, — с чувством сказала Элизабет. — Я очень рада, что вы разделяете мое мнение.

Коулмен посмотрел на Джона. Он был уверен, что его первое впечатление о нем было правильным. Джон оказался добросовестным специалистом, любящим свою работу.

— Знаете, Джон, если не поступите в медицинский институт, пока у вас есть такая возможность, я уверен, вы будете жалеть об этом всю жизнь.

Джон молчал, но Элизабет наивно спросила:

— Правда, ведь нужно много врачей-патологоанатомов?

— Конечно. Пожалуй, даже больше, чем врачей каких-либо других специальностей.

— Почему?

— Во-первых, нужны исследователи, чтобы двигать медицину вперед и заполнить оставшиеся в ней пробелы. В медицине как на войне. Бывают рывки вперед, и тогда врачи устремляются к новым рубежам, оставляя позади много брешей. Их-то и предстоит потом заполнить тем, кто идет следом. В медицине еще множество белых пятен, неразработанных проблем.

— И все это должны сделать патологоанатомы? — спросила Элизабет.

— Нет, это долг всех медиков, но у нас, патологоанатомов, иногда больше возможностей для этого. — Коулмен задумался, и затем продолжал: — И еще. Исследовательская работа в медицине подобна возведению здания. Каждый кладет по кирпичу, и в результате вырастает стена. И наконец кто-то кладет последний кирпич. — Он улыбнулся. — Правда, не всем удастся сделать столь эффективные вклады в медицину, как, скажем, Флемингу или Солку. Но каждый патологоанатом может и должен сделать свой скромный вклад.

Джон Александер с интересом слушал.

— Вы собираетесь посвятить себя исследовательской работе? — спросил он.

— Да, если мне это удастся.

— В какой области?

Коулмен ответил не сразу.

— Ну, например, липомы, доброкачественные опухоли из жировой ткани. Мы о них знаем так мало. — Его обычное хладнокровие и сдержанность исчезли. Он говорил с воодушевлением. Вдруг он испуганно умолк.

— Миссис Александер, что с вами?

Элизабет вскрикнула от боли и закрыла лицо руками.

— Что с тобой, Элизабет? — Перепуганный Джон бросился к ней.

Элизабет на мгновение закрыла глаза.

— Ничего, ничего. Какая-то боль и головокружение. Но уже все прошло. — Она выпила воды. — Да, прошло, но это было ужасно — какие-то горячие иголки внутри, потом закружилась голова, и все куда-то поплыло.

— С вами это раньше бывало? — заботливо спросил Коулмен. Она покачала головой:

— Нет.

— Ты уверена, дорогая? — Джон все еще не мог успокоиться.

— Не волнуйся. Маленькому слишком рано. По меньшей мере еще два месяца.

— И все же я советую вам показаться врачу, — озабоченно сказал Коулмен.

— Я обязательно это сделаю. — Элизабет улыбнулась. — Обещаю вам.

Обращаться к доктору Дорнбергеру по такому пустяку! Если повторится, тогда конечно. Она решила подождать.

15

— Что-нибудь известно? — Сидя в кресле-каталке, Вивьен вопросом встретила доктора Люси Грэйнджер. Прошло уже четыре дня после биопсии и три дня с тех пор, как Пирсон послал срезы в Нью-Йорк и Бостон.

Люси покачала головой:

— Я немедленно скажу тебе, Вивьен, как только что-нибудь узнаю.

— Когда... когда же это будет?..

— Может быть, сегодня. — Люси старалась казаться спокойной. Она не хотела показать, что задержка ответов ее тоже беспокоит. Вчера вечером она снова разговаривала с доктором Пирсоном.

Самой ужасной была эта неизвестность. Ожидание угнетало не только Вивьен, но и ее родителей, немедлено приехавших из Орегона.

Убедившись, что ранка на колене у Вивьен после биопсии заживает хорошо, Люси ласково сказала девушке:

— Постарайся думать о чем-нибудь другом, если можешь.

Девушка слабо улыбнулась.

— Но это так трудно.

Уже у самой двери Люси сказала:

— Кстати, к тебе гость.

Майк проскользнул в палату, как только Люси вышла.

— Я минут на десять. И все они твои, — целуя ее, шепнул он. — Нелегко тебе... ждать?

— Это ужасно, Майк. Я готова к худшему, только бы поскорее кончилось, чтобы больше не ждать, не думать...

Он пристально посмотрел на нее.

— Как бы я хотел что-нибудь сделать для тебя, Вивьен. Помочь тебе...

— Ты и так мне помогаешь, Майк. Тем, что ты есть, что приходишь ко мне. Я не знаю, что бы я делала, если бы...

Он легонько прижал палец к ее губам.

— Не надо, не гозори так. То, что я здесь, с тобой, учти, было давным-давно предопределено там, в космосе. — И он улыбнулся своей широкой мальчишеской улыбкой. Но он-то знал, какой страх и какое отчаяние терзают его самого. Майк, так же как и Люси Грэйнджер, прекрасно понимал, что означает задержка с ответом.

Однако он был рад, что Вивьен хотя бы улыбнулась.

Он принялся болтать разную чепуху веселым беспечным голосом и почти развеселил Вивьен.

— Какой ты хороший, Майк. И я так люблю тебя.

— Еще бы! — Он поцеловал ее. — И мне кажется, я твоей маме тоже понравился.

— Да, я совсем забыла спросить. Все в порядке? Что было, когда вы ушли вчера?

— Я проводил их в отель. Мы посидели еще немножко, поболтали о том о сем. Твоя матушка все больше молчала, а вот отец прощупал меня как следует: а ну посмотрим, кто собирается отнять у меня красавицу дочь?

— Я скажу ему сегодня.

— Что скажешь?

— О, я сама еще не знаю. — Она взяла Майка за уши и притянула к себе. — Скажу, что у моего любимого рыжие вихры, в которые так приятно запускать пальцы, они мягкие, как шелк... — И она ласково растрепала его шевелюру.

— А еще?

— Еще скажу, что хотя он и неказист на вид, но у него золотое сердце и он обязательно будет блестящим хирургом.

— Может, лучше сказать «выдающимся»?

— Хорошо, скажу так.

— А дальше?

— А дальше поцелуй меня.

Люси Грэйнджер постучалась в дверь кабинета главного хирурга и, не дожидаясь ответа, вошла.

Кент О'Доннел поднял голову от бумаг, разложенных на столе.

— Здравствуй, Люси. Садись. Устала?

— Немного. — Она тяжело опустилась в кресло у стола.

— Сегодня утром у меня был некий мистер Лоубартон. Хочешь сигарету? — Обойдя стол, он присел на ручку ее кресла и протянул ей портсигар.

— Спасибо. Да, это отец Вивьен. Ее родители приехали вчера. Они меня не знают, и, разумеется, это их беспокоит. Я сама посоветовала мистеру Лоубартону поговорить с тобой.

— Я это сделал, — сказал О'Доннел. — Я заверил его, что его дочь в самых надежных, самых опытных руках. Он был вполне удовлетворен.

— Спасибо. — Люси неожиданно обрадовали эти слова.

— Не стоит. — О'Доннел улыбнулся. — Я сказал только правду. А теперь рассказывай по порядку.

Люси вкратце изложила историю болезни, предполагаемый диагноз и сказала, что ответов от специалистов до сих пор нет. Это ее очень тревожит.

— Сколько, ты сказала, девочке лет?

— Девятнадцать. — Люси внимательно следила за лицом Кента. Она прочла в нем понимание и сочувствие. Сколько тепла и симпатии было в его голосе, когда он только что высоко оценил ее как хирурга. Почему это так важно для нее? Она вдруг поняла, что любит этого человека, что просто сама боится признаться себе в этом. Почувствовав внезапную слабость, Люси испугалась, что выдала себя и О'Доннел все понял.

Но он неожиданно поднялся и извиняющимся тоном сказал:

— Прости, Люси, я очень занят. Дела. — Он улыбнулся. — Как всегда.

Люси встала, чувствуя, как отчаянно бьется сердце. Открывая ей дверь, О'Доннел легонько обнял ее за плечи. Это был ничего не значащий дружеский жест, но Люси совсем растерялась.

— Держи меня в курсе, Люси. И если ты не возражаешь, я взгляну сегодня на твою больную.

— Разумеется. Она будет только рада, и я тоже, — овладев собой, сказала Люси.

Вернувшись от Вивьен в патологоанатомическое отделение, Майк Седдонс внезапно почувствовал облегчение, будто кто-то снял с него давивший его груз тревоги и опасений. Жизнерадостный и беспечный по натуре, Майк не мог долго находиться в непривычном для него нервном напряжении. Он вдруг поверил, что все будет хорошо. Это состояние легкости и оптимизма не покидало его и тогда, когда он начал ассистировать доктору Макнилу при очередном вскрытии. Вот почему он по привычке начал рассказывать анекдот, которых знал множество, а затем вдруг попросил у Макнила сигарету. Тот, не отрываясь от работы, кивком указал на свой пиджак, висевший в дальнем конце секционного зала.

Раскуривая сигарету, Майк громким голосом досказал анекдот, и Макнил от души расхохотался. Но не успел его смех умолкнуть под гулкими сводами зала, как открылась дверь и вошел Дэвид Коулмен.

— Доктор Седдонс, прошу вас погасить сигарету, — услышал Майк тихий, но твердый голос.

Он обернулся.

— А, доброе утро, доктор Коулмен. Простите, я вас не заметил.

— Погасите сигарету, доктор Седдонс, — уже ледяным тоном повторил Коулмен.

— О, конечно, пожалуйста... — Майк не вполне еще понимал, чего от него хотят, и направился с сигаретой прямо к анатомическому столу.

— Нет, не сюда. — Слова прозвучали резко, как щелканье хлыста. Седдонс пересек зал и наконец нашел пепельницу.

— Доктор Макнил!

— Да, доктор Коулмен, — тихо ответил Макнил.

— Анекдоты и смех в анатомическом зале во время вскрытия неуместны. Будьте добры помнить, что вы на работе. Благодарю вас, джентльмены, продолжайте вашу работу. — Коулмен кивнул и вышел.

— Здорово он нас, а? — сказал Седдонс.

— И поделом, как мне кажется, — с досадой произнес Макнил.

Убирая свою квартирку, Элизабет Александер подумала, что им обязательно следует купить пылесос — эта щетка никуда не годится. Надо сказать Джону. Пылесосы теперь не так дороги. Как все же надоедает постоянно отказывать себе в самом необходимом! Джон, возможно, прав. Нельзя все время экономить, Джону незачем учиться дальше, он и так неплохо зарабатывает. Медицинский факультет — это еще четыре года лишений, а потом стажировка в больнице, специализация, если Джон решит выбрать какую-нибудь одну область медицины. Стоит ли все это таких жертв? А ребенок? Чем больше Элизабет думала о будущем, тем меньше знала, что все-таки делать. Может быть, стоит пожить немного для себя, хотя бы сейчас, пока они еще молоды? Или лучше, чтобы Джон получил высшее медицинское образование? Доктор Коулмен прямо сказал, что Джону следует учиться дальше, иначе он будет сожалеть всю жизнь. Элизабет помнит, какое впечатление произвели на Джона эти слова. Да и на нее тоже. Она нахмурилась. Надо все хорошенько еще раз обдумать. Поставив щетку на место, Элизабет принялась вытирать пыль. Протянув руку к вазе с цветами, чтобы вынуть два увядших бутона, она вдруг почувствовала резкую боль в пояснице. Боль была настолько неожиданной и сильной, что Элизабет застыла на месте. Она не сразу сообразила, что это, но когда боль повторилась и стала нестерпимой, Элизабет все поняла.

— Нет! О нет, нет! — громко, протестующе закричала она.

С трудом превозмогая повторяющиеся приступы боли, она наконец сообразила, что надо делать. Телефон больницы был записан и висел на самом видном месте. Подняв трубку, она набрала номер.

— Доктора Дорнбергера... Скорее, пожалуйста! Это миссис Александер... Роды... роды начались!..

Доктор Коулмен постучался в кабинет Пирсона и вошел. Главный патологоанатом сидел за столом, рядом стоял Карл Баннистер. Увидев Коулмена, он демонстративно отвернулся.

— Вы хотели меня видеть, доктор Пирсон?

— Да. — Пирсон был сдержан и официален. — На вас жалуется кое-кто из персонала отделения. Например, вот мистер Баннистер.

— Да? — Коулмен удивленно поднял брови.

— Как я понимаю, между вами произошла сегодня размолвка.

— Я бы не назвал это размолвкой. — Коулмен старался говорить как можно спокойнее.

— Что же это было? — В голосе старика звучала ирония.

— Я сам хотел доложить вам, но поскольку это сделал уже мистер Баннистер, то мне остается только разъяснить, как все было на самом деле.

— Если это вам не трудно.

Коулмен, стараясь не замечать сарказма, изложил суть своего столкновения с Баннистером. Все было очень просто — старший лаборант перепутал препараты и неверно записал анализы в регистрационный журнал. Коулмен, решивший проверить работу лаборатории серологии, обнаружил небрежности, ошибки и сделал замечание. В свое время он предупреждал лаборантов Александера и Баннистера, что периодически будет проверять их работу. В этом нет ничего необычного, таков порядок во всех лабораториях.

Пирсон круто повернулся и воззрился на Баннистера.

— А ты что скажешь, Карл?

— Я не люблю, когда за мной шпионят, — грубо огрызнулся тот. — Я не привык так работать.

— Идиот! — Пирсон уже не владел собой. — Мало того, что делаешь ошибки, еще приходишь и жалуешься.

Разгневанный патологоанатом тяжело дышал. Коулмен понимал, что гнев старика направлен не только против незадачливого лаборанта, но и против него, Коулмена. Пирсон вынужден был против своей воли отчитывать лаборанта.

— Может, прикажешь выдавать тебе медали за ошибки? Ты свободен! — сказал Пирсон Баннистеру и, как только тот вышел, обрушил весь свой гнев на Коулмена: — Что все это значит? Кто позволил вам проверять работу лаборантов?

Коулмен понял, что взбучка, данная Баннистеру, ничто по сравнению с тем, что ждет его. Но он решил держать себя в руках.

— Разве на это нужно специальное разрешение? Это входит в мои обязанности, — сказал он сдержанно.

— Когда будет нужно, я сам проверю. — Пирсон даже стукнул кулаком по столу.

— Кстати, вы мне сами это разрешили, — напомнил ему Коулмен. — Вчера я сказал вам, что намерен проводить периодическую проверку анализов в лаборатории серологии, и вы одобрили это.

— Я не помню такого разговора, — с недоверием посмотрел на него Пирсон.

— Уверяю вас, такой разговор был. Мне несвойственно утверждать то, чего не было. Просто вы были слишком заняты и, возможно, забыли. — Коулмен чувствовал, как ему изменяют хладнокровие и выдержка.

Его слова несколько умиротворили Пирсона.

— Возможно, раз вы утверждаете, — недовольно проворчал он. — Но предупреждаю: пусть это будет в последний раз.

— Тогда будьте добры определить более точно мои обязанности, — сухо сказал Коулмен.

— Будете делать то, что я вам скажу.

— Боюсь, это меня не устроит.

— Вот как! Меня тоже кое-что не устраивает.

— Например? — Коулмен не мог допустить, чтобы его запугивали. Если старик идет на откровенную ссору, тем хуже.

— Например, порядки, которые вы устанавливаете в секционном зале.

— Вы мне сами поручили контроль за вскрытиями.

— Да, но вы вмешиваетесь в другие дела. Запрещаете, например, врачам курить. Это, разумеется, относится и ко мне тоже, не так ли?

— Оставляю это на ваше усмотрение, доктор Пирсон.

— Так вот что, молодой человек. — Спокойствие и выдержка молодого врача окончательно вывели из себя Пирсона. — У вас могут быть прекрасные аттестации и свои принципы и понятия о работе, но вам еще учиться и учиться, молодой человек.

Отделением руковожу я и буду еще долго руководить им, уверяю вас! Поэтому лучше сейчас решить, хотите вы работать здесь или нет!

Коулмен так и не успел ответить: в дверь кабинета постучали

— Да! — нетерпеливо крикнул Пирсон.

Вошла девушка-секретарь и с любопытством посмотрела на них. Без сомнения, громкий голос Пирсона был слышен даже в коридоре.

— Простите, доктор Пирсон. Вам телеграммы, — сказала она, передавая Пирсону два конверта.

Когда девушка вышла, Коулмен хотел было продолжить разговор, но Пирсон уже торопливо распечатывал один из конвертов

— Это ответы на наш запрос — консультация больной доктора Люси Грэйнджер. — В голосе его не было уже ни раздражения, ни гнева. — Мы так давно их ждем.

Коулмен понял, что неприятный разговор отложен, и молча согласился с этим. Его тоже интересовало содержание долгожданных телеграмм. Не успел Пирсон прочесть первую из них, как зазвонил телефон.

— Слушаю!

— Говорят из родильного отделения. Передаю трубку доктору Дорнбергеру.

В трубке послышался взволнованный голос Чарльза Дорнбергера:

— Джо, в чем дело? Что у вас там происходит? Моя пациентка миссис Александер на пути в больницу — преждевременные роды. А вы до сих пор не дали мне ее анализ крови. Пришлите немедленно!

— Хорошо, Чарли. — Бросив трубку на рычаг, Пирсон стал рыться в бумагах на столе. Телеграммы он протянул Коулмену: — Читайте, что они там пишут.

Отыскав наконец нужный анализ, он вызвал по телефону Баннистера. Тот немедленно явился.

— Вы меня звали? — В голосе Баннистера все еще звучала обида.

— Звал, звал. Немедленно отнеси этот анализ доктору Дорнбергеру. У жены лаборанта Александера преждевременные роды.

— Он знает об этом? — Тон и выражение лица Баннистера мгновенно изменились.

— Иди! — нетерпеливо сказал Пирсон.

Баннистер поспешно вышел.

Дэвид Коулмен едва ли видел все это, ибо пытался понять смысл двух противоречивых телеграмм, которые держал в руках.

— Ну что там пишут? — повернулся к нему Пирсон. — С ногой или без ноги останется наша больная?

«Вот где начинается и кончается патанатомия, — подумал Коулмен. — Мы всегда должны помнить, как мало, в сущности, мы знаем».

— Доктор Коллингем из Бостона считает, что опухоль злокачественная, а по мнению доктора Эрнхарта из Нью-Йорка, она доброкачественная, — тихо произнес Коулмен.

В кабинете на мгновение воцарилась тишина. Затем Пирсон с горечью произнес:

— Два светила медицинской науки! Один говорит — да, другой — нет. — Он посмотрел на Коулмена. В голосе его не было ни прежней иронии, ни враждебности. — Итак, мой юный друг патологоанатом, доктор Люси Грэйнджер ждет нашего ответа. Она должна получить его сегодня же. И ответ должен быть окончательным. Как вам нравится, подобно судьбе, брать в свои руки жизнь человека, а? — спросил он с невеселой улыбкой.

16

На перекрестке главной улицы и улицы Свободы дежурный полицейский уже за несколько кварталов услышал вой сирены. Взмахом палочки он тут же остановил движение, и, когда появилась «скорая помощь», перекресток был пуст, и машина беспрепятственно проследовала дальше. Пешеходы с испугом и любопытством провожали ее взглядом.

Элизабет Александер лишь смутно сознавала, что происходит вокруг. Жестокая боль отпускала ее лишь на секунду, чтобы обрушиться с новой силой, жечь и терзать ее тело. Она судорожно вцепилась в чью-то протянутую руку, чье-то лицо с жесткой короткой бородкой заботливо склонилось над ней, и голос успокаивающе произнес:

— Держитесь за меня, вам будет легче.

На мгновение Элизабет показалось, что это ее отец, но ведь отца нет, он давно умер. Когда боль немного отпустила ее, она увидела немолодого санитара и поняла, что с бешеной скоростью мчится в машине по улицам города. И тогда весь ужас свершившегося оглушил ее.

— Мой ребенок! О Боже, не дайте ему погибнуть. Нет, нет!..

В родильном отделении больницы Трех Графств доктор Дорнбергер готовился к приему роженицы. Когда старшая сестра показала ему анализ крови, только что полученный из лаборатории, старый акушер, взглянув на него, облегченно вздохнул:

— Наконец-то. Кровь резус-отрицательная. Ну что ж, хотя бы здесь можно не опасаться осложнений. Вы приготовили инкубатор?

— Да, доктор. Все готово.

В это время носилки с Элизабет Александер уже проносили по шумному коридору первого этажа к лифту.

Быстрота, спокойствие и привычная четкость действий персонала невольно успокоили Элизабет. Хотя боли не утихали, она уже почти привыкла к ним, и состояние страха и отчаяния не было таким сильным, как в первые минуты. Она понимала, что роды начались, и смирилась с неизбежным. Еще немного, и она увидит доктора Дорнбергера.

Доктор Пирсон все еще не выпускал из рук телеграмм, словно не верил тому, что в них написано.

— Злокачественная. Доброкачественная. И оба уверены в своей правоте. А мы? Мы снова там, где были, — наконец промолвил он, кладя телеграммы на стол.

— Нет, — тихо сказал Коулмен. — Мы потеряли два дня.

— Да, да! — воскликнул доктор Пирсон, в сердцах ударив кулаком по ладони. — Я и без вас это прекрасно знаю. — В голосе его была несвойственная ему растерянность. — Если опухоль злокачественная, необходимо срочно оперировать, иначе будет поздно. — Он повернулся и в упор посмотрел на Коулмена. — Больной всего девятнадцать лет, вы понимаете? Если бы ей было пятьдесят! Но в девятнадцать лет остаться без ноги!

Несмотря на отсутствие особой симпатии к доктору Пирсону и свою почти полную уверенность в том, что опухоль доброкачественная, Коулмен проникся к нему сочувствием. В этой нелегкой ситуации вся ответственность за окончательный диагноз ложилась на старого патологоанатома.

— Надо иметь мужество, чтобы в таком сложном случае взять на себя ответственность... — нерешительно начал было он, чтобы успокоить старого врача, но это было подобно зажженной спичке, брошенной в бак с бензином. Пирсон буквально взвился.

— Мне не нужны избитые, ничего не значащие фразы! Брать ответственность! А что я делаю все эти тридцать лет?

В эту минуту зазвонил телефон.

— Да? — схватив трубку, резко сказал Пирсон, а затем лицо его смягчилось. — Люси, пожалуй, вам следует спуститься к нам. Я вас жду. — Положив трубку, не глядя на Коулмена, он сказал: — Сейчас сюда придет доктор Люси Грэйнджер. Если хотите, можете остаться.

Словно не слыша этих слов, Коулмен вдруг медленно произнес, как бы повторяя вслух свои мысли:

— Пожалуй, есть еще один выход...

Пирсон резко вскинул голову.

— Что?

— Рентгеновский снимок был сделан две недели назад. — Коулмен говорил все так же медленно, как бы размышляя вслух. — Если опухоль злокачественная и она растет, новый снимок покажет изменения...

Пирсон без слов взял трубку и тут же попросил соединить его с доктором Беллом, рентгенологом. Затем посмотрел на Коулмена острым, оценивающим взглядом и одобрительно произнес:

— Что-что, но мыслить вы умеете — это уже хорошо.

Джон Александер нервно погасил окурок о край пепельницы и, поднявшись с кресла, подошел к окну комнаты ожидания, шутливо именуемой «чистилищем для будущих папаш». Двор больницы, простирающиеся за ним улицы и крыши домов, а еще дальше — длинные крыши сталеплавильных заводов тускло поблескивали от недавно прошедшего дождя. Значит, подумал Джон, за то время, что он здесь, прошел дождь, а он этого даже не заметил. Сообщение о том, что Элизабет доставлена в больницу, застало его в кухне. Туда послал его доктор Пирсон взять пробы на анализ. Сестра Строуган опять жаловалась на антисанитарию в кухне, виной чему были старые посудомоечные аппараты. Джон смотрел на серый асфальт в лужах и мокрые крыши, и никогда еще Берлингтон не казался ему таким безотрадным и унылым местом.

Стайка ребятишек резвилась, прыгая через лужи. Вот какой-то подросток умышленно толкнул девочку, и она угодила прямо в лужу. Плача, она неловко выжимала ручонками мокрый подол платья.

— Дети, все они одинаковы, — вдруг произнес голос рядом. Джон Александер только тогда осознал, что он не один в комнате. Произнесший эти слова сутулый худой мужчина отвернулся от окна и, порывшись в кармане, достал кисет и стал сворачивать папиросу. — Ждете первенца? — спросил он, бросив быстрый взгляд на Джона.

— Нет. Второго. Первый умер.

— Мы тоже потеряли одного. Между нашим четвертым и пятым. У вас не найдется огонька?

Джон вынул зажигалку.

— Значит, вы ждете уже шестого? — из вежливости спросил он худого мужчину.

— Если бы шестого. Этот будет уже наш восьмой... — Мужчина задымил папиросой. — Вы очень хотите ребенка?

— Да, конечно, — ответил Джон, немного удивившись странному вопросу.

— А вот мы уже нет. С нас хватило бы одного.

И отец многочисленного семейства так горестно вздохнул, что Джон с трудом сдержал улыбку. Мужчина отошел в дальний угол комнаты и, порывшись в газетах, разложенных на столике, уткнулся в одну из них.

Джон посмотрел на часы. Он здесь почти два часа. Очевидно, скоро все решится. И действительно в эту минуту отворилась дверь и вошел доктор Дорнбергер, Джон испуганно посмотрел на него.

— Вы Джон Александер?

— Да, сэр. — Джон не раз видел акушера в больнице, но впервые разговаривал с ним.

— Ваша жена чувствует себя хорошо. У вас сын. Роды преждевременные. Ребенок очень слаб.

— Он будет жить? — Только сейчас Джон осознал, как много теперь зависит от ответа старого акушера.

Дорнбергер вынул трубку и стал медленно набивать ее.

— Скажем так: у него сейчас меньше шансов, чем если бы он родился в положенное время, — произнес он ровным голосом.

Джон убито кивнул.

Старый врач, пряча кисет в карман, таким же ровным голосом добавил:

— Ребенку тридцать две недели. Он родился на восемь недель раньше срока. Он не готов еще вступить в этот мир, Джон. Всех детей, весящих при рождении менее двух килограммов, мы считаем недоношенными. Ваш весит один килограмм двести.

— Я понимаю. — Теперь все мысли Джона были об Элизабет. Перенесет ли она это?

— Мы поместили ребенка в инкубатор.

— Значит, есть надежда, доктор! — воскликнул Джон, посмотрев в лицо акушеру.

— Надежда всегда должна быть, — тихо ответил Дорнбергер.

— Могу я видеть жену? — после небольшой паузы спросил Джон.

— Да. Я провожу вас.

Вивьен не совсем поняла, чего от нее хотят, когда вошла сестра и сказала, что сейчас ее отвезут к рентгенологу. Она почти не помнила, как ее доставили туда. В голове была одна мысль — сегодня доктор Люси Грэйнджер должна получить окончательный ответ.

Доктор Грэйнджер встретила ее у входа в отделение.

— Мы решили сделать еще один снимок, Вивьен, — пояснила она девушке. — Это доктор Белл. — И она повернулась к мужчине в белом халате.

— Здравствуйте, Вивьен, — улыбнулся доктор Белл и попросил у сестры историю болезни. Быстро пробежав ее глазами, он внимательно посмотрел на Люси: — Как я понимаю, вы хотите сделать контрольный снимок. Мне звонил доктор Пирсон.

— Да. Джо находит это нужным. — Затем, покосившись на Вивьен, Люси тихо добавила: — Возможны изменения.

— Проверим. Кто из лаборантов свободен? — спросил доктор Белл у сестры и, получив ответ, быстро написал направление. Вместе с Люси он проводил Вивьен до дверей рентгеновского кабинета.

— Вы в надежных руках, Вивьен, — ободряюще улыбнулся он девушке, передав ее лаборанту Карлу Фирбену.

Вивьен, несмотря на не покидавшую ее тревогу и страх, с уважением наблюдала за уверенными действиями лаборанта. Все в этой комнате с громоздкой и какой-то неправдоподобной аппаратурой было особенным, принадлежащим скорее науке вообще, чем тому знакомому шумному миру больницы, который остался за дверью. От этих зловещих тяжелых аппаратов и приспособлений зависит теперь ее судьба, подумала Вивьен. Если бы Майк был здесь, ей не было бы так страшно.

Доктор Белл и Люси Грэйнджер ждали, когда будут готовы контрольные снимки. Наконец, вот они — один за другим. Вкладывая каждый из них в негатоскоп, доктор Белл внимательно сравнивал их с теми, что были сделаны две недели назад. После него снимки так же тщательно изучала Люси.

— Вы видите какие-либо изменения? — наконец спросила она.

— Боюсь, я ничего не вижу.

— Вот здесь есть небольшое, — указал ей доктор Белл. — Но возможно, это след вашей биопсии. А так особых изменений я тоже не нахожу. Мне очень жаль, Люси, но, кажется, мы мало чем смогли помочь вам, — добавил он почти виноватым голосом. — Вы сами скажете Джо Пирсону или мне сделать это? — спросил он, собирая снимки в папку.

— Я сама скажу ему, — промолвила Люси, думая о чем-то своем. — Пожалуй, я сделаю это сейчас же.

<h1 style="text-align:center">17</h1>

Сестра Уайлдинг, отбросив со лба седую прядь, упрямо выбивавшуюся из-под белой шапочки, быстро шла по коридору четвертого этажа. За ней следовал Джон Александер. Наконец она остановилась у одной из дверей и заглянула в палату.

— К вам посетитель, миссис Александер, — бодрым голосом воскликнула она и, отступив, пропустила Джона.

— Джонни, родной мой! — Элизабет радостно протянула к нему руки, слегка поморщившись от боли, вызванной резким движением. Джон наклонился и нежно обнял ее. На минуту она успокоенно и облегченно замерла в его объятиях, а затем отстранилась. Оба вдруг почувствовали натянутость, словно давно не виделись, и от неожиданности этой встречи не знали, о чем говорить.

— Я выгляжу ужасно, — наконец растерянно сказала Элизабет.

— Ты прекрасно выглядишь.

— Все получилось так неожиданно. — Она смущенно посмотрела на свое неуклюжее больничное одеяние. — Я ничего не захватила с собой, даже ночной рубашки.

— Я понимаю, дорогая.

— Я составлю список, и ты все мне принесешь.

Сестра Уайлдинг задернула штору, отделявшую койку Элизабет от еще одной койки в палате.

— Ну вот, теперь вы совсем одни и можете поболтать вдоволь. А потом, мистер Александер, я покажу вам вашего малютку, — приветливо сказала она и вышла.

Лицо Элизабет мгновенно изменилось, в глазах были страдание и тревога.

— Джонни, родной, **он** будет жить?

— Видишь ли, детка... — И Джон растерянно умолк.

— Я хочу знать правду. Сестры не говорят мне... — Голос Элизабет задрожал.

Джон понял, что сейчас она разрыдается.

— Я видел доктора Дорнбергера, — начал он, осторожно подбирая слова. — Он сказал, что есть надежда. Ребенок сможет выжить, но шансов у него... — Он удрученно умолк.

Руки Элизабет бессильно упали на подушку.

— Значит, надежды нет?

Что он должен сказать ей, мучительно думал Джон. Вселить ненужную надежду? Ну а если ребенок умрет?

— Он, знаешь... очень маленький. Родился слишком рано. Если какая-нибудь инфекция, он может не выдержать... — тихо сказал он.

— Спасибо, Джонни. — Элизабет крепко ухватилась за его руку. Глаза ее были полны слез, и Джон почувствовал, что сам близок к тому, чтобы расплакаться, как мальчишка.

— Что бы ни случилось, Элизабет, родная, у нас еще все впереди. Мы еще молоды... — сдерживая дрожь в голосе, утешал он ее.

— Но это... это уже второй, Джонни... — безутешно разрыдалась она. — Это так несправедливо...

— Ну поплачь, поплачь, моя маленькая. Тебе станет легче, — нежно успокаивал он, обхватив руками и прижимая ее голову к своей груди. Рыдания понемногу затихли.

— Дай мне носовой платок, — наконец промолвила Элизабет и вытерла мокрые глаза.

— Ну вот видишь, теперь тебе легче.

Элизабет с трудом заставила себя улыбнуться.

— Знаешь, Джонни, пока я здесь лежала, я все обдумала...

— Что, родная?

— Ты должен учиться дальше.

— Ну зачем ты опять об этом? Мы ведь все решили.

— Нет, Джонни. — В голосе Элизабет, все еще слабом, прозвучали твердые нотки. — Я всегда этого хотела, да и доктор Коулмен советует.

— Ты представляешь, во что это нам обойдется?

— Да. Я пойду работать.

— А маленький как же? — нежно спросил он. На секунду воцарилось молчание. Затем Элизабет тихо сказала:

— Все еще может случиться, Джонни.

Дверь тихо отворилась, пропустив сестру Уайлдинг. Она сделала вид, что не замечает заплаканного лица Элизабет, и профессионально бодрым голосом сказала, обращаясь к Джону:

— А теперь, мистер Александер, я позволю вам взглянуть на вашего сына.

Передав Джона Александера сестре Уайлдинг, доктор Дорнбергер направился в палаты для новорожденных. Они находились в дальнем конце длинного, окрашенного в светлые тона коридора. Это отделение больницы было заново отремонтировано и несколько перестроено всего два года назад и выгодно отличалось от других отделений обилием света и простора. По привычке доктор Дорнбергер останавливался почти у каждой двери и смотрел через ее стеклянную верхнюю часть на ряды крохотных кроваток, где лежали младенцы.

Они выиграли свою битву за жизнь, думал он. Теперь их ждут дом, родительская ласка и забота, а затем школа и потом уже еще более жестокая борьба за свое место под солнцем. Они познают все — радость успеха, горечь поражений. Но пока первый свой бой они выиграли — они живут.

А вот этим, по другую сторону коридора, упрятанным в инкубаторы, не повезло с самого начала. Им предстоит еще нелегкая борьба за жизнь. И доктор Дорнбергер, пройдя мимо общих палат, направился в палату особых случаев. Осмотрев последнего, самого слабенького и крохотного, младенца Александера, он сокрушенно покачал головой и методично, как всегда, написал на карте все необходимые назначения.

В то время как доктор Дорнбергер покидал палату через одну дверь, сестра Уайлдинг уже вводила Джона Александера через другую.

Как и все, кто входил в палату слабых и недоношенных младенцев, они облачились в стерильные халаты и закрыли лица марлевыми повязками, хотя посетителей от младенцев отделяла перегородка из толстого стекла. Сестра Уайлдинг постучалась в нее, чтобы привлечь внимание дежурной сестры.

— Покажите младенца Александера! — громко крикнула она, чтобы та ее услышала. Сестра кивнула и прошлась по рядам инкубаторов, а затем остановилась и указала на один, слегка повернув его, так чтобы Джону было лучше видно.

— Боже мой! — Этот похожий на тихий стон возглас сорвался с губ Александера совершенно непроизвольно, хотя он готовил себя к самому худшему.

— Да, он очень маленький, — сочувственно произнесла сестра Уайлдинг.

— Но я... я никогда не представлял, что могут быть такие, — растерянно проговорил Джон, глядя на младенца. Он лежал неподвижно, с закрытыми глазами, и лишь еле заметное колебание крохотной грудки свидетельствовало о том, что он дышит. Он был таким маленьким, беззащитным и жалким, его сын.

Дежурная сестра, увидев замешательство и растерянность Джона, подойдя поближе, стала профессионально объяснять режим ухода, температуру инкубатора и другие подробности.

— Да, да, понимаю, — пробормотал Джон, не отрывая глаз от крохотного тельца. — Он будет жить? — наконец, собравшись с силами, спросил он. — У вас бывали такие случаи?

— Бывали, — серьезно, с сознанием ответственности ответила сестра. Она была совсем юной, небольшого роста, с рыжими волосами, но в ней уже чувствовалась профессиональная уверенность. — И многие из них выживали, если боролись за жизнь.

— А этот... он борется?

— Еще рано делать выводы, — уклончиво ответила сестра. — Но борьба будет для него нелегкой, — добавила она.

Джон еще раз посмотрел на крохотное личико, тщедушное тельце и вдруг остро осознал, что это частица его самого, его плоть, это его сын, и ему захотелось крикнуть ему: «Ты не один, сынок, я пришел к тебе, я здесь! Вот мои руки, вот весь я сам. Возьми мои силы, мою кровь, мое дыхание, но только борись, только выживи. Я твой отец, и я люблю тебя!»

Джон почувствовал на своем рукаве пальцы сестры Уайлдинг.

— Пойдемте.

Он покорно кивнул и, бросив еще один прощальный взгляд на младенца, дал себя увести.

* * *

Люси Грэйнджер постучалась и вошла. Доктор Пирсон сидел за своим столом, углубившись в бумаги, а в дальнем углу доктор Коулмен проглядывал папку с историями болезни. Как только Люси вошла, он обернулся.

— Я принесла рентгеновские снимки, — сказала Люси.

— Ну и что в них нового? — живо спросил Пирсон, отодвигая какие-то бумаги и освободив место на столе.

— Боюсь, почти ничего. — Люси подошла к негатоскопу, висевшему на стене. Пирсон вышел из-за стола, и Коулмен быстро включил негатоскоп.

Все трое принялись просматривать снимки, сравнивая обе пары. Люси указала место, на которое обратил ее внимание доктор Белл, и высказала свои соображения.

Доктор Пирсон задумчиво потер подбородок и, посмотрев на Коулмена, сказал:

— Боюсь, ваша идея не дала результатов.

— Видимо, нет, — уклончиво ответил Коулмен. Он не забывал, что мнения его и доктора Пирсона относительно диагноза разошлись. Он ждал, что старший врач скажет дальше.

— Но я считаю, что мы поступили правильно. — В голосе Пирсона были знакомые ворчливые нотки, но Коулмену показалось, что он просто хочет выиграть время, прежде чем вынести окончательное решение. «Старик все еще не уверен полностью в своей правоте», — подумал Коулмен.

— Итак, рентгенологи тоже спасовали, — ехидно заметил Пирсон, повернувшись к Люси.

— Да, — ответила она ровным голосом.

— Значит, решать должны патологоанатомы?

— Да, Джо. — Голос Люси прозвучал совсем тихо. На мгновение воцарилось молчание. Наконец старый патологоанатом произнес:

— Вот вам мое мнение, Люси. У вашей пациентки злокачественная опухоль. Костная саркома.

Люси, выдержав его взгляд, спросила:

— Это окончательный диагноз?

— Да. — Теперь в голосе Пирсона не было и тени сомнения. — Я опасался этого уже в самом начале. Я думал, снимки дополнительно подтвердят это.

— Хорошо, — кивнула головой Люси. Мысленно она уже обдумывала, что ей следует делать.

— Когда операция? — спросил Пирсон.

— Завтра утром. — Люси собрала снимки и направилась к дверям. — Надо предупредить больную. Это будет нелегко.

Когда за ней закрылась дверь, Пирсон с неожиданной галантностью обратился к Коулмену:

— Кому-то надо было решать, не так ли. Я не спрашивал вашего мнения, коллега, ибо не хотел, чтобы Люси знала о том, что у вас сомнения. Ей пришлось бы сказать родителям, а в таких случаях все они требуют отсрочки, выяснения. Я их понимаю. — Он вздохнул. — А о том, как опасно ждать в таких случаях, мне не надо вам говорить.

Коулмен все понимал. Он не в обиде на старика. Кто-то действительно должен взять на себя ответственность. И все же он не был полностью уверен в необходимости ампутации. Только последующее лабораторное исследование покажет, кто из них прав. Но будет уже поздно. Пациенту, в сущности, будет все равно. Хирурги научились успешно ампутировать конечности, но медицина еще не знает случаев их приживления.

Самолет приземлился в нью-йоркском аэропорту Ла-Гуардия в четыре часа пополудни. О'Доннел, взяв такси, дал адрес отеля в Манхэттене и с облегчением откинулся на спинку сиденья.

Последняя неделя выдалась особенно тяжелой. Готовясь к поездке в Нью-Йорк, он спешил закончить все неотложные дела в больнице и провел ряд операций, которые нельзя было откладывать до возвращения. Кроме того, состоялось наконец заседание медперсонала, где обсуждался вопрос о добровольных взносах в фонд больничного строительства. И хотя Гарри Томаселли провел немалую работу, все прошло не так гладко, как хотелось бы. Многие из врачей откровенно выражали недовольство, и это понятно. Но О'Доннел не сомневался, что в итоге можно будет рассчитывать на их поддержку.

Несмотря на все эти мысли, он не забывал смотреть в окно на знакомые ломаные линии города, который словно двигался ему навстречу.

Он подумал, что каждый раз, когда он снова видит этот город, его неприятно поражают его грязь, скученность и безобразие. Но через день-другой все, что раздражало, становится знакомым и привычным и даже удобным, как старый сюртук, в который приятно облачиться дома. Он улыбнулся пришедшему на ум сравнению и пожурил себя за сентиментальность. Он медик, а такие города — враги человека. Да и сентиментальность не способствует прогрессу мысли.

Машина свернула на 59-ю улицу, затем на Седьмую и, минуя Центральный парк, подкатила к отелю «Парк Шератон».

Поднявшись в номер, О'Доннел быстро привел себя в порядок после дороги, сменил сорочку и бегло проглядел программу работы съезда хирургов. Он заметил, что из всех докладов его могут интересовать, пожалуй, только три: два по открытой хирургии сердца и один по пересадке артерий. Первый из докладов начнется завтра в одиннадцать утра. Следовательно, у него масса свободного времени. Он взглянул на часы. Скоро семь, а в восемь у него встреча с Дениз. Он спустился в бар отеля.

Был час коктейлей, и бар был полон. О'Доннел заказал виски с содовой и с любопытством окинул взглядом зал. Он подумал, какими, в сущности, редкими бывают в Берлингтоне минуты, когда он не думает о больнице. А как необходимо отрываться от рутины больничных дел и забот, чтобы не потерять чувство перспективы, сознание того, что существуют и другой мир, другие люди и интересы. Больница Трех Графств, по сути дела, стала смыслом его жизни. Хорошо это или плохо, скажем, с профессиональной точки зрения? О'Доннел никогда не испытывал особой симпатии к фанатикам идеи. Не становится ли он одним из них?

Например, эта проблема с Джо Пирсоном. Не преувеличивает ли он ее значение? Какое-то время мысль заменить Пирсона новым патологоанатомом просто не давала ему покоя, став чем-то вроде навязчивой идеи. Это было еще до того, как Юстас Суэйн поставил свой ультиматум. Кстати, старый магнат так и не подтвердил своего обещания о крупном взносе в фонд больницы. Пожалуй, Юстас Суэйн здесь ни при чем. Просто О'Доннел хорошо понимает, что Джо Пирсон опытный патологоанатом и все еще нужен больнице. На расстоянии, вырвавшись из привычной сутолоки больничного дня, как-то легче привести в порядок свои мысли, даже если ты сидишь в таком шумном месте, как этот бар.

О'Доннел расплатился с официантом и в половине восьмого вышел из отеля. Дениз ждала его у себя дома, и он дал шоферу ее адрес. На 86-й улице у серого дома машина остановилась. Квартира Дениз находилась на двенадцатом этаже. О'Доннел, выйдя из лифта, прошел по мягкому ковру большого холла к двойным дверям из резного дуба, которые предупредительно распахнул перед ним лакей.

— Добрый вечер, сэр. Миссис Квэнтс просит вас подождать в гостиной. Она сейчас выйдет, — промолвил он и провел его в большую гостиную с темной ореховой мебелью. Гостиная выходила на широкую террасу на крыше, на которую падали последние лучи заходящего солнца. Дениз не заставила себя ждать.

— Кент, дорогой, я так рада тебя видеть.

С минуту он просто глядел на нее, затем сказал вполне искренне:

— Я тоже. Я только сейчас это по-настоящему понял.

Дениз улыбнулась и непринужденно коснулась губами его щеки. Она была очень красива в черном кружевном платье. Взяв его за руку, она вывела его на террасу.

Лакей принес уже готовые напитки.

— Мартини? Или что-нибудь другое? — спросила она у О'Доннела.

— Мартини.

— Добро пожаловать в Нью-Йорк, — подняв бокал, улыбнулась она. Взгляды их встретились. Глаза Дениз тепло мерцали.

Взяв его под руку, Дениз подошла к балюстраде террасы. Спускались мягкие летние сумерки, внизу зажигались огни Нью-Йорка. С улиц доносился ровный гул уличного движения, вдали виднелись темная полоса реки Гудзон и гирлянды огней.

— Как твой отец, Дениз? — спросил О'Доннел.

— О, вполне здоров. Мне кажется, он переживет всех нас. Такие не умирают. Знаешь, я очень привязана к нему.

— А ты не подумываешь о возвращении в Берлингтон?

— Зачем? Чтобы жить там?

— Да.

— Нет, в прошлое нет возврата, — задумчиво сказала Дениз. — Это одна из немногих истин, которую я хорошо усвоила. Мое место здесь, в Нью-Йорке. Я ужасно трезвая особа, не так ли?

— Нет, просто мудрая.

Он чувствовал теплоту ее руки.

— Еще глоток мартини, и мы можем отправиться ужинать.

Они ужинали в небольшом модном клубе на Пятой авеню.

— Ты надолго в Нью-Йорк? — спросила Дениз, когда после очередного танца они вернулись к своему столику.

— На три дня.

— Так мало.

— Я работаю, Дениз, — улыбнулся О'Доннел. — Меня ждут больные, ждут дела в больнице.

— Мне будет не хватать тебя, — просто сказала она.

Он помолчал, словно обдумывая что-то, затем посмотрел ей в лицо.

— Я не женат, ты это знаешь, — без всяких обиняков сказал он.

— Знаю.

— Мне сорок два года. В этом возрасте у человека масса привычек, с которыми трудно расстаться. — Он помолчал. — Я просто хочу сказать, что могу оказаться совсем не таким приятным человеком, как ты думаешь.

Дениз накрыла его руку ладонью.

— Кент, милый, ты мне делаешь предложение? — лукаво спросила она.

Лицо О'Доннела расплылось в широкой мальчишеской улыбке. Он почувствовал лихое отчаяние, почти юношескую легкость и задор.

— Раз ты об этом заговорила, то почему бы и нет, Дениз?

Наступила пауза, и О'Доннел почувствовал, что Дениз не торопится с ответом.

— Я польщена, но не слишком ли это поспешно? Мы едва знакомы.

— Я люблю тебя, Дениз.

Он увидел ее пристальный изучающий взгляд.

— Я тоже могла бы полюбить тебя, Кент. — Затем медленно, словно подбирая слова, которые наиболее точно могли бы выразить то, что она чувствует, она сказала: — Все во мне сейчас кричит: «Бери, бери его, не упускай». Но какой-то голос предостерегающе шепчет: «Не спеши, ты уже ошиблась один раз».

— Да. Я тебя понимаю.

— Я не сторонница быстрых решений в данном случае, Кент. Вот почему я до сих пор не развелась с мужем. Кроме того, ты — в Берлингтоне, я — в Нью-Йорке.

— Значит, ты не допускаешь мысли о возвращении в Берлингтон?

— Я никогда не смогу жить там. Зачем лукавить, Кент. Я слишком хорошо себя знаю.

Официант принес кофе и вновь наполнил бокалы.

О'Доннел почувствовал непреодолимое желание увести отсюда Дениз.

— Давай уйдем, — предложил он. Дениз не возражала, и он подозвал официанта.

Уже в машине Дениз вдруг спросила:

— С моей стороны это ужасно эгоистично, но почему бы тебе не работать в Нью-Йорке?

— Да, я сам иногда думаю об этом, — вдруг неожиданно для себя сказал О'Доннел.

«В Нью-Йорке немало первоклассных больниц, — думал он, пока они ехали к дому Дениз. — Здесь прекрасная частная практика. Этот город славится своими медицинскими силами. Что держит меня в Берлингтоне? Больница, коллеги по работе, общая атмосфера интенсивной напряженной жизни? Я сделал немало для больницы Трех Графств, этого никто не станет отрицать. А Нью-Йорк? Здесь Дениз. Достаточно ли этого?»

Дениз сама отперла дверь квартиры. Лакея не было видно.

— Хочешь выпить, Кент?

— Сейчас нет. Возможно, потом.

Он обнял ее и привлек к себе ее податливое тело. Но Дениз спустя минуту легонько высвободилась из его объятий.

— Столько всяких проблем, — неопределенно промолвила она.

— Каких же?

— Ты совсем не знаешь моих недостатков. Например, я ужасная собственница.

— Мне не кажется это таким уж большим пороком.

— Если мы поженимся, — сказала она, — я не захочу тебя делить — ни с кем и ни с чем, даже с твоей больницей.

Он рассмеялся:

— Мы могли бы найти разумный компромисс. Как все это делают.

Она посмотрела на него.

— Когда ты так говоришь, я почти верю, что это возможно. Когда ты снова будешь в Нью-Йорке?

— Как только я тебе буду нужен.

Поддавшись чувству, она вдруг быстро поцеловала его в губы. Но в это мгновение Кент и Дениз услышали звук отворяемой двери. Луч света из коридора упал на ковер. Дениз, отстранившись от него, обернулась.

— Я подумала, кто это разговаривает? — услышал О'Доннел детский голос.

— А ты разве не спишь еще? Познакомься, Кент, это моя дочь Филиппа.

Кент увидел худенькую девочку-подростка.

— Здравствуй, Филиппа. Прости, что разбудили тебя.

— Я читала. Это стихи. Вы их любите?

— Боюсь, что у меня не было времени на поэзию.

— Вот здесь есть кое-что для тебя, мама.

— Должна сказать, Кент, что мои дети решительно настаивают на том, чтобы я снова вышла замуж, — сказала Дениз, взглянув на открытую страницу. — Они ужасные реалисты. — А затем, повернувшись к дочери, спросила: — А что ты скажешь, если я действительно выйду замуж за доктора Кента О'Доннела?

— Он сделал тебе предложение? — живо поинтересовалась девочка. — Ну конечно, выходи.

— Иногда я просто сомневаюсь в пользе современного прогрессивного воспитания, — сказала Дениз, подходя к Филиппе. — Спокойной ночи, детка.

— Мамочка, ты ужасно отстала, просто ископаемое.

— Спокойной ночи, Филиппа, — строго повторила Дениз.

— Хорошо. Но можно мне его поцеловать, раз он будет моим отчимом?

— Филиппа!

Девочка, рассмеявшись, чмокнула мать и, прихватив книжку, исчезла.

О'Доннел от души расхохотался.

Жизнь холостяка в эту минуту показалась ему бесцветной и неинтересной.

18

Операция началась ровно в 8.30. Точность расписания работы в операционной была одним из непременных требований, которые ввел О'Доннел, став главным хирургом.

Ампутация конечности не предвещала особых осложнений, но Люси Грэйнджер еще и еще раз тщательно обдумывала операцию во всех деталях. Сначала она решила отнять ногу по бедро, думая о том, что это увеличит шансы Вивьен на полное ыздоровление. Но следовало помнить о протезе, и Люси наконец пришла к выводу, что можно отнять ногу чуть выше колена.

Осматривая еще раз больное колено Вивьен Лоубартон, она мысленно прикинула, где сделать надрезы.

Жестокую весть девушка приняла сначала мужественно, а потом, словно в ней что-то сломалось, горько и безутешно рыдала на руках у Люси. Привычная ко всему, Люси Грэйнджер почувствовала, как сжалось сердце от сострадания. Объяснение с родными Вивьен было не менее мучительным. И Люси с горечью подумала, что никогда не сможет заставить себя оставаться только хирургом, не имеющим права давать волю нервам и эмоциям. Холодной, собранной, невозмутимой она становилась только у операционного стола. Здесь все было подчинено одной цели.

Анестезиолог дал знак, что больная готова. Ассистент Люси, молодой врач-стажер, почти вертикально поднял ногу оперируемой, чтобы была возможность свободного оттока крови, и Люси наложила жгут у самого бедра. Получив от Люси молчаливое указание, анестезиолог стал осторожно нагнетать воздух в полый резиновый жгут, пока он туго не стянул ногу у самого основания, остановив циркуляцию крови. Ассистент медленно опустил ногу на стол и вместе с операционной сестрой быстро обложил стерильными салфетками. Люси протерла место надреза спиртовым раствором зефирана. В операционной присутствовали два студента-медика, и Люси знаком пригласила их подойти поближе. Операционная сестра подала инструменты. Операция началась.

В холле для свиданий Майк Седдонс и родители Вивьен ждали исхода операции. Утром Майк встретил их у главного входа в больницу и проводил в палату Вивьен. Но девушку готовили к операции, она была под действием транквилизаторов и почти не воспринимала окружающее. А через несколько минут ее уже увезли в операционную.

И вот сейчас Майк, мистер и миссис Лоубартон ждали, машинально перебрасываясь отрывочными фразами. Высокий плотный Генри Лоубартон с обветренным от постоянного пребывания на воздухе лицом то и дело вскакивал, подходил к окну и смотрел в него, ничего не видя, затем возвращался, садился на стул, чтобы опять вскочить и совершить свой путь к окну.

«Хотя бы перестал ходить взад и вперед», — в отчаянии подумал Майк, нервы которого были напряжены до предела.

Мать Вивьен, в противоположность мужу, застыла на стуле устремив в пространство немигающий взгляд и сжав руки на коленях. Видимо, Майк не ошибся, когда заключил, что не мужественный с виду мистер Лоубартон был опорой семьи; все трудности должно быть, ложились на плечи этой хрупкой на вид женщины Он невольно подумал о себе и Вивьен. У кого из них больше воли и характера? Накануне операции Майк зашел к девушке в палату Оба уже знали, какой приговор вынесли врачи. Но против всякого ожидания Вивьен встретила Майка улыбкой.

— Заходи, Майк, — приветствовала она его. — И пожалуйста, не надо так огорчаться. Доктор Грэйнджер мне все сказала, и я уже выплакала все свои слезы. Я лишусь ноги и не буду уже той Вивьен, которую ты встретил и полюбил. И... ты можешь оставить меня, я пойму это.

— Не говори так! — воскликнул Майк в искреннем негодовании.

— Почему? Ты боишься думать, что это возможно?

Вивьен была права, он действительно боялся. Сомнения впервые овладели им.

— Прошло уже больше часа! — не выдержал мистер Лоубартон, остановившись на полпути между окном и стулом. — Сколько еще ждать, Майк?

— Доктор Грэйнджер сказала, что сама придет сюда... сразу же... — с трудом произнес Майк, чувствуя на себе пристальный взгляд матери Вивьен. — Скоро мы все узнаем.

19

Через два небольших отверстия в инкубаторе, напоминающих амбразуры, доктор Дорнбергер осторожно обследовал новорожденного. Прошло более трех с половиной суток, и это само по себе уже обнадеживало. Но акушера беспокоили некоторые симптомы: они вызывали тревогу.

Дежурная сестра выжидательно смотрела на доктора.

— Он дышал все время ровно, потом вдруг дыхание стало ослабевать. Я решила вызвать вас, доктор, — взволнованно проговорила она.

— Да, ему плохо. Прочтите-ка мне еще раз данные анализа крови ребенка.

Сестра, взяв карточку, прочитала ее вслух.

«Чем объяснить признаки анемии?» — тревожно раздумывал Дорнбергер.

— Если бы не результаты анализа на сенсибильность крови матери, я сказал бы, что у младенца эритробластоз.

— Но, доктор... — испуганно воскликнула сестра и растерянно умолкла.

— Да, да, разумеется, анализ не дает нам оснований опасаться этого, однако... Покажите-ка мне еще раз лабораторное исследование крови матери.

Сестра протянула его доктору Дорнбергеру. Заключение лаборатории не давало поводов для тревоги: у матери кровь резус-отрицательная. Неужели лаборатория могла допустить ошибку? Сердце сжалось от недоброго предчувствия, и старый акушер решил сам поговорить с Пирсоном.

— Если будут резкие изменения, немедленно сообщите мне.

— Что такое эритробластоз? — спросила молоденькая сестра-практикантка, как только доктор вышел.

— Болезнь крови у младенцев. Она случается, если у матери отрицательный резус, а у отца положительный, — разъяснила дежурная сестра.

— Нам говорили, что в таких случаях ребенку делают переливание крови.

— Обменное переливание. Вы это хотели сказать? Да, в некоторых случаях оно необходимо: если, например, у матери положительный резус и ребенок рождается с эритробластозом. Однако при отрицательном резусе обменное переливание крови не обязательно. В данном случае анализ не подтвердил необходимости переливания, — заключила дежурная сестра и недоуменно добавила: — Но почему такие симптомы?

После неприятного разговора с Пирсоном, вызванного тем, что Коулмен проверил работу лаборантов, прошло уже несколько дней. Старый патологоанатом, казалось, не замечал своего заместителя. Коулмен так и не знал, как это следует понимать — может ли он теперь считать, что лаборатория серологии полностью передана в его ведение, или же Пирсон готовит ему новый сюрприз и ждет только случая. Что касается Баннистера, то между ним и Коулменом установились отношения, которые лучше всего было бы назвать вооруженным перемирием. И только Джон Александер старался всячески показать, что он на стороне патологоанатома и полностью поддерживает его начинания. Он и сам внес ряд предложений, и Коулмен одобрил их.

— Мне нужен доктор Пирсон или же доктор Коулмен, — обратилась к сидевшему за микроскопом Александеру вошедшая в лабораторию дородная матрона в белом медицинском халате. Александер не успел ответить, как появился Коулмен.

— Вы доктор Коулмен? Здравствуйте. Я Хилда Строуган, старшая диетсестра.

— Очень рад. — Коулмен с интересом смотрел на диетсестру. — Чем могу быть полезен? — Хотя по опыту прежней работы он прекрасно понимал, где могут смыкаться их интересы: разумеется, пищеблок, вопросы санитарии и гигиены в подведомственном диетсестре хозяйстве.

— За последние несколько недель участились случаи кишечных заболеваний, особенно среди персонала больницы, — как бы подтверждая его догадки, сказала диетсестра.

— Назовите мне такую больницу, где не бывает подобных случаев, — пошутил Коулмен.

— Видите ли, мистер К., я опасаюсь, что источник инфекции — наши старые посудомоечные машины.

Коулмена несколько озадачила подобная форма обращения — мистер К. Только что вошедший Баннистер и Джон Александер с интересом прислушивались к разговору.

— Кроме того, неполадки с подачей горячей воды. Я неоднократно говорила об этом с нашим главным администратором мистером Томаселли. Последний раз он дал указание доктору Пирсону проверить мои посудомоечные аппараты на болезнетворные микробы.

— Ну и как, — повернулся Коулмен к Александеру, — вы проверили?

— Да, доктор. Температура воды, которой моется посуда, действительно недостаточно высока. Но это еще не все. — Александер достал из ящика стола предметное стекло. — Боюсь, что это микробы кишечной группы. Я обнаружил их на чистых, вымытых тарелках.

Коулмен посмотрел в микроскоп. Сомнений быть не могло. Патогенные кишечные бактерии. Они резко отличались своей характерной формой от других. Эти микробы быстро погибали в воде высокой температуры. При неисправности посудомоечных машин они, вероятно, и стали источником заражения кишечными заболеваниями, о которых только что говорила старшая диетсестра.

— Это очень серьезно, доктор? — с тревогой спросила она.

Коулмен ответил не сразу.

— Что вам сказать? И да, и нет. Самое опасное в данной ситуации — это скорее бациллоносители. Человек сам вполне здоров, но он — источник инфекции. Это встречается гораздо чаще, чем мы предполагаем. Надеюсь, вы регулярно проводите медицинские обследования персонала, работающего на кухне? — Он повернулся к лаборантам.

— О да! — поспешил заверить его Баннистер. — Доктор Пирсон сам следит за этим.

— Когда это было в последний раз?

— Сейчас проверю. — Баннистер поспешил в другой конец лаборатории. — Вот, 24 февраля, — сказал он.

— Что вы сказали? Февраля? — изумленно переспросил Коулмен. — Шесть месяцев назад? Скажите, миссис Строуган, за это время вы приняли много новых работников на кухню?

— Да, доктор К., к сожалению, немало.

— Вы не могли ошибиться? — снова обратился Коулмен к Баннистеру. Он все еще не верил, что возможна подобная халатность. — А что сказано о тех новых, что поступили на работу после февраля?

— О них здесь ничего не сказано, — с нарочитым безразличием ответил старший лаборант и пожал плечами.

Коулмен с трудом подавил раздражение.

— Думаю, нам следует в этом хорошенько разобраться, — сказал он старшей диетсестре.

Хилда Строуган была вполне удовлетворена, впервые встретив полное понимание. Проникшись доверием к новому патологоанатому, она величественно выплыла из лаборатории.

Коулмен понимал серьезность упущений лаборатории и уже обдумывал, какие меры следует немедленно принять.

Ему показалось, что старший лаборант впервые испугался.

— Почему лаборатория не выполняет элементарных требований, являющихся законом? — Во взгляде патологоанатома, брошенном на Баннистера, сквозило презрение. — Я иду к доктору Пирсону, — резко сказал он, направляясь к двери.

Старший лаборант, побледнев, смотрел на захлопнувшуюся дверь.

— Подумать только, каждую проклятую мелочишку видит... — сокрушенно прошептал он.

Джо Пирсон, вынужденный прервать работу, недовольно посмотрел на Коулмена.

— Лаборант Александер обнаружил болезнетворные микробы на тарелках, прошедших через мойку, — начал Коулмен без всяких предисловий.

— Надо повысить температуру воды, вот и все. — Услышав это сообщение, Пирсон не выразил ни малейшего удивления.

— Мне это известно. — Коулмен не мог скрыть иронии. — Но кто-нибудь пытался это сделать?

— Вы считаете, что именно мне следует этим заниматься? Так вот, потрудитесь ознакомиться с этим. — Порывшись в бумагах, Пирсон извлек целую кипу. — Вы убедитесь, кстати, что я это делаю уже в течение нескольких лет. — Пирсон по обыкновению начал повышать голос.

Коулмен проглядел бумаги.

Действительно, в своих докладных главный патологоанатом, не стесняясь в выражениях, подробно описывал антисанитарное состояние больничной кухни.

— Так что вы скажете на это? — Пирсон не сводил глаз с Коулмена, читавшего одну докладную за другой.

— Извините, доктор!

— Ладно уж. — Пирсон миролюбиво махнул рукой. — У вас есть другие вопросы ко мне?

Тогда Коулмен решил проинформировать главного патологоанатома о том, что новый персонал кухни не прошел необходимого медицинского осмотра.

— Что? — грозно воскликнул Пирсон. — Вы хотите сказать, что в нашем отделении этим никто не занимался?

— По-видимому, так.

— Все этот дурак Баннистер! Это уже серьезно. — Пирсон не скрывал тревоги. Его враждебность к Коулмену исчезла. Рука его потянулась к телефону. — Главного администратора, пожалуйста, — крикнул он в трубку.

Разговор был кратким и по существу. Закончив, Пирсон предложил Коулмену пройти с ним в лабораторию, куда он вызвал Томаселли.

В лаборатории, когда все собрались, Джон Александер доложил о результатах исследований. Пирсон просмотрел предметные стекла с образцами культур. Едва он оторвался от микроскопа, как дверь с шумом распахнулась и в лабораторию вошла взволнованная старшая диетсестра.

— Это невероятно! — В голосе ее были гнев и недоумение. — Из-за халатности нового сотрудника отдела санитарии медицинское обследование нового персонала не было проведено.

— Следовательно, как я понимаю, в течение шести месяцев вообще не было медицинского осмотра персонала кухни, — сказал молчавший до этого Томаселли. — Что вы предлагаете делать? — Он посмотрел на Пирсона.

— Сначала проверить всех вновь поступивших. — Главный патологоанатом снова был хозяином положения. — После этого всех остальных — бактериологическое исследование кала, рентген, осмотр терапевтом и все прочее. Всех, кто имеет хоть какое-то отношение к пищеблоку.

— Вы сможете обеспечить явку, миссис Строуган? — спросил Томаселли. — У вас есть еще вопросы ко мне? — Это уже относилось к главному патологоанатому.

— Да, нам нужны новые бойлеры — необходимо наладить подачу горячей воды для мытья посуды. В крайнем случае срочно отремонтировать старые. Сколько лет уже я твержу об этом всем и каждому!

— Знаю, знаю, — миролюбиво сказал Томаселли. — От моего предшественника мне в наследство досталась пачка ваших докладных. Дело в том, что, как вы знаете, большая часть наших средств на капитальный ремонт уже израсходована. Сколько, по-вашему, потребуется на переоборудование кухни?

— Откуда мне знать? — возмутился Пирсон. — Я не водопроводчик!

— Может быть, я могу быть полезен. Я немного разбираюсь в этом, — раздался за их спиной голос. Это был доктор Дорнбергер. Он вошел в лабораторию в самый разгар спора. — Надеюсь, я не помешал? — поклонился он Томаселли.

— Нет, не помешали, — ворчливо ответил Пирсон. Увидев немой вопрос в глазах Александера, акушер подошел к нему.

— Я видел вашего малыша, Джон. Боюсь, он неважно себя чувствует.

— Есть ли хоть какая-нибудь надежда, доктор? — И хотя это было сказано очень тихо, все присутствующие повернулись к ним, и лица их смягчились. Даже обиженный Баннистер подошел поближе.

— Боюсь, что нет, — так же тихо ответил Дорнбергер.

В лаборатории воцарилась тревожная тишина. Акушер повернулся к Пирсону.

— Скажите, Джо, в исследовании крови миссис Александер не могло произойти ошибки?

— Ошибки? Что вы имеете в виду, Чарли?

— Я просто спрашиваю.

— Нет, Чарли. Я сам провел анализ и сделал это со всей тщательностью. Почему у вас возникли сомнения?

— Хотел уточнить, и только. — Дорнбергер по привычке не выпускал трубку изо рта. — Утром мне показалось, что у ребенка признаки эритробластоза. Это только предположение, но...

В лаборатории стало странно тихо. Все невольно посмотрели на Джона Александера. И вдруг Коулмен, чтобы как-то разрядить обстановку и вывести Александера из горестного оцепенения, сказал, обращаясь к Дорнбергеру:

— Когда мы сделали тесты на сенсибилизацию, у нас возникли кое-какие сомнения и мы решили дополнительно сделать тест по Кумбсу. Ошибка абсолютно исключена.

Сказав это, Коулмен вдруг вспомнил, что в лаборатории сыворотку Кумбса применили лишь по его настоянию. Он сам подписал требование. Коулмен отнюдь не собирался упрекать в чем-то старого патологоанатома. Он даже надеялся, что тот не обратит внимания на его слова. Они достаточно ссорились, и сейчас не следует подливать масла в огонь.

— Но доктор... — Коулмен увидел испуганные глаза Александера. — Мы так и не сделали тест Кумбса.

Коулмена раздражала забывчивость Александера. Не ко времени снова начинать этот разговор.

— Как же так? — сказал он. — Я хорошо помню, как сам подписывал требование на сыворотку.

— Доктор Пирсон сказал, что делать этот тест не обязательно. Достаточно обычного анализа... — В голосе Джона было откровенное отчаяние.

Коулмен сразу не понял, что говорит лаборант, настолько это казалось невероятным. Томаселли недоуменно переводил глаза с одного на другого, смутно понимая, что случилось что-то неладное. Чарли Дорнбергер насторожился.

Пирсон казался явно растерянным.

— Да, да, я хотел вам сказать, но как-то вылетело из головы... — Он повернулся к Коулмену.

Мозг Коулмена работал четко, как всегда в минуты опасности. Но ему надо было уточнить еще один момент.

— Если я вас правильно понял, — сказал он, обращаясь к Александеру, — косвенная проба по Кумбсу не была сделана?

Александер удрученно кивнул.

— Постойте! — не выдержал доктор Дорнбергер. Сознание свершившейся роковой ошибки было подобно удару, оглушившему его. — Значит, анализы ошибочны и у роженицы все-таки сенсибилизированная кровь?

— Да! — не мог сдержать себя Коулмен. — В данном случае проба по Кумбсу была необходима. Каждый, кто хотя бы элементарно знаком с основами современной гематологии, должен знать это! — Он бросил гневный взгляд в сторону Пирсона. — Вот почему я сделал заказ на сыворотку Кумбса. — Эти слова были уже обращены к акушеру.

Наконец Томаселли решил, что пора уяснить для себя суть этого спора.

— Почему же не были сделаны все анализы? — Ему действительно было непонятно, почему люди не выполняют своих обязанностей и не делают то, что положено.

— Где требование на сыворотку, которое я подписал? — Коулмен смотрел теперь на Баннистера. В его глазах не было ни капли жалости, хотя вид старшего лаборанта мог вызвать только сожаление. Баннистера буквально била дрожь.

— Я разорвал его, — едва слышно пробормотал он.

— Что? — Дорнбергер не верил своим ушам. — Вы посмели сделать это, не сказав мистеру Коулмену?

— Кто разрешил вам разорвать заявку? — неумолимо прозвучал голос Коулмена.

Баннистер потерянно уставился на пол:

— Доктор Пирсон...

— Значит, у ребенка все-таки эритробластоз, — сказал Дорнбергер, обращаясь к Коулмену.

— Необходимо срочное обменное переливание крови.

— Это надо было сделать сразу же. Время упущено. — В голосе Дорнбергера была смертельная усталость. Он чувствовал себя старым, больным и бессильным. — Выдержит ли младенец? Он очень слаб.

— Мы должны немедленно взять кровь у ребенка и сделать тест по Кумбсу, — сказал Коулмен. Невольно получилось, что вопрос теперь решали он и Дорнбергер. — У нас есть сыворотка?

Но сыворотки Кумбса не оказалось ни в лаборатории, ни в самой больнице. Пришлось позвонить в больницу университета. Доктор Франц любезно согласился помочь коллегам и срочно сделать пробу по Кумбсу в университетской лаборатории, если ему доставят кровь.

— Я сам возьму кровь у новорожденного, — сказал Коулмен и направился к двери.

— Можно я помогу вам, доктор? — Баннистер уже держал в руках поднос с инструментами.

Коулмен хотел было отказаться, но, увидев немую просьбу в глазах старого лаборанта, согласился:

— Хорошо, идемте.

— Позвольте мне поехать к доктору Францу, — взмолился Джон Александер, глядя на Томаселли.

— Хорошо, когда получите пробирки с кровью, внизу вас будет ждать машина, — коротко сказал Томаселли.

Тяжкие сомнения терзали старого акушера. За долгие годы врачебной практики у него были случаи смертельного исхода. Некоторые из его маленьких пациентов были заранее обречены, но он всегда вступал в яростную схватку со смертью и не отступал до самого конца, пока была еще хоть капля надежды. Как врач он всегда честно выполнял свой долг. Он знавал врачей, не любящих свою профессию, но подобного случая гибели пациента из-за преступной халатности и врачебной некомпетентности Дорнбергер за всю свою долгую практику еще не помнил.

— Джо, я должен поговорить с вами, — наконец, собравшись с силами, повернулся он к Пирсону. Тот с потухшим взором как-то неловко обмяк на стуле. — Младенец родился раньше срока, во всем же остальном он абсолютно нормальный ребенок, и мы вовремя могли бы сделать ему обменное переливание крови... — Голос старого акушера прервался от волнения, ему было трудно говорить. — Мы друзья с вами, Джо. Уже много лет. Я не раз защищал вас, хотя вы не всегда были правы. Но этот случай... Послушайте, Джо! Если ребенок погибнет, вы будете отвечать перед больничным советом. Я потребую этого. И да поможет мне Бог.

20

«Чего они там тянут! Почему молчат?» Пальцы Пирсона нервно барабанили по крышке стола. Прошел уже час с четвертью, как кровь новорожденного была доставлена в университетскую больницу. Старый патологоанатом и доктор Коулмен ждали ответа в кабинете Пирсона.

— Я уже дважды звонил доктору Францу, — тихо сказал Коулмен. — Он заверил меня, что сообщит немедленно. Быть может, мы пока решим вопрос об обследовании персонала кухни? — нерешительно предложил он, видя, сколь мучительным является это ожидание для Пирсона.

— Потом, потом. Я ни о чем сейчас не могу думать.

Впервые за весь день после разыгравшихся в лаборатории драматических событий Коулмен подумал о состоянии Пирсона. Что испытывал старый врач? Ведь он, Коулмен, при всех обвинил его в невежестве. Пирсон не сказал ни слова в свою защиту. Молчание главного патологоанатома было похоже на признание того, что его молодой коллега оказался более компетентным врачом. С этим нелегко смириться.

Томясь тревожным ожиданием, доктор Дорнбергер ждал в малой операционной родильного отделения.

— Ответа нет? — спросил он у вошедшей дежурной сестры.

— Нет, доктор.

— У вас все готово для переливания?

Сестра наполнила две резиновые грелки горячей водой и положила их под одеяло, которым был накрыт небольшой операционный стол:

— Еще несколько минут, доктор.

Вошел врач-стажер, который должен был ассистировать.

— Вы хотите начать полную замену крови, не дожидаясь результатов анализа, доктор Дорнбергер?

— Мы и так потеряли много времени. У ребенка ярко выраженная анемия, и обменное переливание крови в таких случаях всегда оправданно.

— Кстати, доктор, — заметила дежурная сестра, — вы не забыли, что пуповина у ребенка коротко отрезана?

— Да, благодарю, я помню об этом. — И по привычке пояснил стажеру: — Когда мы знаем, что новорожденному предстоит переливание крови, мы оставляем пуповину определенной длины. В данном случае мы, к сожалению, этого не сделали.

— Как вы будете делать переливание? — Стажер был пытливым юнцом и вникал во все детали.

— Я произведу надрез над пупочной веной под местной анестезией. Кровь подогрета? — спросил он сестру. — Очень важно, чтобы температура переливаемой крови соответствовала температуре тела, иначе возрастает опасность шока.

Дорнбергер в глубине души понимал, что говорит все это скорее для собственного успокоения, чем для просвещения стажера. Это отвлекало от тягостных мыслей. Для Дорнбергера теперь уже не имело значения, кто виноват. Сейчас он отвечает за жизнь ребенка. Но странная апатия вдруг охватила его, и Дорнбергер прикрыл глаза, почувствовав неприятную слабость. Что это? Головокружение? Это длилось всего лишь секунды, но когда акушер посмотрел на свои руки, они дрожали.

В операционную ввезли инкубатор с ребенком.

— Вам плохо, доктор? — услышал он, словно издалека, встревоженный голос врача-стажера.

Ему хотелось сказать: «Нет». Незачем рассказывать о том, что он почувствовал несколько минут назад. Но старый врач вдруг вспомнил свое решение — уйти с поста при первых признаках немощи и слабости. Не настало ли это время именно сейчас? Руки все еще дрожали.

— Да, — наконец с усилием произнес он. — Я, кажется, не совсем здоров. Пусть кто-нибудь позовет доктора О'Доннела. Скажите ему, что я не могу оперировать.

В эту минуту старый акушер Чарльз Дорнбергер мысленно и фактически сам дал себе отставку.

Трубку зазвонившего телефона снял доктор Пирсон. Поблагодарив говорившего, он попросил телефонистку немедленно соединить его с доктором Дорнбергером.

— У ребенка резус-конфликт, эритробластоз, — коротко сказал он и положил трубку.

Доктор О'Доннел, только сегодня вернувшийся из Нью-Йорка, направлялся в отделение неврологии на консультацию, когда по внутреннему радио услышал вызов. Его требовали в операционную родильного отделения. Он поднялся на лифте на четвертый этаж.

Слушая докладывавшего ему Дорнбергера, он уже тщательно, как это умеют делать хирурги, мыл руки.

Потребовалось не так много времени, чтобы понять, зачем его вызвали в операционную. Не драматизируя события, но ничего и не скрывая, старый акушер рассказал О'Доннелу все.

О'Доннел едва скрыл, как потрясло его все услышанное. Невежество и небрежность, за которые он тоже отвечает, могли стоить жизни невинному младенцу. «Надо было давно уволить Джо Пирсона, — думал он, — но я не сделал этого, откладывал со дня на день, играл в политику, убеждал себя, что действую разумно, а на самом деле я просто предавал интересы медицины».

Он взял протянутое стерильное полотенце, вытер руки и дал надеть на них перчатки.

— Ну что ж, можно начинать, — сказал он Дорнбергеру.

Крохотное существо, вынутое из инкубатора, лежало на подогретом операционном столе.

Окруженный врачами-стажерами, сестрами и практикантками, О'Доннел начал операцию, привычно объясняя свои действия. Таких операций он провел немало, и движения его были точны и уверенны, голос ровен и бесстрастен. Он работал и он учил.

— Полное замещение крови, как вы, должно быть, знаете, — О'Доннел окинул быстрым взглядом сестер-практиканток, — это, в сущности, процесс медленного сцеживания крови пациента и одновременной замены ее кровью донора. При условии полной совместимости групп крови. Процедура повторяется многократно равными дозами, пока кровь больного, содержащая антитела, не будет замещена свежей кровью донора.

Операционная сестра перевернула бутыль с кровью, закрепленную на подвижной подставке над операционным столом.

О'Доннел взглянул на лицо младенца и с удивлением подумал, что оно отнюдь не безобразно, как это часто бывает у недоношенных детей. Малыш, пожалуй, был хорошеньким. Мысли на секунду отвлеклись — как несправедливо, что все обращено против него, такого слабого и беззащитного.

Минут через двадцать тельце ребенка затрепетало, и он неожиданно подал голос. Это был слабый, беспомощный писк, скорее вздох, но это уже был признак жизни, и глаза присутствующих радостно потеплели — в них появилась надежда.

Но О'Доннел лучше других знал, какой обманчивой бывает надежда. И все же, не удержавшись, сказал Дорнбергеру:

— Похоже, что он сердится на нас. А это уже хорошо.

— Может быть, немного глюконата кальция? — с надеждой предложил старый акушер.

О'Доннел почувствовал, как разрядилась напряженная обстановка в операционной. «Может, мы все же вытащим малыша». Он помнил еще более невероятные случаи из своей практики. Возможности медицины, в сущности, неисчерпаемы, надо только понять это.

— Продолжаем. — Постепенно, по десять миллилитров, сцеживал он кровь ребенка, заменяя ее другой. Десять, десять, еще десять...

— Температура падает, доктор, — вдруг встревоженно сказала сестра.

— Проверьте венозное давление, — распорядился О'Доннел.

— Слишком низкое.

— Ухудшилось дыхание. Изменился цвет лица.

— Пульс?

— Пульс падает!

— Кислород!

— Температура падает!

— Дыхание?

— Он перестал дышать!

О'Доннел схватил стетоскоп и услышал слабые, еле различимые удары сердца.

— Корамин! — отрывисто сказал он. — Укол в сердце — это единственный шанс!

Беспокойство Дэвида Коулмена возрастало. После звонка из университетской больницы они с Пирсоном попытались заняться просмотром хирургических отчетов, но работа не шла. Мысли обоих врачей были далеко отсюда — в маленькой операционной, где решалась судьба ребенка. Прошел уже час, но известий не было.

— Я зайду в лабораторию. Может, они что-нибудь знают, — поднялся Коулмен.

— Останьтесь. — Это не был приказ. В глазах Пирсона была скорее просьба.

— Хорошо, — удивленно согласился Коулмен.

Ожидание порядком взвинтило и ему нервы, хотя он прекрасно понимал, что это ничто в сравнении с тем, что испытывал старый патологоанатом. Впервые Коулмен подумал и о своей моральной причастности. И то, что Пирсон ошибся, а он оказался прав, требуя теста по Кумбсу, не принесло удовлетворения. Он поймал себя на мысли, что хочет только одного — чтобы ребенок выжил. Желание было настолько сильным, что он даже несколько растерялся. Еще ничто не задевало его так глубоко. Он старался объяснить это своей симпатией к Джону Александеру. Чтобы хоть как-то скоротать мучительно тянувшееся время, он стал мысленно анализировать случай. Если у ребенка резус-конфликт, то, выходит, у матери сенсибилизированная кровь. Как же это могло случиться? Во время первой беременности, однако, это не повлияло на ребенка. Кажется, он умер от бронхита. И вдруг догадка сверкнула, как молния. Джон говорил о катастрофе, Элизабет чуть не умерла. Ей делали переливание крови. И кажется, неоднократно. В небольших провинциальных больницах переливание крови нередко делали без предварительного определения резус-фактора, особенно при оказании немедленной помощи. Да и о самом резус-факторе медицине стало известно лишь в сороковых годах. Прошло еще десять лет, прежде чем проверка на резус-фактор стала обязательной для всех больниц. Когда Элизабет попала в катастрофу? Кажется, Джон говорил, в 1949 году. Это было в Нью-Ричмонде. Кто оказывал первую помощь? Откуда Джон знает его отца, доктора Байрона Коулмена? Неужели он? Элизабет переливали кровь неоднократно, от разных доноров. Весьма возможно, что у кого-то из них кровь была сенсибилизированной. Видимо, так. А потом в ее крови незаметно образовались антитела, и теперь, спустя девять лет, они угрожали жизни ее ребенка.

Его отец был старым врачом, он много и честно работал. Было ли у него время следить за новыми открытиями, читать свежие медицинские журналы? Он лечил, как лечили в те времена все врачи в маленьких городках Америки. Молодые врачи, возможно, уже знали о новых открытиях в гематологии, о редких группах крови. А его отец? Он был уже стар и слишком много работал... «Что это я? — подумал Коулмен. — Разве это может служить оправданием?»

Коулмен почувствовал неприятную неуверенность и тревогу. «Не ищу ли я оправдания врачу Байрону Коулмену, который был моим отцом? Вправе ли я судить его так, как судил бы другого на его месте?»

И он почти обрадовался, когда вопрос Пирсона прервал его мысли.

— Сколько это уже длится?

— Всего немногим более часа, — ответил Коулмен, взглянув на часы.

— Я позвоню туда. — Рука Пирсона потянулась к телефонной трубке. — Нет, подождем еще, — вдруг сказал он.

Лоб Кента О'Доннела покрылся крупными каплями пота, сестра то и дело вытирала его марлевой салфеткой. Прошло пять минут, как он начал делать ребенку искусственное дыхание, но жизнь уходила из этого крохотного тельца, и О'Доннел с горечью все больше ощущал свое бессилие. Он понимал, что будет означать эта смерть для больницы Трех Графств. Больница не выполнила свой первейший долг — она не обеспечила правильное лечение и уход этому больному и слабому существу. Врачебная ошибка перечеркнула врачебный опыт и знания. О'Доннел делал искусственное дыхание ребенку и, казалось, пытался вдохнуть в слабеющего младенца все свое страстное желание дать ему победить и выжить.

«Ты нуждался в нас, а мы предали тебя. Ну пожалуйста, попробуем еще разок, вместе. Мы выходили и из худших положений, поверь мне. Не суди нас так строго за этот один наш промах. В этом мире еще так много невежества, косности, предубеждения и халатности. Ты сам убедился в этом. Но есть еще и другое — есть хорошее, прекрасное, доброе, ради чего стоит жить. Так что, пожалуйста, дыши. Это ведь так просто, но как это важно сейчас...»

Руки О'Доннела методично двигались, продолжая делать искусственное дыхание. Ассистент приложил к груди новорожденного стетоскоп. Он долго и внимательно слушал и наконец, отняв стетоскоп, выпрямился. Увидев встревоженный, вопрошающий взгляд О'Доннела, он горестно пожал плечами. Главный хирург понял, что бессмысленно продолжать. Повернувшись к Дорнбергеру, он тихо произнес:

— Боюсь, все кончено.

Их глаза встретились, и О'Доннел вдруг почувствовал, как его заливает горячая волна гнева. Сорвав маску и перчатки, он швырнул их на пол.

— Если я кому-нибудь понадоблюсь, я у доктора Пирсона, — сказал он и вышел из операционной.

21

В кабинете Пирсона раздался резкий телефонный звонок. Патологоанатом вздрогнул, протянул руку к трубке, но так и не решился ее снять.

— Лучше вы, — тихо сказал он Коулмену.

Коулмен подошел к телефону.

Лицо его оставалось бесстрастным, пока он слушал.

— Благодарю вас, — наконец сказал он и повесил трубку. Посмотрев в глаза Пирсону, он тихо произнес: — Малыш умер.

Пирсон молча принял это известие. Ссутулившись в кресле, с глубокими тенями под глазами, он казался очень старым и больным.

— Я, пожалуй, пойду в лабораторию. Кто-то должен сообщить Джону, — сказал Коулмен.

И, не дождавшись ответа, оставил Пирсона одного, воплощение немощи и отчаяния.

Джон Александер был один в лаборатории. Он даже не повернулся, услышав медленные шаги Коулмена.

— Все?.. — с усилием произнес он.

Коулмен положил ему руку на плечо.

— Да, Джон. Он умер. Мне очень жаль.

Гнев О'Доннела, направленный против Пирсона, сменился глубоким недовольством и презрением к себе самому. Он, О'Доннел, доктор медицины, член Английского королевского и Американского обществ хирургов, главный хирург больницы Трех Графств и председатель ее больничного совета, оказался слишком занятым человеком, чтобы навести элементарный порядок в подведомственной ему больнице. Он, предпочитая от многого отворачиваться, кое на что закрывать глаза, делал вид, что все благополучно, хотя его опыт и совесть подсказывали, что все обстоит далеко не так. Он увяз в хитросплетениях закулисной игры, ужинал с Ордэном Брауном, заискивал перед Юстасом Суэйном в ожидании щедрых пожертвований старого магната, мечтая о новых, красивых зданиях для больницы, в то время как в ней самой у него под носом творилось черт знает что. Теперь больница то ли получит юстасовскую подачку, то ли нет, но цена за нее слишком высока — детский труп в операционной на четвертом этаже.

Перед дверью кабинета Пирсона О'Доннел несколько остыл и взял себя в руки. Гнев сменился усталостью. Он пропустил Дорнбергера вперед.

Пирсон продолжал сидеть в той же позе, в которой оставил его Коулмен. Взглянув на вошедших, он даже не попытался встать.

Дорнбергер заговорил первый. В его тихом голосе не было ни гнева, ни возмущения.

— Он умер, Джо. Ты, наверно, уже знаешь, — просто сказал он.

— Да, знаю, — медленно ответил Пирсон.

— Я все рассказал доктору О'Доннелу. — На мгновение Дорнбергер запнулся. — Мне очень жаль, Джо, но я не мог поступить иначе.

Пирсон вяло махнул рукой. От его былой агрессивности не осталось и следа.

— Ничего, — сказал он почти безразлично.

— Вы что-нибудь хотите сказать, Джо? — спросил О'Доннел ровным голосом.

Пирсон медленно покачал головой.

— Джо! — О'Доннелу вдруг стало трудно найти нужные слова. — Мы все можем ошибаться...

«Нет, это совсем не то, что следует говорить», — подумал он и, собравшись с мыслями, продолжал уже твердым голосом:

— Если я доложу об этом больничному совету, вы знаете, Джо, что за этим последует. Мы можем избежать ненужных испытаний и для вас, и для нас всех, если завтра в десять часов утра вы сами подадите заявление об уходе.

— В десять, — так же безразлично повторил Пирсон, посмотрев на О'Доннела. — Хорошо, я это сделаю.

В эту минуту в кабинет поспешно вошел Гарри Томаселли.

Администратор вошел, даже не постучав, и, видимо, был чем-то взволнован. Он смотрел на Пирсона и лишь потом заметил Дорнбергера и О'Доннела.

— А, Кент, хорошо, что и вы здесь.

Прежде чем О'Доннел успел ему ответить, он опять повернулся к Пирсону.

— Джо, через час у меня состоится экстренное совещание всего врачебного персонала. До этого я хотел бы поговорить с вами.

— Экстренное совещание? — резко спросил О'Доннел. — Что случилось?

Лицо Томаселли помрачнело.

— В больнице брюшной тиф. Доктор Чандлер доложил о двух случаях. Есть подозрения еще на четыре. Это эпидемия.

Зал совещаний был переполнен. Весть об эпидемии брюшного тифа быстро стала известна не только всему персоналу больницы, но и врачам города. Вместе с нею полз и упорный слух о падении Джо Пирсона, о его уходе в отставку. Собравшиеся шумно обсуждали обе новости, когда в зал вошли Пирсон, Томаселли и Дэвид Коулмен.

О'Доннел уже занял свое место во главе длинного стола. Не было только Чарли Дорнбергера, который также кое-кому уже сообщил о своем намерении уйти в отставку.

О'Доннел увидел входившую Люси Грэйнджер, которая приветливо улыбнулась ему. И вдруг вспомнил, что за все утро ни разу не подумал о Дениз, настолько больничные дела заполнили все его мысли. «Понравится ли Дениз то, что она все же оказалась на втором месте? — подумал он. — Сможет ли она понять и примириться? А Люси?» Ему стало как-то не по себе. Почему он всегда их сравнивает? Мысль об одной сразу же вызывала в памяти образ другой. Нет, сейчас не время для этого, пристыдил он себя. Пора начинать совещание.

Он постучал молоточком по столу и подождал, пока стихнут разговоры.

— Леди и джентльмены, мы все знаем, что эпидемии в больницах — это не такое уж уникальное явление. Они, к сожалению, имеют место гораздо чаще, чем думают обыватели. Это, если можно выразиться, зло нашей профессии. В стенах нашей больницы таится, увы, немало болезней. Они наши враги и только выжидают, чтобы напасть на нас. Я отнюдь не хочу преуменьшать опасности того, что произошло, но нам не следует ее и преувеличивать. Будем соблюдать чувство меры. Доктор Чандлер, прошу вас доложить собранию.

Главный терапевт поднялся.

— Для начала подведем кое-какие итоги. — Чандлер, держа свои записки, многозначительно обвел глазами присутствующих.

«Любит производить впечатление, — подумал О'Доннел. — Но ведь и мне самому внимание публики тоже доставляет удовольствие».

Главный терапевт продолжал:

— Пока что у нас два явных случая брюшного тифа и четыре сомнительных. Все больные из персонала больницы, и наше счастье, что пока никто из пациентов не заболел. Судя по числу случаев, мне, как и вам, ясно, что эпидемиологический очаг — в больнице. Должен заметить, что меня, как, наверное, и вас, неприятно поразил тот факт, что обслуживающий кухню персонал не прошел в свое время необходимого медицинского обследования...

— Простите, доктор... — остановил его О'Доннел.

— Да? — Тон Чандлера свидетельствовал о его явном неудовольствии.

— Этот вопрос мы обсудим потом, — успокоил его О'Доннел. — Расскажите о клинических данных.

Но самолюбие Чандлера было задето. Он считал себя равным О'Доннелу в больничной иерархии. Кроме того, он не умел говорить кратко.

— Если вам так угодно, — проворчал он и после паузы продолжал: — Симптомы брюшного тифа вам известны, но я вкратце повторю главные из них в ранней стадии болезни. Быстрый подъем температуры, озноб и медленный пульс, пониженное число красных кровяных шариков в крови и характерные розовые пятна на коже. Больные жалуются на тупую головную боль, потерю аппетита и общее недомогание. Некоторые сонливы днем, но не могут спать ночью. Следует также обратить внимание на сопутствующий бронхит. У некоторых больных бывают кровотечения из носа. И разумеется, определяется болезненная на ощупь и увеличенная селезенка.

Главный терапевт сел на свое место.

— Вопросы есть?

— Предполагается ли делать прививку против брюшного тифа? — спросила Люси Грэйнджер.

— Да, — ответил Чандлер, — всему больничному персоналу поголовно и тем больным, кому это не противопоказано.

— А как будет с кухней? — спросил Билл Руфус.

— Мы вернемся еще к этому вопросу, — остановил его О'Доннел. — Есть чисто медицинские вопросы? — Увидев по лицам присутствующих, что вопросов нет, он сказал: — В таком случае попрошу патологоанатомическое отделение высказаться. Доктор Пирсон.

До этого в зале было довольно шумно, двигали стульями, переговаривались. Сейчас наступила полная тишина, и все взгляды обратились к Джо Пирсону. Впервые он сидел без привычной сигары в уголке рта. Даже когда О'Доннел назвал его имя, он не пошевельнулся.

О'Доннел хотел было повторить свое приглашение, но Пирсон, словно опомнившись, встал и отодвинул стул. Медленно оглядев собравшихся и посмотрев в упор на О'Доннела, он сказал:

— Этой эпидемии не должно было быть, и она не произошла бы, если бы наше отделение своевременно приняло меры. Ответственность за это ложится полностью на отделение и, следовательно, на меня лично.

В зале снова стало неправдоподобно тихо. Произошло невероятное. Сколько раз здесь Джо Пирсон яростно обличал других, а теперь он сам стоял перед ними в роли обвиняемого и обвинителя одновременно.

О'Доннел хотел помочь старику, но потом передумал. Не надо ему мешать.

Пирсон опять обвел взглядом зал.

— Поскольку мы установили вину и ответственность, теперь нам необходимо подумать о том, как предотвратить развитие эпидемии. — Взглянув на Томаселли, он продолжал: — Администратор и заведующие отделениями уже наметили некоторые меры. Я доложу вам о них.

Пирсон сделал небольшую паузу, и, когда он снова заговорил, это уже был знакомый всем ворчливый, но уверенный голос старого Джо Пирсона. Старик словно сбросил с себя груз своих лет. Вновь в его голосе звучали то нотки язвительного сарказма, то презрение и превосходство, столь хорошо знакомые всем присутствующим. Говорил человек, знающий свое дело, и говорил с равными.

— В первую очередь необходимо обнаружить источник инфекции. Поскольку в течение последних шести месяцев мы не проводили обследования работников кухни, будет логично начать наши поиски очага инфекции именно там, и в первую очередь с тех, кто имеет отношение к раздаче пищи. Сейчас четверть третьего. В нашем распоряжении два часа и сорок пять минут. За это время мы должны провести тщательный медицинский осмотр всех, кто имеет непосредственное отношение к приготовлению пищи. Мы связались с клиниками в городе. Надеюсь, все наши штатные врачи предупреждены.

В ответ на его вопросительный взгляд все присутствующие утвердительно закивали головами.

— Прекрасно. Сразу же после совещания доктор Коулмен скажет, что предстоит делать каждому. — Бросив взгляд в сторону старшей диетсестры, он добавил: — Миссис Строуган отвечает за то, чтобы все явились на обследование в помещение больничной амбулатории, группами по двенадцать человек. В течение имеющегося в нашем распоряжении времени мы должны осмотреть девяносто пять человек. Следует помнить, что у бациллоносителя может и не быть ни одного из симптомов, о которых говорил доктор Чандлер. Обращайте особое внимание на личную гигиену каждого обследуемого. В случае сомнений немедленно отстраняйте его от работы до выяснения.

Пирсон остановился, как бы что-то обдумывая.

— Разумеется, — продолжил он, — медицинский осмотр не может дать нам полную гарантию. Может быть, нам повезет, и мы сразу же найдем бациллоносителя, но такого может и не случиться. Поэтому основная работа будет проведена в лабораториях после осмотра. А это значит — массовые анализы кала, и не позднее завтрашнего утра. Лаборатории сейчас готовятся к работе. Разумеется, нам понадобится несколько дней, не менее двух или трех, для проведения всех анализов.

Кто-то с сомнением воскликнул:

— Девяносто пять человек! Это немало...

— Да, — повторил Пирсон, — немало, но мы должны справиться. — Он закончил и сел.

Люси подняла руку.

— Если источник инфекции не будет сразу обнаружен, будем ли мы пользоваться больничным пищеблоком? — спросила она.

— Пока да, — ответил О'Доннел.

— Мы сейчас наводим справки о снабжении больницы готовой пищей из города, если возникнет необходимость, — добавил Томаселли.

— А как быть с приемом новых больных? — спросил Билл Руфус.

— Прошу простить, — сказал О'Доннел. — Я забыл сказать об этом. Больница закрыта на карантин. Приемное отделение уже уведомлено. Прием больных временно прекращается. Есть еще вопросы?

Вопросов больше не было. О'Доннел закрыл совещание.

Незаметно отведя Пирсона к окну, он тихо сказал:

— Джо, вы, разумеется, останетесь во главе вашего отделения, пока не кончится эпидемия. Но во всем остальном мы уже ничего не можем изменить...

— Все понимаю, — сдержанно согласился Пирсон.

22

Словно генерал, осматривающий войска перед боем, Джо Пирсон окинул взглядом свою лабораторию. Все в сборе: доктор Коулмен, патологоанатом Макнил, старший лаборант Карл Баннистер и лаборант Джон Александер.

— Наша задача, — обратился к ним Пирсон, — обнаружить бациллоносителя в больнице. Сделать это необходимо как можно скорее, чтобы не допустить распространения эпидемии.

И Пирсон стал подробно инструктировать персонал, не упуская из виду мельчайшие детали и всячески подчеркивая срочность мероприятий. Это был и прежний, и новый Пирсон.

Убитый горем Джон Александер, только что вернувшийся из палаты, где лежала измученная Элизабет, пытался понять, что же он чувствует к старику. Конечно, он должен был бы его ненавидеть, ибо халатность Пирсона явилась причиной смерти его ребенка. Но он не испытывал ненависти, а лишь глубокую печаль. Может быть, и хорошо, что им предстоит такая большая работа: это поможет забыться.

Отдав распоряжения, Пирсон принялся рассуждать вслух:

— У нас будет девяносто пять, даже сто культур. Предположим, пятьдесят процентов из них дадут отсутствие роста, значит, остальные пятьдесят исследовать дополнительно. Вряд ли больше. — Он посмотрел на Коулмена, как бы ища подтверждения.

— Пожалуй, что так, — согласился тот.

— Тогда нам надо по десять пробирок на каждую культуру. Пятьдесят культур — пятьсот пробирок. — И, обращаясь к Баннистеру, Пирсон спросил: — Сколько у нас есть стерильных пробирок?

— Около двухсот.

— Вы уверены? — Пирсон пронзительно посмотрел на него. Баннистер покраснел.

— Ну, не меньше ста пятидесяти.

— Тогда закажите еще триста пятьдесят. Проверьте также, есть ли у нас соответствующие среды. Помните также, что нам понадобятся глюкоза, лактоза, дульцитол, сахароза, маннит, мальтоза... — быстро перечислял Пирсон. — Список и таблицу сред для брюшного тифа вы найдете на странице шестьдесят шесть лабораторных инструкций. Приступайте.

Медицинский осмотр работников пищеблока проходил быстро. В одном из кабинетов амбулатории доктор Гарвей Чандлер заканчивал осмотр одного из поваров.

— Можете одеваться, — сказал он ему.

Сперва главный терапевт раздумывал, не уронит ли он своего авторитета, если будет проводить медицинский осмотр персонала как рядовой терапевт. Доктор Чандлер испытывал известное раздражение от того, что инициатива как-то сама собой перешла к О'Доннелу и Пирсону. Разумеется, О'Доннел — председатель больничного совета и имеет право вмешиваться во все дела больницы, но он всего лишь хирург, а брюшной тиф — это область терапевта. И тем не менее он должен был признать, что распоряжения О'Доннела и Пирсона были безукоризненны. В сущности, у всех у них одна цель: поскорее покончить с неожиданной вспышкой брюшного тифа в больнице.

Когда пациент вышел, в кабинете появился О'Доннел.

— Привет, Гарвей, как идут дела? Кто болен?

— Две медсестры, — ответил Чандлер. — Одна из отделения психиатрии, другая из урологии. И еще двое мужчин — рабочий машинного отделения и клерк из регистратуры.

— Любопытно. Все из разных служб, расположенных на порядочном расстоянии друг от друга, — удивился О'Доннел.

— Однако у них есть один общий плацдарм — больничный кафетерий. Я не сомневаюсь, что мы на правильном пути. — Чандлер выразительно посмотрел на главного хирурга.

— В таком случае не буду вам мешать, — коротко сказал О'Доннел. — За дверью вас ждут еще двое.

Покидая амбулаторное отделение, Кент О'Доннел впервые мог более или менее спокойно окинуть взглядом все события этого дня. Их было немало, и все неприятные, если не сказать трагические. Гибель ребенка, снятие с работы Пирсона, добровольная отставка Чарли Дорнбергера, преступная халатность, в результате которой шесть месяцев в больнице грубо нарушались элементарные эпидемиологические правила, и, наконец, вспышка брюшного тифа, угрожающая превратиться в эпидемию. Угроза нависла над больницей как карающий меч.

Как могло это случиться? Не было ли все это внезапным симптомом давнего неблагополучия в больнице? И не результат ли это их общего самодовольства и самоуспокоенности?

«Мы все были уверены, что достигли многого, очень многого на пути к тому, чтобы создать некий храм здоровья и науки, где практиковалась бы настоящая медицина. Но мы потерпели неудачу. Постыдные мелочи, небрежность и халатность, столкновение с повседневными трудностями жизни — и вот уже храм превращается в гробницу, где будут похоронены все наши прекраснодушные мечты и замыслы».

Погруженный в горькие раздумья, О'Доннел шел коридорами больницы, никого и ничего не замечая.

В кабинете его встретил резкий звонок междугородного вызова. Сняв трубку, он услышал голос Дениз:

— Кент, милый, как хорошо, что я тебя застала. Ты сможешь приехать в Нью-Йорк на уик-энд? У меня званый ужин в пятницу, и я хочу представить тебя моим друзьям.

Он колебался лишь секунду, прежде чем ответить:

— Мне очень жаль, Дениз, но я не смогу.

— Но ты должен!.. — В ее голосе послышались капризные, настойчивые нотки. — Я разослала приглашения.

— Боюсь, что это невозможно. — Он постарался вложить в слова всю свою озабоченность и тревогу. — У нас эпидемия. Я обязан быть здесь.

— Но, дорогой, ты ведь обещал приехать по первому моему зову. — В голосе Дениз звучала обида. Если бы она была здесь, он сумел бы ей все объяснить. Сумел бы?

— Я не мог предвидеть, Дениз, что так получится.

— Ты можешь оставить кого-нибудь вместо себя. — Было ясно, что Дениз не хочет его понять.

— Этого я не сделаю, Дениз, — сказал он тихо.

После паузы он услышал голос Дениз:

— Я предупреждала тебя, что я ужасная собственница.

— Дениз, дорогая, пожалуйста, пойми...

— Это все, что ты можешь мне сказать? — Голос ее был все еще мягким, почти ласковым.

— Да. Мне очень жаль. Я позвоню, как только освобожусь.

— Хорошо, Кент, — сказала она. — До свидания.

— До свидания. — Он медленно положил трубку.

23

Прошло четыре дня с тех пор, как в больнице Трех Графств обнаружились случаи брюшного тифа.

В это утро в кабинете администратора мрачные и озабоченные председатель попечительского совета больницы Ордэн Браун и Кент О'Доннел прислушивались к телефонному разговору, который вел с городом Гарри Томаселли.

— Да, — наконец сказал администратор, — я все понимаю. К пяти часам? Хорошо. До свидания. — И он положил трубку.

— Ну, что там? — взволнованно спросил Ордэн Браун.

— Городской отдел здравоохранения дает нам срок до пяти часов вечера. Если к этому времени мы не обнаружим очаг, то должны закрыть пищеблок.

— Понимают ли они, что это значит? — вскочив на ноги, воскликнул О'Доннел. — Это равносильно закрытию больницы!

— Я им все объяснил, но они боятся, как бы эпидемия не перекинулась на город, — ответил Томаселли.

— Что в лабораториях? — спросил Ордэн Браун.

— Продолжают исследования. Я был у них полчаса назад.

— Не могу понять, — расстроенно заметил председатель попечительского совета. — Уже десять случаев брюшного тифа за четыре дня, а мы до сих пор не знаем, где источник инфекции.

— Это огромная работа, и, заверяю вас, они делают все, что возможно, — успокоил его О'Доннел.

— Я никого не виню, — резко сказал Браун, — во всяком случае, пока. Но мы должны добиться результатов немедленно.

— Джо Пирсон сказал мне, что они надеются закончить всю работу завтра утром. Нельзя ли убедить отдел здравоохранения подождать хотя бы до завтрашнего дня?

Администратор отрицательно покачал головой:

— Я уже пытался это сделать. Санитарный инспектор города снова был здесь сегодня утром и придет опять к пяти часам. Если к тому времени не будет результатов, боюсь, нам придется подчиниться их решению.

— Что тогда? Ваше мнение? — спросил его Ордэн Браун.

— Придется закрыть больницу.

Наступило молчание. Затем Томаселли спросил:

— Кент, вы могли бы вместе со мной принять инспектора в пять вечера?

— Хорошо, — мрачно ответил О'Доннел. — Думаю, мне не мешает при этом присутствовать.

Все работавшие в лаборатории испытывали на себе результаты нервного и физического напряжения последних дней.

Доктор Пирсон осунулся, под глазами у него были красные круги, и его медленные движения свидетельствовали об усталости. Последние три ночи он не уходил из больницы и урывками спал на диване у себя в кабинете. Лишь однажды его не было в отделении в течение нескольких часов. Никто не знал, куда он ушел, и Коулмен не мог его найти, хотя администратор и О'Доннел несколько раз справлялись, где он. Затем он снова появился, никому не объяснив своего отсутствия, и продолжал руководить работой.

— Сколько мы сделали? — спросил Пирсон.

Доктор Коулмен посмотрел в список и ответил:

— Восемьдесят одну пробу. Пять еще в термостате и будут готовы завтра утром.

Хотя Коулмен выглядел не таким усталым, как Пирсон, он начал сомневаться, продержится ли он еще, если работа затянется. Он спал в собственной квартире, но уходил из больницы далеко за полночь и возвращался к шести утра.

Но как бы рано он ни приходил, он заставал в лаборатории Александера, который работал с точностью хорошо отлаженного механизма, а его записи были неизменно сделаны аккуратным, разборчивым почерком. Его можно было не инструктировать, настолько хорошо он знал свое дело. Пирсон после первой проверки одобрительно кивнул и предоставил Александера самому себе, лишь спросив, какие у него цифры.

— Из восьмидесяти девяти проверенных культур выделены сорок две для посевов, сделано двести восемьдесят посевов, — сообщил тот.

Пирсон подсчитал в уме: «Значит, остается проверить еще сто десять субкультур, включая завтрашнюю партию».

Следя за Александером, Коулмен подумал, что его увлеченность работой — это попытка забыть о личном горе. Александер сказал о своем намерении поступить в медицинский институт. Коулмен решил поговорить с ним об этом, как только минует кризис. Александеру будет нелегко, особенно материально, когда он вновь станет студентом.

А вот Карл Баннистер окончательно выдохся, и Коулмен, даже не спрашивая Пирсона, отправил его домой. Благодарный Баннистер ушел не возражая.

Все двести восемьдесят посевов, о которых говорил Александер, были распределены по полочкам в лаборатории или находились в термостатах. И хотя многие из них были полностью исследованы, ни один еще не выявил бациллоносителя.

Зазвонил телефон, и Пирсон снял трубку.

— Нет, — сказал он, — пока ничего. Я ведь сказал, что сообщу немедленно, как только обнаружим.

Закончив одну из записей, Александер закрыл глаза, наслаждаясь недолгим отдыхом.

— Отдохнули бы часок, Джон. Навестите жену, — сказал Коулмен.

— Проверю еще одну серию, а потом отдохну, — сказал он. Взяв посевы из инкубатора, он начал расставлять десять пробирок для исследования. Взглянув на часы, он с удивлением заметил, что еще один день близится к концу. Было без десяти пять.

О'Доннел положил трубку.

— Пока ничего.

Закрытие больницы было почти неизбежно. Уже с полудня постепенно вводился в действие план Томаселли. Больных, кого можно, выписывали домой, а тех, кто нуждался еще в больничном уходе, переводили в другие больницы в самом Берлингтоне или в округе. К завтрашнему утру в больнице должны остаться только сто самых тяжелых, нетранспортабельных больных, которые будут получать питание из двух местных ресторанов.

Час назад Томаселли дал указание начать эвакуацию. Она может продлиться до полуночи. За сорок лет своей истории больница Трех Графств впервые выпроваживала из своих стен больных людей.

В кабинет администратора вошел Ордэн Браун.

— Кент, сейчас уже это не имеет значения, но я должен вам сказать, пока не забыл. Звонил Юстас Суэйн. Он хочет, чтобы вы зашли к нему, когда мы покончим с этим делом.

На мгновение О'Доннел онемел от неожиданности. Ему было совершенно ясно, почему Суэйн хочет его видеть. Неужели даже теперь старик намерен оказывать на него давление? После всего, что произошло? О'Доннел не выдержал:

— К черту вашего Юстаса Суэйна!

— Разрешите вам напомнить, — ледяным тоном произнес Ордэн Браун, — что вы говорите об одном из членов попечительского совета больницы. Какие бы между вами ни были разногласия, он заслуживает хотя бы учтивости.

О'Доннел смерил Ордэна гневным взглядом. «Очень хорошо, — подумал он, — если надо помериться силами, я готов. Хватит с меня вашей большой политики». Звонок секретаря Томаселли известил о приходе санитарного инспектора.

Было без трех минут пять.

Небольшая группа во главе с О'Доннелом, состоявшая из Ордэна Брауна, Гарри Томаселли, городского санитарного инспектора доктора Норберта Форда, диетсестры миссис Строуган и помощника санитарного инспектора, чье имя О'Доннел так и не расслышал, направилась в патологоанатомическую лабораторию.

Пирсон поднялся и пошел им навстречу, сопровождаемый Коулменом.

О'Доннел представил всех друг другу.

— Джо, — сказал О'Доннел, — я должен сообщить вам, что у доктора Форда есть предписание закрыть пищеблок больницы.

— Сегодня?

Санитарный инспектор утвердительно кивнул.

— Но это нелепость! — не удержался Пирсон. К нему вернулся его воинственный вид, глаза грозно сверкали на усталом лице. — Мы будем работать всю ночь и завершим все к завтрашнему утру. Если в больнице есть бациллоноситель, я уверен, мы его обнаружим.

— Очень сожалею. — Санитарный инспектор был непреклонен. — Мы больше не можем рисковать.

— Но закрывать пищеблок — значит закрыть больницу! — негодовал Пирсон. — Неужели вы не можете подождать до утра?

— Боюсь, что нет. — Доктор Форд был непреклонен. — Это не только мое решение. Вспышка брюшного тифа может в любую минуту распространиться на город.

На щеках Пирсона заходили желваки. Из его глубоко посаженных, покрасневших от бессонницы и усталости глаз, казалось, вот-вот хлынут слезы.

— Я никогда не думал, что доживу до такого... — почти шепотом выговорил он.

Все молча повернулись, чтобы уйти, как вдруг раздался торжествующий крик Александера:

— Есть!

— Что есть? — не понимая, резко спросил Пирсон.

— Бациллоноситель, — пояснил взволнованный Александер, указывая на пробирки, которые только что осмотрел.

Пирсон почти подбежал к его столу и осмотрел ряд пробирок.

— Прочтите вслух ваши записи, — приказал он.

Александер раскрыл тетрадь.

Пирсон взял первую из десяти пробирок.

— Глюкоза, — сказал он.

— Образовалась кислота, газа нет, — прочел Александер.

Пирсон кивнул. Взяв вторую пробирку, он сказал:

— Лактоза.

— Ни кислоты, ни газа, — ответил Александер.

— Верно. Дульцитол.

— Ни кислоты, ни газа, — прочел Александер.

— Сахароза.

— Ни кислоты, ни газа. — Еще одна правильная реакция на брюшнотифозные бациллы. Напряжение в лаборатории нарастало.

Пирсон взял следующую пробирку.

— Маннит.

— Образовалась кислота, газа нет.

— Правильно. Мальтоза.

— Кислота есть, газа нет.

Пирсон кивнул. Шесть, осталось еще четыре.

— Ксилоза.

— Есть кислота, газа нет.

— Аравиноза.

— Должно быть так: кислота без газа, либо вообще отсутствие реакции, — прочел Александер.

— Реакции нет, — объявил Пирсон.

Оставалось две пробирки.

— Рамиоза?

— Без реакции.

Пирсон посмотрел на пробирку и тихо повторил:

— Реакции нет.

Осталась последняя пробирка.

— Производство индола.

— Отрицательно, — ответил Александер и отложил тетрадь.

Пирсон повернулся к присутствующим.

— Вне всякого сомнения, — сказал он, — мы нашли носителя тифа.

— Кто он? — спросил администратор.

Пирсон перевернул чашку Петри и прочел:

— Номер семьдесят два.

Коулмен пробежал глазами регистрационный журнал:

— Шарлотта Бэрджес.

— Я ее знаю! — воскликнула миссис Строуган. — Она стоит на раздаче!

Как бы по команде все взглянули на часы. Было семь минут шестого.

— Ужин! — крикнула миссис Строуган. — Начинается раздача ужина!

— Скорее в столовую! — промолвил Томаселли и первым бросился к двери.

Сестра Пэнфилд собиралась войти в кафетерий, когда в коридоре увидела группу людей, среди которых узнала администратора Томаселли, главного хирурга больницы О'Доннела и диетсестру миссис Строуган.

Они быстро вошли в кухню через служебную дверь.

Заметив сестру Пэнфилд, О'Доннел попросил ее присоединиться к ним.

Все произошло очень быстро. Миссис Бэрджес, пожилая женщина, обслуживавшая обедающих на раздаче, через несколько минут уже сидела в кабинете миссис Строуган, расположенном в самом конце кафетерия.

О'Доннел как можно спокойнее разъяснил ей все, а сестре Пэнфилд отдал распоряжения отвести больную в изолятор, запретив ей какие-либо контакты.

Сестра Пэнфилд увела испуганную женщину.

— Что с ней будет, доктор? — спросила О'Доннела расстроенная миссис Строуган.

— Мы будем ее лечить, вот и все, — ответил О'Доннел. — Она будет в изоляторе, ее будут обследовать терапевты. Иногда у носителей брюшного тифа бывает поражен желчный пузырь, в таком случае ей, возможно, понадобится операция. Разумеется, все, кто с ней общался, будут взяты под наблюдение. Об этом позаботится доктор Чандлер.

Уже из кабинета диетсестры Томаселли по телефону отменял перевозку и выписку больных, за исключением тех, кто так или иначе подлежал выписке. Отдав распоряжения, администратор облегченно улыбнулся О'Доннелу. И в заключение крикнул в трубку:

— Скажите им всем, что больница Трех Графств не закрывается!

Томаселли положил трубку и с благодарностью принял из рук миссис Строуган чашку горячего кофе.

— Кстати, миссис Строуган, — промолвил он, — я не имел возможности сообщить вам раньше: на днях вы все-таки получите ваши новые посудомоечные машины.

24

В огромной мрачной прихожей лакей принял от О'Доннела пальто и шляпу. Что заставляет людей богатых и независимых жить в этих угрюмых стенах, подумал О'Доннел, оглядываясь вокруг. Хотя такому человеку, как Юстас Суэйн, эти темные панели, оленьи рога, тяжелый мрамор стен напоминают о собственном величии и создают, должно быть, иллюзию феодальной власти.

Что станет с этим домом, когда умрет его владелец? Скорее всего здесь откроют музей или художественную галерею или просто будет стоять, пустой и заброшенный, как многие подобные здания. О'Доннел подумал, что в этих стенах прошло детство Дениз. Была ли она счастлива здесь?..

— Мистер Суэйн немного устал сегодня, сэр, — прервал его раздумья лакей, — он просил узнать, не возражаете ли вы, если он примет вас в спальне?

— Пожалуйста. — О'Доннел проследовал за лакеем по широкой крутой лестнице в огромную спальню Суэйна.

Старый магнат полулежал в старинной кровати с пологом. Подойдя поближе, О'Доннел заметил, как сильно сдал Суэйн с того памятного обеда, на котором произошла его встреча с Дениз.

— Благодарю вас, что пришли, — произнес Суэйн слабым голосом, указывая на кресло у кровати.

— У меня был Джо Пирсон, — промолвил он, когда О'Доннел сел. — Дня три назад.

— Это хорошо, что он навестил вас, сэр.

— Он сказал, что уходит из больницы. — Голос старика звучал устало, в нем не было и тени упрека. — Должно быть, сть вещи, которые от нас не зависят. — Теперь в его голосе лышалась горечь.

— Да, — тихо согласился О'Доннел.

— У Джо Пирсона было две просьбы ко мне, — продолжал Суэйн. — Первая касалась моих пожертвований в фонд больничного строительства. Он просил, чтобы я не ставил больнице никаких условий. Что ж, я согласен.

Суэйн умолк. О'Доннел также не произнес ни слова. Слишком неожиданным был этот поворот. Идя сюда, он ожидал другого.

— Вторая просьба Пирсона носит личный характер. У вас в больнице работает, если я не ошибаюсь, некий Александер?

— Да. — О'Доннел был совсем озадачен. — Это наш лаборант.

— Это у него погиб ребенок?

— Да.

— Джо Пирсон просил, чтобы я субсидировал его учебу на медицинском факультете университета. Так вот, я решил учредить такой фонд и передать его в распоряжение больничного совета. Но я ставлю условие. — Суэйн взглянул в лицо О'Доннелу. — Это будет фонд имени Джозефа Пирсона. У вас есть возражения?

— Майк, пожалуйста, скажи мне правду, — говорила Вивьен. Они смотрели друг на друга. Девушка лежала на больничной кровати, Майк Седдонс стоял рядом.

После операции, перенесенной Вивьен, они виделись впервые. Вивьен пристально вглядывалась в лицо Майка. Ей было страшно поверить в то, о чем она уже догадывалась.

— Вивьен, — начал Майк. Было заметно, что он волнуется. — Я должен сказать тебе...

— Кажется, я знаю, что ты хочешь сказать мне, Майк. — Голос звучал безжизненно. — Ты раздумал жениться на мне. Боишься, я буду тебе обузой...

Больше всего Майку хотелось убежать от этих устремленных на него страдальческих глаз. Но он еще медлил.

— Я хотел спросить: что ты теперь думаешь делать?

— Право, не знаю. — Вивьен прилагала заметное усилие, чтобы голос ее звучал ровно. — Если возьмут, буду опять медсестрой. Ведь еще неизвестно, чем все кончится. Вот так, Майк!

У него хватило такта промолчать. Подойдя к двери, Седдонс обернулся.

— Прощай, Вивьен.

Девушка попыталась ответить, но выдержка изменила ей, и она разрыдалась.

— Доктор Коулмен! Прошу вас, заходите. — Кент О'Доннел учтиво приподнялся, приветствуя молодого врача. — Курите? — О'Доннел протянул Коулмену портсигар.

— Благодарю. — Коулмен взял сигарету и прикурил ее от зажигалки, предложенной О'Доннелом. Он откинулся на спинку кресла. Чутье подсказывало ему, что разговор предстоит серьезный.

О'Доннел встал из-за стола. Его широкоплечая фигура почти закрыла собой окно, в которое светили яркие лучи утреннего солнца.

— Вы, разумеется, уже слышали, что Пирсон уходит из больницы? — сказал он, обращаясь к патологоанатому.

— Да, — сдержанно ответил Коулмен. И к собственному удивлению, добавил: — В последние дни он не жалел себя, работал днем и ночью, почти не покидая больницы.

— Да, да, я знаю. — Главный хирург пристально разглядывал тлеющий кончик своей сигареты. — Но это уже ничего не может изменить. Джо хочет уйти немедленно, — продолжал он. — А это означает, что должность главного патологоанатома остается вакантной. Что вы скажете, если я предложу ее вам?

Секунду Дэвид Коулмен не знал, что ответить. Это было то, о чем он всегда мечтал, — свое отделение, возможность поставить работу так, как он считает нужным, используя все современные достижения.

Но какая огромная ответственность ляжет на его плечи! Он будет совсем один. Без старшего, с кем можно посоветоваться. Его слово, его решение будет последним. Окончательный диагноз будет теперь зависеть от него. Готов ли он к этому? Если бы можно было выбирать, Коулмен предпочел бы еще несколько лет работы под руководством более опытного патологоанатома. Но ему предлагают выбор уже сейчас. Надо решать.

— Если бы вы мне предложили эту должность, — твердо сказал он, — я бы принял ее.

— Отлично. Я предлагаю ее вам, — улыбнулся О'Доннел.

Главный хирург испытывал чувство удовлетворения. Он не сомневался, что сделал правильный выбор. К тому же они отлично сработаются, а это пойдет только на пользу больнице Трех Графств. И чтобы помочь своему молодому коллеге избавиться от некоторой натянутости, задал Коулмену несколько вопросов. Вскоре их беседа приняла тот непринужденный характер, который свидетельствует о том, что люди прекрасно понимают друг друга.

Была вторая половина дня. О'Доннел, шедший по коридору главного здания больницы, замедлил шаги.

— Устал, Кент? — услышал он голос.

Задумавшись, он не заметил, как доктор Люси Грэйнджер поравнялась с ним.

Они пошли рядом.

Милая, добрая, все понимающая Люси. Какими далекими казались теперь мысли о Дениз в Нью-Йорке. Как он этого не понимал? Его место здесь, в Берлингтоне, в больнице Трех Графств.

— Люси, мне так много надо тебе сказать. Где я могу тебя видеть?

— Пригласи меня пообедать, Кент, — ласково сказала Люси.

В подвальном этаже больницы, там, где находилось патологоанатомическое отделение, темнело рано. Повернув выключатель, Дэвид Коулмен подумал, что сразу же поставит вопрос о предоставлении отделению более удобного помещения. Свет и воздух здесь так же необходимы, как и в других отделениях.

Только сейчас Коулмен заметил доктора Пирсона. Он разбирал ящики своего стола.

— Удивительно, — заметил Пирсон, поднимая голову, — сколько ненужного хлама может накопиться за тридцать лет!

Пирсон задвинул последний ящик и переложил часть бумаг в небольшой чемоданчик.

— Вы получили новое назначение, я слышал. Поздравляю вас.

— Поверьте, мне бы хотелось, чтобы все это произошло как-то иначе! — искренне воскликнул Коулмен.

— Что говорить об этом! — Пирсон защелкнул чемоданчик и оглянулся вокруг. — Кажется, все. Если я что-нибудь забыл, можно прислать мне вместе с чеком на получение пенсии.

— Я хотел бы вам кое-что сказать, если позволите, — промолвил Коулмен.

— Слушаю.

— Речь идет о диагнозе. Помните сестру-практикантку, у которой ампутировали ногу? Сегодня утром я исследовал ампутированную конечность. Правы были вы, а я ошибался. Это костная саркома.

Пирсон не ответил. Казалось, мысленно он был уже где-то за пределами больницы и ее интересов.

— Я рад, что не ошибся хотя бы в этом случае, — наконец тихо сказал он и, взяв пальто, сделал несколько шагов к двери, но вдруг остановился, словно раздумывая. — Позвольте дать вам совет?

— О, конечно!

— Вы еще молоды, — сказал Пирсон, — у вас есть характер, вы знаете свое дело. Вы знаете то, чего я уже, пожалуй, не смогу узнать. Но примите мой совет и постарайтесь следовать ему. Это будет нелегко, но вы не сдавайтесь.

Пирсон указал рукой на стол, за которым только что сидел.

— Вот вы приходите на работу, садитесь за этот стол, и тут же начнет звонить телефон. Администратор больницы хочет выяснить вопрос, касающийся бюджета. Затем кто-то из лаборантов подает заявление об уходе, и вам надо все улаживать и выяснять. А там приходят врачи и требуют заключений. — Губы его искривила горькая усмешка. — Затем является коммивояжер и предлагает небьющиеся пробирки или вечные горелки. А когда вы наконец выпроводили его, является еще кто-нибудь. И так все время. Пока наконец вы с ужасом не обнаруживаете, что день ушел, а вы ничего не сделали. — Пирсон умолк.

Коулмен понимал, что старому патологоанатому очень важно сказать все это. Ведь он рассказывал о себе.

— Так летят дни, годы. За это время вы не один десяток врачей отправляете на курсы усовершенствования, заставляете следить за всем новым, что появляется в медицине. А у вас самого все нет для этого времени. Научная и исследовательская работа заброшена: вы слишком устаете за день, вечером даже не можете читать. И вот однажды вам становится ясно, что ваши знания устарели. И уже поздно что-либо изменить.

Пирсон положил руку на рукав Коулмена.

— Прислушайтесь к словам старика, который прошел через все это и допустил непоправимую ошибку: отстал от жизни. Не повторите моей ошибки. Заприте кабинет, бегите от телефонных звонков и бумажек. Читайте, учитесь, держите глаза и уши открытыми для всего нового. Тогда вас никто не сможет упрекнуть, никто не скажет: «Он отстал, это — вчерашний день медицины». — Голос старого врача дрогнул, и он отвернулся.

— Благодарю вас, я запомню все, что вы мне сказали, — тихо ответил Коулмен. — Я провожу вас.

Они поднялись по лестнице на первый этаж. В больнице была обычная предвечерняя суета. Наступило время ужина. Мимо, шурша накрахмаленным халатом, прошла сестра с подносом, направляясь в палату. Они посторонились, чтобы дать дорогу коляске, в которой сидел пожилой мужчина — одна нога у него была в гипсе. Весело переговариваясь, пробежала стайка сестер-практиканток. Мужчина, крепко держа в руках букет цветов, шагал к лифту. Где-то плакал ребенок. Это был привычный мир больницы, в нем, как в зеркале, отражалась жизнь, которая текла за ее стенами.

Пирсон, казалось, жадно впитывал в себя все и запоминал. «Сегодня, быть может, он видит это в последний раз, — подумал Коулмен. — Интересно, что будет со мной через тридцать лет? Вспомню ли я этот день, день прощания старого Джо Пирсона с больницей?»

— Доктор Коулмен! Доктор Коулмен! Вас требуют в отделение хирургии! — послышалось из рупора внутренней радиосети.

— Итак, ваш день начинается, — сказал Пирсон. — Вас вызывают для установления диагноза. — Он протянул Коулмену руку. — Желаю удачи.

— Благодарю вас. — Коулмен с чувством пожал ее.

Старый врач направился к выходу.

— Доброй ночи, доктор Пирсон, — вежливо промолвила спешившая по коридору медсестра.

— Доброй ночи! — поклонился ей Пирсон. И, на секунду остановившись под табличкой «Не курить», раскурил свою сигару.

СОДЕРЖАНИЕ

ISBN 5-237-00164-5

9 785237 001648

Литературно-художественное издание

Хейли Артур

**Аэропорт
Окончательный диагноз**

Редактор Л. К. Молотилова
Художественный редактор О. Н. Адаскина
Технический редактор Т. Н. Шарикова

Подписано в печать 31.08.99.
Формат 84×108 $^{1}/_{32}$. Гарнитура «Академия».
Усл. печ. л. 33,60. Тираж 5 000 экз.
Заказ № 643.

Гигиенический сертификат
№ 77.ЦС.01.952.П.01659.Т.98. от 01.09.98 г.

Налоговая льгота — общероссийский классификатор продукции
ОК-00-93, том 2; 953000 — книги, брошюры

ООО «Фирма "Издательство АСТ"»
ЛР № 066236 от 22.12.98.
366720, РФ, РИ, г. Назрань, ул. Московская, 13а
Наши электронные адреса: WWW.AST.RU
E-mail: astpub@aha.ru

Отпечатано с готовых диапозитивов
в ОАО «Рыбинский Дом печати»
152901, г. Рыбинск, ул. Чкалова, 8.